CB059837

EU SOU DINAMITE!

2ª reimpressão

Sue Prideaux

EU SOU DINAMITE!
A vida de Friedrich Nietzsche

Tradução
Claudio Carina

CRÍTICA

Copyright © Sue Prideaux, 2018
Copyright © Editora Planeta do Brasil, 2019
Todos os direitos reservados.
Título original: *I am Dynamite!: A life of Nietzsche*

Coordenação editorial: Sandra Espilotro
Preparação: Tiago Ferro
Revisão: Carmen T.S. Costa, Andressa Veronesi
Diagramação: A2
Capa: Elmo Rosa
Imagem de capa: Lebrecht Music & Arts / Alamy Stock Photo

CIP-BRASIL. CATALOGAÇÃO NA PUBLICAÇÃO
SINDICATO NACIONAL DOS EDITORES DE LIVROS, RJ

Prideaux, Sue
    Eu sou dinamite : a vida de Friedrich Nietzsche / Sue Prideaux. Tradução de Claudio Carina – São Paulo: Planeta do Brasil, 2019.
    440 p.

ISBN: 978-85-422-1644-8
Título original: I am dynamite

1. Nietzsche, Friedrich Wilhelm, 1844-1900 - Biografia 2. Filósofos - Alemanha - Biografia 3. Filosofia alemã I. Título

19-0935   CDD 921.3

2021
Todos os direitos desta edição reservados à
EDITORA PLANETA DO BRASIL LTDA.
Rua Bela Cintra, 986 – 4º andar
01415-002 – Consolação – São Paulo-SP
www.planetadelivros.com.br
faleconosco@editoraplaneta.com.br

Para Georgia, Alice, Mary,
Sam e George.

Torne-se quem você é, tendo aprendido o que é isso.

Sumário

1. Uma noite musical 9
2. Nossa Atenas alemã 29
3. Torne-se quem você é 45
4. Naxos 65
5. O nascimento da tragédia 91
6. Chalé do Veneno 115
7. Conceito-tremor 127
8. O último discípulo e o primeiro discípulo 143
9. Espíritos livres e não tão livres 157
10. Humano, demasiado humano 171
11. O andarilho e sua sombra 183
12. Filosofia e eros 199
13. A aprendiz do filósofo 211
14. Meu pai Wagner morreu.
    Meu filho Zaratustra nasceu 227
15. Só existem ressurreições onde há túmulos 239
16. Ele me emboscou! 253
17. Declamando no vazio 265
18. Lhamalândia 279
19. Eu sou dinamite! 289
20. Crepúsculo em Turim 305
21. O minotauro da caverna 327
22. O ocupante vazio de quartos mobiliados 341

Aforismos 373
Cronologia 387
Notas 393
Bibliografia selecionada 407
Agradecimentos 411
Agradecimentos das citações 413
Índice remissivo 415

1
Uma noite musical

> Para fugir de uma pressão insuportável você precisa de haxixe. Bem, então, eu preciso de Wagner. Wagner é o antídoto para tudo que é alemão.
>
> *Ecce homo*, "Por que sou tão inteligente", seção 6

Em 9 de novembro de 1868, com 24 anos, Nietzsche contou uma história cômica a Erwin Rohde, seu amigo e colega na Universidade de Leipzig. Ele escreveu:

> Os atos na minha comédia são intitulados:
> 1. Uma reunião noturna da sociedade, ou o professor assistente.
> 2. O alfaiate expulso.
> 3. Um encontro com X.
>
> O elenco inclui algumas senhoras.
>
> Na noite de quinta-feira Romundt me levou ao teatro, que me desperta sentimentos cada vez mais frios [...] acomodamo-nos como deuses entronados no Olimpo para julgar uma peça medíocre chamada *Graf Essex*. Claro que reclamei com meu sequestrador [...]
>
> A primeira palestra do semestre da Sociedade Clássica foi marcada para a noite seguinte e fizeram a cortesia de me convidar a fazer parte. Precisei me munir de um estoque de armas acadêmicas, mas logo estava preparado, e tive o prazer de encontrar, ao entrar no salão em Zaspel, uma missa negra de quarenta ouvintes [...] Falei bem à vontade, auxiliado apenas por anotações em um pedaço de papel [...] Acho que vai dar certo, essa carreira acadêmica. Quando cheguei em casa encontrei um bilhete a mim endereçado, com umas poucas palavras: "Se você quiser conhecer Richard Wagner, esteja às 15h45 no Café Théâtre. Windisch".

Essa surpresa causou um turbilhão em minha mente [...] claro que saí correndo para encontrar nosso honorável amigo Windisch, que me deu mais informações. Wagner encontrava-se estritamente incógnito em Leipzig. A imprensa não sabia de nada e os criados foram orientados a se manter em silêncio como túmulos de libré. Acontece que a irmã de Wagner, Frau Professor Brockhaus,[1] aquela mulher inteligente que nós dois conhecemos, apresentou ao irmão sua boa amiga, Frau Professor Ritschl. Na presença de Frau Ritschl, Wagner toca "Meisterlied" [a ária de Walther para a mais recente ópera de Wagner, *Die Meistersinger*, que havia estreado alguns meses antes] e a boa mulher diz a ele que já conhece bem essa melodia. [Ela já a tinha ouvido sendo tocada e cantada por Nietzsche, apesar de a partitura musical ter sido publicada muito recentemente.] Alegria e surpresa da parte de Wagner! Declara sua suprema vontade de encontrar-se comigo incógnito; sou convidado para a noite de domingo [...]

Durante os dias intervenientes meu estado de espírito pareceu coisa de um romance: acredite em mim, os preliminares para esse encontro, considerando o quanto esse homem excêntrico é inacessível, pareciam quase um conto de fadas. Acreditando que muitas pessoas seriam convidadas, resolvi me vestir de forma muito elegante, e por isso fiquei feliz por meu alfaiate ter prometido meu novo terno de gala para aquele mesmo domingo. Foi um dia terrível de chuva e neve. Tremia só de pensar em sair de casa, por isso fiquei contente quando Roscher[2] me fez uma visita à tarde para me dizer algumas coisas sobre a Eleática [uma antiga escola de filosofia grega, provavelmente do século VI a.C.] e sobre Deus na filosofia. Afinal o dia começou a escurecer, o alfaiate não apareceu e chegou a hora de Roscher ir embora. Eu saí com ele para ir até o alfaiate pessoalmente. Lá encontrei seus escravos extremamente ocupados com o meu terno; eles prometeram enviá-lo em três quartos de hora. Saí de lá contente, passei pelo Kintschy's [um restaurante de Leipzig muito frequentado por estudantes], li a *Kladderadatsch* [uma revista satírica ilustrada] e tive o prazer de ler uma notícia de que Wagner estava na Suíça. O tempo todo eu sabia que iria me encontrar com ele naquela mesma noite. Também sabia que ontem ele tinha recebido uma carta de um reizinho [Ludwig II da Baviera] assim endereçada: "Ao maior compositor alemão, Richard Wagner".

Em casa não vi nenhum alfaiate. Dei uma lida na dissertação sobre Eudóxia,[3] vez ou outra perturbado por uma campainha alta porém distante. Finalmente cheguei à conclusão de que havia alguém em frente ao patriarcal portão de ferro forjado; estava trancado, assim como a porta da frente da casa. Gritei para o homem e disse para ele entrar por trás. Era impossível se fazer entender com aquela chuva. A casa inteira estava agitada. Finalmente o portão foi aberto e um velhinho chegou ao meu quarto com um pacote. Eram seis e meia, hora de me vestir e me preparar, pois eu moro um pouco longe. O homem está com as minhas roupas. Eu as experimento; elas servem. Um momento ominoso: ele apresenta a conta. Aceito-a com delicadeza; ele quer ser pago contra a entrega dos artigos. Fico surpreso e explico que não vou tratar com ele, um empregado, apenas com o próprio alfaiate. O homem me pressiona. O tempo me pressiona. Pego as coisas e começo a vesti-las. Ele as agarra, não me deixa vesti-las – força do meu lado; força do lado dele. Cena: estou lutando só de camisa, tentando colocar minhas calças novas.

Uma demonstração de dignidade, uma ameaça solene. Amaldiçoando meu alfaiate e seu assistente, juro vingança. Enquanto isso ele está indo embora com minhas coisas. Fim do segundo ato. Fico matutando no sofá, só de camisa, considerando se um veludo preto será suficiente para Richard.

Lá fora a chuva está forte. Um quarto para as oito. Combinamos de nos encontrar no Café Théâtre às sete e meia. Saio para a noite de vento e chuva, um homenzinho de preto sem um traje de gala.

Entramos na confortável sala de visita de Brockhaus; ninguém no local além do círculo familiar, Richard e eu. Sou apresentado a Richard e me dirijo a ele com umas poucas palavras respeitosas. Ele quer saber detalhes exatos de como fiquei conhecendo sua música, amaldiçoa todas as apresentações de suas óperas e zomba dos maestros que orientam suas orquestras com voz branda: "Senhores, aqui é mais passional. Meus bons companheiros, um pouco mais passional!" [...]

Antes e depois do jantar, Wagner tocou os principais trechos de *Meistersinger*, imitando todas as vozes com grande exuberância. Realmente ele é um homem fabuloso, vivaz e fogoso, que fala muito depressa, é muito espirituoso e transforma uma reunião íntima como essa em um acontecimento muito divertido. Entrementes, tive uma conversa meio longa com ele sobre Schopenhauer; você vai entender o quanto apreciei ouvi-lo falar sobre Schopenhauer com um entusiasmo indescritível, sobre o quanto o reconhecia como o único filósofo que entendia a essência da música.

Os textos de Schopenhauer eram à época pouco conhecidos e não muito valorizados. As universidades se mostravam relutantes em reconhecê-lo como filósofo, mas Nietzsche se entusiasmou fervorosamente por Schopenhauer, tendo descoberto recentemente *O mundo como vontade e representação* por acaso, o mesmo acaso ou, como ele preferia dizer,[4] a mesma cadeia de coincidências fatídicas que pareciam ser organizadas pela infalível mão do instinto que o levara a esse encontro com Wagner na casa de Brockhaus.

O primeiro elo da corrente fora forjado um mês antes do encontro, quando Nietzsche ouviu os prelúdios das duas mais recentes óperas de Wagner, *Tristão e Isolda* e *Die Meistersinger von Nürnberg* [*Os mestres cantores de Nuremberg*]. "Todas as fibras, todos os nervos do meu corpo estremeceram", escreveu no mesmo dia, preparando-se para aprender os arranjos para piano. Depois disso, Ottilie Brockhaus ouviu-o tocar e transmitiu a informação ao seu irmão Wagner. E o terceiro elo: a grande admiração de Wagner pelo filósofo obscuro cujos textos serviram de consolo para Nietzsche três anos antes quando ele chegou a Leipzig, sozinho e infeliz.

> Eu [Nietzsche] vivia então em um estado de indecisão e impotência, sozinho e sob certas experiências e decepções dolorosas, sem princípios fundamentais, sem esperança e sem uma única lembrança prazerosa [...] Um dia encontrei este livro em uma livraria de segunda mão, peguei-o como algo bem desconhecido para mim e virei suas páginas. Não sei que demônio me sussurrou: "Leve este livro para casa". Foi o oposto de minha atitude habitual de hesitar em comprar algum livro. Ao chegar em casa, me joguei no sofá com o tesouro recém-adquirido e comecei a deixar aquele gênio energético e sombrio operar sobre mim [...] Vi ali um espelho de como eu via o mundo, a vida e minha própria natureza com uma grandiosidade aterrorizante [...] vi ali doença e saúde, exílio e refúgio, o Inferno e o Céu.[5]

Mas naquela noite na casa de Brockhaus não houve tempo para falar mais sobre Schopenhauer, pois o que Nietzsche descreveu foram as espirais de linguagem de Wagner, sua genialidade para moldar nuvens, seus rodopios, volteios e gesticulações, como ele conseguia estar em toda parte e em lugar nenhum.[6]

A carta continua:

> Depois [do jantar] ele [Wagner] leu um trecho da autobiografia que está escrevendo, uma cena extremamente deliciosa de seus tempos como estudante em Leipzig, dos quais ainda não consegue pensar sem dar risada; ele também escreve com uma inteligência e uma habilidade extraordinárias. Finalmente, quando estávamos nos preparando para sair, ele apertou minha mão calorosamente e me convidou muito cordialmente para visitá-lo, para fazer música e conversar sobre filosofia; também me confiou a tarefa de falar sobre sua música com sua irmã e parentes, o que me comprometi solenemente a fazer. Você vai saber mais quando eu puder pensar nesta

noite de forma mais objetiva e distanciada. Por hoje, um cálido até logo e desejos de melhora à sua saúde. F. N.

Quando saiu da sólida e muito bem localizada mansão de esquina da professora Brockhaus, Nietzsche foi saudado por rajadas de vento e salpicos de neve durante toda sua enregelante caminhada até a Lessingstrasse 22, onde alugava um quarto grande e não mobiliado do professor Karl Biedermann, editor do jornal liberal *Deutsche Allgemeine Zeitung*. Ele descreve seu estado de espírito como uma alegria indescritível. "Pensando bem, minha juventude teria sido intolerável sem a música de Wagner",[7] escreveu, e ele nunca se esqueceria do fascínio exercido pelo compositor. Wagner é mais citado que qualquer outra pessoa nos textos de Nietzsche, incluindo Cristo, Sócrates e Goethe.[8] Seu primeiro livro foi dedicado a Wagner. Dois de seus catorze livros têm Wagner no título. Em seu último livro, *Ecce homo*, Nietzsche escreveu que continuava procurando em vão em todos os campos da arte por uma obra "tão perigosamente fascinante, de uma infinidade exótica e meiga como *Tristão*".[9]

Desde cedo a ambição de Nietzsche era se tornar músico, mas como aluno extraordinariamente inteligente de uma escola extraordinariamente acadêmica, em que palavras estavam acima da música, aos dezoito anos ele abandonou a ideia, de forma relutante. Na ocasião de seu encontro com Wagner, Nietzsche ainda não era um filósofo, mas apenas um aluno da Universidade de Leipzig, onde estudava filologia clássica, a ciência das linguagens clássicas e da linguística.

Era um jovem bem empertigado, solene, culto e de boa índole, corpulento sem ser gordo. Nas fotografias, a impressão é que usava roupas emprestadas; os cotovelos e joelhos das vestimentas não estão nos lugares certos e os paletós repuxam nos botões. Baixo e de aparência comum, salvava-se do anonimato pelos olhos peculiarmente cativantes. Uma das pupilas era ligeiramente maior que a outra. Alguns dizem que as íris eram castanhas, outros que eram cinza-azuladas. Observavam o mundo com a incerteza difusa de uma extrema miopia, mas, quando focado, seu olhar era definido como intenso, penetrante e perturbador; fazia as mentiras entalarem na garganta do interlocutor.

Atualmente nós o conhecemos por fotografias, bustos e retratos de quando era mais velho, quando a boca e quase todo o queixo estavam totalmente recobertos pelo grande bigode em forma de chifre de carneiro, mas fotos tiradas com colegas estudantes durante os anos na Universidade de Leipzig nos mostram que, numa época em que pelos faciais predominavam, os dele eram comparativamente inexpressivos. Podemos ver que os lábios eram cheios e bem torneados, um fato confirmado mais tarde por Lou Salomé, uma das poucas mulheres que o beijaram, e podemos ver ainda que seu queixo era firme e arredondado. Assim como a voga intelectual anterior fora de melenas fluentes e gravatas-borboletas de seda frouxas que propagavam as credenciais do romantismo, Nietzsche anunciava seu racionalismo pós-romântico destacando sua testa impressionante, ocupada por um cérebro impressionante, escondendo os lábios sensuais e o queixo decidido.

Nietzsche vinha se sentindo cada vez mais insatisfeito como filólogo. Em carta escrita onze dias antes do encontro com Wagner, ele se define e a seus colegas filólogos como "a efervescente estirpe de filólogos do nosso tempo, tendo a cada dia de observar todas as suas pululantes verrugas, as bochechas caídas e os olhos cegos, felizes em capturar minhocas e indiferentes aos verdadeiros problemas, aos urgentes problemas da vida".[10] Um agravante adicional ao seu pessimismo era o fato de ser excepcionalmente bom nas verrugas pululantes que desprezava, e logo seria convidado a ocupar a cadeira de filologia clássica na Universidade de Basileia, tornando-se o mais jovem professor de todos os tempos. Mas essa glória ainda não havia chegado na noite em que Wagner o tratou como igual e deu mostras de que gostaria de continuar a amizade com ele. Foi uma honraria extraordinária.

Conhecido simplesmente como "o Mestre", o compositor estava na casa dos cinquenta anos e gozava de notoriedade em toda a Europa. Todos os seus movimentos eram noticiados na imprensa, como Nietzsche descobrira pouco antes daquela noite ao ler a revista *Kladderadatsch* na cafeteria. Se Wagner fosse à Inglaterra, a rainha Vitória e o príncipe Albert o convidavam para um passeio. Em Paris, a princesa Pauline Metternich cuidaria de tudo. O rei Ludwig da Baviera se dirigia a Wagner como "meu adorado e angélico amigo" e tinha planos de remodelar totalmente a cidade de Munique em homenagem à música dele.

Ludwig morreu antes que o extravagante esquema fosse realizado (possivelmente assassinado, para impedir que seus insanos projetos de construção levassem o país à bancarrota), mas ainda podemos ver seus planos arquitetônicos: uma nova avenida cortando o centro da cidade, atravessando o rio Isar por uma nobre ponte de pedra semelhante à ponte do arco-íris de Wotan, que levava ao Valhala em *Der Ring des Nibelungen* [*O anel do nibelungo*] de Wagner, concluindo com uma enorme casa de ópera que lembrava o Coliseu, fatiada verticalmente na metade com um par de asas de cada lado. Para o rei Ludwig, a música de Wagner era "minha mais linda, suprema e única consolação", um sentimento ecoado com frequência por Nietzsche.

Desde seus primeiros anos, Nietzsche se mostrou extraordinariamente sensível à música. Relatos da família sobre sua infância sugerem que para ele a música era mais importante que o discurso: uma criança tão calada que era a única presença que o pai, o pastor Karl Ludwig Nietzsche,[11] admitia em seu escritório forrado de lambris enquanto trabalhava em assuntos da paróquia e escrevia seus sermões. Pai e filho passavam horas e dias juntos numa suave monotonia, mas, como muitos garotos de dois e três anos, o pequeno Friedrich às vezes era acometido por violentos paroxismos de raiva, gritando e agitando braços e pernas furiosamente. Nesses momentos nada o aplacava, nem a mãe ou brinquedos, nem comida ou bebida, a não ser quando o pai abria a tampa do piano e tocava alguma música.

Em um país musical, o pastor Nietzsche era extremamente habilidoso no teclado; pessoas viajavam quilômetros para ouvi-lo tocar. Era pastor luterano na paróquia de Röcken, ao sul de Leipzig, onde J. S. Bach ocupou o cargo de diretor musical por 27 anos, até sua morte. Karl Ludwig era conhecido por seus recitais de Bach. Fato ainda mais incomum, era admirado por seu excepcional talento de improvisação, um talento que Nietzsche herdaria.

Os antepassados de Nietzsche eram gente modesta da Saxônia, açougueiros e trabalhadores rurais que ganhavam a vida nos arredores da cidade que abrigava a catedral de Naumburg. O pai de Karl Ludwig, Friedrich August Nietzsche, ascendeu socialmente com a família ao adotar o Sacramento das Ordens Sagradas e melhorou ainda mais sua posição ao se casar com Erdmuthe Krause, filha de um arquidiácono. Simpática às ideias de Napoleão, Erdmuthe deu à luz o pai de Nietzsche, Karl Ludwig, em 10 de outubro de 1813, alguns dias antes da Batalha das Nações, também chamada de Batalha de Leipzig, nas imediações da região onde Napoleão foi derrotado. Nietzsche adorava contar essa história. Considerava Napoleão o último grande imoralista, o último detentor de poder sem consciência, uma síntese de super-homem e monstro, e essa tênue ligação lhe conferia, segundo sua imaginação, a razão fisiopsicológica pré-natal de seu fascínio pelo herói. Uma das ambições não realizadas de sua vida foi fazer uma viagem à Córsega.

Karl Ludwig estava, naturalmente, destinado a seguir o pai no serviço à Igreja. Estudou na Universidade de Halle, perto de sua casa, havia muito renomada pelo ensino de teologia. Lá ele aprendeu, além de teologia, latim, grego e francês, história da Grécia e dos hebreus, filologia clássica e exegese bíblica. Não foi um estudante destacado, mas tampouco medíocre. Era conhecido como aluno esforçado e ganhou um prêmio por sua oratória. Ao sair da universidade, com 21 anos, arrumou um emprego como tutor na grande cidade de Altemburg, a uns cinquenta quilômetros ao sul de Leipzig.

Karl Ludwig era monarquista e conservador. Essas sólidas características chamaram a atenção do governante, José, duque de Saxe-Altemburg, que o contratou como supervisor da educação de suas três filhas, Therese, Elisabeth e Alexandra. Karl Ludwig tinha pouco mais de vinte anos, mas conseguiu exercer seu trabalho de forma admirável, e sem qualquer envolvimento romântico.

Depois de sete anos como tutor, candidatou-se ao posto de pastor da paróquia de Röcken, em uma planície fértil porém árida a aproximadamente 25 quilômetros de Leipzig. Em 1842, mudou-se para a residência paroquial com a mãe, Erdmuthe, então viúva. A residência era bem próxima de uma das igrejas mais antigas da província da Saxônia, uma velha igreja-fortaleza datada da primeira metade do século XII. Sob Frederico Barbarossa, sua torre alta e retangular dobrou de tamanho para servir como mirante para a extensa planície defendida pelos Cavaleiros de Kratzsch. A sacristia abrigava uma enorme efígie de pedra de um dos cavaleiros. A estátua aterrorizava o garoto Nietzsche quando o sol iluminava os olhos incrustados de rubis, fazendo-os brilhar e piscar.

Em uma visita à paróquia de Pobles, os olhos do pastor Karl Ludwig, de 29 anos, foram capturados pela filha de dezessete anos de um padre local. Franziska Oehler não tinha muita cultura, mas era dotada de uma simples e profunda fé cristã e não desejava nenhum destino mais glorioso do que apoiar seu marido através deste vale de lágrimas mortal.

Os dois se casaram quando Ludwig completou trinta anos, em 10 de outubro de 1843. Karl Ludwig levou sua noiva para a residência paroquial de Röcken, que era dominada por Erdmuthe, então uma intransigente *materfamilias* de 64 anos que ainda usava o ameaçador chapéu amarrado ao queixo e as falsas melenas laterais, típicas da geração anterior. Ela adorava o filho, controlava suas despesas e também a casa, baseada em seu "ouvido delicado", que exigia manter os sons em volume permanentemente *pianissimo*.

Os outros membros da residência eram as duas meias-irmãs mais velhas do pastor, adoentadas e neuróticas, e as tias Augusta e Rosalie. Tia Augusta era uma mártir da domesticidade, que não permitia que a recém-casada Franziska fosse útil na cozinha para não amenizar seus problemas. "Deixe-me esse último refúgio", dizia tia Augusta quando Franziska oferecia alguma ajuda. Tia Rosalie era um tipo mais intelectual; martirizava-se por causas de caridade. As duas tias eram afligidas pela difundida queixa contemporânea de doenças nervosas e estavam sempre a cinco passos de distância do armário de remédios, que nunca as curava. Esse triunvirato de mulheres mais velhas realmente transformaram Franziska, a noiva, numa inútil em sua própria casa. Felizmente, alguns meses depois do casamento, ela se viu grávida de Friedrich.

Friedrich Wilhelm Nietzsche nasceu em 15 de outubro de 1844 e foi batizado na igreja de Röcken por seu pai, que escolheu o nome em homenagem ao rei na época, Friedrich Guilherme IV da Prússia. Dois anos depois, em 10 de julho de 1846, nasceu uma menina que ganhou o nome de Therese Elisabeth Alexandra, em homenagem às três princesas que o pai havia orientado, que sempre foi conhecida como Elisabeth. Dois anos mais tarde nasceu outro garoto, em fevereiro, sendo chamado de Joseph em homenagem ao duque de Altemburg.

O pastor era devoto e patriota, mas não isento dos distúrbios nervosos que afligiam a mãe e as meias-irmãs. Trancava-se em seu estúdio durante horas, recusando-se a comer, beber ou falar. Mais alarmante ainda, era dado a misteriosos acessos, quando seu discurso era interrompido abruptamente no meio de uma sentença e ele ficava olhando para o vazio. Franziska corria para despertá-lo, mas quando "acordava" ele não tinha consciência do que acontecera.

Franziska consultou o dr. Gutjahr, o médico da família, que diagnosticou uma "doença nervosa" e receitou repouso, mas os sintomas se agravaram, afinal obrigando o pastor a se afastar de seus deveres paroquiais. Os misteriosos paroxismos foram diagnosticados como "amolecimento do cérebro", e durante meses ele foi acometido por prostração, agonizantes dores de cabeça e acessos de vômito, enquanto sua visão deteriorava drasticamente, até quase a cegueira. No outono de 1848, aos 35 anos e casado havia apenas cinco anos, não conseguia mais sair da cama, o que efetivamente cessou sua vida ativa.

A vida de Franziska era sufocante sob Erdmuthe, as duas tias neuróticas e a debilidade cada vez maior do marido. Carrancas sombrias e sinais dissimulados eram trocados entre os adultos na residência paroquial, mas de alguma forma Franziska conseguiu proteger os filhos dessa atmosfera mórbida. Memórias de infância escritas por Friedrich e Elisabeth falam da liberdade e da leveza da vida que irmão e irmã encontravam em seu parquinho aparentemente ilimitado, abrangendo a grande torre da igreja, o terreno da fazenda, o pomar e o jardim de flores. Havia lagoas rodeadas por salgueiros e grutas verdejantes onde os dois entravam para ouvir os passarinhos e observar os velozes peixes dardejando sob a cintilante superfície da água. Consideravam o cemitério gramado atrás da casa "amigável", mas não brincavam entre as antigas tumbas por causa de três janelas de águas-furtadas no teto daquele lado da casa, que pareciam observá-los como os olhos de um Deus que tudo vê.

Os sofrimentos de Karl Ludwig se agravaram; ele deixou de falar, e afinal sua visão deteriorou até a cegueira total. Morreu em 30 de julho de 1849, com apenas 35 anos.

"A paróquia preparou uma cripta de pedra para ele [...] Oh, nunca mais o som profundo e gutural daqueles sinos abandonaram meu ouvido; nunca me esquecerei da triste melodia do hino 'Jesus, meu consolo'! Pelos espaços vazios da igreja os sons do órgão rugiam", escreveu Nietzsche com treze anos em uma lembrança de sua infância.[12]

> Nessa época, certa vez sonhei que ouvia música de órgão na igreja, a música que tinha ouvido no funeral do meu pai. Quando percebi o que havia por trás daqueles sons, um túmulo subitamente se abriu e meu pai, envolto numa mortalha de linho, apareceu. Correu para dentro da igreja e voltou um momento depois com uma criança nos braços. A tumba escancarou-se mais uma vez, ele entrou e a tampa se fechou sobre a abertura. Os estertorosos sons do órgão cessaram instantaneamente e eu acordei. No dia seguinte a essa noite, o pequeno Joseph adoeceu de repente, acometido por graves cólicas, e morreu poucas horas depois. Nossa tristeza não conheceu limites. Meu sonho havia sido completamente confirmado. O corpinho dele foi posto para descansar nos braços do pai.[13]

A causa do declínio e da morte do pastor Nietzsche foi extensivamente investigada. Se o pastor estava mesmo insano quando morreu é uma questão de considerável importância para a posteridade, pois o próprio Nietzsche sofreu de sintomas semelhantes aos do pai antes de enlouquecer, repentina e dramaticamente em 1888, aos 44 anos, seguindo insano até sua morte, em 1900. A considerável literatura sobre o assunto continua a aumentar, mas o primeiro livro a respeito, *Über das Pathologische bei Nietzsche*, foi publicado em 1902, apenas dois anos após a morte de Nietzsche. Seu autor, o dr. Paul Julius Möbius,[14] foi um neurologista pioneiro e de destaque que se especializou em doenças nervosas hereditárias a partir dos anos 1870. Möbius foi definido por Freud como um dos pais da psicoterapia e, mais importante, trabalhou diretamente a partir do relatório *post mortem* do pastor Nietzsche que mostrava o *Gehirnerweichung*, amolecimento do cérebro, um termo usado comumente no século XIX para definir uma variedade de doenças cerebrais degenerativas.

A interpretação moderna inclui degeneração geral, um tumor no cérebro, tuberculoma cerebral, ou até um lento sangramento do cérebro causado por algum ferimento na cabeça. Diferentemente do pai, nenhum exame *post mortem* foi feito com Nietzsche, e por isso foi impossível para Möbius ou quaisquer outros pesquisadores produzirem algo como uma comparação entre os cérebros do pai e do filho. Mas Möbius, numa visão mais ampla, mostrou uma tendência a problemas mentais no lado materno da família. Um tio se suicidou, parece que por preferir a morte a ser trancado no *Irrenhaus*, o asilo para lunáticos. Pelo lado paterno, várias irmãs de Erdmuthe, a avó de Nietzsche, foram definidas como "mentalmente anormais". Uma se suicidou e outras duas desenvolveram algum tipo de doença mental que exigiram cuidados psiquiátricos.[15]

Antes de abandonar de vez essa área especulativa, a morte do irmão mais novo de Nietzsche merece um comentário. Joseph sofreu ataques antes de morrer em decorrência de um derrame terminal. Não dá para se chegar a nenhuma conclusão definitiva, mas não pode haver dúvidas de que a família de Nietzsche era realmente afetada por uma forte tendência à instabilidade mental e neurológica.

Karl Ludwig Nietzsche tinha 35 anos quando morreu. Franziska estava então com 23, Nietzsche tinha quatro e Elisabeth, três. A família teve de se mudar da residência paroquial para dar lugar a um novo incumbente. A avó Erdmuthe resolveu voltar a Naumburg, onde dispunha de excelentes ligações. Seu irmão tinha sido pastor na catedral. Alugou um apartamento no andar térreo na Neugasse, uma rua modesta porém respeitável de casas semigeminadas. Erdmuthe ficou com o quarto da frente e instalou tia Rosalie e tia Augusta no quarto ao lado.

Franziska ficou com uma pensão de viúva de noventa táleres por ano, mais oito táleres por cada filho. A quantia foi acrescida por uma pequena pensão da Corte de Altemburg, mas ainda assim não resultou em independência financeira. Ela se mudou com os filhos para os dois piores cômodos, no fundo da casa, onde Nietzsche e a irmã dividiam um quarto.

"Foi terrível morar na cidade, depois de vivermos no campo por tanto tempo", escreveu Nietzsche. "Evitávamos as ruas tristonhas e procurávamos por espaços abertos, como passarinhos tentando fugir de uma gaiola [...] as igrejas e os prédios enormes da praça do mercado, com a *Rathaus* [prefeitura] e a fonte, as multidões a que eu não estava acostumado [...] Fiquei atônito com o fato de que normalmente aquelas pessoas não conheciam umas às outras [...] uma das coisas mais perturbadoras para mim eram as longas ruas pavimentadas."[16]

Com uma população de 15 mil habitantes, Naumburg era realmente um lugar intimidante para uma criança nascida na minúscula aldeia de Röcken. Atualmente conhecemos Naumburg como um catálogo de imagens românticas, com uma iluminação tirada de um Livro de Horas medieval, um aglomerado de torres pálidas erguendo-se dos meandros do rio Saale. Mas quando a família de Nietzsche fixou residência na cidade, o Saale não era lugar para brincadeiras, mas sim um verdadeiro instrumento defensivo pontilhado de fortificações.

Dois anos antes de a família ir morar em Naumburg, as revoluções de 1848-49 convulsionaram a Europa com espasmos de levantes libertários que repugnavam o pai monarquista moribundo de Nietzsche. Richard Wagner, por outro lado, apoiou fervorosamente a era revolucionária, que ele esperava causar um completo renascimento da arte, da sociedade e da religião. Wagner lutou ao lado do anarquista russo Mikhail Bakunin nas barricadas da revolta de Dresden, em maio de 1849. Financiou o suprimento de granadas de mão dos rebeldes. Quando isto foi descoberto, Wagner foi exilado, o que explica por que estava morando na Suíça na ocasião do encontro com Nietzsche.

A Alemanha dos anos 1850 era a Confederação da Alemanha do Norte, ou Norddeutscher Bund (1815-66), uma confederação de Estados formada quando o mapa da Europa estava sendo redesenhado pelo Congresso de Viena, na esteira da derrota de Napoleão. A confederação compreendia 39 Estados alemães autônomos governados por príncipes, duques, bispos, membros de colégios eleitorais e assim por diante. Essa fragmentação em Estados minúsculos e atrasados resultava na inexistência de um exército nacional, de uma estrutura de impostos comum, de uma política econômica abrangente e até de uma verdadeira autoridade econômica. Déspotas se ludibriavam entre si, míopes demais para ver as vantagens de uma unificação. Como complicação adicional, a confederação ainda compreendia os tchecos na Boêmia, os dinamarqueses em Holsácia e os italianos no Tirol. Hanover foi governada pelo rei da Inglaterra até 1837, Holsácia pelo rei da Dinamarca, e Luxemburgo estava sob o domínio do rei holandês. Em 1815, quando a Deutscher Bund foi formada, a Áustria era o membro dominante da confederação, mas ao longo do século o poder do chanceler austríaco Metternich foi desgastado, enquanto o Estado da Prússia, maior e mais rico em minérios, se tornava cada vez mais próspero e belicoso sob o chanceler Otto von Bismarck.

A cidade de Naumburg, na província da Saxônia, pertencia ao rei da Prússia. A aparência de fortaleza da cidade de que Nietzsche se lembra não era devida apenas a fricções internas da confederação, mas também à época em que era ameaçada pela França. Cinco pesados portões fechavam a cidade à noite. Para ser readmitido, um cidadão precisava tocar uma campainha e subornar a sentinela noturna. Nietzsche e sua irmã gostavam de fazer expedições nas "belas montanhas, nos vales dos rios, pelas muralhas e castelos" ao redor, mas tinham de estar atentos ao Sino da Vigília (mais tarde inserido no *Zaratustra* como "o sino que viu mais que qualquer homem, que contou as dolorosas batidas do coração de nossos pais")[17] se não quisessem vivenciar o terror de João e Maria de ter que passar a noite fora da cidade.

Naumburg era cercada pela sombria floresta dos turíngios, com suas tumbas e heróis da Antiguidade, cavernas de dragões, dólmens e abismo sombrios que desde os primeiros mitos germânicos simbolizavam a irracionalidade e a falta de controle do subconsciente alemão. Wagner se apropriaria disso para a jornada mental de Wotan rumo à adoção do caos, resultando na destruição da velha ordem pela morte dos deuses e o cancelamento de todos os antigos acordos. De início Nietzsche a caracterizaria como demoníaca, depois como dionisíaca.

Nada poderia ser mais apolíneo, mais lógico e necessário que a cidade de Naumburg. Pelo rio Saale fluía a razão, a prosperidade e o ímpeto em direção ao conservadorismo romântico. Começou como um centro de comércio, um lugar vital de paz entre antigas tribos guerreiras. Ao longo dos anos, tornou-se um centro medieval de artesãos alemães e guildas comerciais. Desde a fundação da catedral, em 1028, Igreja e Estado se desenvolveram racionalmente e em harmonia durante séculos, principalmente nos séculos do protestantismo, de forma que, quando Nietzsche foi morar lá, Naumburg era uma grande cidade, sólida e burguesa, um lugar de vida com retidão. Suas maravilhas arquitetônicas, representadas pela catedral e a igualmente esplendorosa prefeitura, demonstravam o quanto Igreja e Estado eram prósperos e podiam vicejar se as virtudes cívicas e religiosas conseguissem se tornar indistinguíveis por meio de uma cooperação harmoniosa de uma sociedade materialmente confortável e ligada ao passado.

Na época em que a avó Erdmuthe foi criada em Naumburg, o círculo religioso da cidade era regido por puros ideais luteranos de dever, modéstia, simplicidade e comedimento, mas seu retorno à cidade coincidiu com o movimento Despertar, que valorizava mais o fervor e a sublime revelação do que a razão. As pessoas se declaravam renascidas. Denunciavam-se em público como pecadores desesperados. Essas novas atitudes em voga não combinavam com as senhoras da família Nietzsche. Apesar de não haver o menor desvio da intenção de que Friedrich seguisse seu pai e o avô entrando para a Igreja, não havia como a família se tornar parte desse desrespeitoso círculo eclesiástico. Por isso, elas preferiram fazer amizade com as esposas de funcionários da Corte e de mulheres de juízes da Alta Corte, um segmento rico e poderoso da sociedade provinciana que continuava alheia àquelas novas ideias.

No ritmo lento de uma sociedade conservadora evoluindo a passos de lesma, as duas viúvas de clérigos, Erdmuthe e Franziska, dentro de suas circunstâncias estáveis, embora não exatamente prósperas, adaptaram-se bem e foram aceitas na posição de senhoras que poderiam ser úteis ao *establishment* da velha guarda, em troca de um patronato discreto. Nietzsche passou ao largo de quaisquer conflitos com aquelas convenções pedantes, um fato que ele admite pesarosamente quando descreve sua infância em Naumburg, sempre se comportando com a dignidade de um pequeno e autêntico filisteu. Mas se o relato em que descreve a visita do rei a Naumburg quando tinha dez anos não revela uma precocidade em seu pensamento político, sem dúvida mostra seu precoce talento literário:

> Nosso prezado rei honrou Naumburg com uma visita. Foram feitos grandes preparativos para a ocasião. Todos os colegiais foram elegantemente vestidos de preto e branco e se postaram na praça do mercado desde as onze horas da manhã esperando a chegada do pai de seu povo. O céu encobriu-se gradualmente, a chuva caiu sobre todos nós – e o rei não chegava! O relógio bateu doze horas – e o rei não chegava. Muitas crianças começaram a sentir fome. Caiu uma nova chuvarada, todas as ruas

ficaram cobertas de lama; deu uma hora da tarde – a impaciência ficou mais intensa. Subitamente, por volta das duas horas, os sinos começaram a tocar e o céu sorriu atrás de suas lágrimas acima do alegre movimento da multidão. Depois ouvimos o matraquear da carruagem; uma tumultuosa vibração eclodiu pela cidade; acenamos nossos quepes em júbilo e gritamos no tom mais alto de nossas vozes. Uma nova brisa tremulou a miríade de bandeiras penduradas nos tetos, todos os sinos da cidade tocaram e a grande multidão aplaudiu, delirante, literalmente empurrando a carruagem em direção à catedral. Nos recessos do edifício sagrado, um grupo de garotinhas de vestido branco com grinalda e flores na cabeça foram dispostas na forma de uma pirâmide. Aqui o rei apeou-se [...][18]

Nesse mesmo ano, 1854, Nietzsche desenvolveu um apaixonado interesse pela Guerra da Crimeia. Durante séculos a península da Crimeia, situada no mar Negro e estrategicamente importante, foi um ponto de contenção entre a Rússia e a Turquia. Nessa época pertencia à Rússia, e então as tropas do czar Nicolau lutavam contra as forças do Império Otomano e seus aliados, a Inglaterra e a França. Foi a primeira guerra a ser registrada por fotógrafos. Graças ao telégrafo elétrico, os relatos eram recebidos do front praticamente enquanto aconteciam. Nietzsche e seus colegas de escola Wilhelm Pinder e Gustav Krug acompanharam a campanha com avidez. Gastavam o dinheiro que tinham em soldadinhos de chumbo, estudavam mapas e construíam modelos de campos de batalha; fizeram uma pequena piscina para representar o porto de Sebastopol e criaram marinhas para seus barcos de papel. Para simular os bombardeios, enrolavam projéteis de cera e salitre, acendiam-nos e lançavam em seus modelos. Era tremendamente entusiasmante ver as bolas de fogo cruzar o ar, acertar um alvo e entrar em chamas. Mas, um dia, Gustav apareceu no campo de batalha com uma expressão triste. Sebastopol havia caído, disse aos amigos; a guerra tinha acabado. Furiosos, os garotos descarregaram sua raiva em seus modelos representando a Crimeia e abandonaram o jogo, mas não demorou muito para começarem a travar no lugar as Guerras de Troia.

Na época, o interesse pela Grécia andava em alta na Alemanha, cujos inúmeros pequenos Estados imaginavam um futuro e uma grandeza para si mesmos semelhantes aos das cidades-Estados daquele país. "Nós nos tornamos greguinhos tão apaixonados", escreveu Elisabeth, "que arremessávamos lanças e discos (placas de madeira), praticávamos salto em altura e organizávamos corridas." Nietzsche escreveu duas peças teatrais, *Os deuses no Olimpo* e *A tomada de*

Troia, que representou para a família, convencendo seus companheiros Wilhelm Pinder, Gustav Krug e a irmã Elisabeth a interpretarem outros papéis.

A mãe de Nietzsche o ensinou a ler e a escrever aos cinco anos. A educação dos garotos começava aos seis, e em 1850 ele foi matriculado na escola municipal, frequentada por filhos de famílias pobres. Sua irmã Elisabeth, mais preocupada com seu status, afirma na biografia que escreveu sobre o irmão que isso aconteceu porque a avó Erdmuthe tinha uma teoria de que "até a idade de oito ou dez anos todas as crianças, mesmo de diferentes níveis sociais, deveriam ser ensinadas juntas; as crianças advindas de classes mais altas poderiam assim adquirir uma melhor compreensão da atitude mental peculiar às ordens mais baixas".[19] Porém, segundo a mãe deles, isso era um absurdo. O filho estudava lá porque eles eram pobres.

A precocidade de Nietzsche, sua atitude solene, sua lucidez de pensamento e expressão, juntamente com os olhos muito míopes, sempre sucumbindo às tentativas de focar em objetos físicos, o colocavam à margem da turma. Recebeu o apelido de "o pequeno pastor", e os colegas caçoavam dele.

Na Páscoa de 1854, aos nove anos, Nietzsche foi transferido para uma escola com o pretensioso nome de "Instituto com o Objetivo de uma Preparação Completa para o Ginásio e outras Altas Instituições de Ensino", um curso preparatório particular frequentado pela estirpe dos filhos de sua classe. Em termos sociais, sentiu-se muito mais confortável ali, mas a escola claramente exagerava em suas promessas acadêmicas de grande alcance. Com dez anos, Nietzsche, Wilhelm Pinder e Gustav Krug mudaram para a Dom Gymnasium, a escola da catedral. Lá, teve de se esforçar tanto para compensar o tempo perdido que seus estudos não permitiam que dormisse mais de cinco ou seis horas por noite. Suas descrições dessa época, como muitas outras passagens autoanalíticas, se referiam muito à morte do pai. Muitas e muitas vezes os relatos autobiográficos de Nietzsche, seja escrevendo ainda criança ou até mesmo nos últimos anos de vida sã, remetem à morte do pai.

> Quando fomos para Naumburg, minha personalidade começou a se revelar. Eu já tinha passado por pesares e tristezas consideráveis na minha curta vida, e por isso não era tão despreocupado e alegre como normalmente são as crianças. Meus colegas de escola se acostumaram a me provocar por causa da minha seriedade. Isso acontecia não só nas escolas públicas, mas também mais tarde no instituto e no curso secundário. Desde a infância, eu buscava a solidão, me sentia melhor sempre que

podia me dedicar a mim mesmo sem ser perturbado. E isto costumava acontecer no templo da natureza ao ar livre, que era minha verdadeira alegria. Tempestades e trovões sempre me impressionaram com seu poder: o trovão chegando de longe e o clarão dos relâmpagos só aumentavam meu temor ao Senhor.[20]

Durante seus quatro anos na Dom Gymnasium, Nietzsche se destacou nos assuntos que o interessavam: versificação alemã, hebreu, latim e depois grego, que de início ele achou muito difícil. Matemática o entediava. Nas horas vagas, começou a escrever um romance intitulado *Morte e destruição*, compôs diversas peças musicais, escreveu ao menos 46 poemas e teve aulas da nobre arte da esgrima, muito inusitada para seu porte físico, mas necessária em sociedade.

Eu escrevia poemas e tragédias, medonhas e inacreditavelmente chatas, me atormentava na composição de partituras orquestrais, e fiquei tão obcecado pela ideia de me apropriar de conhecimentos e capacidades universais que corria sério perigo de me tornar obscuro e fantasista.[21]

Mas aqui o garoto de catorze anos se subestima ao resumir sua vida até aquela data, pois continua mantendo o mesmo ritmo em seus escritos, com uma análise crítica e acurada de sua própria poesia iniciada aos nove anos. A crítica da própria juventude chega a prever de modo interessante o clima da poesia simbolista, sobre a qual não poderia ter conhecimento por ter sido iniciada naquele momento em Paris por Baudelaire.

Tentava me expressar numa linguagem mais floreada e contundente. Infelizmente essa tentativa de esmero degenerava em afetação, e a iridescente linguagem adquiria uma obscuridade sentenciosa, enquanto em todos os meus poemas faltava a coisa mais importante de todas – ideias. [...] Um poema vazio de ideias e sobrecarregado de frases e metáforas é como uma maçã rosada com vermes escondidos no miolo [...] Na escrita de qualquer obra deve-se prestar a maior atenção às próprias ideias. Qualquer erro de estilo pode ser perdoado, mas não um erro de pensamento. O jovem, com sua falta de ideias originais, naturalmente procura esconder essa lacuna sob um estilo brilhante e iridescente; mas a poesia não se assemelha à música moderna a esse respeito? É sobre essas linhas que a poesia do futuro logo se desenvolverá. Poetas irão se expressar com as mais estranhas imagéticas, pensamentos confusos serão expostos com argumentos obscuros, porém excessivamente pretensiosos e harmônicos. Em resumo, serão escritas obras parecidas com a segunda parte do *Fausto*, só que as ideias dessa produção estarão totalmente ausentes. *Dixi*.[22]

Sua busca pelo verdadeiro conhecimento universal e pela capacidade universal era sem dúvida inspirada no exemplo de Fausto, bem como em polímatas como Goethe e Alexander von Humboldt. Assim como eles, Nietzsche estudou história natural.

"Lizzie, não fale essas bobagens sobre a cegonha", disse Nietzsche à irmã aos nove anos. "O homem é um mamífero, e traz seus filhos vivos ao mundo."[23]

O livro sobre história natural também ensinou que "a lhama é um animal notável; transporta de boa vontade as cargas mais pesadas, mas, quando não quer prosseguir, vira a cabeça e descarrega sua saliva, que tem um odor desagradável, no rosto do condutor. Se for coagido ou maltratado, recusa-se a ingerir qualquer alimento e deita-se na areia para morrer". Achou que essa descrição se aplicava totalmente à sua irmã Elisabeth, e pelo resto da vida, tanto em cartas como nas conversas, passou a chamá-la de "Lhama", ou às vezes "fiel Lhama". De sua parte, Elisabeth adorou o apelido íntimo e citava sua origem em qualquer oportunidade, embora omitisse a parte da cuspida malcheirosa.

O pai de Gustav Krug tinha "um maravilhoso piano de cauda" que exercia grande fascínio sobre Nietzsche. Franziska comprou um piano e ela mesma ensinou ao filho tudo o que sabia. Krug era muito amigo do compositor Felix Mendelssohn. Quaisquer músicos de destaque que visitassem a cidade se reuniam em sua casa para tocar. A música fluía pelas janelas para a rua, onde Nietzsche podia ficar ouvindo o quanto quisesse. E assim, ainda garoto, ficou conhecendo a música romântica da época, a música contra a qual Wagner estava se rebelando. Esses concertos ouvidos pela janela transformaram Beethoven no primeiro herói musical de Nietzsche, mas foi Handel quem o inspirou em sua primeira composição. Com nove anos, ele compôs um oratório inspirado pelo coral de *Aleluia* de Handel. "Achei que era uma melodia angelical de jubilação, que foi com esse som que Jesus ascendeu. Imediatamente resolvi compor algo similar."

Boa parte de suas músicas de infância ainda sobrevive, graças à mãe e à irmã, que preservaram todos os rabiscos da pena de seu idolatrado garoto. O propósito de suas composições musicais era expressar o apaixonado amor de Deus que permeava a intensidade emocional de sua casa, um amor que não poderia ser desligado da lembrança mórbida do pai cujo espírito, segundo acreditavam, continuava cuidando de todos. Era algo inseparável da expectativa de que ele próprio se tornaria "meu pai mais uma vez, e, por assim dizer, uma continuação da vida dele depois de sua morte precoce demais".[24]

As mulheres da família o adoravam; Nietzsche era tudo para elas. Elisabeth era muito inteligente, mas, por ser mulher, sua educação não era uma questão de escolaridade, mas sim de aprender habilidades femininas. Aprendeu a ler e a escrever, um pouco de aritmética, francês suficiente para se mostrar culta, dança, desenho e muito sobre boas maneiras. Cada submissão do feminino ao sexo superior fazia com que ela e a mãe se refestelassem na própria inferioridade. E Nietzsche retribuiu tornando-se o homenzinho superior que desejavam que fosse. Em casa, e mesmo na escola, levava em alta conta a própria importância. Quando não era "a Lhama" ou "a fiel Lhama", Elisabeth era "a garotinha" que ele tinha o dever de defender e proteger. Quando saía caminhando com a mãe ou a irmã, andava cinco passos à frente, para protegê-las de "perigos" como trechos de lama ou poças d'água, e de "monstros" como cachorros e cavalos, dos quais elas fingiam ter medo.

Os boletins da Dom Gymnasium mostravam que Nietzsche era um estudante diligente. A mãe não tinha dúvida sobre sua capacidade de realizar seus sonhos e ambições quando seguisse os passos do pai na Igreja. Sua dedicação à teologia o fazia tirar excelentes notas na matéria. Com doze anos e ardorosamente religioso, Nietzsche considerava a visão de Deus em toda Sua glória. Essa visão fez com que se decidisse a dedicar a vida a Deus.

> Em todas as coisas Deus me conduziu em segurança, como um pai conduz seu filhinho debilitado [...] Resolvi firmemente me dedicar para sempre aos Seus serviços. Que o querido Senhor me dê força e poder para realizar minha intenção e me proteger nos caminhos da vida. Assim como um filho, confio em Sua graça: Ele nos preservará a todos, que nenhuma desgraça recaia sobre nós. Mas Seu desejo sagrado será realizado! Tudo que Ele me der eu aceitarei com alegria: felicidade e infelicidade, pobreza e riqueza, encarar a morte de frente com coragem, que um dia nos unirá a todos em eterno júbilo e alegria. Sim, querido Senhor, que Teu rosto brilhe sobre nós para sempre! Amém![25]

Porém, mesmo sob o domínio desse entusiasmo religioso bastante convencional, Nietzsche escondia uma extraordinária heresia em seus pensamentos privados.

É um princípio básico da fé cristã que a Santíssima Trindade consiste de Deus, o Pai; Deus, o Filho (Jesus Cristo); e Deus, o Espírito Santo. Mas aos doze anos Nietzsche não conseguia aceitar a irracionalidade dessa construção. Seu raciocínio o levou a uma Santíssima Trindade diferente.

> Quando tinha doze anos, conjurei para mim mesmo uma maravilhosa trindade: Deus, o Pai; Deus, o Filho; Deus, o Diabo. Minha dedução foi que Deus, ao pensar a si mesmo, criou a segunda pessoa da divindade, mas para poder pensar a si mesmo ele teve de pensar seu oposto, e por isso teve de criá-lo. Foi assim que comecei a filosofar.[26]

2
Nossa Atenas alemã

Retribui-se mal a um mestre continuando-se sempre apenas aluno.
Ecce homo, Prólogo, seção 4

Quando Nietzsche tinha onze anos sua avó morreu, e finalmente sua mãe ficou livre para cuidar da própria casa. Depois de alguns falsos começos, em 1858 Franziska e os dois filhos foram morar numa casa de esquina na Weingarten, uma rua discreta e respeitável de Naumburg. Nietzsche tinha então seu próprio quarto. Logo desenvolveu o hábito de trabalhar até aproximadamente meia-noite e acordar às cinco da manhã para recomeçar. Era o começo de uma vida do que ele chamava de *Selbstüberwindung*, autossuperação, um importante princípio que depois desenvolveria em termos metafísicos, mas por ora o que ele estava superando era sua saúde precária e devastadora. Angustiantes crises de dores de cabeça, vômitos e muita dor nos olhos podiam durar por uma semana inteira, durante a qual ele precisava ficar deitado num quarto completamente escuro. Qualquer luz machucava seus olhos. Ler, escrever e até mesmo manter um pensamento coerente eram coisas fora de questão. Entre a Páscoa de 1854 e a de 1855, por exemplo, ele deixou de frequentar a escola por seis semanas e cinco dias. Quando a saúde estava boa, se esforçava no que chamava de "a grandiosa majestade da vontade" para se colocar à frente de seus colegas de classe. A Dom Gymnasium de Naumburg não chegava a ser uma mediocridade educacional, mas Nietzsche nutria a tremenda ambição de estudar na Schulpforta, a escola clássica mais avançada da Alemanha do Norte.

"Pforta, Pforta, só sonho com Pforta", escreveu aos dez anos. Pforta era a gíria interna para Schulpforta, e seu presunçoso uso do apelido transmite a profundidade de seu anseio.

A Pforta ensinava duzentos garotos entre as idades de catorze e vinte anos, favorecendo rapazes cujos pais tivessem morrido a serviço da Igreja ou do Estado da Prússia, como o de Nietzsche. O processo de seleção não era diferente do utilizado pelos enviados do príncipe viajando pelos confins da Terra em busca do pé que caberia no sapato da Cinderela. Eles chegaram a Naumburg quando Nietzsche tinha treze anos e se impressionaram com ele, apesar de sua matemática trepidante, e lhe ofereceram uma vaga no outono seguinte.

"Eu, a pobre Lhama, me senti muito maltratada pelo destino", escreveu Elisabeth com sua habitual tendência ao dramático. "Recusei-me a ingerir qualquer alimento e me deitei na areia para morrer." Seu desânimo não era devido à perspectiva do irmão ser mandado a uma escola de primeira linha, mas sim a tristeza por ele ficar longe de casa por intervalos frequentes de meses. O próprio Nietzsche não deixou de se sentir apreensivo. Com a data da partida se aproximando, sua mãe notou fronhas molhadas de lágrimas, mas durante o dia ele mantinha sua bravata masculina.

> Era uma manhã de terça-feira quando passei pelos portões da cidade de Naumburg [...] os terrores de uma noite de preocupações ainda me assediavam, e o futuro à minha frente encontrava-se embrulhado em um véu cinzento e ominoso. Pela primeira vez eu ia sair da casa de meus pais por um longo, longo período [...] Minha despedida tinha me deixado infeliz; tremia ao pensar no meu futuro [...] pensar que doravante eu não poderia mais me entregar aos meus próprios pensamentos, que meus colegas de escola me afastariam de minhas mais amadas preocupações – esse pensamento me oprimia terrivelmente [...] cada minuto se tornava cada vez mais aterrorizante para mim; na verdade, quando vi Pforta tremulando ao longe, pareceu mais uma casa de detenção que uma *alma mater* [...] Foi então que meu coração transbordou de sensações sagradas. Fui elevado a Deus numa oração silenciosa, e uma profunda tranquilidade invadiu meu espírito. Sim, Senhor, abençoe minha entrada e também me proteja, em corpo e espírito, neste berçário do Espírito Santo. Mande seu anjo, que ele possa me liderar vitoriosamente pelas batalhas que vou lutar [...] isso é o que vos suplico, ó Senhor! Amém.[1]

A aparente semelhança de Pforta com uma prisão era devido a sua origem como um mosteiro cisterciense. Ocupando um vale isolado em uma ramificação do rio Saale a pouco mais de seis quilômetros ao sul de Naumburg, era cercada por muros de 3,5 metros de altura e quinze centímetros de espessura, abrangendo setenta acres produtivos pontuados pelos acessórios monásticos habituais: tanques de carpas, cervejaria, vinhedo, plantações de feno, campos aráveis e pastos, celeiros, produtoras de laticínios, estábulos, ferraria, claustros de pedra e várias outras construções góticas. Como uma versão ampliada de seu lar de infância em Röcken, Pforta era uma fortaleza eclesiástica projetada para resistir a investidas políticas, das quais as mais importantes, para Pforta, foram as guerras religiosas dos anos 1500 e 1600. Quando a luta terminou e o catolicismo romano foi expelido, o príncipe-eleitor da Saxônia que apoiara Martinho Lutero declarou Pforta uma *Prinzenschule*. Foi uma das importantes escolas de latim estabelecidas em 1528 por Schwarzerd,[2] que ajudou Lutero na tradução do Velho Testamento para o alemão. Schwarzerd acrescentou o ensino de hebreu ao latim e ao grego, que já formavam a base da educação superior, possibilitando assim que acadêmicos lessem os grandes textos hebreus no original e não em suas traduções, que normalmente eram política ou teologicamente desvirtuadas, um ousado passo em oposição aos séculos de censura da Igreja, proporcionando meios para uma análise independente a qualquer estudante.

Na época em que Nietzsche entrou na instituição educacional, a escola tinha sido ligeiramente modificada por Wilhelm von Humboldt,[3] irmão do famoso explorador, geógrafo e cientista Alexander. Amigo de Schiller e Goethe, Von Humboldt foi influenciado politicamente ao chegar a Paris pouco depois da tomada de Bastilha. "Agora estou bem cansado de Paris e da França", escreveu com surpreendente maturidade para um jovem de 22 anos, concluindo com lucidez que estava testemunhando as necessárias dores do parto rumo a uma nova racionalidade. "A humanidade sofreu de um extremo e é obrigada a procurar salvação em outro extremo."

Encarregado de reorganizar a educação na Alemanha entre 1809 e 1812, Von Humboldt combinou uma racionalidade exemplar em relação a acontecimentos contemporâneos com a experiência em primeira mão da herança clássica de seu tempo como embaixador da Prússia na Santa Sé. Visualizava um futuro para a Alemanha do Norte nos moldes da estrutura da Grécia Antiga: um sistema de pequenos Estados existindo de forma diversificada e criativa dentro de uma unidade artística e intelectual. Sua teoria está esboçada em *Os limites da ação do Estado*, um livro que influenciou *Sobre a liberdade*, de John Stuart Mill. As principais diretrizes de Von Humboldt eram que o máximo de liberdade na educação e na religião deveriam coexistir em um Estado mínimo. Nesse Estado, o indivíduo era tudo, *ergo*, a educação era tudo. O objetivo final da educação era "um aprendizado completo para a personalidade humana [...] o mais alto e mais proporcional desenvolvimento dos poderes individuais para um todo completo e consistente".[4] Esse todo completo e consistente combinava-se a dois ideais tipicamente alemães: *Wissenschaft* e *Bildung*. *Wissenschaft* era a ideia de aprendizado como um processo dinâmico constantemente renovado e enriquecido por pesquisas científicas e pelo pensamento independente, de forma que cada estudante contribuísse para o incessante avanço da soma de conhecimentos. Era exatamente o oposto do aprendizado pela rotina. O conhecimento era evolutivo e acompanhado por *Bildung*, a evolução do próprio estudante: um processo de crescimento espiritual por meio da aquisição de conhecimento que Von Humboldt definia como uma interação harmoniosa entre a personalidade do estudante e a natureza, resultando num estado de liberdade interna e totalidade do contexto maior.

A questão da totalidade e da moralidade social tinha como meta o urgente problema contemporâneo da fé religiosa, no momento em que o progresso científico abalava as certezas de até então. Em qualquer estágio a que chegasse o aluno escolar ou o estudante universitário na jornada entre Darwin e a dúvida, não havia como negar o veto divino aplicado à vida pelo cânone do conhecimento ocidental, do qual uma consistente versão da verdade, da beleza, da lucidez intelectual e de propósito fluía através dos séculos, independentemente do deus sendo venerado à época.

A força de sustentação subjacente à civilização era a linguagem, sem a qual provavelmente não conseguimos pensar e com certeza não podemos comunicar ideias complexas. Von Humboldt era ele próprio filólogo e um filósofo da linguagem. Em Pforta, assim como em qualquer outra escola ou universidade sob a reforma de Von Humboldt, as disciplinas superiores eram as linguagens clássicas e a filologia clássica, artes de uma precisão e uma escrupulosa visão retrógradas. Os filólogos eram deuses de coisas impossivelmente pequenas, "microbiologistas com sangue de sapo e mentes estreitas", como os definiu Nietzsche certa vez,[5] e os filólogos clássicos eram os deuses do sistema educacional, lidando com as linguísticas grega, hebreia e latina.

O reitor dos tempos de Nietzsche definia Pforta como uma escola-Estado: Atenas pela manhã, Esparta à tarde. Era um regime semimonástico e semimilitar, tanto mental como fisicamente. Nietzsche, que em casa tanto valorizava o quarto onde podia trabalhar em seu próprio cronograma, agora dormia num alojamento com capacidade para trinta rapazes. O dia começava às quatro da manhã com um clique simultâneo que destravava as portas dos dormitórios, que haviam sido trancadas precisamente às nove horas da noite anterior (o equivalente que podemos pensar hoje seria o clique alto e simultâneo das portas da Casa de Ópera de Bayreuth, aprisionando a plateia do começo ao fim de uma apresentação). Uma vez libertados, 180 rapazes corriam para quinze bacias e uma gamela comum para cuspir depois de escovar os dentes. O dia continuava como Nietzsche o descreveu:

> 5h25 Orações matinais. Leite morno com pão.
> 6 h Lição.
> 7-8 h Estudo.
> 8-10 h Lição.
> 10-11 h Estudo.
> 11-12 h Lição.
> 12 h Pegar guardanapos e marchar para o refeitório. Chamada. Graças em latim depois da refeição do meio-dia. Quarenta minutos de tempo livre.
> 13h45-15h50 Lição.
> 15h50 Pão com manteiga, gotas de toucinho ou geleia de ameixa.
> 16-17 h Alunos mais velhos testam garotos mais novos em ditado em grego ou problemas de matemática.
> 17-19 h Estudo.
> 19 h Marcha para o refeitório para o jantar.
> 19h30-20h30 Brincar no jardim.
> 20h30 Orações da noite.
> 21 h Hora de dormir.
> 4 h Abertura das portas. Um novo dia.

Era o cotidiano escolar mais rigoroso da Europa, como Madame de Staël observou, aprovando o sistema: "O que se chama de estudo na Alemanha é realmente admirável, quinze horas por dia de solidão e trabalho por anos a fio parecem ser para eles um modo de existência".[6]

De início, Nietzsche sentiu uma enorme saudade de casa. "O vento soprava espasmodicamente nas árvores altas, os galhos gemiam e balançavam. Meu coração estava em condições semelhantes."[7] Nietzsche confidenciou com seu orientador, o professor Buddensieg, que o aconselhou a se aferrar ao trabalho; caso isso não funcionasse, ele deveria simplesmente se entregar à misericórdia de Deus.

Podia ver a mãe e a irmã uma vez por semana, mas somente por um período terrivelmente curto aos domingos, depois dos alunos sairem marchando da igreja. Em seguida tinha de seguir correndo para o norte pela sinuosa estrada entre figueiras altas e sombrias que levava até a aldeia de Almerich. Enquanto isso, Franziska e Elisabeth estavam correndo para o sul em sua direção pela estrada que saía de Naumburg. A família passava uma hora reunida, tomando alguma coisa na estalagem da aldeia antes de Nietzsche retornar às pressas. Fora isso, a liberdade dos garotos de Pforta consistia em uma hora à noite no jardim, entre 19h30 e 20h30, onde debatiam em grego ou latim em um jogo verbal que poderia transformar uma partida de bocha em duelos travados em hexâmetros em latim.

Os rapazes eram incentivados a conversar uns com os outros em latim e grego o tempo todo. Nietzsche costumava levar a coisa mais longe, disciplinando-se para pensar em latim, e provavelmente conseguia, pois não se queixava por não conseguir. Não podiam ler jornais. Política, o mundo exterior e o presente eram excluídos o máximo possível. A parte principal do currículo consistia de literatura, história e filosofia da Grécia e de Roma antigas e clássicos alemães como Goethe e Schiller. Apesar de dominar essas matérias, Nietzsche penava com o hebraico, o qual precisava para assumir o Sacramento das Ordens Sagradas; considerava sua gramática especialmente difícil. Nunca dominaria o inglês, e, apesar de adorar Shakespeare e Byron, em especial *Manfred*, Nietzsche lia os dois autores em traduções para o alemão. Os rapazes tinham onze horas de lições de latim e seis horas de grego por semana. Nietzsche era um excelente aluno; às vezes, mas não sempre, o primeiro da classe no final do ano letivo. Sua média era regularmente prejudicada por notas baixas em matemática, pela qual continuava desinteressado, a não ser por um curto período em que ficou fascinado pelas propriedades do círculo.

Às vezes os garotos eram levados para passeios no campo. Nessas ocasiões, usavam uniformes esportivos desenhados por Friedrich Ludwig Jahn, o nacionalista fanático e pai do movimento da ginástica, designado para fomentar um *esprit de corps* militar entre os jovens, cuja salubridade coordenada resultaria num belo alicerce para a nação emergente. Jahn cunhou os famosos quatro Fs: *Frisch, Fromm, Fröhlich, Frei* (animado, devoto, alegre, livre), que faziam as expedições do espírito serem empreendidas em estilo militar. Os garotos eram enfileirados para conquistar as montanhas marchando com uma banda, cantando, vibrando, acenando a bandeira da escola e dando três urras ao rei (agora enlouquecido depois de um derrame), ao príncipe da Prússia e à escola, antes de voltar marchando para a escola.

Aulas de natação também eram estruturadas.

> A excursão de natação finalmente aconteceu ontem. Foi formidável. Formamos filas e tocamos música alegre enquanto marchávamos pelos portões. Todos usamos toucas de natação vermelhas, que nos tornavam uma bela visão. Mas nós, nadadores mais novos, ficamos muito surpresos quando fomos levados para uma longa caminhada pelo rio Saale antes de começar a nadar, e todos ficamos com medo. No entanto, quando vimos os nadadores mais velhos se aproximando ao longe e ouvimos a música, todos mergulhamos no rio. Nadamos na mesma ordem em que viemos marchando da escola. Em geral, as coisas foram bem; tentei fazer o melhor possível; mas sempre me esforçando demais. Também nadei um bocado de costas. Quando finalmente chegamos lá, recebemos nossas roupas, que foram trazidas de barco. Vestimo-nos depressa e marchamos de volta na mesma ordem até Pforta. Foi realmente formidável![8]

É notável que, à luz de tal iniciação, a natação tenha se tornado um prazer recreativo durante toda a vida dele. Não tão acrobática, pois ele a assumiu em um espírito de desespero bem-humorado. Seu amigo da escola Paul Deussen descreveu seu único truque acrobático, ao qual ele ironicamente atribuía grande importância. Consistia em enfiar o corpo pelas pernas entre barras paralelas e descer do outro lado. O que outros estudantes conseguiam em minutos, às vezes sem tocar nas barras, era uma tarefa difícil para Nietzsche, fazendo seu rosto ficar vermelho e o deixando sem fôlego e suado.[9]

Suarento, nada atlético, desajeitado, inteligente acima da média, Nietzsche não era unanimemente popular. Um de seus colegas de classe recortou uma foto dele e a transformou num boneco que dizia e fazia coisas ridículas, mas era uma característica da personalidade de Nietzsche que sua vulnerabilidade sempre atraía amigos dedicados para protegê-lo dos golpes e agressões do mundo cruel. Seu pequeno círculo de amigos de Pforta fez com que a marionete ridícula desaparecesse sem que seu modelo original ficasse sabendo.

Sua paixão pela música continuou. Entrou para o coral da escola, que proporcionava infindáveis oportunidades para alegrar o grupo e para marchas militares, mas é em sua disciplina musical que podemos perceber, mais facilmente do que nas outras matérias da escola – todas baseadas na ideia de autorrealização por meio da admissão ao grupo ético –, que ele estava conseguindo manter a liberdade de pensamento a qual tanto se preocupava em perder quando estava prestes a entrar para a Pforta. Seus professores e colegas admiravam muito suas habilidades patentes ao piano e sua proficiência na leitura de partituras, que era espetacular, mas eram suas incríveis improvisações no teclado que os deixava maravilhados. Tempos antes, pessoas vinham de longe para ouvir o pai dele tocar. Agora os colegas de Nietzsche admiravam o mesmo talento no filho. Quando se envolvia num desses fluxos livres e fluentes de invenção melódica, longos e apaixonados, os colegas se reuniam ao redor do garoto atarracado, de óculos de lentes grossas e cabelos excentricamente compridos e penteados para trás, desajeitadamente acomodado no banco do piano. Mesmo os que o consideravam insuportável ficavam hipnotizados por seu virtuosismo, como diante de um mágico. Tempestades evocavam o melhor de sua inspiração, e quando trovejava seu amigo Carl von Gersdorff achava que até mesmo Beethoven não teria conseguido chegar a tais alturas de improvisação.

Sua devoção religiosa continuou apaixonada e ele não se desviou da ideia de que seguiria o pai entrando para a Igreja. Essa confirmação aconteceu num redemoinho de fervor religioso.

No domingo da Quaresma de 1861, o dia da Confirmação estabeleceu um novo vínculo entre ele e Paul Deussen, o amigo da escola que enumerou as acrobacias de Nietzsche. Os alunos andavam em pares até o altar para receber a consagração de joelhos. Deussen e Nietzsche ajoelharam-se lado a lado. Foram envolvidos por um estado de espírito sagrado e extático e se declararam prontos a morrer de imediato por Cristo.

Quando o arrebatamento religioso de alta octanagem diminuiu, deu lugar ao mesmo exame imparcial de textos cristãos que Nietzsche estava acostumado a aplicar em seus estudos de grego e romano. Expressou suas ideias num par de longos ensaios intitulados *Fé e história* e *Liberdade da vontade e fé*, ambos mostrando seu interesse por Ralph Waldo Emerson, pensador norte-americano contemporâneo dele que escrevia muito sobre o problema da fé e do livre-arbítrio. Nietzsche concluiu *Liberdade da vontade e fé* com um de seus primeiros aforismos: "A liberdade absoluta da vontade faz do homem um deus; o princípio fatalista faria dele um autômato". Ele estabelece o mesmo pensamento mais integralmente em *Fé e história*:

> Livre-arbítrio sem fé é simplesmente tão impensável quanto espírito sem realidade, como o bem sem o mal [...] Só a antítese cria a qualidade [...] Haverá grandes revoluções quando as massas finalmente perceberem que a totalidade do cristianismo baseia-se em pressupostos: a existência de Deus, a imortalidade, a autoridade da Bíblia, a inspiração e outras doutrinas que sempre serão problemáticas [...] nós mal sabemos se a própria humanidade não é apenas um estágio ou período na história universal ou [...] Será que o humano não pode ser não mais que o desenvolvimento da pedra através da planta ou do animal? [...] Esse eterno se torna sem fim?

A herética teoria da evolução de Darwin se destaca nessa especulação, mas para Nietzsche esses pensamentos se inspiravam em suas leituras de três pensadores que influenciariam seu pensamento criativo por muitos anos: Emerson, o filósofo e poeta grego Empédocles e o filósofo e poeta alemão Friedrich Hölderlin.

Em 1861, Nietzsche escreveu um ensaio para a escola intitulado "Carta ao meu amigo, na qual recomendo o meu poeta favorito". O poeta favorito era Hölderlin, então negligenciado e praticamente desconhecido, embora agora se situe no alto do panteão da literatura alemã. Nietzsche tirou uma nota baixa no ensaio e aconselhou seu professor a "se ater a poetas que sejam mais saudáveis, mais lúcidos e mais alemães".[10] De fato, Hölderlin não podia ser mais integralmente alemão, mas ele realmente depreciava o nacionalismo *über alles*. Era uma atitude compartilhada por Nietzsche aos dezessete anos, e seu ensaio demonstra que Hölderlin

> diz aos alemães verdades amargas que são, infelizmente, muito bem fundamentadas [...] Hölderlin lança palavras afiadas e cortantes ao barbarismo alemão. Mas essa abominação da realidade é compatível com o grande amor por seu país, e esse amor Hölderlin tem em alto grau. Mas odiava nos alemães o mero especialista, o filisteu.[11]

Os professores de Nietzsche não gostavam de Hölderlin pelo que consideravam como sua falta de saúde mental e moral. Hölderlin perdeu o juízo no final da vida e isso o transformou numa escolha insalubre de tema de estudos. Essa opinião, combinada com o deleite de Nietzsche em questionar a autoridade da razão, levou os professores a entrever no garoto um pessimismo perigoso e totalmente antiético em relação aos três princípios orientadores de *Wissenschaft*, *Bildung* e luteranismo. Esses três princípios sagrados deveriam oferecer uma defesa adequada a qualquer jovem estudante de Pforta, como Nietzsche, de ser atraído pelo território interno explorado por Hölderlin de uma alma atribulada e abandonada por Deus:

> Oh, seus infelizes que sentem tudo isso, que, até como eu, não conseguem se permitir a falar de o homem estar aqui com um propósito, que, até como eu, estão tão totalmente nas garras do Nada que nos domina, tão profundamente cientes que nascemos para nada, que amamos um nada, que acreditamos em nada, que trabalhamos até morrer por nada além de pouco a pouco passarmos a ser nada – como posso ajudar se seus joelhos desabam quando pensam nisso seriamente? Muitas vezes eu também submergi nesses pensamentos sem fundo e gritei: Por que pender o machado sobre minha raiz, espírito desapiedado? – e eu ainda estou aqui.[12]

Durante seus últimos dias de vida, ocasionalmente, embora de forma errática, Hölderlin era capaz de produzir surpreendentes ideias, um lampejo oracular ou uma frase especialmente perturbadora. Estabeleceu sua residência em uma torre em Tubinga, onde se tornou uma atração turística, um ponto de parada na grande turnê da era romântica, sempre em busca apaixonada por uma torre em ruínas cheia de corujas habitadas por um para-raios humano para inspiração divina.

Nietzsche escreveu que a "tumba da longa loucura" de Hölderlin, na qual a mente do poeta lutava contra a noite de insanidade que avançava antes de finalmente expirar em misteriosas canções funerais, corroía sua consciência como o bater das ondas de um mar agitado. Seus textos sobre Hölderlin insinuam que ele já estava meio apaixonado pela ideia de entregar a própria mente, se a consequência fosse abrir as portas da revelação.

Com certeza Hölderlin não tocava a nota certa para Pforta. Mas apesar das críticas e reprovações de seus professores, Nietzsche não desistiu de seu interesse pelo poeta.

Hölderlin tinha escrito uma peça sobre Empédocles (*ca*.492-432 a.C.), e Nietzsche se propôs a fazer o mesmo. Segundo a lenda, Empédocles cometeu suicídio pulando dentro do monte Etna na certeza e com certa esperança de emergir como um deus, uma expectativa que traz à mente tanto Zaratustra emergindo da caverna como Nietzsche perdendo o juízo e se vendo traduzido no deus Dionísio. O tema da divindade nascente e da insanidade tocada por Deus como passaporte para a divindade permeia a vida e o pensamento de Nietzsche, de Hölderlin e de Empédocles. Assim, com dezessete anos e aluno da mais avançada escola alemã dedicada ao culto civilizado da razão olímpica e da clareza, Nietzsche já explorava a ideia da insanidade emancipatória e do valor da irracionalidade.

"Ser sozinho, e sem deuses, isso – isso sim é a morte", Hölderlin pôs na boca de Empédocles em sua peça, e talvez nisso possamos rastrear o primeiro suspiro da gigantesca tragédia que Nietzsche articularia na morte de Deus.

Poucos textos de Empédocles sobreviveram. Os fragmentos que restaram são cacos de dois poemas épicos filosóficos, *Sobre a natureza* e *As purificações*. *Sobre a natureza* é um lindo poema de criação que remete às pastorais de Ovídio e ao *Paraíso perdido*, mas Empédocles não era um mero conjurador de palavras que nos lembra de Ovídio e de Milton. Ele é importante por ser o primeiro escritor a dar nome aos quatro elementos:

> Venha! Darei nome aos supostos Quatro primevos,
> De onde surgiu a visão de todas as coisas que agora contemplamos
> Terra, Mar de muitos vagalhões e o ar úmido,
> E Éter, o Titã, que mantém o globo unido.
> Mas venha agora, ouça agora que foi o fogo bipartido
> Que levou vida aos germes [...][13]

Empédocles postula uma série de coisas em que não há criação nem aniquilação. Existe uma forma de matéria cuja soma é inalterável e eterna, devido à mistura e dissociação de dois poderes eternos, e eternamente opostos: amor e ódio. A tensão entre sua oposição cria a energia do vórtice primal, que Empédocles retrata como um redemoinho de pesadelo ao estilo de Hieronymus Bosch, no qual pedaços de corpos humanos, "cabeças, braços, olhos, vagando como espectros pelo espaço", estão todos procurando uns pelos outros enquanto buscam se tornar "tecidos em todas as formas e maravilhosos de se ver". Hoje esses versos são interpretados como o primeiro e cintilante vislumbre da teoria da evolução.

Do que restou da natureza fragmentária de Empédocles, Nietzsche aprendeu a brevidade. Também aprendeu como fragmentos libertam a mente para partir em intermináveis jornadas especulativas. Iria se tornar um poder cada vez mais valioso quando os intervalos criativos entre seus acessos doentios se tornaram mais curtos, deixando-o com o problema de como comunicar seus pensamentos rapidamente e com o máximo de efeito antes do acesso seguinte.

Outra obra desse ano que se seguiu à Confirmação de Nietzsche é o que ele chamou jocosamente de sua "noveleta repugnante", *Euphorion*, um texto adolescente e transgressor que flerta com o sexo e o pecado.

"Quando a escrevi, uma explosão de risada diabólica eclodiu de mim", vangloria-se em carta a um amigo que ele assina como "FWvNietzky (vulgo Muck) *homme étudié en lettres (votre ami sans lettres)*".[14]

Na lenda de Fausto, Euphorion era o nome dado ao filho nascido de Fausto e Helena de Troia. Na Alemanha de Nietzsche, Byron era considerado popularmente como um Euphorion da modernidade. Assim, ao escrever na primeira pessoa como Euphorion, Nietzsche assume uma postura faustiana e byroniana.

Apenas a primeira página da novela sobreviveu. Abre com Euphorion em seu estúdio:

"A alvorada carmesim brinca em multicores no céu, fogos de artifício crepitando, agora entediantes [...] Diante de mim um frasco de tinta onde mergulhar meu coração negro; uma tesoura com que posso me habituar a cortar minha garganta: manuscritos para me limpar, e um penico.

"Se ao menos o Torturador mirar sua micturição sobre meu túmulo – como um lembrete [...] acho que é mais agradável se decompor na terra do que vegetar no céu azul, arrastar-se como uma minhoca gorda é bem mais doce que ser um humano – um ponto de interrogação ambulante [...]

"Do outro lado mora uma freira, que visito de vez em quando para me alegrar com seu excelente comportamento [...] Antes, ela era uma freira, magra e frágil; foi seu médico quem a fez ganhar algum peso. Com ela mora seu irmão em casamento pela lei ordinária; para mim ele parece gordo e viçoso demais – eu o emagreci – até virar um cadáver [...]" A essa altura Euphorion recostou-se um pouco e gemeu, pois sofria de uma doença que afetava a medula de sua coluna.[15]

Aqui, felizmente, termina a única página que restou do manuscrito.

Há outro fragmento de sua juventude que não deveria ser omitido. Pois um texto escrito geralmente é considerado como um relatório de algum tipo de experiência real, uma visão ou uma visita sinistra e fantasmagórica, ou até uma previsão de sua insanidade. Como tal, é certo tratá-lo como importante, mas em vista de *Euphorion*, pode ser também apenas mais uma tentativa de escrita experimental.

"Do que tenho medo", escreveu, "não é da terrível figura atrás da minha cadeira, mas de sua voz; também não é das palavras, mas do tom horrivelmente desarticulado e inumano dessa figura. Sim, se ao menos ela falasse como falam os seres humanos."[16]

Em Pforta, eles tratavam as escabrosas crises da doença crônica de Nietzsche, suas terríveis dores de cabeça, ouvidos supurados, "catarro estomacal", vômitos e náuseas com remédios humilhantes. Era posto na cama num quarto escurecido com sanguessugas nos lóbulos das orelhas para chupar o sangue da cabeça. Às vezes também eram aplicadas no pescoço. Ele odiava o tratamento. Sentia que não lhe fazia absolutamente nenhum bem. Entre 1859 e 1864, houve doze registros de estados adoentados, um por semana, na média.

"Preciso aprender a me acostumar com isso", ele escreveu.

Usava óculos com lentes esfumaçadas para proteger os olhos sensíveis da dor causada pela luz e não havia muita razão para otimismo por parte dos médicos da escola, que previam uma cegueira total.

Atormentado por limitações físicas e prognósticos sombrios, Nietzsche se aproveitava de cada momento produtivo. Seu apetite pelos estudos era prodigioso. Aumentou sua carga de trabalhos escolares organizando uma irmandade com seus dois amigos de infância, Gustav Krug e Wilhelm Pinder, que continuavam na Dom Gymnasium em Naumburg, por não terem sido selecionados para a elite de Pforta. Os três rapazes batizaram a sociedade literária de "Germânia", provavelmente em homenagem a Tácito.[17] Realizaram o evento inaugural durante as férias de verão de 1860, em uma torre com vista para o rio Saale. Fizeram muitos juramentos fraternos e esvaziaram uma garrafa de vinho tinto barato em brindes antes de atirá-la no rio. Todos juraram produzir um trabalho por mês: um poema ou ensaio, uma composição musical ou um desenho arquitetônico. Depois os outros fariam críticas, "em um espírito amistoso de correção mútua".

Durante três anos, Nietzsche contribuiu com cerca de 34 obras, que variaram de um Oratório de Natal à "personagem Cremilda segundo os nibelungos" a "Sobre o elemento demoníaco na música". Nietzsche continuou produzindo trabalhos até muito depois de os outros terem parado. "Mas o que significa que possamos ser estimulados para uma atividade ansiosa?", escreveu com muito desespero numa das minutas da sociedade de 1862.

No ano seguinte ele se interessou por uma garota. Anna Redtel era irmã de um colega de escola. Estava com o irmão em um passeio pelas montanhas quando chamou a atenção de Nietzsche ao executar uma bela dança numa clareira. Os dois dançaram juntos. Era uma garota pequena e etérea de Berlim, muito encantadora, de boa índole, culta e musical. Ao seu lado Nietzsche parecia grande, de ombros largos, vigoroso, rígido e solene. Ela tocava bem o piano e a intimidade entre os dois aumentou quando sentaram juntos para tocar em dueto. Nietzsche lhe mandava poemas e dedicou a ela uma rapsódia musical. Quando chegou a hora de Anna voltar a Berlim, Nietzsche a presenteou com um portfólio contendo várias de suas composições para piano. Ela agradeceu com um bilhete gracioso, e assim foi concluída essa primeira e delicada introdução ao amor.

O ano de 1864 foi seu último na escola. Havia menos atividades extracurriculares. Ele precisava se concentrar na produção de um trabalho original e significativo, um *Valediktionsarbeit*, para passar pelo *Abitur*, o exame vestibular para a universidade.

> Então aconteceu que nos últimos anos da minha vida em Schulpforta eu estava trabalhando em dois ensaios psicológicos. Em um, meu objetivo era fazer um relato, a partir de fontes (Jordanes, Edda etc.), das sagas do rei Hermenerico dos godos do leste em suas várias ramificações; no outro, esboçar um tipo especial de tirano grego, os mégaros [...] enquanto trabalhava, isso se transformou num retrato de Teógnis de Mégara.[18]

Menos de 1.400 linhas sobreviveram do poeta grego Teógnis de Mégara, do século VI a.C. Isso confere a Teógnis algo em comum com o outro tema de Nietzsche, Empédocles e Diógenes Laércio, e conferia a ele grande liberdade. "Eu me envolvi num grande número de suposições e adivinhações", escreveu Nietzsche em seu trabalho sobre Teógnis, "mas pretendo completar o trabalho com a adequada precisão filológica, e tão cientificamente quanto puder". Ciência filológica e precisão realmente não triunfaram em *De Theognide Megarensi* [Sobre Teógnis de Mégara]. Nietzsche escreveu o ensaio em apenas uma semana, no começo das férias de verão. Compreendia 42 páginas em letras miúdas escritas em latim e seu brilhantismo surpreendeu os pedagogos filológicos de Pforta. Deveria dedicar o resto das férias de verão à matemática, mas não pensou muito nisso, e quando voltou à escola depois das férias seu exasperado professor de matemática, Buchbinder, queria que ele fosse reprovado no *Abitur*.

"Como ele nunca mostrou nenhum esforço em matemática, sempre andou para trás, por assim dizer, tanto em seu trabalho escrito como oral a esse respeito; por isso ele não pode nem ao menos ser classificado como *satisfatório* nessa matéria", advertiu Buchbinder. Mas seus resmungos foram abafados por seus colegas pedagogos, que perguntaram: "Talvez você queira que reprovemos o aluno mais talentoso que já passou por Pforta?".[19]

"Passei bem feliz", exultou Nietzsche em 4 de setembro. "Oh, chegaram os gloriosos dias de liberdade!" Saiu de Pforta com a costumeira tradição ostentosa da escola, acenando da janela de uma carruagem ornamentada puxada por cavalos e acompanhado por postilhões impecavelmente uniformizados.

O relatório dos médicos da escola dizia:

> Nietzsche é um ser humano robusto e compacto com um olhar notavelmente fixo, míope e frequentemente perturbado por dores de cabeça ocasionais. O pai dele morreu novo, de amolecimento do cérebro, tendo nascido de pais mais velhos; o filho nasceu numa época em que o pai já não estava bem. Ainda sem nenhum mau sintoma, mas os antecedentes devem ser levados em consideração.

O comentário de despedida de Nietzsche sobre Pforta não poderia ser mais lisonjeiro:

> Vivi um culto secreto de certas artes [...] Resgatei minhas inclinações particulares e a aplicação da lei uniforme; tentei romper a rigidez das escalas e cronogramas impostos pelas regras, ao me deixar levar por uma exagerada paixão pelo conhecimento universal e pela diversão [...] O que eu desejava era algum contrapeso para minhas inclinações impacientes e volúveis, uma ciência que pudesse ser buscada com uma imparcialidade isenta, com uma lógica fria, com trabalho regular, sem seus resultados me tocarem tão fundo [...] O quanto é bem ensinado, mas o quanto é mal formado o estudante de uma tão valiosa fundação.[20]

3
Torne-se quem você é

> Há centenas de maneiras de ouvir sua consciência [...] Mas o que você sente como alguma coisa sendo certa pode ter sua causa em nunca ter pensado muito sobre si mesmo e ter aceitado cegamente o que foi rotulado como *certo* desde a sua infância.
>
> *A gaia ciência*, seção 335

Nietzsche definiria 1864 como seu ano desperdiçado. Em outubro ele se matriculou como estudante na Universidade de Bonn. Posando de filho dedicado, entrou para a faculdade de teologia, embora seu maior interesse estivesse na filologia clássica. Sua escolha por Bonn foi decidida por dois celebrados filólogos clássicos no corpo docente, Friedrich Ritschl e Otto Jahn. Considerou o curso de teologia chato e sentiu saudade da mãe e da irmã. Bonn ficava a 460 quilômetros de Naumburg. Pela primeira vez as duas não estavam a uma distância que pudesse ser percorrida a pé. Porém, mesmo sentindo saudades, conseguiu fazer bom uso da distância, ainda que de forma desonesta. As duas continuavam acreditando que ele pretendia entrar para a Igreja, e Nietzsche tinha medo de desiludi-las.

Decidiu que até então sua vida tinha sido paroquial. A maneira de retificar sua ignorância do mundo era entrar para uma *Burschenschaft*, uma fraternidade estudantil. Era um movimento que se tornaria horrivelmente maculado por sua associação com a Juventude Hitlerista. Mas quando foi fundada, em 1815, seu propósito era proporcionar valores culturais liberais à geração de estudantes alemães por toda a agregação da Bund, ainda que a federação mantivesse rédea curta na atividade intelectual da *Burschenschaft*, no caso de as sociedades se tornarem políticas e subversivas, que não fizessem muito mais do que escaladas de montanhas, cantassem músicas, duelassem e tomassem cerveja. Nietzsche entrou para a exclusiva fraternidade Franconia, esperando discussões cultas e debates parlamentares, mas de repente se viu erguendo canecas e bradando as canções ébrias da fraternidade. Lutando para se adaptar, ele se envolveu no que definiu como um estranho imbróglio de um movimento desconcertante com entusiasmo frenético.

"Depois de fazer vênias em todas as direções da forma mais cortês possível, eu me apresento a vocês como membro da Associação Alemã de Estudantes chamada Franconia", escreveu para sua querida mãe e para Lhama. Até elas devem ter ficado desconfiadas das muitas cartas descrevendo as excursões da Franconia, que invariavelmente começavam com uma parada marcial, tudo feito com quepes e braçadeiras e cantos entusiasmados. Marchando atrás de uma banda de hussardos ("atraindo muita atenção"), eles acabavam em geral muito felizes em uma estalagem ou na choupana de algum camponês cuja hospitalidade e bebidas fortes eles condescendiam em aceitar. Um dos improváveis novos amigos parece ter sido Gassmann, editor do *Beer Journal*.

Uma cicatriz de duelo era uma insígnia de honra essencial, e Nietzsche escolheu uma abordagem não convencional para conseguir uma. Quando sentiu que sua habilidade na esgrima estava à altura, saiu numa agradável caminhada com um certo Herr D., que pertencia a uma associação que duelava com a Franconia. Nietzsche ficou curioso com o que um simpático adversário como Herr D. faria. Disse a ele: "Você é um homem que considero muito, será que poderíamos travar um duelo? Podemos passar por cima de todas as preliminares usuais". Isso não estava de acordo com o código duelista, mas Herr D. concordou de forma muito obsequiosa. Paul Deussen atuou como testemunha. Contou que as lâminas reluzentes dançaram ao redor das cabeças desprotegidas por cerca de quinze minutos antes de a espada de Herr D. atingir a ponta do nariz de Nietzsche. O sangue escorreu; a honra estava satisfeita. Deussen fez um curativo no amigo, colocou-o numa carruagem, levou-o para casa e o pôs na cama. Poucos dias depois, ele estava totalmente recuperado.[1]

A cicatriz é tão pequena que nem dá para notar nas fotografias, mas foi causa de enorme satisfação para Nietzsche. Não fazia ideia de quanto os amigos de Herr D. riram quando ele contou a história.

Os franconianos frequentavam os bordéis de Colônia. Nietzsche conheceu a cidade em fevereiro de 1865, contratando um guia para mostrar a catedral e outras atrações famosas. Pediu para ser levado a um restaurante e talvez o guia tenha achado que era tímido demais para pedir o que realmente queria, pois o levou a um bordel.

De repente eu me encontrei rodeado por meia dúzia de criaturas com véus e lantejoulas que me olhavam com expectativa. Por um momento fiquei absolutamente aturdido na frente delas; depois, como que motivado por instinto, fui até o piano, por ser a única coisa com uma alma no meio de toda aquela companhia e toquei um ou dois acordes. A música estimulou meus membros e em um instante eu estava ao ar livre.[2]

Isto é tudo o que sabemos, mas o incidente reverbera na literatura e na lenda de Nietzsche. Alguns acreditam que ele não tocou apenas alguns acordes e saiu, mas se entregou aos propósitos habituais e com isso contraiu sífilis, da qual posteriormente seus problemas mentais e físicos se originaram. Uma das razões para isso é que em 1889, já depois de ter perdido o juízo e estar no asilo, ele disse que tinha "se infectado duas vezes". Os médicos deduziram que estava falando sobre sífilis. Se tivessem verificado seus prontuários médicos, teriam descoberto que ele teve gonorreia duas vezes, um fato que admitiu aos médicos enquanto ainda estava em seu juízo normal.

Thomas Mann transforma o incidente do bordel em algo fundamental em seu enorme romance *Doutor Fausto*, em que reconta a lenda de Fausto imaginando Nietzsche no papel-título. Mann transforma a noite no bordel na noite em que Nietzsche/Fausto vende a alma ao diabo pela mulher que deseja. Ela se torna sua obsessão e seu súcubo. Na versão original de Fausto, Helena de Troia costuma interpretar esse papel, mas Mann bizarramente substitui Helena pela Pequena Sereia de Hans Christian Andersen, uma pobre criatura que, para consumar o amor humano, precisa passar por terríveis torturas: sua língua é cortada como preço de transformar seu rabo de peixe numa fenda humana, e a cada passo com pés humanos a corta como espadas afiadas. Talvez isso diga mais sobre Mann do que sobre Nietzsche.

Durante os dois períodos que Nietzsche passou em Bonn, a música e a composição musical foram sua grande paixão. Compôs uma paródia integral de *Orfeu no inferno*, de Offenbach, com a qual ganhou o apelido de "Gluck" na fraternidade franconiana. Visitou o túmulo de Robert Schumann para depositar uma coroa de flores e se endividou tanto para comprar um piano que não conseguiu pagar a viagem para passar o Natal com a mãe e a irmã. Notando que seu dinheiro acabava depressa, "provavelmente por ser tão curto",[3] ele mandou em seu lugar um volume com oito de suas composições musicais (muito schubertianas nesse estágio) numa embalagem cara e com perfume de lavanda e acompanhadas por exaustivas instruções sobre como sua querida Lhama deveria tocá-las e cantá-las: com seriedade, pesar, com energia, com um pouco de floreio ou às vezes com grande paixão. Mesmo *in absentia* ele não abria mão do controle de suas queridas mulheres.

Na Páscoa que se seguiu ao incidente do bordel, Nietzsche estava em casa e se recusou a receber o sacramento da comunhão na igreja. A Páscoa é uma ocasião importante para cristãos praticantes, e aquilo não foi um gesto trivial, sendo fonte de terrores fundamentais para sua mãe e para Lhama, para as quais a apostasia de Nietzsche era uma negação ao que elas acreditavam ser o único objetivo de suas vidas na Terra: a reunificação final de todos com o amado pastor Nietzsche no Paraíso.

Nietzsche ainda não estava passando por uma grande perda de fé, mas já começava a ter sérias dúvidas. Em sua sala de estudos, com um oratório para o pai falecido cuja fotografia ficava sobre o piano embaixo de uma pintura a óleo da retirada de Cristo da cruz, ele lia um livro de David Strauss, *Das Leben Jesu, kritisch bearbeitet* [A vida de Jesus analisada criticamente] e fazia uma lista de 27 livros científicos que pretendia ler.

Assim como toda sua geração, Nietzsche lidava com o vacilante território entre ciência e fé, um problema que precisava de uma solução. Parecia estar passando por uma transferência da fé cega em Deus para uma fé igualmente cega nos cientistas, que afirmavam ter descoberto a misteriosa natureza da matéria em uma coisa chamada "a força biológica", responsável pela espantosa diversidade do mundo natural.

Uma enciclopédia contemporânea explicava a formação do universo numa narrativa não muito diferente da de Empédocles:

"Uma eterna chuva de diversos corpúsculos que caem em movimento múltiplo, consumindo-se na queda e criando um vórtice", existindo no interior do éter, que era "um meio luminoso com a natureza de um meio sólido e elástico preenchendo todo o espaço, através do qual a luz e o calor são transferidos em ondas". A luz "não poderia ser explicada de nenhuma outra maneira", embora ainda continuasse um enigma "como a Terra podia se mover pelo éter a uma velocidade de quase 1,6 milhão de quilômetros por dia. Mas se considerarmos que a graxa do sapateiro é tão quebradiça que trinca sob o golpe de um martelo, mas que flui como um líquido nas fissuras de um barco em que é aplicada, e que balas afundam mais lentamente e rolhas flutuam devagar por ela, o movimento da Terra pelo éter não parece tão incompreensível".[4]

O universo explicado a partir da graxa do sapateiro; a fé na ciência estava se tornando tão irracional quanto a fé em Deus. O livro de Strauss analisava a vida de Jesus "cientificamente". Nietzsche comparava Strauss a um jovem leão filológico desnudando a barretina teológica. Se o cristianismo significava a crença em um acontecimento histórico ou em uma pessoa histórica, Nietzsche não queria ter nada a ver com isso.

Lhama exigiu esclarecimentos. O irmão escreveu:

> Todas as verdadeiras fés são realmente infalíveis; representam o que quem acredita espera encontrar nelas, mas não oferecem a mínima base para o estabelecimento de uma verdade objetiva [...] Aqui os caminhos dos homens se dividem. Se você quer alcançar a paz de espírito e a felicidade, então tenha fé; se você quer ser um discípulo da verdade, saia à procura.[5]

Pouco foi realizado durante seus dois períodos em Bonn. Nietzsche endividava-se e dormia até tarde. Sua coleção de doenças foi acrescida de reumatismo no braço. Mostrava-se sarcástico e irritadiço quando lamentava o tempo e dinheiro gastos no "materialismo cervejeiro" e na "negligente bonomia" da Franconia. Felizmente, uma disputa entre os dois professores de filologia, Jahn e Ritschl, se tornou tão ácida que o segundo saiu de Bonn para lecionar na Universidade de Leipzig. Nietzsche o acompanhou.

O recomeço lhe serviu bem. Acordava todas as manhãs às cinco horas para uma aula. Fundou a Sociedade Clássica, que combinava mais com ele que a Franconia. Transformou uma cafeteria local "numa espécie de bolsa de valores filológica" e comprou um armário para guardar seus textos e periódicos. Aderiu à vicejante Sociedade Filológica e produzia artigos em latim sobre todos os tipos de caminhos e atalhos clássicos obscuros. "Ampliei a matéria de forma independente ao descobrir recentemente a evidência de por que o *Violarium* de Eudóxia não remete a Suidas, mas sim à principal fonte de Suidas, um compêndio de Hecateu de Mileto (perdido, é claro) [...]."[6]

Nietzsche tinha o dom de trazer à vida assuntos ressecados, um raro talento no campo da filologia. Suas palestras eram bem frequentadas. Ele era popular.

Era totalmente isento de pedantismos filisteus, recorda um de seus colegas de faculdade. "Eu saía das palestras dele com a impressão de uma quase espantosa precocidade e uma certeza autoconfiante."[7] Contrapunha Homero a

Hesíodo e animava a faculdade desafiando a ideia aceita de que a *Odisseia* e a *Ilíada* eram poesia folclórica escrita por diversos poetas, argumentando ser inconcebível que uma obra literária tão magnificente pudesse ter sido produzida por um indivíduo tão destacadamente criativo. Ritschl elogiou seu trabalho sobre Teógnis e Nietzsche ganhou um prêmio por seu ensaio sobre Diógenes Laércio. A epígrafe do ensaio foi um trecho das *Odes Píticas* de Píndaro que ele sempre adorou: "Torne-se quem você é, tendo aprendido o que é isso".[8]

Nietzsche começava a trilhar esse caminho acadêmico quando o destino interveio na forma da ambição territorial de Bismarck, cujas políticas expansionistas estavam provocando uma sucessão de pequenas guerras planejadas para manobrar a Prússia à frente da Alemanha em detrimento da Bund e, afinal, a Alemanha à frente da Europa. Em 1866 a Prússia lutou e ganhou uma guerra curta contra a Áustria e a Baviera. O exército da Prússia invadiu a Saxônia, Hanover e Hesse e declarou que a Confederação Alemã não mais existia. No ano seguinte, 1867, esses temas ainda repercutiam, e Nietzsche foi convocado para servir como soldado raso na divisão montada de um regimento de artilharia de campo acantonado em Naumburg. Ele já tivera algumas aulas de montaria, mas não tinha muita experiência com cavalos.

> Se algum demônio levá-lo de manhã cedo, digamos, entre cinco e seis horas a Naumburg e fizer a bondade de guiar seus passos até minha vizinhança, não pare no caminho e olhe para o espetáculo que se oferece aos seus sentidos. De repente você respira a atmosfera do estábulo. À meia-luz dos lampiões surgem figuras. Ao seu redor há sons rascantes, relinchos, de escovação e pancadas. E em meio a tudo isso, no garbo de um cavalariço, empenhado em violentas tentativas de conduzir algo indizível com as mãos nuas [...] não há ninguém mais a não ser eu mesmo. Algumas horas mais tarde você vê dois cavalos correndo em volta da pista, não sem cavaleiros, e um deles se parece muito com seu amigo. Ele está cavalgando seu belo e fogoso Balduin e espera um dia conseguir cavalgar bem [...] em outros períodos do dia ele se encontra, diligente e atento, ao lado de canhões puxados a cavalo retirando projéteis da carreta ou limpando o tubo com um pano ou fazendo pontaria segundo graus e polegadas e assim por diante. Mas acima de tudo ele precisa aprender [...] Às vezes, escondido embaixo da barriga do cavalo eu murmuro: "Socorro, Schopenhauer!".[9]

Os artilheiros eram ensinados a montar no cavalo na corrida, lançando-se ousadamente sobre a sela. A miopia de Nietzsche prejudicava seu cálculo da distância, e em março ele calculou mal um salto e caiu de peito no pomo rígido da sela. Continuou o exercício estoicamente, mas naquela noite desmaiou e foi acamado com um profundo ferimento no peito. Depois de dez dias tomando morfina sem nenhum sinal de melhora, o médico do exército abriu seu peito; dois meses depois o ferimento ainda supurava. Para sua surpresa, viu um pequeno osso despontando. Foi receitado que lavasse a cavidade com chá de camomila e uma solução de nitrato de prata e tomasse banho três vezes por semana. Isso não produziu o resultado desejado, e começou-se a discutir a possibilidade de uma operação. O famoso dr. Volkmann, de Halle, foi consultado, e recomendou uma cura com água salgada nos banhos salinos de Wittekind. A pequena estação de águas do vilarejo era um lugar sombrio, úmido e chuvoso, e seus companheiros inválidos não eram nada estimulantes. Para evitar suas conversas banais, nas horas de refeição Nietzsche se sentava ao lado de um homem surdo e mudo. Felizmente a cura funcionou; os ferimentos sararam, deixando somente cicatrizes profundas, e ele conseguiu sair daquele lugar deprimente.

Em outubro, Nietzsche foi declarado temporariamente incapaz para o serviço ativo e afastado do exército até a primavera seguinte, quando deveria voltar para um mês de exercícios em transportes de armamentos, uma atividade pouco compatível com a conclusão da cura de seus ferimentos. Em 15 de outubro ele comemorou seu aniversário de 24 anos, três semanas depois aconteceu o glorioso primeiro encontro com Richard Wagner e pouco depois Nietzsche recebeu o convite para assumir a cadeira de filologia da Basileia.

Foi uma oferta surpreendente. Nietzsche ainda era um simples estudante. Tinha passado por dois períodos na Universidade de Bonn e dois períodos em Leipzig, mas não tinha créditos de nenhuma das duas. No entanto, o ilustre professor Ritschl recomendou seu aluno brilhante e extraordinário para o cargo. O posto foi oferecido em 13 de fevereiro e, para poder assumi-lo, Nietzsche obteve seu doutorado por Leipzig, sem nenhum exame, em 23 de março. Em abril foi nomeado professor de filologia clássica na Universidade de Basileia, com um estipêndio de 3 mil francos.

Orgulhoso e maravilhado por ser o mais jovem professor a ser indicado para aquele posto, gastou parte do dinheiro em roupas, esforçando-se para evitar modas mais jovens e escolhendo apenas estilos que o fizessem parecer mais velho.

Tinha suas reservas em relação à Suíça, suspeitando que abrigasse uma raça de "filisteus aristocráticos", e também em relação à Basileia, uma sociedade abastada e conservadora baseada no comércio de rendas, um lugar de salões impecáveis, um conselho de anciões infalíveis e uma pequena universidade de apenas 120 alunos, a maioria estudando teologia.

A universidade insistiu para que ele desistisse de sua cidadania prussiana. Não queriam que fosse chamado novamente para o serviço militar e sugeriram que se tornasse cidadão suíço. Porém, apesar de ter revogado sua cidadania prussiana, Nietzsche nunca chegou a preencher os requisitos para ser um cidadão suíço. Em decorrência, tornou-se um apátrida pelo resto da vida, o que ele com certeza achava melhor do que entrar para as fileiras dos filisteus.

"Prefiro ser um professor na Basileia a ser Deus",[10] declarou, e foi então que descobriu o quanto gostava de lecionar. Foi contratado para ensinar na escola secundária local, a Pädagogium, além de na universidade. Ensinava história da literatura grega, religião da Grécia Antiga, Platão, filósofos pré-platônicos e retórica grega e romana. Fez seus alunos estudarem *As bacantes* de Eurípides e escreverem sobre o culto a Dionísio.

Seus estudantes

> pareciam unânimes na sensação de estarem aos pés não tanto de um pedagogo, mas de um éforo vivo [um dos magistrados na antiga Esparta que compartilhava do poder do rei], que havia viajado no tempo para ensiná-los sobre Homero, Sófocles, Platão e seus deuses. Como se falasse a partir de seu próprio conhecimento de coisas bastante evidentes e ainda assim muito valiosas – essa era a impressão que passava.[11]

Mas isto não foi conseguido sem um custo. Um de seus alunos descreve os maus dias de Nietzsche, quando era doloroso vê-lo se esforçar para dar uma aula. Diante do apoio para o livro, o rosto quase tocando seu bloco de anotações, apesar dos óculos de lentes grossas, as palavras eram enunciadas lentamente e com dificuldade, com longas pausas entre cada uma delas. A tensão acumulada envolvendo sua capacidade de concluir a tarefa era insuportável.[12]

A energia do rio Reno estimulava muito o espírito de Nietzsche. Quando os alunos entravam em sua classe, era comum encontrá-lo diante da janela aberta, mesmerizado pelo rugido constante do rio. O tormentoso eco das paredes altas das ruas medievais acompanhava suas caminhadas pela cidade, onde ele se apresentava como uma figura estilosa, pouco abaixo da altura média (da mesma altura que Goethe, ele sempre dizia), corpulento, elegantemente vestido, de postura distinta com seu grande bigode e olhos profundos e pensativos. Sua cartola cinza devia fazer parte de sua estratégia de parecer mais velho, e era a única vista na Basileia além da que era usada por um velho conselheiro de Estado de Baden. Nos dias ruins, quando a saúde o atormentava, Nietzsche trocava a cartola por uma viseira verde grossa para proteger da luz seus sensíveis olhos.

Quando Nietzsche se estabeleceu na Basileia para assumir sua cadeira de professor, Wagner morava em Lucerna, na vila Tribschen, nas margens do lago. Lucerna ficava a pouca distância de trem da Basileia, e Nietzsche tinha muita vontade de aceitar seu convite para continuar a conversa sobre Schopenhauer e ouvir mais da ópera schopenhaueriana de Wagner, *Tristão e Isolda*.

A filosofia de Schopenhauer baseia-se basicamente no grande livro *O mundo como vontade e representação*, de 1818, em que ele desenvolve os primeiros pensamentos de Kant e Platão.

Nós vivemos no mundo físico. O que vemos, tocamos, percebemos ou experimentamos é a representação (*Vorstellung*), mas atrás da representação está a verdadeira essência do objeto, a vontade (*Wille*). Somos conscientes de nós mesmos, tanto na maneira perceptual com que conhecemos as coisas externas como de dentro, de forma bem diferente, como "vontade".

A representação encontra-se em um infindável estado de anseio e eterno vir a ser enquanto busca a unidade com sua vontade, seu estado perfeito. A representação pode ocasionalmente se unificar com a vontade, mas isso só causa mais descontentamento e mais ansiedade. O gênio humano (um ser raro) pode alcançar a integridade na união da vontade e da representação, mas para o restante do rebanho humano é um estado impossível de vida, a ser alcançado somente na morte.

A vida toda é um anseio por um estado impossível, e portanto toda vida é sofrimento. Kant escrevera sob um ponto de vista cristão, que tornava suportável o estado sempre imperfeito, sempre ansioso do mundo empírico porque algum tipo de final feliz podia ser antecipado se você tentasse o bastante. A redenção era sempre possível por meio do Cristo.

Schopenhauer, por outro lado, foi muito influenciado por seus estudos das filosofias budista e hindu, com sua ênfase abnegativa no sofrimento, no destino e no fado, e no fato de que os desejos, quando satisfeitos, só geram mais desejos. O sentido de fluxo no nível numênico (metafísico) da vontade é resolvido em um anseio pelo nada.

Schopenhauer é conhecido como um filósofo pessimista, mas para um jovem como Nietzsche, sempre descobrindo que o cristianismo era cada vez mais impossível, sua visão era uma alternativa viável a Kant, cuja influência dominava o *establishment* alemão, também porque o cristianismo era um componente vital no tecido da sociedade alemã, envolvida pelo Estado a serviço de uma política nacionalista e conservadora. Isto situava tanto Nietzsche quanto Wagner numa posição de *outsiders*, o que não os incomodava em nada.

Nietzsche não tinha lido Schopenhauer acriticamente. Também tinha estudado *Geschichte des Materialismus und Kritik seiner Bedeutung in der Gegenwart* [História do materialismo e seu significado no presente], F. A. Lange, de 1866, fazendo anotações.

1. O mundo dos sentidos é um produto de nossa organização.
2. Nossos órgãos visíveis (físicos) são, como todas as outras partes do mundo fenomenal, apenas imagens de um objeto desconhecido.
3. Nossa verdadeira organização é, portanto, tão desconhecida para nós quanto o são as coisas externas. Continuamente, temos diante de nós nada mais que o produto de ambos.

    Assim, a verdadeira essência das coisas – as coisas em si – não só é desconhecida para nós: seu conceito é nada mais nada menos que o produto final de uma antítese determinada por nossa organização, uma antítese do que não sabemos se tem ou não qualquer significado fora da nossa experiência.[13]

Dentro desse desconhecimento em queda livre, Schopenhauer tocou numa profunda necessidade de Nietzsche, confortando-o. A proposição de que toda a vida é um estado de sofrimento aplicava-se mais a ele do que à maioria, com seu pobre corpo em estado crônico de saúde debilitada e em geral acometido por grandes dores. Naturalmente, ansiando por seu estado ideal. Da mesma forma, Nietzsche ansiava por seu "verdadeiro ser", que faria a existência parecer mais inteligível e por isso justificável. A essa altura ele estava especialmente confuso quanto ao que era o seu "verdadeiro ser". Schopenhauer disse a ele que não podemos realizar a unidade do nosso verdadeiro ser porque nosso intelecto está constantemente fragmentando o mundo – e como poderia ser o contrário, quando nosso intelecto é somente uma pequena parte, um fragmento da nossa representação?

Nietzsche sentia isto de uma maneira mais pessoal: "A coisa mais enfadonha de tudo é que estou sempre tendo que personificar alguém – o professor, o filólogo, o ser humano",[14] escreveu depois de assumir o cargo como professor na Basileia, e dificilmente era uma sensação surpreendente, dado que era um jovem se vestindo como um velho para personificar sabedoria, um formando personificando um professor, um filho exasperado personificando um bom filho para sua irritante mãe, e um filho amoroso e respeitoso à memória do pai cristão morto, tudo isso em meio a um processo de perda de sua fé cristã. Como se não bastassem todas essas personificações cotidianas, havia a questão de sua condição de apátrida, a identidade formal dentro da qual existiam todas essas personificações. Totalmente fragmentado, ele se conhecia no estado schopenhaueriano de esforço e sofrimento: um homem longe de compreender sua verdadeira vontade, e muito menos de realizá-la.

Por outro lado, Wagner, ao menos em sua opinião, estava tão enfronhado no caminho do pensamento schopenhaueriano que já havia adquirido status de gênio. Sentia-se tão confiante que sua vontade e representação se tornariam unas que ele e sua amante Cosima dirigiam-se um ao outro com nomes amorosos schopenhauerianos. Ele era *Will* (Vontade) e ela era *Vorstell* (Representação).

Para Schopenhauer, a música era a única arte capaz de revelar a verdade sobre a natureza do ser em si. Outras artes, como a pintura e a escultura, só poderiam ser representações de representações. Isto as situava a dois passos da verdadeira realidade, a vontade. A música, no entanto, por ser amorfa, no sentido de não ser representacional, tinha a capacidade de acessar diretamente a vontade, contornando o intelecto.

Desde que descobriu Schopenhauer, em 1854, Wagner vinha estudando como compor o que o filósofo chamava de "suspensão". Uma peça musical schopenhaueriana deveria ser como a vida: movimentando-se de discordância em discordância, só resolvida no momento da morte (na música, na nota final da peça).

O ouvido, assim como a alma estremecida, está sempre ansiando pela resolução final. O homem é dissonância na forma humana; portanto a dissonância musical devia ser a forma artística mais eficaz de representar a dor da existência individual.

Os compositores do passado eram apegados à observação da forma musical e à obediência de regras ancestrais: a estrutura formal e formalista da sinfonia, por exemplo, ou do concerto. Ouvir essas manifestações nos torna conscientes de suas contribuições individuais à continuidade e ao desenvolvimento histórico da música. Se você conhecesse a linguagem, poderia facilmente situá-las na linha histórica.

Mas Schopenhauer questionava a própria ideia de história, definindo "tempo" apenas como uma forma do nosso pensamento. Isto libertou Wagner de uma representação reconhecível. Nietzsche definia a *Zukunftsmusik* de Wagner ("Música do Futuro") como a culminação triunfante de toda a arte, por não se preocupar, como as outras, com as imagens do mundo fenomenal para falar diretamente a linguagem da vontade. Das mais profundas fontes de seu ser, a música era a quintessência da manifestação da vontade. E de toda a música, Wagner exercia um fascínio sobre Nietzsche que se tornava cada vez mais forte; ele não conseguia manter a cabeça fria quando ouvia sua música, todas as suas fibras estremeciam, todos os seus nervos vibravam. Nada mais produzia em Nietzsche uma sensação de êxtase tão penetrante e duradoura. Será que o que estava vivenciando era a sensação de acesso direto à vontade? Nietzsche não via a hora de renovar seu contato com o mestre.

Já na Basileia havia três semanas, Nietzsche considerou que suas tarefas universitárias estavam suficientemente sob controle para poder fazer uma visita a Wagner. Não fazia diferença que Wagner tivesse o dobro da idade dele e cujo convite casual para visitá-lo tivesse sido feito seis meses antes. No sábado, dia 15 de maio de 1869, Nietzsche tomou o trem para Lucerna, onde desceu e saiu andando pela margem do lago Lucerna em direção à casa de Wagner.

Construída em 1627, Tribschen era, e ainda é, uma antiga e imponente mansão de muros espessos, quase uma torre de vigia. Inúmeras janelas simétricas recortadas abaixo de um teto vermelho inclinado e piramidal. Situada no alto de uma encosta, domina um aglomerado de rochas que adentram o lago. Como o castelo de um ladrão, vigia todas as formas de aproximação. Nietzsche não poderia se aproximar sem ser notado, mas teria de chegar, como todos os visitantes, constrangido sob o escrutínio direto das janelas. Na porta da casa, ouviu um acorde agônico e angustiante repetido diversas vezes num piano: o acorde de *Siegfried*. Tocou a campainha.

Um criado apareceu. Nietzsche apresentou seu cartão de visitas e ficou à espera, sentindo-se cada vez mais constrangido. Já estava quase indo embora quando o criado voltou apressado. Era o Herr Nietzsche que o mestre havia conhecido em Leipzig? Sim, de fato. O criado desapareceu e reapareceu. O mestre estava compondo e não podia ser perturbado. Será que Herr Professor não poderia voltar para o almoço? Infelizmente ele não estava disponível para o almoço. O criado desapareceu e reapareceu mais uma vez. Será que Herr Professor não poderia voltar no dia seguinte?

Nietzsche não tinha aulas na segunda-feira de Pentecoste. Quando voltou a realizar a intimidante abordagem, o próprio mestre veio atendê-lo.

Wagner adorava a fama e adorava roupas. Entendia bem o valor da imagem como veículo para ideias. Agora, ao receber o filólogo cuja disciplina era a compreensão da continuidade do antigo, Wagner usava seu "traje de pintor da Renascença": paletó de veludo preto, calça até os joelhos, meias de seda, sapatos afivelados, uma gravata azul-celeste e uma boina estilo Rembrandt. Sua recepção foi calorosa e genuína. Conduziu Nietzsche por uma estonteante sucessão de aposentos mobiliados de acordo com o gosto opulento que o compositor compartilhava com seu patrono real, o rei Ludwig.

Muitos visitantes chegaram a comentar que consideravam Tribschen cor-de-rosa demais e muito cheia de cupidos, mas seu interior foi algo novo e inebriante para Nietzsche, cuja vida fora passada em quartos protestantes de autonegação. As paredes de Tribschen eram revestidas de vermelho e damasco dourado, ou de couro de cabra, ou num tom específico de veludo violeta cuidadosamente escolhido para destacar os deslumbrantes bustos de mármore de Wagner e do rei Ludwig. Um dos tapetes era de penas do peito de flamingos brocado com penas de pavão. No alto de um pedestal, destacava-se uma jarra de cristal da Boêmia cor de rubi ridiculamente frágil e com sofisticadas filigranas que Wagner ganhara de presente do rei. Mementos de glória distribuíam-se como troféus de caça pelas paredes: lauréis de grinalda desbotados, programas autografados, pinturas de um Siegfried musculoso e de cabelos dourados levando a melhor sobre o dragão, Valquírias de peitoris de metal invadindo os céus como nuvens trovejantes e Brunilda vibrando de alegria ao despertar em sua rocha. Bibelôs e objetos preciosos eram abrigados por vitrines transparentes, como borboletas espetadas. As janelas eram guarnecidas de gaze cor-de-rosa e cetim brilhante. O perfume de rosas, angélicas, narcisos e lírios pairava pesado no ar. Nenhum aroma era narcótico demais, nenhum preço era alto demais para pagar pela essência de rosas da Pérsia, gardênias da América ou raiz de lírio de Florença.

A criação de *Gesamtkunstwerk*, uma obra de arte total integrando drama, música e espetáculo, era em si uma *Gesamtkunstwerk* envolvendo todos os sentidos físicos de Wagner, pois, segundo sua visão,

> [...] se eu for mais uma vez obrigado a mergulhar nas ondas da imaginação de um artista para encontrar satisfação em um mundo imaginário, devo ao menos ajudar minha imaginação e encontrar meios de incentivar minhas faculdades imaginativas. Não posso então viver como um cão. Não posso dormir em cima de palha e beber gim comum: minha voracidade é intensamente irritável, aguda e imensa, ainda que com uma delicadeza incomum e sensualidade suave que, de uma forma ou de outra, deve ser lisonjeada, devo realizar a tarefa difícil e cruel de criar em minha mente um mundo não existente.[15]

O aposento de onde Nietzsche tinha ouvido o acorde de *Siegfried* flutuando era o Salão Verde, onde Wagner compunha, um espaço surpreendentemente pequeno, masculino e artesanal na atmosfera pesadamente operística de Tribschen. Duas paredes recobertas por estantes de livros lembravam que Wagner era tanto um homem de letras como de música, que compunha o mesmo número tanto de livros, panfletos e libretos quanto de obras musicais. O piano fora especialmente projetado, com gavetas para canetas e uma plataforma onde as páginas da mais recente composição podiam ser viradas enquanto a tinta secava no papel. Os visitantes cobiçavam essas páginas, e Wagner sabia o valor de autografá-las e dar de presente às suas eminências favoritas. Sobre o piano havia um grande retrato do rei. Por alguma razão, em Tribschen era de mau gosto se referir ao rei Ludwig pelo nome. Ele era seu "amigo real". Visitava Tribschen sozinho e incógnito e às vezes até passava a noite, e por isso seu aposento era sempre mantido pronto. Tribschen era o Rambouillet de Ludwig. Acabou exercendo o mesmo papel para Nietzsche. Era a única pessoa, além do rei, a ter um quarto próprio na casa. No decorrer dos três anos seguintes, ele visitaria Tribschen 23 vezes, e a mansão viveria para sempre em seus pensamentos como a ilha dos abençoados.

O rei Ludwig, que pagava as contas, tinha dado carta branca a Wagner para se estabelecer onde quer que sua imaginação conseguisse estar livre de todas as considerações práticas e se concentrasse unicamente na conclusão do ciclo de *O anel*, que era a paixão do rei. Wagner tinha escolhido esse local espetacularmente pitoresco, que representava por completo o princípio do sublime de Kant:

> Uma função da extrema tensão vivenciada pela mente ao apreender a imensidão e a ausência de limites, transcendendo qualquer padrão de sentido e surgida de uma espécie de horror deleitoso, uma espécie de tranquilidade tingida de terror que, adquirida através de uma transcendente escala de referência, uma grandeza comparável somente a si mesmo [...] seu efeito é lançar a mente de volta a si mesma – e assim logo percebemos que o sublime não é para ser buscado nas coisas da natureza, mas em nossas próprias ideias.[16]

Sob esse princípio, as transcendentes visões a partir de todas as janelas de Tribschen podiam acionar uma inspiração sublime, tanto em Wagner como em Nietzsche sempre que olhavam a paisagem. Pelas janelas dando para o oeste, onde o sol se punha, as neves rosadas e eternas do monte Pilatos, originalmente um Niflheim pré-cristão de dragões lendários e duendes, rebatizado numa era cristã posterior em homenagem a Pôncio Pilatos que, banido da Galileia depois da crucificação de Cristo, fugiu para Lucerna. Aqui, corroído pelo remorso, ele galgou o monte de 2.100 metros, de onde se atirou no pequeno lago negro como tinta que se pode ver abaixo. Aqui habita o seu fantasma, em silêncio e imobilidade completa. Os guias locais dizem que a própria água está morta, mostrando como prova que sua superfície é sempre imóvel e incapaz de ser ondulada, até mesmo por um vento mais forte. Pinheiros negros cercam o local amaldiçoado. Durante séculos, nenhum lenhador ousou se aventurar ali por medo de provocar o espírito de alguém a quem tantas calamidades foram atribuídas, e por isso os pinheiros se transformaram em altos picos ao redor do pequeno lago e, incidentalmente, mantendo as águas imperturbadas pelo vento. No século XIV um corajoso padre vadeou o lago do suicida Pilatos e executou um exorcismo. Mesmo assim, os habitantes locais continuaram temerosos, e as inúmeras tempestades que se abatem ao redor da montanha e aumentam as chuvas no lago Lucerna continuaram sendo atribuídas ao fantasma de Pilatos. Só depois dos anos 1780 é que os *Frühromantiker*, jovens pálidos com as mentes voltadas aos paroxismos da metáfora poética, que valorizava a sublimidade kantiana e a "poesia do coração" acima de tudo, se aventuraram pela montanha de mau agouro, onde com certeza o lago de Pilatos ofereceu um local definitivo para o suicídio de muitos jovens como Werther,* desesperados por terem sido traídos no amor.

Na época em que Wagner convidava Nietzsche a fazer restauradoras escaladas de dias inteiros no Pilatos, camponeses empreendedores tinham construído uma hospedaria e alugavam pôneis para a subida. Wagner e Nietzsche desdenhavam desse serviço. Conquistavam os penhascos a pé, cantando e filosofando durante todo o caminho.

Se Nietzsche olhasse para o lago pelas janelas da frente, seus olhos veriam abaixo o "Parque dos Ladrões", um promontório gramado e rochoso onde pastava Fritz, o cavalo de Wagner, bem como suas galinhas, pavões e carneiros, que pontilhavam o solo da encosta que descia até a beira do lago. Wagner e Nietzsche gostavam de sair nadando de uma escadinha que invadia os pálidos reflexos da cadeia de montanhas nevadas na margem mais distante do lago. O monte Rigi, com seus 1.800 metros, é um pouco mais baixo que o Pilatos, mas igualmente famoso por ter sido pintado por William Turner e pelo curioso efeito de luz conhecido como "fantasma do Rigi". Em condições específicas de luminosidade e neblina, pode-se ver claramente o fantasma. O contorno é de uma enorme figura humana com a silhueta de um gigante no céu vaporoso. O gigante é cercado por uma nuvem chuvosa; na verdade não é fantasma nenhum, mas sim a própria silhueta da montanha projetada na neblina, como se descobre ao esticar os braços, com o que é possível ver seus movimentos refletidos de forma gigantesca na névoa, como em um espelho de aumento. Wagner costumava dançar e dar cambalhotas diante de sua imagem no espelho celestial até a neblina se afastar e encerrar o espetáculo de marionetes.17

Na margem do lago, à direita da escadinha de Wagner, erguia-se um pequeno chalé com teto de madeira abrigando um bote. Quando Wagner precisava relaxar, procurava seu fiel criado Jacob para remar o bote em meio aos bandos de cisnes brancos de Lohengrin** que singravam o lago, bem longe do ponto de eco onde Guilherme Tell provocou seu adversário maligno, Hermann Gessler, gritando insultos que ressoaram pela montanha numa zombaria infindável. Wagner gostava de gritar obscenidades com seu rude sotaque saxão. Rolava de rir quando o eco retornava seus gritos.

---

* Personagem do romance *Os sofrimentos do jovem Werther*, de Goethe. [N. T.]
** Personagem que dá título a uma das óperas de Wagner. [N. T.]

Se continuasse com o mesmo estado de espírito quando Jacob voltasse remando com ele, subia num pinheiro e gritava um pouco mais. Certa vez, conseguiu de alguma forma escalar a fachada lisa da casa e gritou da sacada, mas foi uma ocasião especial, pois não estava imprecando contra um inimigo, e sim consigo mesmo por ter feito algo de que se envergonhou.18

A situação doméstica de Wagner estava uma confusão quando Nietzsche o visitou. No fim de semana seguinte era o aniversário do compositor, e o rei Ludwig queria estar com ele naquela data importante, mas Wagner estava dividido entre passar o dia com o rei ou com sua amante Cosima. Apesar de os dois estarem juntos havia tanto tempo que ela já tinha duas filhas com ele e achava-se então grávida pela terceira vez, só recentemente Cosima deixara o marido para ir morar com Wagner em Tribschen. Wagner a escondia do rei por várias razões. O rei era um católico ardoroso, que reprovava relacionamentos adúlteros. Era uma criatura sensível, que adorava Wagner mais que qualquer outra pessoa no mundo. Obviamente os dois nunca tiveram absolutamente nenhuma relação física, a não ser quando caíam de joelhos chorando lágrimas ardentes em elogios mútuos, mas era uma relação altamente romântica, pelo menos da parte de Ludwig.

Ludwig era ciumento e possessivo. E não via razão para não ser o primeiro e o único para o gênio que elevava a uma espécie de idolatria fetichista, apoiando-o financeiramente a um nível quase irracional, levando seus ministros e súditos a um estado de ansiedade e apreensão de que a Música do Futuro de Wagner, que esvaziava os cofres do Estado, estivesse logrando o belo e meigo jovem rei e o vestindo com o garbo risível das "roupas novas do imperador".

Wagner e sua amante já se encontravam no centro de uma complicada rede emocional de amores homo e heterossexuais reprimidos, anseios e tensões sociais para a qual Nietzsche seria arrastado. Cosima era a segunda de três filhas ilegítimas do compositor Franz Liszt com a condessa Marie d'Agoult. A própria paternidade de Wagner era decididamente difusa, e, quando ele precisou de uma figura paterna, Liszt preencheu esse papel tanto musicalmente como na prática. Em 1849, Liszt providenciou dinheiro para Wagner fugir de Dresden e o ajudou a obter um passaporte falso. Desde então, contribuiu financeiramente para sustentar a nova música revolucionária de Wagner durante um bom tempo. Liszt foi tanto um pai musical como um pai financeiro para Wagner.

Enquanto Wagner era o melhor maestro, Liszt era disparado o melhor pianista, chegando a inventar a profissão de concertista internacional. Era venerado como um semideus do teclado de Paris a Constantinopla. Heinrich Heine cunhou o termo "lisztmania" para a histeria que engendrava. Mulheres desfaleciam e se agitavam como plantações de milho em sua presença. Roubavam suas pontas de charuto de cinzeiros e as mantinham como relíquias sagradas. Furtavam as flores que adornavam os palcos de seus concertos. Embora nunca tivesse havido dúvidas sobre a vigorosa heterossexualidade de Wagner (para fúria de suas duas esposas, praticamente arranjava uma nova jovem amante em cada ópera), ele rompia em lágrimas ao se ajoelhar para beijar a mão de Liszt. Em termos de sentimentos e sentimentalidade, Wagner se encaixava nas convenções de uma era em que heróis se veneravam uns os outros sem esconder suas emoções.

Cosima não era a filha favorita de Liszt. Ovelha negra de personalidade forte, era uma *belle laide* de rosto comprido, com a imagem física do pai. Tinha também um carisma impressionante, alta, com um nariz distintamente romano e aparência estiolada que, atraente em um homem, lhe conferia a inacessibilidade de uma deusa tornando-a irresistível a certos homens intelectuais de baixa estatura, incluindo Wagner e Nietzsche.

Durante o almoço na segunda-feira de Pentecostes com Nietzsche, Cosima ainda estava casada com Hans von Bülow, que havia sido um dos mais promissores pupilos de Liszt. Agora era o principal maestro de Wagner. Era também, naquelas emaranhadas relações músico-eróticas, o *Kapellmeister* do rei Ludwig.

Cosima foi comprometida a se casar com Von Bülow ainda adolescente e se sentiu arrebatada por um concerto em Berlim conduzido por ele. O programa do concerto incluía a primeira apresentação na cidade da Venusberg de Wagner, da ópera *Tannhäuser*. Von Bülow a pediu em casamento na mesma noite. Os dois eram apaixonados por Wagner e totalmente fascinados por sua música gloriosa; cabe se perguntar quem ele estava cortejando e com quem ela estava se comprometendo. Inúmeros relatos de Von Bülow lançam questões sobre sua sexualidade. Parecem se originar de uma carta incomum que escreveu ao pai dela, Liszt, por ocasião de seu noivado com Cosima:

> Eu sinto por ela mais que amor. Pensar em me mudar para mais perto de você encerra todos os meus sonhos do que melhor possa me acontecer nesta Ter-

ra, pois o considero o principal arquiteto e formulador da minha vida presente e futura. Para mim Cosima é superior a todas as mulheres, não só por ter o seu nome, mas por se parecer tanto com você [...][19]

Um ano depois do casamento, Cosima estava desesperada. Tinha cometido um grave equívoco. Pediu a um dos amigos mais próximos do marido, Karl Ritter, que a matasse. Quando Ritter se recusou, ela ameaçou se jogar no lago e só se deteve quando ele disse que teria de fazer o mesmo se ela fizesse isso. O casamento prosseguiu com repetidas tentativas de Cosima para contrair alguma doença fatal.[20] Tanto Cosima quanto Von Bülow eram admiradores apaixonados da música de Wagner, que uma noite notou que ela "estava em um estado estranhamente excitado, demonstrando uma ternura convulsiva e apaixonada por *mim*".[21]

À época Wagner ainda se encontrava casado com sua primeira mulher, Minna, mas com a morte da esposa a situação se desenredou. Nesse intervalo, Cosima tinha dado à luz duas filhas com Bülow, o que não a impediu que tivesse mais duas filhas com Wagner, ainda mantendo o falso casamento e engravidando de Wagner por uma terceira vez.

Quando Nietzsche veio para o almoço em Tribschen, Cosima estava grávida de oito meses da terceira criança, um fato que o inexperiente Nietzsche parece não ter notado enquanto desfrutava dos divertimentos sociais na grande casa com as quatro filhas de Cosima, uma educadora, uma babá, uma governanta, uma cozinheira e dois ou três criados e o jovem Hans Richter, que então era secretário de Wagner, copista musical e *maître de plaisir* encarregado da organização de concertos e entretenimentos. Presentes também estavam Russ, o enorme cão Terra-nova preto de Wagner, hoje enterrado ao lado do dono em Bayreuth, o Fox Terrier cinza de Cosima, a quem dera o nome de Kos para que ninguém abreviasse o nome dela mesma para "Cos", o cavalo Fritz, carneiros, galinhas e gatos, um casal de faisões dourados e um casal de pavões chamados de Wotan, numa referência ao pai dos deuses da mitologia alemã e causa de todos os problemas em *O anel*, e Fricka, em referência à esposa estridente e possessiva de Wotan, que tinha algo em comum com Cosima.

4
Naxos

> Frau Cosima Wagner tem de longe a natureza mais nobre que existe e, em relação a mim, sempre interpretei seu casamento com Wagner como um adultério.
>
> Rascunho de *Ecce homo*

É frustrante, mas não há registro sobre o que Nietzsche e Wagner conversaram no almoço. Ficamos sabendo um pouco a partir de um registro casual no diário de Cosima: "No almoço um filólogo, professor Nietzsche, com quem R. se encontrou na casa de Brockhaus e que conhece toda a obra de R. e até faz citações de *Opera e Drama* em suas palestras. Uma visita tranquila e agradável".[1] Wagner parece ter ficado ainda mais entusiasmado com seu convidado. Ao se despedir do visitante, deu a Nietzsche uma fotografia autografada e insistiu para que voltasse. Três dias depois, pediu a Cosima para escrever convidando Nietzsche para comemorar o aniversário do mestre no fim de semana seguinte, no dia 22 de maio. Nietzsche declinou, dizendo que estava ocupado demais preparando sua aula inaugural sobre Homero, que seria realizada no dia 28. Wagner respondeu insistindo para que ele viesse em qualquer fim de semana: "Venha mesmo – você só precisa me mandar um bilhete antes".

O compositor estava se apegando ao filólogo como uma craca ao casco do navio Holandês Voador. Enquanto o entusiasmo de Nietzsche por Wagner não surpreende muito, o entusiasmo de Wagner por Nietzsche é bastante surpreendente. O gênio de Wagner continha em si uma força aniquiladora. Figuras interessantes ou ganhavam a chance de participar de seu círculo encantado ou eram deixadas de fora na escuridão, sem meio-termo. Um de seus acólitos se definia como perfeitamente satisfeito em ser uma nota de pé de página na história pessoal de Wagner, um ajudante geral, um graveto do mobiliário intelectual, mas Wagner via o potencial de mais que um graveto do mobiliário no professor Nietzsche, um homem ascendente e de influência intelectual apaixonado pela música de Wagner, além de um grande classicista e filólogo.

Apesar se ser lisonjeiramente tratado como professor Wagner, ele não era tal coisa. Sua formação era cheia de lacunas. Não lia em grego nem em latim, mas sua grande Música do Futuro, *O anel do nibelungo*, foi concebida como um renascimento da tetralogia grega como apresentada nos festivais gregos na época de Ésquilo e de Eurípides. Um reinventor do drama clássico que só conseguia ler os clássicos em traduções podia se beneficiar muito da aprovação intelectual de Nietzsche.

Além disso, Wagner estava agora se aproximando da conclusão do ciclo de *O anel* e começava a perceber que precisaria convocar jovens como o rei Ludwig e Nietzsche para defendê-lo. A obra estava muito à frente de seu tempo para cabeças antigas. Jovens de olhares brilhantes precisavam levantar o dinheiro para essa revolucionária obra teatral que exigia grandes quantias, assim como um considerável empenho, para ser levada aos palcos. Consistindo de catorze horas de música apresentadas durante quatro dias, requeria a construção de um tipo de espaço totalmente novo em que pudesse ser apresentada: uma casa de ópera projetada mais ou menos como um anfiteatro grego, mas com teto por causa do clima frio. A Alemanha era cheia de teatros barrocos e rococós, mas com acústica ruim e espaços teatrais pequenos demais para a orquestra de centenas de componentes que partes de *O anel* demandavam. Até mesmo hoje, na Royal Opera House de Londres, as harpas e os tambores transbordam pelo espaço dos dois lados do fosso da orquestra.

Nietzsche aceitou o convite em aberto para voltar a Tribschen na primeira oportunidade depois de sua palestra. Chegou no sábado, 5 de junho, aparentemente sem fazer ideia do adiantado estado da gravidez de Cosima. Seu diário para aquele dia registra que passaram uma noite "tolerável". Ela se despediu por volta das onze horas, subiu para o quarto e suas dores de parto começaram.

Às três da madrugada chegou a parteira, e às quatro, "gritando com dores intensas", Cosima deu à luz seu primeiro filho homem, cujos vagidos vigorosos chegaram ao Salão Laranja onde Wagner esperava ansiosamente. O garoto chegou ao mesmo tempo que a luminosidade fogosa do amanhecer brilhou sobre o Rigi com uma riqueza de cores "nunca vista antes". Wagner dissolveu-se em lágrimas. No outro lado do lago soaram os primeiros sinos de Lucerna. Cosima viu isso como um bom agouro, uma saudação ao garoto que seria filho e herdeiro de Wagner e "futuro representante do pai para todos seus filhos" – que até então consistiam em quatro meninas: Daniela e Blandine, as duas filhas legítimas de Cosima, e Isolde e Eva, que o mundo pensava serem do marido, mas que de fato eram de Wagner.

Wagner passou a manhã ao lado da cama de Cosima, segurando sua mão. Saiu na hora do almoço para anunciar a Nietzsche, o único convidado da casa, a gloriosa notícia do nascimento de Siegfried. Surpreendentemente, Nietzsche continuava inocente a respeito dos eventos da noite. Embora fosse uma casa grande, Tribschen não ocupava uma grande área. Seus cômodos empilhavam-se uns sobre os outros verticalmente. O barulho subia e descia a escadaria pela qual a parteira tinha chegado e partido, além do que o trabalho de parto de Cosima foi, segundo o próprio relato dela, quase tão barulhento quanto a chegada de Siegfried. Mas nada pareceu estranho ou incomum para Nietzsche.

De qualquer forma, Wagner agora via Nietzsche como uma presença fortuita enviada pelos deuses. Não havendo tal coisa como coincidência, foi o destino que escolhera o jovem e inteligente professor para ser o espírito guardião de Siegfried. A fantasia de Wagner era de que, quando chegasse o momento de sair pelo mundo, o garoto seria tutorado por Nietzsche enquanto ele e Cosima observariam de longe; assim como Wotan, o pai dos deuses, observara a educação de Siegfried, o jovem guerreiro e herói de *O anel* que redimiria o mundo.

Nietzsche teve o tato de sair logo depois do almoço, mas a vontade de Tribschen era indomável, e já no dia seguinte Cosima escreveu agradecendo-lhe por um livro, anexando dois ensaios de Wagner e um convite que deveria trazê-lo de volta numa próxima visita. Oito dias depois, ela escreveu para Von Bülow pedindo o divórcio. Ele acabou concordando depois de muitas cartas trocadas com o pai dela, o libidinoso Abbé Liszt, um devoto do altamente ortodoxo catolicismo. É provável que Liszt também tenha se mostrado reticente, por causa da idade. Cosima estava com 31 anos e Wagner com 55, só dois anos mais novo que ele. Quanto a Von Bülow, ele se submeteu a aceitar a mitologia da Tribschen, em que Cosima era a gloriosa Ariadne e Von Bülow era Teseu – afinal, era um simples condutor e pianista –, mas era o gênio musical de Wagner, "esse homem maravilhoso que deve ser reverenciado como um deus", cuja música era "um ato de libertação da sordidez deste mundo",[2] que era Dionísio. Fazia parte da ordem natural das coisas que um homem mortal cedesse sua mulher a um deus. Wagner concordou.

Mais tarde Nietzsche também subscreveria esse ordenamento do universo, afastando-se de Wagner para ele próprio tomar o lugar de deus, mas isso ainda estava longe. Na ocasião, ele passou as semanas seguintes ao nascimento de Siegfried cumprindo seus deveres como professor na Basileia antes de voltar ao labirinto de Tribschen, que abrigava a grandiosa Cosima e tudo mais que o estimulava, o animava e o envolvia.

Engels definia lugubremente a Basileia como uma cidade estéril, cheia de casacas, chapéus de três bicos, filisteus e metodistas.[3] Com certeza não tinha nada que se comparasse às extravagantes novidades de Tribschen. A aula inaugural de Nietzsche foi bem-sucedida, resultando em algumas palestras interessantes, ainda que pouco eletrizantes, sobre Ésquilo e os poetas líricos gregos. Contudo, havia coisas de interesse a serem encontradas na Basileia, na pessoa de seu colega professor Jacob Burckhardt e suas palestras sobre o estudo da história.

Burckhardt e Wagner foram as duas grandes influências no pensamento de Nietzsche pelos dois anos seguintes, durante os quais ele reuniu ideias para seu primeiro livro, *O nascimento da tragédia no espírito da música*. Os dois tinham mais ou menos a mesma idade que o pai de Nietzsche teria se estivesse vivo. Aí terminavam as semelhanças.

Nenhuma boina de veludo adornava os cabelos curtos de Burckhardt e nenhum nacionalismo passava pela sua cabeça. Dizia-se que não suportava a menção do nome de Wagner em sua presença. Ossudo, brusco e brilhante, era um homem neurótico e reservado, que se vestia de forma anônima e rejeitava veementemente qualquer manifestação de pompa, pretensão ou fama. Morava num quarto duplo em cima de uma barbearia e nada o deixava mais contente do que ser confundido com o barbeiro.

Revolucionário em trajes burgueses, Burckhardt baseava suas assustadoras ideias em uma erudição transmitida com uma simplicidade casual que o fez ser respeitado no contexto de tendência à moderação sóbria da Basileia. Seu estilo lacônico e telegráfico contrastava radicalmente com Wagner, o artista estilista e tempestuoso do sublime, que era visto com grande desconfiança enquanto vagabundeava pela Europa, adulando reis e conduzindo levantes culturais internacionais a partir da solidez do promontório rochoso de Tribschen.

Com os dedos manchados de tinta e caminhando pela cidade velha da Basileia com seu terno e chapéu pretos, Burckhardt era uma garantia prezada e discreta de que tudo ia bem na cidade, funcionando de acordo com a rotina. Se estivesse levando um grande portfólio azul debaixo do braço, tornava-se ainda mais interessante: significava que estava a caminho de uma aula. Suas palestras eram extremamente populares. Burckhardt falava sem consultar anotações, usando uma linguagem informal e cotidiana. Emitia as palavras como se estivesse pensando em voz alta, mas consta que até mesmo suas pausas e digressões eram cuidadosamente ensaiadas no quarto em cima da barbearia.

Burckhardt e Nietzsche desenvolveram o agradável hábito de caminharem até uma estalagem a cerca de cinco quilômetros da cidade para comer e tomar um pouco de vinho juntos. Enquanto andavam, falavam sobre o mundo antigo e o novo, e de "nosso filósofo", como chamavam Schopenhauer, cujo pessimismo concordava com a visão de Burckhardt de que a cultura europeia estava caindo em um novo barbarismo na forma do capitalismo, do cientificismo e da centralização do Estado. Na época da unificação da Alemanha e da Itália, Burckhardt condenava a modernidade, o Estado monolítico como "venerado como um deus e governando como um sultão". Segundo ele, tal estrutura só poderia dar origem ao que chamava de *terribles simplificateurs*, demagogos equipados com todas as armas potenciais fornecidas pela industrialização, pela ciência e pela tecnologia.

Burckhardt não acreditava em nada, mas não via nisso algo que o impedisse de se comportar eticamente. Detestava intensamente a Revolução Francesa, os Estados Unidos, a democracia de massas, a uniformidade, o industrialismo, o militarismo e as estradas de ferro. Nascido no mesmo ano que Karl Marx, Burckhardt era um anticapitalista que investia furiosamente contra o que chamava de "toda a trama envolvendo poder e dinheiro",[4] mas também era antipopulista, um conservador pessimista que acreditava sinceramente que as massas deveriam ser salvas de si mesmas, particularmente de sua tendência a entronar a mediocridade e o gosto medíocre, resumindo tudo no que ele e Nietzsche concordavam ser a vulgaridade e a confusão da cultura popular.

Burckhardt e Nietzsche se afligiam com o espectro da guerra entre França e Alemanha. Napoleão havia sido o *terrible simplificateur* da França, e agora Bismarck assumia o mesmo papel na Alemanha. Napoleão tinha usado suas conquistas militares na Europa como arma de um imperialismo cultural, e era óbvio para Burckhardt que Bismarck estava se preparando para se comportar igualmente mal. Burckhardt acreditava que todos os tiranos sofriam perigosamente do impulso "herostratiano", referindo-se a Heróstrato, que ateou fogo ao templo de Ártemis em Éfeso, destruindo aquele símbolo icônico da cultura por nenhuma razão a não ser o desejo de que seu nome constasse na história no final dos tempos.

Wagner, que sempre acreditou em estruturas ideológicas, admirava imensamente Bismarck e o nacionalismo alemão, enquanto Burckhardt, dedicado ao europeísmo, via a ascensão desproporcional de qualquer país como uma ameaça à cultura como um todo. Wagner via os judeus e a cultura judaica como um elemento externo que não poderia pertencer à nação europeia e capaz de diluir preciosos elementos nativos. Burckhardt via a cultura judaica como uma elevação universal da estirpe europeia.

Nietzsche acreditava que nada poderia distinguir mais um homem do padrão geral da época do que o uso que faz da história e da filosofia.[5] O interessante ponto de vista de Burckhardt era que a história coordena, e portanto é não filosófica, enquanto a filosofia subordina, e portanto é não histórica. Esta sua ideia de uma filosofia da história ser uma contradição sem sentido era uma das principais diferenças entre ele e seus contemporâneos. Outra era sua ojeriza pela obliteração do indivíduo pelo Estado. Enquanto outros historiadores, como Leopold von Ranke, preocupavam-se cada vez mais com as forças da política e da economia, Burckhardt acreditava convictamente na força da cultura e nos efeitos que o indivíduo poderia ter sobre a história. Também questionava a voga de considerar a história como um processo de coleta de fatos a partir de documentos e transformá-los em um relato "objetivo". Questionava a própria noção de objetividade:

> Para cada olho, talvez os contornos de uma dada civilização apresentem um retrato diferente [...] os mesmos estudos que serviram para este trabalho poderiam facilmente, em outras mãos, não só receberem um tratamento e uma aplicação totalmente diferentes, como também levar a conclusões essencialmente diferentes.[6]

Tanto para Burckhardt como para Nietzsche, a helenização do mundo havia sido o acontecimento mais importante de todos. O objetivo da era moderna não era cortar o nó górdio da cultura grega da maneira adotada por Alexandre, deixando suas pontas soltas tremulando em todas as direções. Ao contrário, era amarrá-lo: tecer os pálidos contornos do helenismo na cultura dos tempos modernos. Mas enquanto acadêmicos anteriores como Goethe, Schiller e Winckelmann tinham conseguido uma tessitura neoclássica que apresentava a Grécia como um mundo ideal – calmo, sereno, perfeitamente proporcional e essencialmente imitável enquanto se conhecessem os clássicos –, Burckhardt escreveu uma série de livros revisando essa imagem cor-de-rosa, simplificada e idealista do mundo clássico e de seu primeiro imitador, a Renascença.

A sede de sangue da decadente Roma já era bem conhecida, mas Burckhardt, em sua sucessão de livros e palestras sobre o mundo antigo e sobre a Renascença, demonstrava que a barbárie extremada não era um soluço cultural que só acontecia quando uma civilização escorregava para a decadência; era mais uma parte necessária da tessitura da criatividade. Burckhardt costuma ser chamado de pai da história da arte por alguns de seus seguidores, como Bernard Berenson e Kenneth Clark, mas, diferentemente deles, que retratavam a Itália da Renascença como uma Arcádia idealizada e intelectual, *A cultura do Renascimento na Itália* de Burckhardt inclui arrepiantes histórias da Corte de pequenas cidades-Estados da Itália, relatos de tortura e barbárie dignas de Calígula ou das filhas do rei Lear. A história de Burckhardt não negava o dionisíaco, o impulso duro e cruel subjacente do qual surgia a necessidade absoluta de criar sua oposição: a clareza, a beleza, a harmonia, a ordem e a proporção.

Burckhardt era um homem neuroticamente reservado, assim como neuroticamente modesto, e Nietzsche ficou decepcionado quando suas longas caminhadas e conversas não se transformaram numa amizade cálida e íntima como a que tinha com Wagner. Mas enquanto Wagner era incapaz de um relacionamento que não envolvesse um alto grau de sentimentos apaixonados – positivos ou negativos –, Burckhardt repudiava a essência da afetividade, um homem complicado para quem o desinteresse e a liberdade de influências emocionais eram necessários para entender as verdades mais altamente éticas.

Nietzsche passou um inebriante verão entre intensos debates com Burckhardt e a chuva de convites para ir a Tribschen, onde ele, Wagner e Cosima compunham um triângulo bem equilibrado de inteligência, seriedade e mútua admiração.

Na casa de Wagner os dias transcorriam de maneira encantadora. Mal entrávamos no jardim e nossa chegada era saudada pelo latido de um enorme cão negro, acompanhado pela risada das crianças nos degraus, enquanto na janela o músico-poeta acenava sua boina de veludo preta num sinal de boas-vindas [...] Não, não consigo me lembrar de vê-lo sentado nenhuma vez, a não ser ao piano ou à mesa. Entrando e saindo da grande sala, movendo sua cadeira ou qualquer outra coisa, procurando nos bolsos uma caixa de rapé perdida ou os óculos (às vezes pendurados nos pingentes do lustre, mas de qualquer forma nunca em seu nariz), segurando a boina preta que caía em seus olhos como uma crista de galo, esfregando os punhos fechados, enfiando-os no colete só para retirá-los de novo para levar à cabeça – sempre falando, falando, falando [...] Empolgava-se em grandes afirmações: metáforas sublimes, trocadilhos, barbaridades – uma incessante torrente de observações fluindo em acessos e surtos, alternando entre orgulho, ternura, comicidade ou violência. Ora sorrindo de orelha a orelha, ora emocionando-se a ponto de verter lágrimas, ora assumindo um frenesi profético, todos os tipos de tópicos fluíam em seus extraordinários voos e improvisações [...] Deslumbrados e estonteados com tudo isso, [nós] ríamos e chorávamos junto com ele, compartilhando seus êxtases, enxergando suas visões; sentíamo-nos como uma nuvem de poeira agitada por uma tempestade, mas também iluminada por seu discurso imperioso, ao mesmo tempo assustador e agradável.[7]

Foi um reconhecimento sublime quando Wagner disse a Nietzsche: "Agora eu não tenho ninguém com quem possa levar as coisas tão seriamente quanto você, com exceção da Única [Cosima]",[8] e foi realmente um grande elogio quando a gélida Cosima disse que o considerava como um de seus amigos mais importantes.

Foram tempos difíceis para Cosima. O marido não concedeu o divórcio de imediato, e ela vivia publicamente em pecado tendo como prova um filho pequeno, o que a levou a um estado de exaustão e morbidez. Os olhares de Wagner já se lançavam na direção da linda Judith Gautier, sete anos mais nova que Cosima. A sobrevivência do bebê Siegfried era absolutamente necessária para a segurança da posição da mãe. Cada pequena reclamação infantil provocava nela um terror desproporcional e a lançava em meditações mórbidas sobre a morte.

Durante esse primeiro verão, Nietzsche fez seis visitas a Tribschen. Tinha seu próprio quarto, um estúdio no andar superior. Eles o chamaram de

Denkstube ("o quarto de pensar") e Wagner ficava aborrecido quando ele não vinha com mais frequência para ocupá-lo.

O que poderia ser mais inspirador do que realizar seu trabalho enquanto ouvia Wagner trabalhar no terceiro ato de *Siegfried*? Que privilégio incomparável entreouvir o processo intermitente de composição flutuando pela escadaria naquela atmosfera aromática: os passos do mestre, calmos ou agitados andando pela sala, sua voz rouca cantando um trechinho, seguido por um breve silêncio enquanto corria para o piano para experimentar as notas. Silêncio mais uma vez, enquanto fazia as anotações. Mais tarde, de noite, haveria o momento tranquilo, quando Cosima sentava-se ao lado do berço passando à tinta a partitura do dia. Durante o dia, se não houvesse trabalho para ser feito, ela e Nietzsche faziam piqueniques no bosque com a criança, observando-o brincar ao sol nas águas do lago. O nome particular que deram a isso foi "a dança da estrela".

Tribschen proporcionava a Nietzsche outros deleites domésticos cotidianos que nunca havia vivenciado. Em casa, sua mãe e sua irmã o viam como um semideus, mas Wagner e Cosima não hesitavam em pedir que cumprisse algumas tarefas ou fizesse as compras banais do dia a dia. Ele se sentiu orgulhoso de receber essas pequenas tarefas.

Certa vez, depois de voltar de uma de suas costumeiras visitas dominicais a Tribschen, Nietzsche perguntou casualmente a um de seus alunos onde poderia encontrar uma boa loja de sedas na Basileia. Acabou tendo de admitir ao aluno que iria à loja para comprar cuecas. Por razões que só ele conhecia, Wagner usava cuecas de seda feitas sob medida. Essa importante incumbência deixou Nietzsche muito ansioso. Informado sobre a constrangedora loja, aprumou os ombros com masculinidade, refletindo antes de entrar: "Quando escolhemos um Deus, é preciso adorná-lo".9

Nietzsche escalou o Pilatos sozinho, levando como material de leitura o ensaio "Sobre o Estado e a religião", no qual Wagner propunha que a educação religiosa fosse substituída pela educação cultural, uma ideia herética que mexeu tanto com o fantasma cheio de remorsos de Pilatos que a montanha estremeceu com uma tempestade elétrica mais feroz que o normal. Relâmpagos em forma de serpentes brancas dardejaram pelo céu. O trovão estremeceu o solo. Lá embaixo, na vila Tribschen, os supersticiosos criados de Wagner abanavam a cabeça e se perguntavam que diabos o professor estava fazendo ou pensando lá em cima para ter provocado tal fúria.

Quando subiam juntos o Rigi e o Pilatos, Nietzsche e Wagner costumavam discutir o desenvolvimento da música no drama grego. Logo Nietzsche escreveria sobre isso em seu primeiro livro, mas antes faria duas palestras públicas sobre o assunto nos primeiros meses de 1870. Contou secamente a Wagner que as palestras tinham atraído principalmente uma plateia de mães de meia-idade cujo desejo de ampliar seus conhecimentos parecia ter sido confundido pela complexidade do assunto. Não deveria ser surpreendente, dado que Nietzsche estava elaborando ideias que Wagner vinha desenvolvendo havia vinte anos ou mais, período que levou para compor o ciclo de quatro óperas que formavam *O anel do nibelungo*.

Wagner começou a compor *O anel* quando era um fogoso revolucionário na casa dos trinta anos, e só o concluiu aos 61, quando já era uma figura internacionalmente aclamada e amiga de reis. Mas os ideais por trás de *O anel* nunca traíram o espírito revolucionário de sua origem. Em 1848, conhecido como o Ano das Revoluções, Wagner estava maduro para a conflagração que varreu o continente quando os povos da Europa ganharam as ruas exigindo reforma eleitoral, justiça social e o fim das autocracias. Wagner teve participação ativa nas barricadas do levante de Dresden, que logo foi esmagado. Foi emitido um mandado de prisão para ele que acabou fugindo, dizem que disfarçado com roupas de mulher, para a Suíça, onde começou a trabalhar em *O anel*. Na época, Wagner ainda não conhecia a obra de Schopenhauer e era adepto da filosofia de Ludwig Feuerbach, inspirador do movimento Alemanha Jovem, que pedia a unificação da Alemanha, a abolição da censura, regras constitucionais, a emancipação das mulheres e, até certo ponto, sua liberação sexual. Em *A essência do cristianismo*, Feuerbach propõe que o homem é a medida de todas as coisas. A ideia de Deus é uma invenção do homem, uma mentira que vinha sendo perpetuada pelas classes governantes para subjugar as massas ao longo da história.

Hoje mal conseguimos pensar em Wagner como um político progressista e em *O anel* como projetado para libertar as artes do garrote da Igreja e da lei e devolver a ópera ao povo, mas era exatamente o que propunha. Wagner explica isto nos três ensaios que escreveu no começo de seu exílio político, durante o qual ele manteve cinco anos de um (relativo) silêncio musical enquanto trabalhava em suas ideias para a arte do futuro. Os dois primeiros ensaios, "A arte e a revolução" e "A obra de arte do futuro", foram escritos em 1849, pouco depois de ter sido exilado da Alemanha por suas atividades revolucionárias.

Quando Wagner começou sua carreira como músico, se você não fosse um instrumentista virtuoso como Liszt (o que certamente não era: "Eu toco piano como um rato toca uma flauta"), a única maneira de seguir em frente era se tornando um *Kapellmeister*, um diretor musical, para uma das pequenas cortes que então formavam a Bund. Assim, Wagner se tornou o *Kapellmeister* da Corte da Saxônia sob Friedrich Augustus II, um déspota perfeitamente civilizado considerado no contexto de seus pares. Mas a essência do serviço na Corte inevitavelmente significava uma constipação musical para o jovem *Kapellmeister* de vanguarda. O gosto dos príncipes das cortes alemãs raramente olhava para o futuro e com frequência se transformava num capricho, como uma apresentação sendo interrompida porque o príncipe estava com dor de dente.

A vida de Wagner na Corte o deixava enfurecido. A sociedade ouvia suas oferendas musicais com mais ou menos a mesma atenção que ouvia o ruído de facas e garfos enquanto cuidavam dos assuntos sérios da noite, adejando de mesa em mesa e flertando e fofocando em seus elegantes jantares.

A grandeza da música deve ser reconhecida e restaurada! O teatro deve se tornar o foco da vida comunitária, como fora na Grécia Antiga e em Roma. O grande Platão escrevera como "ritmo e harmonia encontram seu caminho nos lugares internos da alma, onde podem se fixar poderosamente". Wagner restauraria a música a algo mais que um acompanhamento de fofocas e o manejo de talheres.

Sua nova música do futuro tocaria a alma sem necessariamente fazer referência ao Ser Supremo, cuja dúvida sobre sua existência já era uma questão central para Wagner. A ópera do futuro seria realocada dentro de um retrato cultural maior; ocuparia um importante lugar na vida pública. O teatro da antiga Atenas só abria em dias de festividades especiais, quando a fruição da arte era também uma celebração religiosa. Peças eram apresentadas antes de assembleias populares das cidades ou do país, plenas de grandes expectativas com a imponência das obras a serem representadas, de forma que Ésquilo e Sófocles podiam produzir os mais profundos de todos os poemas com a certeza de que seriam apreciados.

O ciclo de *O anel* adquiriu a forma de um (imaginado) drama musical helenizado, um ciclo trágico equivalente ao *Oresteia*, porém baseado em mitos e lendas especificamente alemãs e, como tal, projetado para representar, e realmente moldar o espírito pangermânico pós-napoleônico. Com sua nova forma operística, Wagner se imaginava purgando a cultura alemã de elementos estranhos, especificamente de qualquer coisa francesa ou judaica. Coisas francesas eram *non grata* porque os franceses eram basicamente frívolos em suas preferências pela elegância acima do sublime. Além disso, eram uma lembrança sempre presente da humilhação nacional imposta por Napoleão. Coisas francesas também lembravam Wagner de sua própria humilhação pessoal em 1861, quando a recepção hostil e tumultuada de sua ópera *Tannhäuser* o transformou em um francófobo pelo resto da vida.

Qualquer coisa judaica também tinha de ser varrida para longe. O antissemitismo era inseparável da agenda nacionalista de Wagner; seu ensaio "O judaísmo na música" é horrível de se ler hoje em dia. Ao desenvolver suas ideias a respeito da autenticidade da música alemã, ele estava convencido de que a arte e a civilização do século XIX foram corrompidas e aviltadas pelo capitalismo. O capitalismo era simbolizado por banqueiros e comerciantes judeus por toda Europa. Por conveniência, ele ignorou o fato de que os judeus estavam enclausurados no setor financeiro porque foram barrados de outros ofícios e profissões pela lei. O antissemitismo de Wagner, bem como sua francofobia, era também inflamado por razões pessoais. Wagner tinha inveja de compositores judeus como Meyerbeer e Mendelssohn, que faziam muito mais sucesso que ele.

O ciclo de *O anel* compreende quatro óperas cuja narrativa, contínua e circular como um anel, demonstra a inevitabilidade das consequências sobre a ação. A história é baseada no grande mito alemão dos nibelungos, segundo o qual os antigos deuses nórdicos comportam-se de forma bem diferente da do Deus judaico-cristão, mas se parecem muito com os deuses gregos. São caprichosos, injustos, lascivos, enganadores e inteiramente humanos. Suas lendas, como relatadas por Wagner, têm todo o apelo de uma telenovela.

O épico medieval anônimo *Nibelungenlied*, datado de cerca de 1200, já era um símbolo poderoso na luta pela identidade alemã e visto como um texto que ilustrava o diferenciado *Volksgeist*, o espírito do povo alemão. A ideologia nacionalista permeia *O anel* de Wagner, uma obra de arte surgida para ser escrita em pedra há cerca de 150 anos, durante a qual a peregrinação a Bayreuth em trajes de noite se tornou um ritual irremediavelmente capitalista – e às vezes político. Mas temos de dar a Wagner o crédito de ter concebido seu monstro de forma bem diferente. Seu propósito não era se tornar um mastodonte, mas ser o trampolim inspirador da arte do futuro. Era para ser apresentado em um festival para o *Volk*, as pessoas comuns, assim como os primeiros festivais na Grécia Antiga. Wagner via *O anel* como uma obra de arte efêmera e transicional. "Depois da terceira [apresentação], o teatro será demolido e minha partitura será queimada. Às pessoas que gostaram direi então: 'Agora vão embora e façam vocês mesmos'."[10] Um sentimento magnificente em relação a algo que devorou décadas de sua vida, de seu pensamento e de seu ser.

Nas longas escaladas de Nietzsche pelas montanhas ao redor de Tribschen junto com o mestre, ambos consideravam a ideia do festival de *O anel* como um renascimento das Antestérias, o festival anual de quatro dias em homenagem a Dionísio. Lá embaixo brilhavam as águas do lago Lucerna, onde Cosima e as crianças nadavam entre os cisnes. Cosima com sua bata esvoaçante tinha toda a graça de um cisne, de acordo com um importante grupo de visitantes, todos escritores, que faziam a peregrinação de Paris a Tribschen.

Apesar de ter sido um notório fiasco em Paris em 1861, *Tannhäuser* teve um grande efeito na *avant-garde* francesa. Simbolistas e decadentistas levaram muito a sério o ensaio de Baudelaire "Wagner e *Tannhäuser* em Paris",[11] chamando atenção para a exploração aberta da ideia de sexualidade e espiritualidade como sendo antiéticas porém mutuamente dependentes, e também para a miraculosa técnica de Wagner para chegar a um cruzamento sinestésico dos sentidos entre letra e música em seu *Gesamtkunstwerk*.

Agora, três ardentes wagnerianos parisienses chegavam a Tribschen nas figuras de Catulle Mendès, poeta decadentista, dramaturgo, romancista e fundador do jornal literário *La revue fantaisiste*, sua mulher Judith Gautier e Villiers de l'Isle-Adam, fundador do movimento parnasiano. O parnasianismo nunca chegou muito longe, pois foi ofuscado pelo movimento simbolista, muito mais bem-sucedido.

Villiers, um homem franzino, fez sua entrada em Tribschen usando as meias acolchoadas à la Hamlet, que usava quando queria ter pernas bonitas. Catulle Mendès não precisava de uma fantasia para impressionar: muitas vezes foi definido como o homem mais bonito de sua geração. Sua aparência se comparava a de um Cristo louro, mas sua personalidade era cruel, perversa e destrutiva; Maupassant o chamava de "um lírio na urina".[12]

Judith Gautier estava na casa dos vinte anos e era filha do poeta e crítico Théophile Gautier. Chegou como uma *parnassienne* de gosto singular, trocando corpetes e armações por vestidos soltos de estilo antigo que deixavam sua amplitude desimpedida. Foi Judith quem propôs a visita. O alcoolismo do marido Catulle o estava tornando cada vez menos confiável como provedor, e Judith se voltou para o jornalismo e teve sucesso como autora de romances amorosos exagerados, encenados em um misterioso Oriente que ela nunca tinha visitado. O propósito da viagem a Tribschen era o de Judith escrever um artigo sobre Wagner em casa, a ser publicado na França.

Judith era uma deusa em termos de instinto e sensualidade dionisíacos: alta, pálida, cabelos escuros, intensamente teatral, "transbordando a figura intrépida e indiferente de uma mulher oriental. Dava para vê-la deitada numa pele de tigre fumando um narguilé", disse o poeta provençal Théodore Aubanel, que considerava a poesia dela "diabolicamente nebulosa", mas sua pessoa "maravilhosa" e seu orientalismo forjado totalmente irresistível. Tornou-se especialista em amar homens mais velhos. Já tinha sido amante de Victor Hugo, onze anos mais velho que Wagner. Judith conhecia bem o efeito de baixar seus cílios longos e lânguidos, exalando emocionada um bafejo do ar intensamente perfumado de Tribschen e acariciando os tecidos suaves e farfalhantes que Wagner adorava.

"Em mais de uma ocasião", relatou Catulle Mendès, "nossa visita matinal o pegou [Wagner] naqueles estranhos trajes que a lenda atribuía a ele: penhoar e chinelos de cetim dourado bordados de flores cor de pérola (pois ele tinha um amor apaixonado por tecidos brilhantes, espraiando-se como chamas ou se descortinando em ondas esplendorosas). Havia uma abundância de veludos e sedas no salão de seu estúdio, dispersa livremente em grandes pilhas ou enfileirada sem nenhuma relação específica com o mobiliário – simplesmente em razão de sua beleza e para encantar o poeta com sua gloriosa calidez".[13]

Quando Judith voltou a Paris, Wagner escreveu cartas a ela que começavam com "Amada Amplitude". Era normal anexar listas de compras de tecidos macios e de perfumes fortes que ambos adoravam. Ela os postava para um endereço diferente, para que Cosima não descobrisse. O fascínio por Wagner e sua música eram uma religião para Judith, um estado de êxtase e de graça, como o era para Cosima. As duas usavam as mesmas lágrimas de humildade e enaltecimentos hiperbólicos em sua veneração ao mestre – "os sons que ele cria são o sol da minha vida!" e assim por diante. Mas as duas acólitas não poderiam ser mais diferentes. Sempre de espartilhos justos, Cosima foi definida pelo conde Harry Kessler como "toda ossos e força de vontade [...] um João Batista de Donatello", e por seu dentista como "uma mulher cujo desdém por obstáculos entre ela e seus propósitos era realmente chocante".[14] Em comparação com a liberdade e a fluência dionisíacas de Judith, o controle de Cosima sobre Wagner era apolíneo, estritamente intelectual e frequentemente admonitório. Nesse verão, o diário de Cosima registra um feroz programa de leituras em voz alta de peças de Shakespeare e de duetos de Beethoven e Haydn ao piano. Cosima era uma exímia pianista e crítica severa. Wagner temia sua censura como uma criança. Ficava agoniado quando Cosima se recusava a fazer sexo.

Embora Wagner e Judith não tenham sido amantes, os instintos de Cosima não precisavam de nenhuma má conduta para serem disparados. Entrementes, seu relacionamento cerebral, casto e totalmente correto com Nietzsche ficava mais próximo e mais forte. Infelizmente, ela queimou a correspondência que teve com Nietzsche, e por isso temos de nos valer de seus diários, que ela escrevia não como um relato íntimo, mas como um documento público para esclarecimento e instruções futuros para seus filhos e a posteridade. Durante o período da visita de Judith Gautier, o diário só define Nietzsche como um homem bem formado, culto e agradável. Refere-se a Judith e a sua turma como "o pessoal de Mendès".

Quando voltou a Paris, Judith escreveu um artigo sobre a casa de Wagner que teria envergonhado a revista de fofocas *Hello*. Cosima ficou horrorizada pela invasão da privacidade do casal e pela vulgaridade da exposição vívida de Judith de todos os pequenos detalhes da vida privada do casal.

Em suas pausas na composição, Wagner partia com os cachorros para subir montanhas ou ia até uma loja de antiguidades de que gostava em Lucerna. Enquanto o mestre estava fora de casa, Nietzsche tinha permissão de tocar o piano dele. E tocava bem, mesmo naquele contexto exaltado, e com mais abandono emocional que Wagner, cuja mente estava sempre tecnicamente engajada. Nietzsche se envolvia numa espécie de transe quando tocava, despertando em Cosima (afinal de contas, filha de Liszt) um estado inebriante e alucinatório.

Quanto mais e mais freneticamente tocava, mais ela se sentia arrebatada por "uma sensação de medo e tremor", percebendo que a música libertava nela o seu lado demoníaco. Para Cosima, assim como para Nietzsche, a música acessava os domínios do êxtase divino. A vida cotidiana, dizia ela, subitamente se tornava insuportável se comparada à música. Quando Wagner estava fora, várias vezes eles tentaram evocar o submundo com Nietzsche tocando freneticamente ao piano, como um prelúdio para convocar as forças do oculto.[15]

Naquele Natal de 1869, Nietzsche foi convidado a passar o feriado em Tribschen. Era o único convidado. Nunca tinha passado um Natal como aquele.

Wagner e Cosima cultivavam um elaborado ritual natalino. Cosima era devota do catolicismo e Wagner um ateu declarado, mas ano após ano eles colaboraram para encantar os filhos. Na véspera de Natal, eles seguiam a antiga tradição alemã de São Nicolau, o portador de presentes, e seu companheiro Knecht Ruprecht [Servo Ruperto], que ameaça bater ou sequestrar crianças desobedientes ou malcomportadas.

Nietzsche ajudou Cosima a montar o teatro onde seria encenado o ritual. Decoraram a árvore juntos. Quando tudo estava no lugar, a babá Hermine correu até as crianças, dizendo que estava ouvindo um rugido muito alto! Então Wagner apareceu, fantasiado de Knecht Ruprecht, grunhindo a plenos pulmões e disseminando um alarme terrível. Aos poucos as crianças eram apaziguadas com nozes que Cosima tinha passado a maior parte de dezembro dourando. O Menino Jesus apareceu, distraindo as crianças do sumiço do pai. Fez-se silêncio e a atmosfera se tornou misteriosa quando o Menino Jesus fez sinal para desceram a escadaria escura até a galeria. Todos na casa seguiram numa procissão silenciosa. Afinal chegaram à árvore, deslumbrante e iluminada por velas. Presentes foram trocados e Cosima conduziu orações com as crianças.

A semana seguinte parece ter sido de grande felicidade e enorme proximidade entre Nietzsche e Cosima. Seu diário do dia 26 de dezembro não tem anotações. Só foi retomado em 3 de janeiro, observando que não havia escrito nada por uma semana inteira e que havia passado a maior parte do tempo com o professor Nietzsche, que havia partido no dia anterior.

No dia 18 de julho de 1870, o casamento de Cosima com Von Bülow finalmente foi desfeito. Nietzsche foi convidado para ser testemunha do casamento de Cosima com Wagner na igreja protestante de Lucerna, em 25 de agosto, mas não pôde comparecer. Por volta dessa ocasião, eclodiu a guerra entre França e Prússia, como Nietzsche e Jacob Burckhardt temiam que acontecesse.

Quando a França de Napoleão III declarou guerra à Prússia de Bismarck, em 19 de julho de 1870, Nietzsche estava na Basileia, acamado com uma luxação no tornozelo, sob os cuidados da irmã Elisabeth. O curso natural seria mandá-la de volta para a mãe em Naumburg, mas isso não era nem seguro nem possível no caos que se seguiu imediatamente após a declaração de guerra.

"No dia 19 de julho, a guerra foi declarada", escreveu Elisabeth, "e a partir desse dia prevaleceu a mais incrível confusão na Basileia. Viajantes alemães e franceses se despejavam por todos os lados, a caminho de casa para se juntar a seus regimentos. Durante uma semana inteira pareceu quase impossível para as multidões que chegavam encontrar até mesmo abrigo para a noite na Basileia. As estações ferroviárias ficavam lotadas noite após noite, e as pessoas que não conseguiam aguentar o ar sufocante alugavam leques pela noite toda."[16]

Nietzsche acompanhou Elisabeth em uma breve visita a Tribschen antes de prosseguirem para Axenstein, onde se hospedaram num grande hotel. Enquanto ponderava sobre o futuro, Nietzsche produziu o ensaio *A visão dionisíaca do mundo*, relacionando a filosofia de Schopenhauer ao espírito da tragédia grega, e escreveu vários rascunhos de uma carta ao presidente da Junta de Educação da Basileia:

> Em vista do presente estado da situação na Alemanha, o senhor não ficará surpreso com meu pedido de permissão para transferir meus deveres para meu país nativo. É com esse objetivo que apelo por sua mediação para solicitar uma licença durante as últimas semanas do letivo de verão, da honorável Junta de Educação da Basileia. Minha saúde agora está tão melhor que posso sem medo algum das consequências oferecer minha ajuda a meus compatriotas tanto como soldado como atendente de ambulância [...] em face do tremendo brado da Alemanha para que cada um cumpra com seu dever *alemão*, confesso que poderia me permitir estar preso a minhas obrigações com a Universidade de Basileia somente por uma dolorosa compulsão [...] E gostaria de ver o suíço que consentiria em manter seu cargo sob circunstâncias semelhantes [...]

A última frase foi riscada na versão final.[17]

Em 9 de agosto ele escreveu a Cosima falando de sua intenção de ir à guerra. Ela respondeu no mesmo dia que considerava cedo demais para se apresentar como voluntário. De qualquer forma, um presente de cem charutos seria mais útil para o exército que a presença de um diletante. Era um exemplo típico da vivacidade que a tornava celestial aos olhos de Nietzsche e Wagner, que prostrava ambos aos seus pés, indefesos.

As autoridades da universidade liberaram Nietzsche com a afirmação de que para todos os propósitos ele era um cidadão suíço e que não deveria voltar ao seu antigo regimento, e sim assumir o papel de não combatente como atendente de ambulância.

Nietzsche viajou para a cidade de Erlangen em 12 de agosto para receber treinamento como auxiliar médico no grande hospital de lá. Seu curso de treinamento de duas semanas nem havia terminado quando já teve de lidar com um trem cheio de crianças e adultos mortos ou moribundos.

Em 29 de agosto, quatro dias depois do casamento de Cosima com Wagner, Nietzsche empreendeu uma marcha de onze horas para cuidar dos feridos do campo de batalha de Wörth, onde os alemães tinham conseguido uma grande vitória a um custo terrível. Quase 10 mil alemães jaziam mortos no campo de batalha, entre 8 mil cadáveres franceses.

Nietzsche escreveu para a mãe sobre o local terrivelmente devastado,

> todo forrado de tristes e incontáveis despojos e recendendo a cadáveres; hoje nós vamos para Haguenau, amanhã para Nancy e assim por diante, seguindo o exército do sul [...] Pelas próximas semanas, suas cartas não vão chegar até mim, pois estamos continuamente em movimento e o correio viaja extremamente devagar. Agora não se sabe nada aqui sobre avanços militares – nenhum jornal está sendo impresso. As populações do inimigo aqui parecem estar se acostumando ao novo estado das coisas. Mas são ameaçadas com a pena de morte pela menor ofensa.
>
> Em todas as aldeias por onde passamos há um hospital atrás do outro. Você terá notícias minhas em breve; não se preocupe comigo.[18]

No dia 2 de setembro Nietzsche estava cuidando de feridos em um trem-hospital viajando de Ars-sur-Moselle a Karlsruhe. A viagem durou três dias e duas noites. Ele a descreveu numa carta a Wagner, datada de 11 de setembro.

> *Lieber und verehrter Meister*: Então sua casa está completa e firmemente estabelecida no meio da tempestade. Por mais que estivesse distante, continuei pensando nesse evento e desejando bênçãos a vocês, e me faz muito feliz ver, pelas linhas escritas a mim por sua esposa, a quem prezo muito, que finalmente foi possível comemorar essas festividades [o casamento e o batismo de Siegfried] mais cedo que esperávamos quando estivemos juntos pela última vez.
>
> Você sabe qual foi a torrente que me afastou de vocês e me impossibilitou de testemunhar essas cerimônias aguardadas tão ansiosamente. Meu trabalho como auxiliar chegou provisoriamente ao fim, infelizmente devido à doença. Minhas muitas missões e deveres me trouxeram para perto de Metz [então sitiada]. Em Ars-sur-Moselle nos encarregamos das baixas e voltamos com elas para a Alemanha [...] Fiquei em um infeliz caminhão de gado no qual havia seis casos graves; cuidei deles, fiz curativos, tratei deles sozinho durante toda a viagem [...] Diagnostiquei gangrena em dois casos [...] Mal tinha chegado com meu transporte ao hospital de Karlsruhe quando comecei a mostrar sinais graves de doença. Cheguei a Erlangen com dificuldade, para fazer vários relatórios para o meu grupo. Em seguida fui para a cama e continuo aqui. Um bom médico diagnosticou meu problema como, primeiro, uma grave disenteria e, depois, difteria [...] Assim, depois de um pequeno turno de quatro semanas, tentando trabalhar no mundo como um todo, fui jogado de volta a mim mesmo mais uma vez – que infeliz estado de coisas!

Durante a primeira semana crítica em Erlangen, Nietzsche correu perigo de morte. Foi tratado com nitrato de prata, ópio e enemas de ácido tânico, o tratamento normal da época, cujo efeito era arruinar os intestinos do paciente para o resto da vida. Depois de uma semana sua vida já estava fora de perigo e ele foi enviado para a mãe e Elisabeth, que ainda moravam no seu lar de infância em Naumburg. Com dores terríveis e vomitando constantemente, começou o infeliz hábito de sua vida de se automedicar com drogas que aliviavam temporariamente os sintomas, mas prejudicavam ainda mais sua constituição. Foi sugerida a hipótese de que Nietzsche tenha contraído sífilis, além de difteria e disenteria, por ter tratado dos feridos no vagão do trem. De qualquer forma, toda a questão se Nietzsche tinha ou não sífilis é inverificável.

Durante a convalescência, ele mergulhou na preparação de aulas e seminários para o semestre seguinte e se manteve em contato com amigos por meio de cartas que nunca se referem às horríveis lembranças do campo de batalha que devem ter atormentado seus dias e noites. Nietzsche estava sofrendo de disenteria, icterícia, insônia, vômitos, hemorroidas, um constante gosto de sangue na boca e de quais fossem os horrores psicológicos que a guerra impingira em sua mente. Diferentemente de Wagner e Cosima, que quase todas as manhãs contavam seus sonhos um para o outro antes de Cosima registrá-los religiosamente em seu diário, Nietzsche não confidenciou seus sonhos para a posteridade. No entanto, ele se permite expressar uma violenta repulsa ao militarismo e aos filisteus em geral, e pela Prússia de Bismarck em particular.

> Que inimigos de nossa fé [cultura] estão agora crescendo do solo ensanguentado desta guerra! Estou preparado para o pior e ao mesmo tempo confiante em que aqui e ali na massa de sofrimento e terror as flores noturnas do conhecimento florescerão.[19]

"A Prússia fatal e anticultural" era a culpada: longe de reviver o espírito criativo da Grécia Antiga, Bismark a estava transformando em Roma: filisteia, brutal, materialista, uma máquina de assassinato em massa e infinitas barbaridades.

Nietzsche estava indignado pela sanguinolência e a brutalidade cínica dos prussianos por deliberadamente deixarem os franceses morrerem de fome no cerco de Paris, que perdurou de setembro, quando ele caiu doente, até janeiro do ano seguinte.

Seu horror à barbárie da guerra não se limitou aos prussianos. Assim que um novo governo francês foi formado, a Comuna de Paris se rebelou e o governo se comportou igualmente mal contra seu próprio povo, da mesma forma que os prussianos. Embarcou numa matança sangrenta e indiscriminada, com prisioneiros e transeuntes inocentes sendo massacrados. Havia também uma guerra contra a cultura. Monumentos foram destruídos e derrubados. Os museus e palácios de Paris, inclusive o das Tulherias, foram saqueados e queimados num frenesi vingativo e sem sentido de destruição. Foi publicado incorretamente nos jornais da Basileia que o Louvre também havia sido destruído. Diante dessas chocantes notícias de genocídio cultural deliberado, Burckhardt e Nietzsche correram para a rua em busca um do outro. Ao se encontrarem, os dois se abraçaram, tristes e sem palavras.

"Quando fiquei sabendo dos incêndios de Paris, me senti aniquilado por vários dias e fui assolado por dúvidas e temores", escreveu Nietzsche, "toda a existência acadêmica, científica, filosófica e artística pareceu um absurdo, se um único dia pode destruir as mais gloriosas obras de arte, até períodos inteiros da arte; apego-me com séria convicção ao valor metafísico da arte, que não pode existir pela graça dos pobres seres humanos, mas que tem missões superiores a cumprir. Contudo, mesmo quando a dor estava em seus piores momentos, eu não podia atirar uma pedra contra esses hereges, que para mim eram apenas portadores da culpa geral, o que dá muito alimento para o pensamento".[20]

Quando chegou a época do Natal, Nietzsche foi mais uma vez convidado para ir a Tribschen. Aos olhos de seus anfitriões, ele tinha se transformado heroicamente no filósofo-guerreiro, mas sua experiência no campo de batalha abriu um grande abismo entre Nietzsche e eles. Havia confirmado Nietzsche como um europeu comprometido, enquanto Wagner e Cosima estavam ciosos por vingança e tomados por um fervoroso nacionalismo. Wagner chegava a se recusar a ler cartas escritas a ele em francês.

Na manhã do Natal, sons arrebatadores começaram a pulsar pelo ar perfumado da casa. Wagner havia trazido secretamente Hans Richter e uma orquestra de quinze componentes para a escadaria. Eles tocaram *O idílio de Siegfried*, então sem nome, chamado pelas filhas de Cosima de "música da escada".

"Agora deixe-me morrer", exclamou Cosima a Wagner ao ouvir a música.

"Para mim seria mais fácil morrer do que viver",[21] ele replicou.

O diálogo era típico do plano elevado em que as conversas eram exaustiva e incansavelmente conduzidas em Tribschen, em geral pontuadas por lágrimas e soluços. O interlúdio natalino continuou em seu alto nível de intensidade com Cosima, que escreveu que era como se *O idílio de Siegfried* tivesse transportado sua vida a um sonho acordado. Sentia a eufórica fusão dos limites, uma existência corpórea desconhecida, suprema felicidade, o mais puro júbilo, como se tivesse afinal atingido a meta de Schopenhauer de dissolver os limites entre a vontade e a representação.

Cosima ficou deleitada com o presente de aniversário de Nietzsche, o manuscrito de *O nascimento do conceito trágico*, um primeiro esboço de *O nascimento da tragédia no espírito da música*. Durante as noites Wagner lia trechos em voz alta. Ele e Cosima elogiavam seu grande valor e excelência.

O casal não ofereceu presentes nesse Natal, em respeito aos que ainda viviam as dificuldades da guerra. Nietzsche não fora avisado. Chegou trazendo o ensaio para Cosima e lembrancinhas para as crianças. Para Wagner escolheu cuidadosamente uma cópia da grande gravura *O cavaleiro, a morte e o diabo*, de Dürer, uma imagem que desde sua criação, em 1513, era considerada um ponto de encontro nacionalista, um símbolo significativo da fé e da coragem alemãs diante da adversidade. Wagner aceitou o presente com muito prazer. Para ele, o cavaleiro alemão assumia o duplo simbolismo de ser seu herói Siegfried que, na trama de *O anel*, cavalga para a redenção do mundo, e também representava a ele mesmo. Wagner cavalgando na arena musical montado sobre a Música do Futuro: o cavaleiro que renovará o espírito da cultura alemã que, maculada pelos filisteus e pelo multiculturalismo, um dia será chamada, como Siegfried, para destruir dragões da cultura importada. Foi um presente bem pensado.

Nietzsche ficou por lá durante oito dias, mais uma vez como convidado único. Numa das noites ele leu seu ensaio sobre a atitude dionisíaca, sobre o qual depois discutiram. Em outra, Wagner leu o libreto de *Die Meistersinger*. Cosima registra que ela e Nietzsche desfrutaram da sublime experiência de Hans Richter tocando a música de *Tristão* só para os dois. Tiveram uma discussão sobre os méritos comparativos de E. T. A. Hoffmann e Edgar Allan Poe, e concordaram na profundidade da ideia de ver o mundo real como um espectro, que segundo as observações de Schopenhauer são a marca da capacidade filosófica. Em um dos dias estava tão frio que Nietzsche experimentou a felicidade doméstica com que não estava acostumado, com uma aconchegante invasão de seu *Denkstube* pela família inteira. Era o aposento mais quente da casa. As leituras e conversações foram conduzidas lisonjeiramente em *sotto voce*, para não perturbar o professor trabalhando.

No dia de Ano-novo de 1871, Nietzsche se separou do casal para retornar à Basileia. Tinha resolvido afinal que agiria de acordo com sua falta de propensão à filologia e à sua crescente propensão à filosofia. Em janeiro, escreveu outra longa carta para o presidente da reitoria da universidade,[22] adiantando uma sugestão heterodoxa de ser transferido para a cadeira de filosofia da Basileia, que acabara de vagar. Sugeriu também que seu amigo Erwin Rohde assumisse a cadeira de filologia em seu lugar. Rohde e Nietzsche tinham estudado sob Ritschl em Bonn e em Leipzig, mas como Nietzsche não tinha nenhuma qualificação filosófica e Rohde era um simples *Privatdozent* (professor visitante) na Universidade de Kiel, as autoridades consideraram a proposta de Nietzsche surpreendente.

A ideia de voltar a ensinar filologia induzia uma espécie de narcolepsia espiritual em Nietzsche. Sua saúde andou mal durante todo o mês de janeiro. Os médicos insistiam em repouso total em um clima ameno. Mandaram buscar a irmã dele. Quando Elisabeth conseguiu que ele ficasse mais ou menos saudável, os dois embarcaram numa viagem de convalescência pelos Alpes italianos.

"No primeiro dia", escreve Elisabeth, "nós só chegamos a Flüelen, pois a carruagem, cujo roteiro fora interrompido por pesadas nevascas que caíram por duas semanas inteiras, só pode retomar seu serviço normal na manhã seguinte. No hotel ficamos conhecendo Mazzini, que, sob o nome de sr. Brown, estava viajando na companhia de um jovem". Giuseppe Mazzini era um amigo íntimo de Garibaldi. Tinha sido condenado à morte em seu país e passava a maior parte de seu exílio elaborando esquemas para implantar uma república unificada na Itália. Como tantos republicanos e anarquistas internacionais da época, Mazzini encontrou refúgio em Londres, de onde planejava a invasão e conquista da Itália por todos os emigrantes políticos que lá viviam. A irascível revolucionária Jane Carlyle logo pediu licença para não participar, por causa de uma tendência a ficar mareada, mas ninguém mais se opôs. O plano era partir da Inglaterra em balões, pois um método prático de manobrá-los havia sido recentemente inventado. Mazzini acreditava, com certa justiça, que tal campanha expulsaria a tirania dos Bourbon da Itália em um estado de consternação.[23]

"Esse nobre fugitivo", continua Elisabeth,

> encurvado pela idade e a tristeza, que só podia entrar na pátria que amava tão profundamente com um nome falso, me impressionou como uma figura extraordinariamente inspiradora. Toda essa viagem através de São Gotardo em minúsculos trenós construídos para transportar apenas duas pessoas foi efetuada com um tempo tão lindo que o cenário tristonho, assim como a paisagem hibernal de dourados, azuis e brancos, me impressionou com sua indescritível beleza. A companhia intelectual dos Mazzini, que graciosamente se juntaram a nós em todas as estações, e um acidente que nos deixou aterrorizados enquanto descíamos a estrada em zigue-zague das estonteantes alturas de São Gotardo até o vale de Tremola – como se tivesse asas, um pequeno trenó bem à nossa frente caiu com seus passageiros, cocheiro e cavalo, mais de sessenta metros nas profundezas, mas felizmente ninguém ficou ferido, graças à maciez da neve – deram a essa viagem um encanto peculiar e inesquecível. A

seguinte frase de Goethe, que Mazzini citava repetidamente com seu sotaque estrangeiro ao jovem que o acompanhava, tornou-se posteriormente uma máxima favorita para meu irmão e para mim: *Sich des Halben zu entwöhnen und im Ganzen, Vollen, Schönen resolut zu leben* [Elimine os compromissos e viva resolutamente o que for inteiro, pleno e bonito]. As palavras de despedida de Mazzini foram muito tocantes. Ele me perguntou para onde estávamos indo. Respondi: "Para Lugano, que segundo todos os relatos é uma espécie de Paraíso". Ele sorriu, suspirou um pouco e disse: "Para os jovens o Paraíso está em toda parte".[24]

No dia 12 de fevereiro chegaram a Lugano, onde caíram no sonho lúcido da burguesia com toques de Montanha Mágica do grande hotel da época. Elisabeth registrou todos os pequenos notáveis, dos quais aos seus olhos o mais destacado era o conde Von Moltke, irmão do grande marechal de campo. Havia jogos de salão, apresentações teatrais, concertos e excursões agradáveis ao lindo monte Brè ali perto. Como solteiro e professor de 27 anos, Nietzsche foi muito solicitado e tratado como uma celebridade. Cheio de estilo, ele escalou o Brè até uma altura maior que o restante da comitiva. Tirando do bolso um exemplar do *Fausto*, ele leu:

> Enquanto nossos olhos vagavam pela magnífica paisagem da primavera, cada vez mais inebriados com as transbordantes riquezas do mundo. Afinal deixou o livro de lado e, com sua voz melancólica, começou a discursar sobre o que acabara de ler e sobre as coisas ao redor de nós, como se tivéssemos nos livrado de toda nossa estreiteza e pequenez vazia do norte e nos tornado merecedores de sentimentos mais altos e objetivos superiores, e com grande coragem e asas mais leves, podíamos agora, com toda a nossa energia, ascender ao pináculo mais alto para encontrar o Sol.[25]

Infelizmente, Von Moltke pegou um resfriado durante uma viagem no lago. "Para o desalento geral de nós todos, [ele] morreu", observou Elisabeth, mas isto não empanou sua alegria por muito tempo.

> Que dias felizes e sem nuvens foram aquelas três semanas em Lugano – tudo à nossa volta tinha perfume de violetas, o sol brilhando, e a beleza do ar das montanhas e da primavera! – ainda consigo me lembrar de como fizemos piadas e demos risada; com o espírito alegre participamos até mesmo da diversão do carnaval. Em Mid-Lent fomos convidados por um nobre italiano para ir até Ponte Tresa. Quando

me recordo agora de como nós alemães do Hôtel du Parc[26] dançamos juntos com os italianos no mercado aberto na praça de lá (ainda consigo ver Fritz bem vividamente em minha mente, dançando alegremente uma quadrilha), a coisa toda me impressiona como um verdadeiro sonho de carnaval.

Enquanto Elisabeth escrevia sobre alegres danças camponesas, seu irmão redigia seu primeiro livro, *O nascimento da tragédia no espírito da música*, descrevendo as conclusões a que havia chegado durante os anos de pensamento em uma forma não filológica sobre a origem e a meta da tragédia grega e sua duradoura importância para o presente e o futuro da cultura.

5
O nascimento da tragédia

> Quase tudo que chamamos de "cultura superior" baseia-se na espiritualização e aprofundamento da crueldade. A crueldade é o que constitui a dolorosa sensualidade da tragédia.
> *Além do bem e do mal*, "Nossas virtudes", seção 229

O impacto do primeiro livro de Nietzsche, *O nascimento da tragédia no espírito da música*, se mostrou muito maior que as preocupações estritas e temporais que levaram Nietzsche a escrevê-lo. O livro se originou em parte como um ataque passional de um jovem à degeneração cultural de sua época, e em parte como um manifesto pela regeneração cultural do recém-unificado Estado da Alemanha segundo a visão de Richard Wagner. Resiste como uma percepção revolucionária das transações elusivas entre o racional e o instintivo, entre a vida e a arte, entre o mundo da cultura e a resposta humana a esse mundo.

A famosa abertura do livro nos diz que, assim como a procriação depende da dualidade dos sexos, o desenvolvimento contínuo da arte e da cultura através dos tempos depende da dualidade entre o apolíneo e o dionisíaco. Assim como os dois sexos, eles estão envolvidos numa luta contínua, interrompida apenas por períodos temporários de reconciliação.

Nietzsche identifica o apolíneo com as artes plásticas, particularmente a escultura, mas também com a pintura, a arquitetura e sonhos que, naquela época pré-freudiana, não representavam a irrupção bagunçada dos eflúvios de culpa do subconsciente, mas ainda mantinham seu antigo significado de profecia, esclarecimento e revelação. As características de Apolo podem ser resumidas mais ou menos como o aparente, em termos schopenhauerianos correspondendo mais ou menos à "representação". O mundo de Apolo é formado por indivíduos morais e racionais, aqueles que exemplificam "o *princi-*

pium individuationis, cujos gestos e olhares falam para nós de todos os prazeres intensos, da sabedoria e da beleza da 'aparência'".¹

As artes pertencentes a Dionísio são a música e a tragédia. Dionísio, filho de Zeus nascido duas vezes, era visto na Grécia Antiga tanto como homem quanto como animal. Representava um mundo encantado de experiências extraordinárias que transcendem os limites existenciais. O deus do vinho e da embriaguez, da bebida e das drogas, dos rituais de loucura e êxtase, deus do mundo ficcional do teatro, da música, da interpretação e da ilusão; é o deus cujas artes subvertem a identidade normal ou individual de seus seguidores enquanto são transformados por elas.

A música e a tragédia são capazes de apagar o espírito individual e despertar impulsos que em suas formas mais elevadas fazem o subjetivo bruxulear em um completo abandono, enquanto o espírito é transportado a um estado transcendente de júbilo ou horror. Na origem da tragédia um dos nomes de Dionísio era "o Devorador de Carne Crua". Somente por meio do espírito da música podemos entender o êxtase envolvido na autoaniquilação. Lembra os frequentadores de festivais de rock de hoje, ou Nietzsche descrevendo sua reação a *Tristão* como encostar o ouvido no coração da vontade universal e sentir a tumultuosa lascívia pela vida como uma torrente trovejante. Ele ilustra a questão para seus contemporâneos com uma referência que lhes era familiar: as multidões frenéticas que vagavam pela Alemanha medieval com a mania de cantar e dançar, os chamados cantores e dançarinos de São João e São Vito. (Wagner se referiu a elas elipticamente em *Die Meistersinger von Nürnberg*.) Nelas, Nietzsche reconhecia os coros bacantes dos gregos. Embriaguez, música, canto e dança eram as atividades em que o *principium individuationis* se perdia. Aqui estava a resposta dionisíaca à dor da vida.

Onde tem início o pessimismo dos gregos, sua atração pelos mitos trágicos, pelo temerário, pelo mal, pelo cruel, pelo Devorador de Carne, pelo orgástico e pelo destrutivo? A genialidade da tragédia grega, ele nos diz, é que por meio do milagre da vontade helênica o apolíneo e o dionisíaco são combinados. O dramaturgo grego pré-socrático é ao mesmo tempo um artista do sonho apolíneo e um artista do êxtase dionisíaco, e isto é conseguido por meio do coro.

O coro representa a origem da tragédia e é uma representação do estado dionisíaco. A introdução do coro é uma negação do naturalismo. Nietzsche alerta contra a cultura de sua própria época: "Com nossa atual veneração pelo natural e o real, chegamos ao polo oposto de todo o idealismo, e pousamos na região de figuras de cera".²

Para entender a morte da tragédia grega, só precisamos considerar as máximas socráticas: que a virtude é conhecimento, que todos os pecados se originam da ignorância, e que o homem feliz é o homem virtuoso.

Nessa fórmula basicamente otimista e racional encontra-se a extinção da tragédia. Nas peças teatrais pós-socráticas o herói virtuoso deve ser dialético. Deve haver um vínculo necessário e visível entre virtude e conhecimento, entre fé e moralidade. Sócrates reduz a justiça transcendental de Ésquilo ao "princípio raso e impudente da justiça poética".

Sócrates é "o mistagogo da ciência" em cujos olhos nunca brilhou a adorável luz da loucura. Sócrates instigava a "inimaginável e universal avidez pelo conhecimento, espraiando-se pela maior parte do mundo erudito e apresentando-a como a verdadeira tarefa para qualquer um que fosse mais capaz. [Sócrates] levou a ciência para o alto-mar, de onde jamais pôde ser completamente retirada [...] pela primeira vez, graças a essa universalidade, uma rede comum de pensamento foi disseminada por todo o globo, com perspectivas de abranger até mesmo as leis de todo o sistema solar".³

As pessoas são atraídas à ilusão socrática de que o prazer de entender pode curar a eterna chaga da existência. "Qualquer um que tenha experimentado o intenso prazer de uma revelação socrática, sentindo-se se estender em círculos cada vez maiores como tentando abarcar todo o mundo das aparências, sentirá para sempre que não pode haver maior estímulo à vida."⁴

Mas isto é ignorar que o mundo é mais que uma réplica de fenômenos. Também existe o dionisíaco, a vontade. E assim: "Nesse último período da cultura socrática, o homem [...] continua eternamente faminto". Reduzido à racionalidade, o homem alexandrino é basicamente "um bibliotecário e revisor de provas, sacrificando miseravelmente sua visão à poeira dos livros e a erros [de impressão]".⁵

Será nossa fuga para a ciência e para as provas científicas uma espécie de medo, uma escapatória do pessimismo, um último refúgio sutil contra a verdade? Moralmente falando, será uma espécie de covardia e falsidade?

O problema da ciência deve ser enfrentado. A ciência foi um problema pós-socrático na Grécia, observa Nietzsche, e continua sendo um problema na Europa pós-darwiniana. Por sua fé na explicabilidade da natureza e no conhecimento como uma panaceia, a ciência aniquila o mito. Em decorrência: "Nós caímos em um improdutivo amor pela existência senil".

Nunca houve um período em que a cultura estivesse mais debilitada. Quando o desastre que está dormente no útero da cultura teórica começa gradualmente a amedrontar o homem moderno, a única salvação para a cultura será arrombar o portão encantado que leva à montanha mágica helênica.[6]

Quem detém a chave para a montanha mágica? Quem tem poder suficiente para arrombar o portão? Schopenhauer e, inevitavelmente, Wagner. A ópera, em resumo, com seu casamento de música e palavras, apresenta a nova forma de arte trágica em que o dionisíaco e o apolíneo são reunidos.

A música do futuro de Wagner baseia-se no necessário renascimento do mito trágico (alemão em vez de grego) e da dissonância. Seu emprego de dissonância musical reflete e reconhece a dissonância da alma do homem e a tensão em seu interior entre vontade e representação, entre o apolíneo e o dionisíaco.

Quem, pergunta Nietzsche, consegue ouvir o terceiro ato de *Tristão e Isolda*, "essa dança da metafísica de pastores", sem expirar numa espasmódica libertação de todas as asas da alma? Como alguém pode "deixar de ser imediatamente despedaçado?".[7] Em termos míticos, uma experiência dionisíaca, se já houve uma, e totalmente além.

O espírito alemão até agora repousa e sonha em um abismo inacessível, intacto e dionisíaco em sua força, como um cavaleiro imerso na dormência; e desse abismo o dionisíaco ergue-se aos nossos ouvidos.

Em *Tristão* (aqui as coisas ficam complicadas) o dionisíaco está, na realidade, a serviço do apolíneo. O objetivo mais elevado da tragédia é quando Dionísio fala as palavras de Apolo e Apolo, finalmente, as palavras de Dionísio. Assim é atingido o objetivo mais elevado da tragédia, e de toda arte.

Fazendo copiosas citações do libreto de *Tristão*, o livro conclui com um encontro imaginário entre um homem moderno e um grego antigo que vão juntos à tragédia para se sacrificar às duas deidades. Embora *O nascimento da tragédia* seja mais sobre cultura do que sobre como as pessoas deveriam conduzir suas vidas, o texto nos apresenta ideias a que Nietzsche retornaria à medida que sua filosofia se desenvolvesse. O conceito da dualidade da natureza humana, expressa em *O nascimento da tragédia* pelo apolíneo e o dionisíaco, e a crucial necessidade de confrontar a ilusão da certeza proporcionada pela ciência ocupariam seus pensamentos pelo resto de sua vida ativa.

Quando terminou o primeiro esboço do livro, Nietzsche trocou as neves que derretiam em Lugano por Tribschen, surpreendendo Cosima ao aparecer de repente durante o café da manhã no dia 3 de abril. Cosima observou que Nietzsche parecia muito abatido e o convence a ficar lá por cinco dias. Ele leu seu manuscrito em voz alta, então intitulado *A origem e o objetivo da tragédia grega*. Cosima e Wagner adoraram. Boa parte do texto fora escrita a partir de suas trocas de ideias durante os dois anos anteriores. Ademais, como conseguiriam não se deixar cativar pela proposta de renovação nacional cultural por meio da música de Wagner?

Subitamente, todos e todas as coisas em Tribschen eram apolíneas ou dionisíacas. Wagner criou um novo apelido amoroso para Cosima: ela agora era seu "espírito apolíneo". Ele já era dionisíaco no triângulo amoroso, mas o livro de Nietzsche tinha acrescentado uma nova compreensão do papel. Wagner incorporou os termos "apolíneo" e "dionisíaco" ao ensaio que estava escrevendo, "Sobre o destino da ópera", que deveria entregar em três semanas à Academia de Ciências de Berlim. Depois disso, tinha uma conversa particular agendada com Bismarck. A direção cultural do *Reich* alemão estava a caminho.

Mas apesar de isso ser lisonjeiro, Nietzsche estava descobrindo ser mais burckhardtiano, mais europeu do que Wagner. Não conseguia perdoar o entusiasmo de Wagner com o sofrimento de Paris sitiada pelos prussianos. Wagner se referia a Paris como "aquela concubina do mundo" e esfregava as mãos de satisfação por ela estar finalmente tendo o merecido troco por sua superficialidade como amante, sua preferência pela elegância em detrimento da seriedade e sua "trivialidade franco-judaica da cultura".

"Richard gostaria de escrever pedindo que Bismark trancasse toda Paris",[8] observou Cosima, mas Nietzsche tinha outro ponto de vista: sentia-se penalizado e aflito pelos inocentes de Paris e horrorizado por seu próprio país pela imposição de tal sofrimento.

A trilha sonora de Tribschen era inquietante, se não totalmente desagradável aos ouvidos de Nietzsche. As crianças cantavam a nova e contagiante *Kaisermarsch*, que Wagner tinha composto em homenagem ao novo imperador, e o mestre lia em voz alta seu novo poema elogiando o exército prussiano que cercava Paris. O que Nietzsche via como uma onda barbárica de eliminação cultural, Wagner via como uma maré de renovação cultural. O ponto de vista de Wagner era que quem não fosse mais capaz de pintar quadros não merecia possuí-los. Despido do indecoroso nacionalismo de Wagner, isto com certeza era o verdadeiro dionisíaco, um ponto de vista realmente criativo e original, comparado à tendência meramente histórica, meramente apolínea de Nietzsche para preservar o edifício da cultura.

Sabemos que enquanto esteve em Tribschen, Nietzsche fez alterações em *O nascimento da tragédia* por sugestões de Wagner, mas não sabemos exatamente quais foram. Depois de "fazer as crianças felizes com uma cobra verde",[9] ele partiu para a Basileia para pensar mais sobre o texto, mudar seu título e acrescentar uma longa dedicatória a Wagner.

Por lá, só más notícias o esperavam. A cadeira de filosofia vaga fora ocupada por um candidato adequado. Nietzsche percebeu o quanto havia sido ingênuo e inconveniente ao apresentar sua sugestão de uma cadeira de música.

"Que idiotices eu cometi! E como tinha certeza dos meus esquemas! Não posso me esconder atrás do biombo do leito de meu estado doentio; obviamente foi uma ideia nascida de uma noite insone de febre, e com isso achei que havia encontrado um remédio para a doença e os nervos."[10] Em vez disso, ele deveria continuar parte da estirpe dos tortuosos filólogos investigando minúcias gramaticais dos antigos sem jamais confrontar os imperiosos problemas da vida. Seus deveres filológicos eram uma terrível distração da grande tarefa. Teria que depositar suas esperanças na publicação do livro para ser reconhecido como filósofo. Depois conseguiria mudar de direção.

Enquanto isso, sua ansiedade e sua saúde eram tais que as compreensivas autoridades da Basileia reduziram sua carga de trabalho. Elisabeth se mudou para lá para cuidar do irmão. Não foi difícil para ela sair de Naumburg, onde estava vivendo a vida constrita de uma solteirona, morando na casa da mãe e se dedicando a trabalhos beneficentes.

No final de abril, Nietzsche enviou a parte inicial de *O nascimento da tragédia* para uma editora de Leipzig. Meses se passaram sem uma resposta. Sua insegurança autoral era alimentada pela ausência de Wagner e Cosima. Os deuses tinham abandonado a Ilha dos Abençoados e estavam viajando pela Alemanha em busca de um local onde construir o teatro do festival para montar *O anel*. Não havia como fugir para Tribschen em busca de apoio intelectual. Ademais, mesmo se estivesse disponível, Wagner não estava em posição de dar apoio a ninguém, por estar também em constante estado de tensão e insegurança. Apesar dos grandes esforços de Wagner para preveni-lo, o rei Ludwig havia montado uma produção desastrosa de *Das Rheingold*, a primeira ópera do ciclo de *O anel*. Impaciente para assisti-la no palco, o rei resolveu financiar uma encenação prematura e muito mal pensada. As piores previsões de Wagner se realizaram, e as consequências da infeliz produção incluíram o corte, por parte do rei, de relações diretas com Wagner, que agora não fazia ideia se Ludwig continuaria financiando o projeto do ciclo. Foi especialmente frustrante que, em sua viagem pela Alemanha, Wagner e Cosima identificassem Bayreuth como o lugar perfeito para construir sua casa de ópera, caso eles tivessem dinheiro para isso.

Cidade de tamanho médio no norte da Baviera, Bayreuth era servida de uma linha férrea que poderia levar o público até a porta. O cenário era maravilhoso, miticamente alemão. Era o ponto mais alto de um imenso planalto fértil com gado e plantações. Um palácio barroco histórico em um parque paisagístico representava o triunfo do intelecto apolíneo, enquanto a colina gramada de bom tamanho que dominava o planalto chorava para ser coroada pela presença dionisíaca de uma casa de ópera.

Na semana de Pentecostes, Wagner e Cosima voltaram para Tribschen cheios de esperança. Convidaram Nietzsche para uma reunião. Pentecostes era uma ocasião emocionalmente carregada para os três. Não podia jamais passar sem a memória sacramental do nascimento de Siegfried em 1869, a ocasião que havia selado seu triunvirato místico.

Agora, meros dois anos depois, o cenário era de perdas. Se o projeto cultural fosse bem-sucedido, e Nietzsche esperava que fosse, Wagner e Cosima teriam de trocar definitivamente Tribschen por Bayreuth. Seus dias na Ilha dos Abençoados estavam contados. Em que dia estava a onda da dança estelar destinada a viver apenas em retrospecto? Sua incerteza e fragilidade emocional eram agravadas pela indecisão da editora de publicar *O nascimento da tragédia*. Em junho, Nietzsche não suportou mais a tensão. Exigiu a devolução do manuscrito. Sem dizer ao mestre, enviou-o ao editor de Wagner, Ernst Wilhelm Fritzsch.

No início de setembro, Cosima escreveu a Nietzsche pedindo que recomendasse alguém para acompanhar o filho da princesa Hatzfeldt-Trachtenberg por uma grande turnê pela Itália, Grécia, Oriente e América. Havia ótimas razões para Nietzsche se voluntariar. Seria uma espécie de solução para um verão cheio de tensões. Poderia melhorar sua saúde (os médicos sempre recomendavam climas mais amenos a ele). Seria uma perfeita fuga da cadeira de filologia e uma oportunidade de finalmente conhecer Roma e o mundo clássico. Ficou tão entusiasmado que conversou com os colegas da universidade antes de qualquer coisa ter sido acertada. E também parecia que Cosima queria aquilo, senão por que o teria mencionado? Mas ele tinha interpretado Cosima mal. Ela ficou escandalizada com a ideia de Nietzsche desistir de seu papel sério de professor para se tornar o frívolo cicerone de uma princesa. Quando ela explicou isso, Nietzsche se sentiu angustiado pela vergonha de ter feito papel de tolo diante de Cosima e aos olhos da universidade. Felizmente a universidade teve outra visão. Quando anunciou sua intenção de continuar lecionando, eles aumentaram seu salário em uma considerável quantia de quinhentos francos, para 3.500 francos.

Em outubro, Nietzsche comemorou seu aniversário de 27 anos. Um mês depois, escreveu uma carta delirante a Carl von Gersdorff, seu antigo colega de Schulpforta, para informar que "o excelente Fritzsch" tinha aceitado o livro e prometido publicá-lo a tempo para o Natal.

"O projeto foi feito", contou um jubiloso Nietzsche a Von Gersdorff,

> para se moldar no *O objetivo da ópera* de Wagner – rejubile-se comigo! Isto significa que haverá um glorioso lugar para uma bela vinheta: conte isto ao seu amigo artista com minhas mais amigáveis recomendações. Pegue o panfleto de Wagner, abra a página do título e calcule o tamanho que poderíamos dar:
>
> O
> nascimento da tragédia
> no espírito da música
> de
> Dr. Friedrich Nietzsche
> Professor de filologia clássica
> Leipzig Fritzsch
>
> No momento estou bastante confiante que o livro terá vendas tremendas e que o cavalheiro que desenhar a vinheta pode se preparar para uma parcela de imortalidade.
>
> Agora, mais algumas notícias. Imagine, meu caro amigo, que estranho que naqueles cálidos dias de [nossa] reunião durante minhas férias chegou a mim uma fruição na forma de uma composição meio longa para dois pianos, na qual todas as coisas ecoam um lindo outono, quente e ensolarado. Por estar

relacionada a uma lembrança juvenil, o opus é chamado *Eco de uma véspera de Ano-novo: com canção processional, danças camponesas e sinos à meia-noite*. É um título divertido [...] Eu não compunha nada há seis anos, e *este* outono me estimulou outra vez. Quando apresentado de forma apropriada, a música dura vinte minutos.[11]

Sua euforia não durou muito. O artista que seria imortalizado por lavrar a vinheta na madeira estragou o trabalho, e outro artista teve de ser encontrado. O bom Fritzsch compôs o texto em letras menores que as de *O objetivo da ópera* de Wagner, e o livro, de 140 páginas, ficou mais fino e parecia menos importante do que Nietzsche esperava, mais parecido com um livreto. Além do mais, Wagner ficou zangado por Nietzsche ter procurado seu editor sem antes ter falado com ele. Deu a impressão de que os dois estavam em conluio, como se Nietzsche fosse um dócil propagandista de Wagner.

Nietzsche declinou o convite para passar o Natal em Tribschen, dando como razão a necessidade de tempo para pensar em um novo curso sobre o futuro das instituições educacionais, mas ele poderia ter feito isto em seu *Denkstube*. Na verdade, como admitiu confidencialmente a Erwin Rohde, ele precisava de tempo para se concentrar para o veredito de Wagner sobre a peça musical que havia enviado. "Estou muito animado quanto ao que vou ouvir sobre minha obra musical."[12]

Nietzsche se considerava um compositor com algum talento e estava radiante com a expectativa da admiração de Wagner. Quando Hans Richter e Cosima sentaram ao piano de Tribschen para tocar o dueto para Wagner, o mestre ficou tamborilando os dedos durante os vinte minutos da execução. A peça era típica das composições para piano de Nietzsche desse período, um *pot-pourri* de Bach, Schubert, Liszt e Wagner. Muito emocionais e curtas no desenvolvimento, suas composições invariavelmente dão a ideia de que, se tivesse vivido mais para a frente no tempo, teria tido sucesso como compositor de música incidental para o cinema mudo. Por mais que Wagner e Cosima tenham rido em particular, ambos omitiram sua opinião desfavorável sobre a peça. Ela agradeceu pela "bela carta" acompanhando o presente, mas não fez menção à música.

Sozinho na Basileia no Natal, Nietzsche teve a ajuda de um inexplicável pintor de paredes para abrir um grande caixote que tinha chegado de sua mãe. Franziska agora estava bastante próspera, tendo lucrado com as heranças depois da morte das duas tias, que a proveram de recursos para comprar a casa de Naumburg e alugar cômodos para inquilinos.

Nesse Natal, com um espírito missionário, Franziska resolveu mandar ao filho de vacilante religiosidade uma grande pintura a óleo italiana da Madona. Durante a solidão dos longos dias natalinos, Nietzsche teve muito tempo para compor uma carta de agradecimento que incluía uma descrição de quanto havia organizado sua casa de maneira convencional:

> Naturalmente a *Madona* via ficar acima do sofá; acima do piano haverá uma pintura de Holbein, do grande Erasmo [...] com Papa Ritschl e Schopenhauer acima da mesa de leitura ao lado do fogão. De qualquer forma [...] agradeço de coração [...] parece que esse quadro estava me atraindo involuntariamente para a Itália e – quase acredito que você o mandou para me atrair para lá, por meio do efeito duplo apolíneo-dionisíaco do meu livro, que será publicado no Ano-novo.

A carta segue agradecendo à mãe pelo bom pente, pelas escovas de cabelo e pela roupa, "apesar de ser um pouco macia demais", belas meias e uma grande quantidade de bolo de gengibre na embalagem festiva.[13] Na mesma ocasião, escreveu outra carta em tom irônico ao amigo Gustav Krug dizendo para aguardar a publicação de *O nascimento da tragédia* no Ano-novo e o avisando, no mesmo tom e linguagem que usara quando aos dezessete anos contou ao amigo sobre seu "repugnante" romance *Euphorion*: "Oh! É impróprio e ofensivo. Leia em segredo, trancado no seu quarto".[14]

Não é possível ler suas cartas dessa época sem sentir pena de Nietzsche pelas incertezas que o assolavam. Ninguém estava sendo sincero. Todos, inclusive ele, estavam fingindo; todos usavam máscaras, mostrando diferentes faces conforme o interlocutor. Nietzsche estava temporariamente esquecido dos alertas e orientações de Píndaro que havia adotado durante seus dias de estudante: "Torne-se quem você é!".

Finalmente, o livro foi lançado. No dia 2 de janeiro de 1872, ele conseguiu mandar um exemplar a Wagner com uma carta anexada atribuindo o atraso aos "poderes do destino, com o qual nenhuma relação eterna pode ser tecida [...]".

Em todas as páginas, você vai descobrir que só estou tentando agradecer a você por tudo que me deu; a única dúvida que me acomete é se consegui sempre receber bem o que me foi dado.

Com os mais sinceros agradecimentos pelo seu amor, sou, como sempre fui e sempre serei,

Seu leal Friedrich Nietzsche.

Foi a carta mais sincera, mais ostensivamente afetuosa que Nietzsche escreveu. Felizmente, ao receber o livro, Wagner respondeu prontamente:

Caro amigo!

Nunca li nada tão belo quanto o seu livro. Tudo é soberbo! [...] Disse a Cosima que depois dela você é a segunda pessoa próxima ao meu coração, e depois, bem mais atrás, é Lenbach, que fez um retrato tão vívido e impressionante de mim! Adieu! Volte muito em breve para nós e haverá uma alegria dionisíaca!

Cosima escreveu uma carta entusiasmada, elogiando o livro sem reservas. Considerou o texto profundo, poético e belo. Disse que fornecia todas as respostas às questões de sua vida interior. O sentimento que expressou era genuíno: na privacidade de seu diário ela diz que o livro é "realmente esplêndido" e consta que ela e Wagner quase dividiram o livro em dois pela posse física do volume.

Nietzsche mandou um exemplar para Liszt, que também respondeu cordialmente, dizendo, entre muitas outras coisas, que nunca tinha lido uma definição melhor de arte. Mais elogios se acumularam na forma de cartas de figuras distintas, barões e baronesas que não entenderam necessariamente o livro, mas que escreveram uma série de platitudes para mostrar que estavam no campo *contra mundum* de Wagner e do rei Ludwig. Nenhum filósofo ou filólogo de profissão respondeu, e tampouco houve qualquer resenha na imprensa. Nietzsche continuou aguardando nervosamente. O silêncio em torno do livro foi opressivo e constrangedor. "Parece até que cometi um crime", declarou o autor.

Contudo, houve uma sólida distração intelectual na tarefa de preparar as palestras sobre educação cuja elaboração o havia impedido de passar o Natal em Tribschen. A Sociedade Acadêmica da Basileia contava com uma grande tradição de palestras públicas. No inverno, havia uma programação de trinta ou quarenta palestras abertas ao público em geral. Cerca de trezentas pessoas compareceram à primeira palestra de Nietzsche, em 16 de janeiro, que foi recebida com grande aprovação e atraiu público para outras.

O tema da série "Sobre o futuro de nossas instituições educacionais" era a direção que o recém-fundado *Reich* deveria tomar no campo vital da educação. Muitos dos assuntos abordados em *O nascimento da tragédia* foram reutilizados nessas ocasiões. A crítica da cultura estéril da era atual era seguida pela sugestão de substituí-la por uma regeneração do "espírito germânico" do passado.

Nietzsche estruturou as palestras como diálogos platônicos entre um aluno e um professor, tornando-as relevantes para a plateia ao apresentar pontos de vista atuais nos personagens; argumentando com a teoria marxista contra a volta ao radicalismo aristocrático da Grécia Antiga.

O aluno clama pela maior expansão possível da educação. A rede teria de ser lançada para abranger o máximo possível. A utilidade deveria ser a meta e o objetivo da educação. A maior capacidade possível de obtenção de ganhos pecuniários equivaleria à felicidade para todos.

O filósofo defende um retorno à educação em si e para sustentação da mais alta moral ética. Educação expandida produz uma educação enfraquecida. O dilema do Estado é que a relação entre inteligência e propriedade exige uma educação rápida, de forma a produzir uma criatura que ganhe dinheiro a toda velocidade. O homem só teria direito a uma quantidade precisa de cultura que fosse compatível com o interesse pelo ganho.

Nietzsche disse o indizível: que o Estado não desejava indivíduos brilhantes, mas sim engrenagens para a máquina, especialistas com formação apenas o suficiente para contribuir acrítica e submissamente, cujo resultado inexorável era a perpetuação da mediocridade intelectual. Ouvimos um eco das peripatéticas conversas de Nietzsche com Burckhardt e suas queixas de que os jornais tomavam o lugar da cultura e da exasperação com que até mesmo o maior dos acadêmicos deveria se beneficiar dos jornais: "Esse estrato viscoso de comunicação que cimenta as emendas entre todas as formas de vida, todas as classes, todas as artes e todas as ciências e que é firme e confiável nos jornais, como uma regra".[15]

Deveria ser uma série de seis palestras, mas ao chegar à quinta sua saúde desmoronou. Esse fato, que o impediu de fechar o argumento na última palestra e partir da teoria para sugestões concretas para uma reforma educacional, fez com que a série nunca fosse completada. As cinco palestras foram populares. Nietzsche recebeu uma proposta para assumir a cadeira de filologia clássica na cidade de Greifswald, mais ao norte, mas a última coisa que ele desejava era outra cadeira em filologia. O que mais desejava era ocupar uma cadeira de filosofia.

Os entusiasmados alunos da Basileia interpretaram de forma equivocada o seu "não" a Greifswald. Considerando sua recusa como uma imorredoura lealdade à Basileia, eles foram visitá-lo com a proposta de organizar uma procissão de archotes em sua homenagem. O professor declinou. Alguns dias mais tarde a Universidade de Basileia aumentou seu salário para 4 mil francos suíços, em reconhecimento aos seus "notáveis serviços".

Oito dias depois de Nietzsche ter feito sua quinta palestra, Wagner o procurou em um estado de grande aflição. Queria saber como poderia evitar que o livro de Nietzsche fosse "morto pelo silêncio".[16] Mas a preocupação de Wagner era ainda maior consigo mesmo e com o trabalho de sua vida. A impressão era de que seu sonho estava mais uma vez desmoronando. De início, a prefeitura de Bayreuth tinha oferecido o local para construir a casa de ópera, mas em seguida foi divulgado que o conselho não era dono do terreno, e que o proprietário se recusava a vender o lote. E depois disso as coisas foram de mal a pior: o secretário do rei Ludwig tinha averiguado as quantias. As finanças de Wagner estavam piores que seu canto desafinado, e por alguma razão os custos da construção haviam aumentado de forma alarmante, de 300 mil para 900 mil táleres. O dinheiro seria arrecadado com a formação de Sociedades Wagnerianas com inscrições pagas onde quer que houvesse entusiastas. Muitas delas foram formadas por toda a Alemanha e no exterior, até mesmo no Egito, onde o quediva contribuiu, entusiasmado com a ideia de integração com a Europa (recentemente tinha convidado Henrik Ibsen, entre outros, para a inauguração do Canal de Suez). A responsabilidade pela coordenação dos fundos das diversas sociedades foi assumida por dois figurões eloquentes, os barões Loën de Weimar e Cohn de Dessau, mas eles só conseguiram levantar algo entre 12 mil e 28 mil – ou ao menos foi o que disseram, mas Wagner estava convencido de que o barão Cohn, que ele chamava de "o Judeu da Corte", estava sabotando o empreendimento por razões vis e semitas.

Wagner estava desesperado, quase pronto a abandonar o projeto. Não conseguia dormir. Seu sistema digestivo era um caos. Atormentado pela ideia de que o rei Ludwig iria morrer ou enlouquecer. Nesse caso o dinheiro secaria totalmente, e o projeto de *O anel* e a regeneração cultural da Alemanha morreriam com ele. Wagner procurou Nietzsche na primeira parada de sua desesperada turnê para angariar fundos.

Vendo o mestre tão infeliz, Nietzsche impulsivamente se ofereceu para abandonar tudo pela turnê pela Alemanha, fazendo palestras para angariar fundos. Wagner o dissuadiu. A tarefa de Nietzsche era continuar na Basileia e consolidar sua reputação concluindo sua série de palestras, cuja verdadeira e importante ambição era efetuar uma mudança na política de educação de Bismarck. Apoiado pelo sucesso das palestras, que pretendia publicar em forma de livro, Nietzsche estava secretamente preparando um memorando para enviar a Bismarck, ressaltando as deficiências do chanceler no campo da educação e sugerindo reformas como um modelo para a renovação cultural, "para mostrar a ignomínia de perder um grande momento para fundar uma instituição educacional verdadeiramente alemã que regeneraria o espírito alemão [...]".[17] No caso, o livro não chegou a ser publicado e o memorando jamais foi enviado. Em primeiro lugar, foi um projeto mal concebido; Bismarck nunca reagia positivamente quando alguém lhe apontava o dedo.

Wagner seguiu seu caminho até Berlim, deixando Cosima sozinha para se consolar com o livro de Nietzsche e um tubo de caviar que ele mandou de Leipzig.[18] Se tivesse seguido seu impulso quixotesco e abandonado a universidade para vagar pelo *Reich* por Wagner, Nietzsche teria se sentido redundante em apenas um mês. A viagem de Wagner foi um retumbante sucesso financeiro. A vitória sobre a França tinha criado um estado de espírito nacionalista que fez de sua agenda um grande apelo. Foi recebido com aclamações em Berlim e em Weimar. Bayreuth ofereceu um terreno ainda melhor, bem como um grande lote perto da casa de ópera, onde ele e Cosima poderiam construir uma bela vila para morar.

No final de março a neve começou a derreter. Wagner voltou de sua triunfante viagem e Nietzsche foi convidado para passar o feriado da Páscoa com eles em Tribschen. Mais uma vez, era o único convidado. Chegou lá na Quinta-feira Santa com uma carga de cem francos nos bolsos. Era uma espécie de traição de Páscoa, o beijo de trinta moedas de prata de Judas. O dinheiro tinha sido dado a ele por Hans von Bülow, perito em manipulação emocional, que sempre conseguia encontrar maneiras sofisticadas de atormentar Cosima e os que a amavam. Von Bülow havia feito uma visita a Nietzsche na Basileia pouco antes da Páscoa. Fez enormes elogios a *O nascimento da tragédia* antes de encarregá-lo da constrangedora missão de entregar o dinheiro como um presente de Páscoa a sua filha Daniela, que morava em Tribschen com Cosima e Wagner.

O clima naquele fim de semana de Páscoa se mostrou tão mutável e incerto quanto as emoções de todos à beira de uma separação, imersos numa tristeza que não podia ser definida com palavras. Estavam saindo da Ilha dos Abençoados. Mesmo que sair de Tribschen não significasse realmente o que Wotan chamava de *das Ende*, o crepúsculo dos deuses, não havia dúvida de que marcava o fim de um período encantado de criatividade quase divina e mutuamente inspirada que tinha visto o nascimento de uma criança e de quatro obras-primas: *Siegfried*, *Götterdämmerung*, *O idílio de Siegfried* e *O nascimento da tragédia*. Todos sabiam que o idílio havia chegado ao fim.

Wagner levou Nietzsche para o que seria a última caminhada dos dois pela paisagem de Tribschen. Naquela noite, Nietzsche leu para eles sua quinta palestra. No dia seguinte, enquanto Wagner trabalhava, Nietzsche e Cosima partiram para uma caminhada pela Trilha dos Ladrões. Para essas ocasiões, Cosima costumava usar cashmere cor-de-rosa ricamente enfeitado e com laçarote e, para proteger sua compleição pálida, um grande chapéu toscano adornado de rosas. À frente deles marchava o gigantesco cão Terra-nova negro Russ, digno, pesado e lembrando inevitavelmente o espírito familiar da lenda de Fausto. Enquanto seguiam pelas margens do lago prateado, conversaram sobre a tragédia da vida humana, dos gregos, dos alemães, de planos e aspirações. Como o roçar de uma grande asa, um vento frio anunciou a chegada de uma súbita tempestade que os fez voltar rapidamente para casa, onde leram contos de fadas ao lado da lareira.

No domingo de Páscoa, Nietzsche ajudou Cosima a esconder ovos no jardim para as crianças encontrarem. Em seus trajes claros de Páscoa, as crianças saíram como um bando de pequenos cisnes ao longo da margem, procurando os ovos escondidos pelos juncos esverdeados, emitindo gritinhos ao fazerem suas descobertas. Reunindo os ovos decorados entre as mãos entrelaçadas, as crianças os traziam para Cosima.

À tarde, Nietzsche e Cosima tocaram duetos ao piano. Surgiu um arco-íris no céu. Símbolo universal de esperança e grandes aspirações, o fenômeno teve um significado pessoal mais profundo para os dois, pois *O anel* de Wagner usa o arco-íris como a ponte que liga o mundo dos mortais ao reino dos deuses. Só passando pela ponte do arco-íris pode ser feita a transição de um mundo ao outro.

Na hora do almoço os três conversaram sobre uma diferente ligação entre deuses e mortais: o passatempo do espiritualismo estava na moda. Cosima era secretamente uma crente no sobrenatural. Ela escreve em seu diário sobre ouvir sons de rangidos e pancadas na velha casa deitada na cama à noite e de interpretá-los como sinais do mundo espiritual: mensagens de mortais que havia conhecido ou de cães mortos que amara. Mas na presença de Wagner ela fingia um grande ceticismo, para não parecer tola a seus olhos. O próprio Wagner não estava interessado em sinais enviados via expansões e contrações de pedaços de madeira, mas prestava atenção quando os deuses tentavam chamar sua atenção com manifestações mais grandiosas como um arco-íris ou um trovão, com a lua lutando para aparecer em meio a uma faixa preta de nuvens em movimento, ou as luzes do norte espraiando suas cortinas luminosas no céu de Tribschen. Durante o almoço, Wagner apresentou uma refutação racional das manifestações espiritualistas e Cosima considerou-as todas como uma fraude. No entanto, à noite todos se entregaram a uma sessão espírita de mesa redonda. Foi um fracasso total.

Na manhã de segunda-feira Nietzsche teve de voltar para seus deveres acadêmicos. Quando o professor partiu, o casal se sentiu meio deslocado, desanimado e deprimido. Até mesmo o irrepreensível Wagner se mostrou desgostoso e acabrunhado, preocupado e temeroso de não estar à altura da tremenda tarefa à frente. Cosima retirou-se para o quarto.

Uma série de mal-entendidos, ou talvez o destino, fez com que Nietzsche fosse a Tribschen se despedir do mestre três dias depois da partida dele para Bayreuth. Encontrou Cosima acondicionando os utensílios de uma casa que não era mais o lugar que tinha mudado toda sua percepção de como uma vida podia ser vivida. Os cômodos haviam perdido seu encantamento pesado: a atmosfera, outrora narcótica, agora cheirava a frescor e aos Alpes, com um leve aroma da água do lago. O ar avermelhado do mundo particular do casal agora estava iluminado pela luz do sol. Espaços fluentes que tinham sido desmaterializados por luzes veladas atravessando cortinas de gaze cor-de-rosa haviam perdido seu mistério suave e agora pareciam ásperos, sólidos e lustrosos. Janelas que proporcionavam enlevo com cortinas caídas e envolventes, apanhadas pelas mãos gorduchas de querubins dourados, e grinaldas de delicadas rosas de seda voltavam a ser retângulos de vidro achatados. A visão apocalíptica de Wagner, que tinha transformado todo o interior domiciliar em um palco, era substituída por meros cubos de nova aparência que não abrigavam nenhum mistério. Os ricos revestimentos de veludo violeta e couro filigranado das paredes pareciam feias figuras cor de rato onde outrora se viam os ícones de sua fé. Borrões difusos em forma de U marcavam os fantasmas das guirlandas dos lauréis. Retângulos brancos nas paredes lembravam os quadros de Valquírias de peitoris, do rei Ludwig parecendo jovem e aristocrático, de dragões escamosos se contorcendo, do quadro de Genelli com Dionísio e as musas apolínias que Nietzsche tanto contemplou enquanto desenvolvia sua ideia para *O nascimento da tragédia*.

Nietzsche não conseguiu lidar com tanta emoção. Assim como na ocasião em que se sentiu angustiado e aterrorizado em um bordel, ele correu para o piano de cauda. Sentou-se e improvisou no teclado, enquanto Cosima se movia com majestosa solenidade pelos aposentos supervisionando os criados na melancólica tarefa de empacotar os tesouros de Tribschen. No improviso, expressou seu pungente amor por ela e pelo marido, pelo esplendor que criavam juntos e que compartilharam pelo período de três anos, pelas arrebatadoras lembranças e pela longa eternidade de futuros anseios.

Sua perda ainda não estava completa, mas nada poderia evitar que se esvaísse. Comparou aquilo com andar por um futuro em ruínas. Cosima falava sobre "tempos eternos agora passados". Todos os criados estavam em prantos; os cães seguiam os humanos como almas perdidas e se recusavam a comer. Nietzsche levantou-se do banco do piano para ajudar Cosima a selecionar e empacotar objetos preciosos demais para serem confiados aos criados: cartas, livros, manuscritos e, acima de tudo, as partituras musicais.

"Lágrimas pairavam pesadas no ar. Ah! Era um desespero! Esses três anos que passei numa relação próxima com Tribschen, e durante os quais fiz 23 visitas ao local – o que eles não significam para mim! Se não tivesse passado por isso, o que eu seria agora!".[19] E em *Ecce homo* acrescentou:

> Nenhuma outra de minhas relações chega a ser grande coisa; mas eu não trocaria os dias em Tribschen por nada, dias de confiança, de alegria, de possibilidades sublimes, de momentos *profundos* [...] Não sei como foram as experiências de Wagner com outras pessoas: nenhuma nuvem jamais escureceu nossos céus.

Consta que depois ele nunca mais conseguiu falar sobre Tribschen sem um tremor na voz.

Quando voltou à Basileia, foi acometido por um herpes-zóster no pescoço e não teve condições de escrever a sexta e última palestra. Não havia outro livro para Fritzsch publicar, e *O nascimento da tragédia* continuou envolvido numa névoa de silêncio.

Nietzsche tinha escrito uma carta ao seu adorado professor Ritschl, o filólogo clássico que o acompanhara desde a Universidade de Bonn até a Universidade de Leipzig e cujo retrato agora se encontrava acima de sua mesa de leituras perto do fogão. "Você não vai se ressentir de minha perplexidade por não ter ouvido uma palavra sua sobre meu livro recentemente publicado",[20] começou sua precipitada carta, que continuou no mesmo tom juvenil.

Ritschl não tinha escrito por não ter encontrado nada agradável a dizer. Achou que a carta de Nietzsche mostrava certa megalomania. Considerou *A origem da tragédia* uma conversa fiada engenhosa. Pontuou as margens de seu exemplar com exclamações como "megalomania!", "licencioso!" e "dissoluto!". Mas articulou sua resposta com tanto tato que Nietzsche não se ofendeu com a sugestão de que o texto era menos acadêmico que diletante e com as observações de que não considerava o individualismo da vida como retrógrado, pois a alternativa parecia consistir em dissolver o sentido do eu ao oblívio.

Outra figura paterna cuja opinião era levada em alta conta era Jacob Burckhardt, que foi igualmente diplomático e elusivo em sua resposta. Tanto que Nietzsche parece ter acreditado que Burckhardt tinha se empolgado e encantado com o livro, mas na verdade Burckhardt se sentiu ofendido com a tese do livro, com sua intemperança, seu tom estridente e a sugestão de que qualquer acadêmico sério pós-socrático não era nada mais que um coletor de fatos indiscriminados.

E o silêncio continuou. "As pessoas estão se mantendo em silêncio há dez meses, porque todos na verdade se consideram além e acima do meu livro, que não vale a pena ser comentado."[21]

Ainda não fazia um mês que os Wagner tinham saído de Tribschen quando Nietzsche recebeu um convite para se encontrar com eles para o lançamento da pedra fundamental da casa de ópera em Bayreuth. As coisas tinham avançado com uma velocidade impetuosa. Cosima não demorou muito a deixar

Tribschen para trás, e ela florescia como nunca em Bayreuth. "É como se toda nossa vida anterior fosse apenas uma preparação para isto", escreveu. Wagner coroou seu sentimento ajoelhando-se aos seus pés e arranjando outro nome para ela: a Markgräfin (Margravina) de Bayreuth.

Cosima sempre foi uma esnobe. Os dois estavam morando no Hotel Fantaisie, de propriedade do duque Alexander de Württemberg e anexo ao gracioso terreno de seu castelo, Schloss Fantaisie. As páginas de seu diário começam a parecer um Almanaque de Gota.* Duques, príncipes e princesas de vários sobrenomes enxameiam em suas páginas. Todos queriam agradá-la. Pequenos aristocratas, condes e condessas faziam tudo para se aproximar dela. O conde Krockow presenteou Wagner com um leopardo que havia caçado na África. A condessa Bassenheim bordava blusinhas para o pequeno Siegfried. Cosima aceitava todos os tributos com a graça de uma Margravina.[22]

A cerimônia de lançamento da pedra fundamental teve lugar em 22 de maio, dia do aniversário de 59 anos de Wagner. Cerca de mil músicos, cantores e convidados acorreram à cidadezinha de Bayreuth, que nunca havia visto tanta gente. Hospedarias, estalagens e restaurantes ficaram sem comida e bebida. Logo o suprimento habitual de carruagens a cavalo foi exaurido. Estranhos veículos pertencentes à brigada de incêndio e a clubes esportivos foram trazidos para ajudar a transportar as celebridades até a Colina Verde. O céu inchou de nuvens cinzentas. Choveu torrencialmente. De uma hora para outra, cavalos e pedestres chafurdavam até o tornozelo na lama marrom e oleosa. Foi uma sorte o rei Ludwig não estar presente.

O rei vinha sendo visto cada vez com menos frequência naqueles dias. Seu dia tendia a começar com um desjejum às sete da noite num minúsculo cômodo iluminado por sessenta velas, depois do que sua noite era passada em geral vagando pelos jardins iluminados pelo luar em seu trenó em forma de cisne ao som de trechos da música de Wagner interpretados por músicos ocultos. Ainda alimentava a ideia, com a qual Wagner discordava, de estrear *O anel* sem o consentimento do compositor, mas mandou uma mensagem de felicitações e aprovação a Bayreuth. Wagner guardou-a num precioso por-

---

* Guia de referência da alta nobreza e das famílias reais europeias entre 1763 e 1944. [N. T.]

ta-joias, que com a devida cerimônia foi depositado na fundação enquanto a banda tocava a *Huldigungsmarsch*, a marcha de homenagem que Wagner havia composto para o rei Ludwig alguns anos atrás.

A exemplo do deus Wotan, que batia no solo três vezes em *O anel* para evocar fogo de todos os tipos de consequências fatais, Wagner bateu três vezes na pedra fundamental com um martelo. Depois de enunciar uma bênção, afastou-se de olhos úmidos e pálido como a morte, de acordo com Nietzsche, que teve a grande honra de levá-lo de volta em sua carruagem.

Nietzsche continuava ansioso pelo julgamento artístico do dueto para piano que havia mandado a Cosima na época do Natal. Nem Cosima nem Wagner disseram uma palavra, e ele resolveu mandar a peça para Bülow.

Quando Von Bülow estivera na Basileia para dar a Nietzsche os cem francos a serem entregues a Daniela, o maestro disse que ficou tão impressionado com *O nascimento da tragédia* que levava o livro para onde ia e o recomendava para todo mundo. Será que ele poderia, perguntou Von Bülow, dedicar seu próximo livro a Nietzsche? Como o jovem professor poderia não aceitar tamanha honraria? Certamente esse intercâmbio iria assegurar certo grau de elogios de Von Bülow quando recebesse a peça musical, que agora havia sido orquestrada e intitulada como *Meditação de Manfred*.

No mínimo, Nietzsche poderia esperar que Von Bülow oferecesse a série de platitudes usuais que um profissional concede quando um amador pede sua opinião. Mas o *Schadenfreude** fala alto e forte num maestro, e ele proferiu seu veredito com uma crueldade desmesurada. Escreveu que não fazia segredo de seu constrangimento em ter de julgar *Meditação de Manfred*. Considerou a obra como

> a mais extrema em extravagância fantástica, a mais desedificante e a menos enaltecedora, a coisa mais antimusical que vi em muito tempo em termos de notas no papel [...] Mais de uma vez tive de perguntar a mim mesmo: será isso uma piada de mau gosto? Terá você pretendido talvez uma paródia da chamada Música do Futuro? Teve a intenção consciente de expressar um desdém ininterrupto de todas as regras de conexão tonal, da mais alta sintaxe até a ortografia aceita em geral? [...] Do elemento apolíneo não fui capaz de descobrir o menor vestígio; e quanto ao dionisíaco,

---

* Prazer derivado da infelicidade de outra pessoa. [N. T.]

devo dizer francamente que me lembrou menos disso que o dia depois de uma bacanal [i.e. uma ressaca].²³

Wagner e Cosima acharam que Von Bülow havia sido desnecessariamente cruel, mas não se sentiram propensos a consolar o querido amigo mandando algumas linhas que pudessem impugnar a devoção de ambos à pura verdade. Quando Cosima transmitiu as palavras de Von Bülow ao pai dela, Liszt abanou a cabeça num gesto de tristeza e disse que o julgamento parecia inconsolavelmente radical, mas que também não se sentia inclinado a aliviar o golpe.

Nietzsche precisou de três meses para se recuperar. Acabou conseguindo escrever uma carta a Von Bülow:

> Bem, graças a Deus que é isso o que tem a me dizer. Sei muito bem do momento desconfortável que lhe proporcionei, e para compensar deixe-me dizer o quanto isso foi útil para mim. Pense bem, já que minha música é autodidata, aos poucos fui perdendo toda disciplina; nunca fui julgado por um músico a respeito; sinto-me realmente feliz por ser esclarecido de forma tão simples quanto à qualidade de meu período mais recente de composição.

Desculpou-se por sua presunção ao entrar na "região perigosa e desedificante" do torvelinho emocional, justificando-a com seu impulso de homenagear Wagner, e pediu a Von Bülow para não desmerecer essa "espécie de *otium cum odio,* com esse modo totalmente odioso de passar meu tempo" por causa do entusiasmo de Nietzsche com a música de *Tristão*. "A coisa toda, na verdade, é uma experiência altamente instrutiva para mim [...] Tentarei, então, passar por uma cura musical, e talvez continuar, se estudar as sonatas de Beethoven em sua edição, sob sua tutela e orientação."²⁴

Um acorde mais brilhante soou quando surgiu o primeiro artigo sobre *O nascimento da tragédia*. Erwin Rohde, o amigo de Nietzsche, conseguiu incluir uma resenha favorável no *Norddeutsche Allgemeine Zeitung*. Mal pode ser chamada de resenha. Simplesmente repetia o argumento de Nietzsche a respeito da morte do sagrado e do místico por meio da cruel coerência do pensamento socrático, sua preocupação a respeito do insinuante vandalismo cultural dos bárbaros socialistas e o mantra de que a reinvenção de Wagner do panteão dos deuses germânicos estava fornecendo um alicerce sólido para o renascimento cultural da nação alemã.

Nietzsche entrou em êxtase. "Amigo, amigo, amigo, o que você fez!" Encomendou trinta cópias impressas do artigo, mas teve pouco tempo para desfrutar delas. Ulrich von Wilamowitz-Möllendorff, um antigo colega da Pforta e filólogo, logo lançou um panfleto de 32 páginas com o satírico título *Zukunftsphilologie!* [Filologia do futuro!], um jogo de palavras com o termo *Zukunftsmusik* ("Música do Futuro") de Wagner. Encabeçada por uma citação contundente de Aristófanes que implicitamente condena *O nascimento da tragédia* como uma iguaria para um mancebo pederasta e define o livro como uma obra ruim de filologia e um trabalho superficial sobre Wagner. Wilamowitz propõe uma interpretação estrita do passado por meios "científicos" da filologia e não pela abordagem de Nietzsche como "metafísico e apóstolo". Wilamowitz mantém a visão comum dos gregos como "eternas crianças, inocentes e ingenuamente desfrutando da bela luz". A ideia de que os gregos precisavam da tragédia era "uma montanha de lixo! Que desgraça! [...] Nietzsche sabe menos sobre Homero que um sérvio ou um finlandês". O conceito de uma aliança artística entre Apolo e Dionísio era tão ridículo quanto uma união entre Nero e Pitágoras. O culto de Dionísio não surgiu da consciência do trágico, mas da "colheita do vinho, do esmagamento das uvas, do alegre consumo da nova e estimulante beberagem". Discute ainda a música na Grécia Antiga, um tema em que Wilamowitz se encontrava em terreno tão movediço quanto o próprio Nietzsche. Nenhum dos dois poderia ter qualquer ideia de como era aquela produção. Sua súmula atacava Nietzsche por sua ignorância crassa, por erros grosseiros e falta de dedicação à verdade. Exige que Nietzsche desista do ensino de filologia.

Cosima descartou a disputa na íntegra como "não apropriada para o público", mas Wagner logo saltou em defesa de Nietzsche em carta aberta publicada no mesmo jornal em 23 de junho. Seu artigo, totalmente previsível, foi intensificado pela terrífica observação de que o texto de Wilamowitz-Möllendorff "parecia um boletim da bolsa de valores de Wisconsin", um comentário que com certeza projeta uma luz interessante sobre os hábitos de leitura de Wagner.

Nietzsche tinha sido atingido por dois golpes mortais, de Von Bülow e de Wilamowitz. Somados, eram o bastante para destruir suas perspectivas futuras como compositor, como classicista e como filólogo, mas essa última consequência era a menos importante. Havia muito ele vinha buscando uma saída da filologia. Talvez, entre as diversas interpretações existentes de

O nascimento da tragédia, o livro possa ser lido como um bilhete de suicídio de um filólogo.

No final das contas, *O nascimento da tragédia* acabou se tornando um dos livros mais vendidos de Nietzsche. Porém, dos oitocentos exemplares impressos e publicados em 1872, apenas 625 foram comprados nos seis anos seguintes.[25] Sua reputação já estava prejudicada. Quando começou o novo ano letivo acadêmico, Nietzsche descobriu que só dois alunos tinham se matriculado em seu curso de leituras sobre filologia, e nenhum dos dois era filólogo.

6
Chalé do Veneno

> A doença me deu o direito de mudar todos os meus hábitos completamente, *exigiu* que eu esquecesse [...] Só meus olhos já punham um fim a qualquer comportamento de rato de biblioteca, em linguagem plena: filologia: fui libertado do "livro" [...] a *maior* bênção que conferi a mim mesmo! – Aquele eu mais profundo, enterrado e silenciado por *necessidade* constante de ouvir outros (– e que certamente significa ler!) despertou lentamente, tímido e cheio de dúvidas –, mas finalmente *começou a falar novamente*.
>
> Ecce homo, "Humano, demasiado humano", seção 4

No outono de 1872, Wagner convidou Nietzsche a ir a Bayreuth para comemorar o Natal e o aniversário de Cosima, como costumavam fazer em Tribschen. Nietzsche se recusou; nenhum aluno de filologia havia se inscrito para o semestre seguinte e ele não conseguia encarar a vergonha. Preferiu passar os feriados na casa da família em Naumburg, onde Franziska e Elisabeth não veriam *O nascimento da tragédia* como um fracasso nem mencionariam sua incapacidade de compor uma peça decente para piano, de não concluir a série de palestras sobre educação, ou de não conseguir atrair mais de dois alunos para seu curso de ano-novo na universidade.

Seu presente de Natal e aniversário para Cosima exigiu um longo e árduo trabalho. Mesmo assim, chegou atrasado para as duas ocasiões. Cosima ficou aliviada ao descobrir que não era um manuscrito musical, mas sim literário, ainda que com um título nada promissor: *Cinco prefácios para livros não escritos*. O primeiro, "Sobre o páthos da verdade", era em forma de parábola: uma estrela é habitada por animais inteligentes que descobriram a verdade. A estrela morre e os animais morrem com ela. Morrem amaldiçoando a verdade, pois ela revelou que todos os seus conhecimentos prévios foram espúrios, como o homem também perceberá, se chegar a descobrir a verdade.

O segundo prefácio abordava o futuro da educação na Alemanha. O terceiro era uma meditação profundamente pessimista sobre o Estado grego e o problema levantado pelo fato de ser baseado na escravidão. Não será essa nossa civilização da era do ferro do século XIX também baseada na escravidão?, pergunta Nietzsche. O terrível fato da necessidade de uma classe escrava não será o abutre que come eternamente o fígado do comerciante de cultura prometeico?

O quarto prefácio tratava da relevância de Schopenhauer na cultura corrente. O quinto dizia respeito ao relato da guerra de Homero. Esperou janeiro inteiro em vão por alguma crítica, ou ao menos por uma confirmação de recebimento.

Se estava magoado com o silêncio dela, não fazia ideia do quanto Wagner se sentiu magoado e desapontado por ele ter preferido passar o Natal em outro lugar. Desde a mudança para Bayreuth, uma vez em junho e outra em outubro, Wagner enviou a Nietzsche duas cartas muito afetivas consagrando-o como um filho. Por causa de sua idade (Wagner logo completaria sessenta anos), seu relacionamento com o filho Siegfried era mais de avô que de pai. Nietzsche devia ser o vínculo geracional, filho de um e pai do outro.

Wagner e Cosima tiveram um Natal horroroso sem ele. As finanças tinham desabado mais uma vez, deixando a casa de ópera no meio da construção e oscilando à beira do colapso. Os dois sentiam-se abandonados pelo rei Ludwig, agora quase invisível para todos e encomendando decorações cada vez mais extravagantes para seus palácios fantásticos, tratando com seus ministros sobre assuntos de Estado por meio de seu camareiro favorito. Wagner suspeitava que esse mesmo camareiro bloqueasse sua comunicação com o rei. Sua sensação de isolamento de Ludwig foi ressaltada pela recusa de Nietzsche de passar o Natal com eles. Parecia uma deserção e uma deslealdade que feriu fundo seu coração.

Wagner tinha planos de apresentar a Nietzsche no Natal um esquema para restaurar os fundos de Bayreuth lançando uma espécie de periódico, uma revista ou folhetim com Nietzsche como editor e colaborador (ele poderia publicar tantos artigos quanto quisesse, e isso com certeza o agradaria). O propósito era divulgar Bayreuth e levantar fundos. Em vez disso, o professor Nietzsche tinha enviado cinco prefácios aleatórios e sem sentido para cinco livros que jamais seriam escritos, nenhum deles relacionado a Wagner ou a todos os seus problemas. "Eles não restauraram o nosso espírito", registra Cosima causticamente em seu diário, que segue relatando um feriado triste e insalubre, carregado de angústia, ansiedade, de forma que os dois se viram pela primeira vez em seu casamento discutindo se o cachorro estava sujo demais para entrar na casa. Noite após noite, Wagner foi atormentado por uma série de pesadelos aterrorizantes. Quando acordava, acalmava-se pensando em Nietzsche. Mas Nietzsche só pensava em si mesmo no papel de discípulo. Não entendia a real necessidade que Wagner tinha dele e não fazia ideia de que Wagner e Cosima vissem sua ausência como uma traição. Quando afinal Cosima enviou uma carta em 12 de fevereiro, Nietzsche ficou surpreso com sua referência a um afastamento entre eles: ele sequer havia suspeitado de tal coisa.

Para compensar, começou um livro para dar de presente a Wagner em seu aniversário de sessenta anos, em maio. Com certeza isso curaria a ferida. Mas antes disso surgiu o convite para passar a Páscoa com eles. Dessa vez ele aceitou prontamente, trazendo o livro *A filosofia na era trágica dos gregos* embaixo do braço e seu amigo Erwin Rohde, que agora era professor em Kiel.

O prazer inicial de Cosima de receber dois professores logo esmaeceu. Apesar de ser um bom e sólido amigo para Nietzsche, Rohde não era exatamente um personagem festivo. Sua presença não fez nada para animar a melancolia de Bayreuth. Além disso, Nietzsche insistiu em ler sua obra em voz alta por várias noites, deixando longas pausas para discussões filosóficas. Wagner se sentiu mortalmente entediado e se exasperou quando Nietzsche inspirou-se numa tempestade para apresentar sua última composição musical. "Estamos um pouco vexados com os passatempos de nosso amigo como compositor, e com os discursos de R. sobre inversões musicais",[1] escreveu Cosima com amargura. Por sua vez, Nietzsche não se animou com a proposta de Wagner de ele e Rohde se tornarem propagandistas do jornal de Bayreuth. Em vista do número de palavras de desprezo escritas por Nietzsche deplorando a cultura de jornais, a sugestão foi um insulto.

Os anos de Tribschen foram inquestionavelmente o período mais satisfatório da vida de Nietzsche. O ritmo estável daqueles primeiros anos de sua promissora carreira como professor, alternada entre a sala de aula da Basileia e o santuário interior do mestre, foi um intervalo ensolarado de boa saúde que ele nunca havia experimentado e que nunca mais viveria. Mas o difícil feriado da Páscoa que ele e Rohde passaram juntos em Bayreuth não reviveu nenhuma centelha dos dias de glória. Foi um arremedo vazio, um lamentável simulacro.

Com seu retorno à Basileia sua saúde descambou. De início, as dores de cabeça e nos olhos apenas o impediram de seguir seu hábito noturno de ler e escrever anotações para as aulas em seu caderno de capa de couro vermelha, mas a cada dia a intensidade e a insistência da dor aumentavam. Em um mês ele já se sentia incapaz de sequer tentar tal trabalho. Seu médico aconselhou-o a descansar totalmente os olhos.

A luz era agonizante. Passava a maior parte do tempo num quarto escuro com as grossas cortinas fechadas. Às vezes se aventurava a sair, protegendo-se da luz com um guarda-sol, óculos de grossas lentes esverdeadas e uma viseira verde puxada para a testa. Seus colegas da Basileia passavam como sombras platônicas na frente de sua caverna. Do ponto de vista deles, era algo conveniente. Eles fingiam não ver o problemático professor e o ignoravam.

Nietzsche tornou-se um constrangimento. Tinha adquirido uma reputação tão desfavorável que começava a prejudicar o prestígio da universidade. Um professor de filologia da Universidade de Bonn disse a seus alunos que Nietzsche era um inimigo da cultura e um astuto impostor, que *O nascimento da tragédia* era um absurdo total e completamente inútil.[2]

Nietzsche alugava quartos na Schützengraben 45. Outros quartos da casa eram ocupados por Franz Overbeck,[3] recém-designado como professor de Novo Testamento e história da Igreja na universidade e estava escrevendo seu primeiro livro, *Sobre a qualidade da teologia hoje*; e por Heinrich Romundt, que escrevia sua tese de doutorado sobre a *Crítica da razão pura* de Kant. Durante o trajeto de ida e volta da universidade, os três ambiciosos jovens acadêmicos costumavam parar em um bar chamado Das Gifthüttli ("Chalé do Veneno"), que ganhara esse nome por estar sobre onde havia antes uma mina de arsênico abandonada. Em tom de piada, o trio adotou esse nome transgressivo para a casa onde moravam. Mas os planos para revolucionar a sociedade deveriam ser postos em estado de espera até a saúde de Nietzsche se recuperar.

Nietzsche chamou a irmã Elisabeth para cuidar dele e das tarefas domésticas. Um auxílio surgiu na forma de seu velho amigo Carl von Gersdorff, que o defendera nos tempos de Schulpforta. Von Gersdorff chegou à Basileia vindo da Sicília, onde havia contraído malária, mas não havia nada de errado com seus olhos. Lia em voz alta material para as aulas de Nietzsche, fazendo com que aprendesse de cor quaisquer citações que desejasse empregar. O processo deixou Von Gersdorff convencido de que a deficiência física da visão de Nietzsche conferia uma clareza ainda maior ao seu foco interior. Tanto a seleção do material como suas aulas melhoraram com o intenso trabalho, fazendo Nietzsche falar com mais clareza e eloquência, e com maior concentração.[4] Nietzsche concordava:

> A doença me deu o direito de mudar todos os meus hábitos completamente, *exigiu* que eu esquecesse [...] Só meus olhos já punham um fim a qualquer comportamento de rato de biblioteca, em linguagem plena: filologia: fui libertado do "livro" [...] a *maior* bênção que conferi a mim mesmo! – Aquele eu mais profundo, enterrado e silenciado por *necessidade* constante de ouvir outros (– e que certamente significa ler!) despertou lentamente, tímido e cheio de dúvidas –, mas finalmente *começou a falar novamente*.[5]

O sistema funcionou, mas não fez nada para deter a progressão do aumento da dor. Seu oculista, o professor Schiess, receitou um colírio de atropina (a mortal beladona) para relaxar os músculos oculares. Ao dobrar o tamanho de suas pupilas, as gotas tornavam impossível focar em qualquer coisa. O mundo se transformou em um borrão dançante. Tornou-se cada vez mais dependente de Von Gersdorff, que dizia que as piscinas escuras e reluzentes dos olhos de Nietzsche o faziam parecer muito assustador.

Com Elisabeth cuidando da casa e Von Gersdorff atuando como copista, Nietzsche conseguia desfrutar de liberdade intelectual sem sofrer a terrível solidão do eremita do intelecto. O livro para o aniversário de Wagner logo se tornou uma coisa do passado quando seus olhos desfocados começaram a vagar por horizontes mais amplos. Começou a fazer listas. Escreveu toda uma série de *Considerações extemporâneas*. Elas concentravam seus pensamentos na natureza da cultura no mundo moderno em geral e no *Reich* em particular. "Extemporâneo" é uma palavra em português que não dá a ideia imaginada por Nietzsche, para ele *Unzeitgemässe* era uma palavra de grande estatura. Significava estar fora do tempo futuro e do tempo passado: fora da voga corrente e também fora da pesada âncora da história. Definia a palavra como uma postura forte e firmemente enraizada em seu próprio poder, o buscador da verdade com o olhar sempre fixo para além de tudo que fosse efêmero. Fez uma lista de temas sobre os quais ele, o extemporâneo, escreveria a respeito. Pretendia publicar duas *Considerações* por ano até completar toda a lista. Estava sempre acrescentando e subtraindo temas, mas o cerne constante incluía:

David Strauss
História
Ler e escrever
O ano como voluntário
Wagner
Escolas secundárias e universidades
Disposição cristã
O professor absoluto
O filósofo
Povo e cultura
Filologia clássica
O escravo do jornal

A primeira *Consideração extemporânea* a ser escrita foi "David Strauss, o confessor e o escritor". Strauss era um filósofo teológico e kantiano que quarenta anos antes tivera um tremendo sucesso com os dois volumes de seu livro *Das Leben Jesu* [A vida de Jesus], uma suposta investigação "científica" sobre Jesus Cristo como personagem histórico. O livro foi um escândalo e uma sensação. Foi traduzido para o inglês por George Eliot (que Nietzsche gostava de definir como típico de sua raça britânica: sexualmente peculiar e intelectualmente relapso). O conde de Shaftesbury condenou a obra como o livro mais pestilento já vomitado pelas mandíbulas do inferno. Quando leu o livro de Strauss enquanto estudava em Pforta, Nietzsche escreveu à irmã dizendo que não era absolutamente de seu interesse, mas, como professor de moral, era uma questão diferente que merecia um estudo mais aprofundado.

Strauss estava agora chegando aos setenta anos. Tinha publicado recentemente uma sequência do livro, *Der alte und der neue Glaube* [A velha e a nova fé], que mais uma vez ganhou grande popularidade. A obra se encaixava no estado de espírito da época ao inaugurar com uma satisfação quase maníaca a ideia de que era possível existir no mundo moderno como uma nova estirpe de cristão racionalista, uma grande e fundamental contradição – impossível tanto na definição de racionalidade como na de fé. Como observou Nietzsche: se alguém rompe com a ideia fundamental, a crença em Deus, a coisa toda é despedaçada. Uma revolução na crença requer uma revolução na moralidade, uma consequência que parece ter escapado a Strauss no que Nietzsche, com evidente alegria, se referia de forma esmagadora como seu "oráculo portátil para o filisteu alemão".[6]

Enviou o manuscrito à editora antes de embarcar para umas férias de verão com Rohde e Von Gersdorff em Chur, um pequeno resort nos Alpes, famoso por seus banhos restauradores no lago e outras "curas". Todos os dias os três amigos faziam caminhadas de quatro ou cinco horas, Nietzsche com seus óculos escuros verdes e viseira. O ar frio e límpido aguçava seu pensamento. Centenas de metros acima do hotel em que estavam cintilava o lago Caumasee, lindo e pequeno. "Nós nos vestimos e nos despimos com o insistente coaxar de um sapo enorme", anotou Von Gersdorff. Depois de nadar, os três se estiravam no musgo aveludado de agulhas de lariço, e os amigos liam Plutarco, Goethe e Wagner em voz alta para Nietzsche.

Rohde e Von Gersdorff tinham lido as provas tipográficas de *Consideração extemporânea* com muito cuidado a pedido de Nietzsche, mas quando receberam os primeiros exemplares, no início de agosto, fizeram a humilhante descoberta de que estavam tão cheias de erros ortográficos e tipográficos como o livro de Strauss que Nietzsche havia criticado pelo mesmo problema.

Mesmo assim, a chegada do livro foi uma ocasião para comemorar de forma solene e cerimonial. Levaram uma garrafa de vinho para a margem do lago, onde gravaram na superfície de uma pedra "U.B.I.F.N. 8/8 1873" ("*Unzeitgemässe Betrachtung* I. Friedrich Nietzsche, 8 de agosto de 1873"). Em seguida tiraram a roupa e nadaram até uma pequena ilha no meio do lago, onde encontraram outra pedra para gravar suas iniciais. Voltaram para a margem, fizeram uma libação sobre a primeira pedra e declararam: "Assim comemoramos o antistraussismo. Agora deixe que os adversários avancem. Que vão todos para o inferno".[7]

Strauss morreu em fevereiro seguinte. Nietzsche registrou em seu diário. Sentiu-se aguilhoado pela culpa de que seu violento ataque pudesse ter apressado o fim de um colega escritor, mas seus amigos garantiram que o livro não havia lançado nenhuma sombra sobre Strauss nos últimos meses. Disseram que Strauss nem ficara sabendo do livro. Não era verdade. Ele soube do livro. Ficou intrigado, mas não considerou necessário se sentir ofendido: o mundo conhecia muito mais seus best-sellers que aquela ferroada irritante de um autor desconhecido e pouco considerado chamado Friedrich Nietzsche.

Quando Nietzsche voltou à Basileira para o semestre que se iniciava em outubro, sua condição de saúde não estava nada melhor. Continuava sem conseguir ler nem escrever sozinho. Em meados de outubro, Wagner mandou um pedido para que escrevesse uma convocação para mobilizar a nação alemã. Bayreuth estava precisando desesperadamente de mais dinheiro. Nietzsche se sentiu tão pouco à altura da tarefa que ditou uma carta para mandar a Erwin Rohde pedindo para o amigo escrever a coisa para ele "em estilo napoleônico". A carta de Nietzsche a Rohde foi maliciosa e sarcástica. Zombava de Wagner, que agora se considerava uma vítima de um plano comunista para sabotar Bayreuth. Um primeiro movimento do plano, acreditava Wagner, era que os comunistas estavam tentando assumir a editora de Fritzsch a fim de amordaçar seus textos e os de Nietzsche.

"Seu coração forte e másculo está batendo em suas costelas?", diz a carta de Nietzsche a Rohde. "Depois desses eventos eu não mais me atrevo a pôr meu nome nesta carta [...] pensando apenas em termos de bombas e contrabombas, nós assinamos somente pseudônimos e usamos barbas falsas [...]".[8]

Rohde se recusou a ser o escritor-fantasma do panfleto, e por isso Nietzsche teve que ditá-lo. Tal foi sua determinação que o concluiu para o mestre bem a tempo para o dia 31 de outubro. Era o Dia da Reforma Protestante, uma ocasião celebrada em toda a Alemanha luterana. Comemorava o dia de 1517 em que Martinho Lutero pregou suas 95 teses na porta da igreja. Era vital para Wagner apresentar seu apelo cultural naquele dia importante, quando seria enviado a todos os representantes das Sociedades Wagnerianas da Alemanha e do mundo.

Seu apelo deixou o mestre muito feliz, mas, quando Wagner passou-o para as sociedades, elas consideraram o panfleto de Nietzsche tão fanfarrão, tão sem tato e tão combativo que o rejeitaram de imediato e escreveram seu próprio manifesto, de forma mais delicada. O de Nietzsche nunca viu a luz do dia.

A resposta favorável de Wagner incentivou Nietzsche a embarcar numa aventura de sua autoria. Ainda saía pelo mundo com cuidado, protegido contra a luz, mas se arriscou a fazer uma viagem de trem para se encontrar com o mestre para as comemorações do Dia da Reforma.

Foi bem parecido com os velhos tempos. Em um jantar muito divertido, Nietzsche os entreteve com a verdadeira história da ameaça comunista à editora de Fritzsch.

Uma viúva louca e rica chamada Rosalie Nielsen, correligionária política de Mazzini e parece que de uma feiura aterrorizante, tinha lido *O nascimento da tragédia*. O livro inflamou tal paixão pelo autor em seu peito que ela apareceu na Basileia para encontrá-lo. Para sua grande surpresa, ela se anunciou como uma serva do culto de Dionísio. Nietzsche pediu para que saísse. Ela o ameaçou. Afinal acabou sendo convencida a voltar para Leipzig, onde decidiu comprar a parte de Fritzsch na editora, presumivelmente com o objetivo de se tornar proprietária e assumir o controle total dos livros de seu herói, um plano por si mesmo assustador, mas que adquiriu proporções aterrorizantes com a descoberta de que ela tinha estreitas ligações com a Internacional Marxista, que agora afirmava que Nietzsche era um de seus membros.

Wagner riu mais e com mais gosto da história do que havia rido o ano inteiro. Dias depois de Nietzsche ter contado a história, ele ainda gargalhava sozinho e balançando a cabeça.

Voltando à Basileia, Nietzsche escreveu a segunda *Consideração extemporânea*, "Sobre a utilidade e a desvantagem da história para a vida", que seria publicada no ano seguinte, 1874. Abordando a relação entre história e historiografia (a escrita da história) com a vida e a cultura, destacava que a obsessão alemã pelo passado estava desabilitando a ação no presente.

O ensaio distinguia três usos da história: o antiquário, que procura preservar o passado; o monumental, que procura emular o passado; o crítico, que procura libertar o presente. Os três devem ser mantidos em um delicado equilíbrio para chegar ao supra-histórico: uma orientação em direção a exemplos eternamente válidos do passado, junto com um deliberado esquecimento do passado no interesse do presente.

Nietzsche vinha realizando um estudo concentrado nos últimos livros sobre temas científicos, como a natureza dos cometas, a história e o desenvolvimento da química e da física, a teoria geral do movimento e da energia e a formação do espaço.[9] Eles o levaram de volta ao cavalinho de pau que cavalgara na *Consideração extemporânea* anterior, sobre David Strauss: resmungando sobre a grande questão da ciência e religião e denunciando seus teólogos contemporâneos por sabotarem a própria fé que professavam ao tentar reconciliar as duas coisas. Era um dos principais debates da época, do qual Nietzsche jamais desistiria.

Cunhou uma nova palavra para definir o efeito da ciência: *Begriffsbeben* ("conceito-tremor"). "A própria vida recua e fica fraca e temerosa quando o conceito-tremor causado pela ciência rouba do homem a base de todo seu descanso e segurança, sua crença no duradouro e no eterno. Irá a vida dominar o conhecimento e a ciência, ou o conhecimento irá dominar a vida?"[10] É certo que a espécie humana subiu, ou acreditou ter subido, até o céu pelos raios de sol da verdade científica, mas o céu da ciência era uma mentira tão necessária quanto suas contrapartes religiosas. A verdade eterna não pertencia mais à ciência que à religião. Cada nova descoberta científica tinha o hábito de expor eternas verdades científicas prévias como ficções. A verdade ganhava uma nova forma quando os filamentos da teia de aranha esticavam-se e se distorciam, ou mesmo se separavam totalmente.

As últimas poucas páginas terminam com um conselho para os jovens. Para curá-los dos males da história, ele recomenda, de forma não surpreendente, que a maneira de desvendar o desgoverno da existência é olhar para os gregos, que aprenderam gradualmente a organizar o caos seguindo o conselho do oráculo de Delfos: torne-se quem você é.

Nietzsche mandou os primeiros exemplares impressos aos críticos que mais respeitava. Jacob Burckhardt seguiu seu padrão habitual de evitar uma crítica significativa apelando à modéstia: sua pobre e antiga cabeça nunca conseguira ponderar tão profundamente sobre as fundações, as metas e desejos definitivos da ciência histórica.

Erwin Rohde forneceu a resposta mais construtiva, apontando que, embora os pensamentos fossem brilhantes, Nietzsche devia cuidar de seu estilo, deveria ser menos peremptório e insistente, e da elaboração de seus argumentos, que precisavam ser melhor desenvolvidos e mais apoiados em exemplos históricos, e não permitir que as ideias penetrassem a mente individualmente e deixassem para o confuso leitor estabelecer as relações.

Wagner passou o livreto a Cosima com o comentário de que Nietzsche ainda estava muito imaturo: "Falta plasticidade, pois ele nunca cita exemplos históricos, há muitas repetições e nenhum plano real [...] Não conheço ninguém a quem poderia dar o livro, porque ninguém o acompanharia".[11] Deixou para Cosima escrever sua resposta. Como era de seu feitio, ela escreveu sem compromisso e sem pensar nos sentimentos do autor. Disse que o livro só teria apelo a um público pequeno, e fez críticas estilísticas que o deixaram furioso.

Nietzsche ficou deprimido. A *Consideração* sobre Strauss tinha recebido algumas resenhas por razões totalmente contrárias à sua "extemporaneidade": chamou a atenção por ser sobre um tema da moda. A *Consideração* "História para a vida" não tinha um apelo em voga. Não se esperavam grandes vendas e nenhuma se materializou. Seu editor já fazia carrancas ante a ideia de continuar a série.

O aniversário de 48 anos da mãe de Nietzsche foi em fevereiro de 1874. Seus habituais votos de boa saúde e felicidade não foram muito carinhosos. Pediu que a mãe não seguisse o exemplo de seu estimado filho, que começara a adoecer muito cedo na vida. Comparou de forma patética sua vida à de uma mosca:

> A meta está muito longe, e mesmo se alguém chega a alcançá-la, na maioria das vezes seus poderes já foram usados na longa busca e na luta; quando atingimos a liberdade, já estamos exaustos como uma efêmera mosca na chegada da noite.[12]

Wagner decidiu que já era hora de Nietzsche se assentar. Deveria se casar, ou compor uma ópera. Sem dúvida a segunda hipótese era tão assustadora que jamais se realizaria. Mas quem se importava? Se a esposa fosse rica isso não faria diferença.[13] Nietzsche deveria entrar no mundo, deveria abandonar a pequena corte que havia criado ao seu redor, o círculo de homens inteligentes e subservientes a ele e a irmã-rainha-consorte-governante que o adorava e o atendia sempre que ele precisava. Seria bom um pouco mais de equilíbrio. Era uma pena que Von Gersdorff fosse um homem, pois Nietzsche poderia ter se casado com ele. Wagner e Cosima tinham chegado a uma conclusão da probabilidade a respeito da intensidade da relação de Nietzsche com seus amigos homens. Os dois eram liberais a esse respeito. Não se preocupavam com isso, nem podiam ver uma razão para impedir que ele se casasse.

> [...] Ah, meu Deus, por que Gersdorff deve ser o único homem entre vocês? Case-se com uma mulher rica! Depois poderá viajar e se enriquecer [...] e compor sua ópera [...] Que espécie de satã fez de você apenas um pedagogo![14]

Isto era Wagner em sua forma mais robusta. Robusta demais para alguém que se definia como uma mosca exausta na noite da própria vida. Nietzsche não se prestava mais para tais desaforos. Disse a Wagner que definitivamente não iria a Bayreuth no verão. Tinha planos de passar o verão no ar refinado de alguma montanha suíça, muito alta e isolada, enquanto preparava sua próxima *Consideração*.

Wagner achou que seria uma má ideia. Insistiu em que a presença de Nietzsche em Bayreuth seria inestimável no verão. O rei Ludwig finalmente se sentiu tão atormentado pela intolerável ideia de não assistir a *O anel* encenado de acordo com a sublime visão do mestre que havia feito um empréstimo de 100 mil táleres. Haveria muita coisa para Nietzsche fazer.

Assim como o Valhala de Wotan, a casa de ópera estava sendo erigida uma pedra sobre a outra. O verão seria dedicado a audições com cantores e instrumentistas, à construção de palcos e a inventar o maquinário – as Valquírias deveriam *voar*, as Donzelas do Reno de alguma forma deveriam *nadar*, o dragão teria de *expelir fogo* sem incendiar a casa.

Como pôde Wagner ser tão insensível a ponto de imaginar que a delicada saúde de Nietzsche aguentaria um verão de tanta comoção? Como sua cabeça conseguiria suportar? Ademais, ele não queria mais ouvir falar sobre casamento, um tópico que a mãe quase nunca deixava de abordar.

7
Conceito-tremor

> É realmente maravilhoso como duas almas simplesmente vivem juntas uma da outra nesse homem. Por um lado, os bem estudados métodos mais estritos de pesquisa científica [...] Por outro, essa investida fantástica e rapsódica, extremamente brilhante, um salto mortal no ininteligível e vertiginoso entusiasmo de Wagner e Schopenhauer, cheio de arte, mistério e religião.
>
> Professor Friedrich Ritschl comentando a respeito de Nietzsche com Wilhelm Vischer-Bilfinger, presidente do Conselho de Administração da Universidade de Basileia, 2 de fevereiro de 1873

Nietzsche logo chegaria aos trinta anos com apenas alguns textos pouco lidos e uma reputação em declínio como filólogo prodígio. Não impressionava quando comparado a Jesus Cristo, que aos trinta estava embarcando em um ministério de três anos que estremeceria a Terra. O pai de Nietzsche tinha morrido com 35 anos e o filho sempre achou que morreria com a mesma idade, mas agora já tinha dúvidas se chegaria tão longe. A mortalidade estava estremecendo as muralhas da fortaleza, a máquina estava falhando. Crises de saúde se alternavam com sistemas de "cura". Ambas em geral resultavam em horríveis reações convulsivas e vômitos de sangue. Em diversas ocasiões ele achou que sua hora havia chegado. Houve vezes em que se viu ansiando pela morte.

As teorias médicas da época, assim como as religiosas, oscilavam entre a superstição de curandeiros e o pensamento científico. Os proeminentes médicos de Nietzsche diagnosticaram gastrite crônica e catarro acompanhados por uma quantidade de sangue anormal no corpo, que causavam uma dilatação do estômago e obstruções vasculares que faziam com que a cabeça não fosse suficientemente fornida de sangue. Sanguessugas, ventosas e cantáridas foram acrescentadas a duvidosas curas em voga como sais de Carlsbad, eletroterapia, hidroterapia, grandes doses de quinino e uma nova droga miraculosa chamada solução de Höllenstein. Nietzsche achava que nenhuma delas lhe fazia bem.

Acabou se juntando, em suas palavras, ao pessoal anêmico e de nervos fracos que pulava de uma estação termal a outra. Lia vorazmente textos médicos e fisiológicos, mas apesar de todas as curas miraculosas que tentava, e que sabia não resultarem em nada, era a única área em que suspendia seu rigor analítico. Era tão crédulo quanto um leitor de jornal que acreditava em horóscopo. Mas, de alguma forma, intimamente ele sabia: "Pessoas como nós [...] nunca sofrem apenas fisicamente – tudo está profundamente emaranhado com crises espirituais – por isso não faço ideia de como a medicina e dietas podem me fazer ficar bem novamente".[1]

Provavelmente os piores efeitos em sua saúde eram produzidos pelo especialista estomacal mais renomado da época, o dr. Josef Wiel, que Nietzsche consultou em sua clínica em Steinabad no verão de 1875. A receita constava de enemas e sanguessugas, mas a verdadeira novidade foi a dieta "miraculosa" de Wiel: carne, e somente carne, quatro vezes ao dia. Wiel chegou a dar lições de culinária para seguir a monótona dieta quando Nietzsche saiu da clínica.

Sempre que voltava à Basileia para retomar seu trabalho, chamava Elisabeth para vir cuidar dele. A cada vez que Elisabeth se afastava da mãe, Franziska se queixava muito dos dois filhos, fazendo-os se sentirem ingratos e cheios de culpa. Mais tarde Nietzsche batizaria esse sentimento de *Kettenkrankheit* ("doenças encadeadas") quando sentia a mãe ou a irmã pegarem em seu pé.

Franziska sentia inveja quando Elisabeth deixava a enfadonha Naumburg para cuidar do irmão e se juntar ao seu círculo de amigos. No entanto, a saúde do filho era tão ruim que ela não tinha escolha a não ser permitir que Elisabeth cuidasse dele durante quatro meses em 1870, seis meses em 1871 e por vários meses intercalados em 1872 e 1873 e no verão de 1874. Finalmente, em agosto de 1875, irmão e irmã foram morar juntos num apartamento na Spalentorweg 48, na rua do Chalé do Veneno, onde Romundt e Overbeck continuavam por perto.

Textos sobre Nietzsche costumam conter sentenças como "Irmão e irmã eram quase próximos demais", ou "Os irmãos se amavam quase demais", frases que confirmam o fato de como os embustes do sensacionalismo literário são difíceis de morrer.

No ano 2000, cerca de cinquenta anos depois de sua primeira publicação e exatamente um século depois da morte de Nietzsche, um livro supostamente escrito por Nietzsche chamado *Minha irmã e eu* ainda estava sendo reimpresso. "O garoto que cresceu numa casa cheia de mulheres sem homens", diz a propaganda do livro. "A estranha relação entre Nietzsche e sua irmã, censurada por cinquenta anos, afinal revelada na própria confissão do filósofo. A história do irmão famoso e a irmã mais nova terrivelmente ambiciosa que passaram a se amar fisicamente como crianças e continuaram a fazer isso na maturidade – com a exclusão de todos os outros homens e mulheres. Basta ler algumas páginas desse livro aflitivo para perceber por que foi silenciado por todos esses anos. De forma bem simples, e com uma sinceridade assustadora, o maior filósofo do século XIX conta como foi atraído gradualmente a essa armadilha amorosa extraordinariamente perigosa que o impediu de se casar e causou o suicídio do único marido da irmã. *Minha irmã e eu* foi escrito em um asilo em Jena. Indubitavelmente foi sua vingança estudada contra a família por ter se recusado a deixá-lo publicar uma confissão anterior e mais dócil, intitulada *Ecce homo*, que só foi lançada dez anos após sua morte. *Minha irmã e eu* teve de esperar mais de cinquenta anos porque só pôde se tornar público quando todos os atores do grande drama tinham falecido."

É uma história odiosa desde o começo, com Elisabeth se insinuando na cama do filósofo e com a "administração de seus dedinhos gordos" ocorrendo pela primeira vez na noite da morte de Joseph, o irmão mais novo. Como Elisabeth tinha dois anos na época, e Nietzsche quatro, a lógica e a razão são deixadas de lado desde o início. Mas, até aí, quando o escândalo se dissemina, o bom senso costuma ser superado pelo sensacionalismo. O grande estudioso Walter Kaufmann esmiuçou o livro em termos filológicos com grande habilidade, mas demorou anos para a obra ser desmascarada como uma fraude, produto de fraudadores imaginativos e do incorrigível Samuel Roth,[2] cujas publicações anônimas ou assinadas por pseudônimos incluem *Lady Chatterley's Husbands* [Os maridos de Lady Chatterley] (1931), *The Private Life of Frank Harris* [A vida privada de Frank Harris] (1931), *Bumarap: the Story of a Male Virgin* [Bumarap: a história de um homem virgem] (1947), *I Was Hitler's Doctor* [Eu fui o médico de Hitler] (1951) e *The Violations of the Child Marilyn*

Monroe [As violações da pequena Marilyn Monroe], de autoria de "Seu Amigo Psiquiatra" (1962).

Roth produziu ainda diversas resenhas eróticas de vida curta, dedicadas à publicação de trechos sexualmente explícitos de autores contemporâneos sem permissão. Isso deixou os escritores da época furiosos e resultou em protesto assinado por 167 autores, incluindo Robert Bridges, Albert Einstein, T. S. Eliot, Havelock Ellis, André Gide, Knut Hamsun, Ernest Hemingway, Hugo von Hofmannsthal, James Joyce, D. H. Lawrence, Thomas Mann, André Maurois, Sean O'Casey, Luigi Pirandello, Bertrand Russell, Arthur Symons, Paul Valéry e William Butler Yeats.[3]

Elisabeth era uma garota esperta e inteligente. Franziska a criticava por ser inteligente demais, como o irmão. O sexo de Elisabeth, sua criação e a mãe foram sua tragédia.

Tivesse nascido menino as coisas teriam sido muito diferentes, mas até o final do século não havia *Gymnasien* para meninas. Enquanto os anos de estudo de Nietzsche em Pforta foram de divagações pelo mundo das ideias numa rigorosa busca pela verdade e o eu interior, a escola para moças de Fräulein Paraski em Naumburg estava ocupada instilando exatamente o contrário em Elisabeth. O trabalho de Fräulein Paraski era encobrir a individualidade das meninas e equipá-las com uma identidade sintética, moldando-as na embalagem açucarada da perfeita donzela com quem se casar, uma tábula rasa preparada para dar a impressão de que qualquer marido deveria administrar seu futuro. Um léxico da época define bem *Frau* (mulher): "A mulher *complementa* o homem; a unificação dos dois é o exemplo definitivo da divindade no homem. Ele é o olmo, ela é a vinha; ele luta para subir, cheio de força e medula; ela é delicada, perfumada, com um brilho interior, fácil de vergar [...]".[4]

Se quisesse arranjar um marido, uma donzela esperta de Naumburg deveria fingir ser superficial e cabeça-oca. Não era bom para uma garota ser inteligente demais. Elisabeth teve essa pretensão durante toda sua vida. Na verdade, as convenções a satisfaziam. Seu irmão inteligente oferecia inúmeras oportunidades para uma educação autodidata, mas ela nunca tirou vantagem delas. Era desconfortável demais, perturbador demais. Mesmo quando já tinha mais de setenta anos ela era definida como "no fundo uma petulante que se entusiasma com essa ou aquela pessoa como uma menina de dezessete anos". Foi também dito que Elisabeth tinha uma determinação forte e duradoura para resistir a demandas intelectuais, era uma esnobe que só gostava de bajular membros da aristocracia e, em resumo, "exatamente a incorporação de tudo contra o que o irmão lutava".[5]

A bisavó Erdmuthe não passou a Franziska nenhum papel adulto, nenhuma responsabilidade, nada para ser ou vir a ser senão seguir o hábito pietista de se ver indefesa como uma criança em questões de livre-arbítrio. Tudo o que acontecia, fosse para o bem ou para o mal, era a vontade do Pai Celestial. Depois de Deus só havia o sexo masculino. As três gerações das mulheres Nietzsche eram excepcionalmente voluntariosas e de grande força de vontade, mas todas mantiveram a consciência limpa de serem "boas crianças" no contexto da Igreja e do patriarcado.

Nietzsche sabia que sua Lhama era uma mulher inteligente e a tratava como tal. Nisso ele era diferente para sua época. Ele sempre valorizou mulheres inteligentes, estabelecendo amizades próximas e duradouras com elas. Só se apaixonava pelas inteligentes – começando por Cosima. Não gostava de mulheres ignorantes e beatas.

Nietzsche sempre tratou Elisabeth como um indivíduo pensante e tentou incentivar sua independência de ideias. Tentou fazer dela uma escritora de prosa clara: "Se ao menos ela conseguisse aprender a escrever melhor! E quando narra alguma coisa, ela precisa aprender a deixar de lado todos os "ahs" e "ohs".[6] Compilava listas de leituras para ela. Incentivava-a a evoluir mentalmente. Recomendava (em vão) que aprendesse línguas. Queria que fosse a palestras na universidade ou se tornasse um *Hörerin*, aluno ouvinte: a única maneira de uma mulher poder entrar no auditório de palestras.

Franziska era uma opositora implacável desse processo. Se quisesse ser um adorno doméstico, Elisabeth deveria se livrar de qualquer atividade ou pensamento independentes. Devia cuidar da casa da mãe em Naumburg, frequentar reuniões para tomar chá, ensinar na escola dominical e usar sua agulha na escola de costura para crianças pobres.

Se tivesse tido a oportunidade de receber uma educação adequada, é provável que Elisabeth não a tivesse aproveitado. Durante toda vida ela gostou de sua própria noção de feminilidade, adotando de bom grado o papel de mulher ignorante e indefesa, percebendo que isso poderia livrá-la de assumir a responsabilidade final por suas ações e convicções. Enquanto ela ainda estava na escola, Nietzsche escreveu de Pforta confessando suas dúvidas religiosas e pressionando-a a explorar suas próprias ideias, mas Elisabeth evitou o confronto com esse tema: "Como não posso esquecer minha natureza de Lhama, estou completamente confusa e prefiro não pensar sobre isso, pois só me ocorrem absurdos".7 Era uma estratégia que ela repetia, com variações, sempre que se demandava dela mais do que estava preparada a dar: recolhia-se na feminilidade com toda sua misteriosa banalidade e desaire de garota e costumava afirmar que era "apenas uma diletante". Elisabeth nunca quis ser confundida com uma daquelas novas mulheres feministas, que ela definia com desdém como "lutando pelo direito de usar calças e pelos direitos políticos de gado votante".8

O apartamento na Spalentorweg onde Nietzsche e Elisabeth foram morar juntos em 1875 é descrito pelo estudante Ludwig von Scheffler. Ele chegou à Basileia para estudar com Jacob Burckhardt, mas logo se transferiu para as aulas ministradas por Nietzsche, que o "cativava e confundia" com suas falas e com "sua misteriosa psique". Da forma como Scheffler os define, os estilos dos dois professores não poderiam ser mais contrastantes.

No estúdio de Burckhardt, em cima da barbearia, livros ocupavam o piso dos dois lados do dilapidado sofá. Se um visitante não quisesse ficar em pé, não tinha escolha a não ser empilhar alguns livros para usar como banco.

O apartamento de Nietzsche era mobiliado com confortáveis poltronas, recobertas por elegantes tecidos. Enfeites e vasos com flores oscilavam em mesas terrivelmente frágeis. Uma luz rosada entrava pelas janelas, atenuada por cortinas de gaze coloridas. Pinturas a guache indistintas recobriam parte das paredes brancas. Dava a Von Scheffler a impressão de ser um convidado na casa de uma agradável amiga, não na de um professor.9

A diferença entre os dois professores era igualmente radical nas salas de aula. Burckhardt era dado a explosões no meio da fala, como um dispositivo incendiário disparado pelo fogo do pensamento. Era chamado de estoico risonho. Claramente não se importava em nada com sua aparência externa: cabelos curtos, ternos fora de moda e mal-ajambrados.

Nietzsche entrava no anfiteatro humildemente, tão reservado que mal se notava. Era um tipo calado. O cabelo e o bigode eram cuidadosamente penteados e as roupas, bem cuidadas. Era óbvio que prestava atenção à moda, que então favorecia calças de cores claras, paletós curtos e gravatas em tonalidades suaves.

Mas, a despeito de sua aparência convencional, foi Nietzsche quem enredou Von Scheffler. Quando soube da reinterpretação de Nietzsche de Platão, deixou de acreditar na fábula da "Grécia alegre e ensolarada". Sabia que estava ouvindo a verdadeira interpretação e isso o fazia querer saber mais.

Em face da paixão generalizada da Alemanha pelo helênico, as contundentes lições de Nietzsche sobre a brutalidade dos antigos exercia um efeito desconcertante na maioria dos seus alunos. Embora cativasse Scheffler, esvaziava sua sala de aula. No verão de 1874, o curso de Nietzsche sobre a peça *Coéforas* de Ésquilo atraiu somente quatro alunos, e não eram os mais destacados. Nietzsche os definia como "aleijados da universidade". Um deles era um tapeceiro que só tinha estudado grego por um ano.

Seu seminário sobre Safo foi cancelado por falta de participantes, assim como seu curso sobre retórica. Isso o deixou com bastante tempo para escrever a terceira *Consideração extemporânea*, "Schopenhauer como educador", um ensaio de oito seções publicado em 1874. Famoso por seu título enganoso, mal aborda a filosofia de Schopenhauer e se mostra mais interessado no exemplo moral do filósofo que voluntariamente chama para si o sofrimento envolvido em ser verdadeiro.

O educador deve ajudar o aluno a entender seu próprio caráter. Todo o sentido da vida é não ser uma imitação. Ainda assim, três tipos de homens podem ser considerados pelo aluno que estiver em busca da transfiguração da alma. O "homem rousseauniano" é o homem com o maior fogo. Assim como Tifão, a monstruosa serpente que vive embaixo do Etna, o "homem rousseauniano" está certo de que produz os maiores efeitos populares revolucionários, como a Revolução Francesa. Depois há o "homem goethiano", um exemplo para poucos. É contemplativo em grande estilo e mal compreendido pela multidão. Finalmente há o "homem schopenhaueriano": o verdadeiro homem que confere um significado metafísico a todas as suas atividades.[10]

Nietzsche escreve com estima sobre Schopenhauer, definindo-o como um grande estilista que expressava seus pensamentos com uma voz pessoal, usando uma prosa clara. Só coloca Montaigne acima de Schopenhauer em termos de capacidade de expressar a verdade com elegância. Obviamente era um exemplo adotado por Nietzsche de coração, pois a *Consideração* sobre Schopenhauer é notável pela mudança de seu estilo de prosa. Seus escritos anteriores tinham sido criticados por Wagner, Cosima e Rohde com razão, por seu estilo rígido e didático, pela falta de clareza e seu descuido arrogante por uma argumentação sequencial. Mas agora, nesse volume, seu texto assumia tanto a elegância de Schopenhauer como a humanidade de Montaigne.

Se até então seu conselho para os que buscam a verdade concluía sempre com a afirmação sentenciosa e inútil do oráculo de Delfos, de que a verdade e a autenticidade só poderiam ser alcançadas ao se tornar algo vago e enevoado como o eu, agora ele desertava da Grécia e ousava se inspirar no próprio pensamento e em sua experiência para apresentar orientações práticas.

Deixe a alma jovem olhar para trás na vida com a pergunta: o que você realmente amou até agora, o que transportou sua alma às alturas, o que a dominou e ao mesmo tempo a glorificou? Coloque esses reverenciados objetos à sua frente e talvez a natureza deles e sua sequência forneçam uma lei, a lei fundamental de seu eu interior.[11]

O texto "Schopenhauer como educador" é também mais leve, jogando com as palavras, deleitando e seduzindo com inúmeros aforismos elegantes, entre os quais estes:

É preciso assumir uma linha de certa forma ousada e perigosa nesta existência: principalmente porque, aconteça o que acontecer, nós tendemos a perder.[12]

O objetivo de todas as organizações humanas é distrair os pensamentos para *cessar a consciência da vida*.[13]

O artista está relacionado com os amantes de sua arte como um canhão pesado para um bando de pardais.[14]

[O Estado] nunca tem qualquer uso para a verdade como tal, somente para a verdade que seja útil para ele.[15]

'The state wants men to render it the same idolatry they formerly rendered the church.'[16]

As águas da religião estão se afastando e deixando para trás charcos de poças estagnadas; as nações também estão se afastando umas das outras da forma mais hostil e anseiam por se despedaçarem umas às outras. As ciências, seguidas sem qualquer restrição e em um espírito do mais cego *laissez-faire*, estão despedaçando e dissolvendo todas as convicções mais firmes; as classes educadas e os Estados estão sendo arrastados por uma economia monetária extremamente desprezível,[17]

um pensamento relacionado às anotações que, enquanto escrevia sobre Schopenhauer, ele ao mesmo tempo escrevia sobre Wagner, ao observar a monstruosidade da máquina publicitária de Bayreuth rolando à frente sobre suas rodas de ouro.

Considerando os dois objetivos difíceis, Nietzsche resolveu tirar umas pequenas férias no vilarejo de Chur, onde fez amizade com um grupo que incluía uma garota bonita da Basileia chamada Berta Rohr. Escreveu a Elisabeth dizendo estar "quase decidido" a pedi-la em casamento. Continua aberto o debate se o "quase pedido de casamento" era para agradar Wagner, mas a questão de um casamento estava bastante presente na cabeça dele. Seus dois amigos de infância, Wilhelm Pinder e Gustav Krug, haviam ficado noivos recentemente e Nietzsche, deixado para trás, vinha sopesando os méritos do casamento. Não o considerava mais como uma potencial interrupção de seu trabalho, mas não estava totalmente confiante em sua decisão.

Wagner continuou insistindo para Nietzsche ir visitá-lo no verão. Finalmente, em 5 de agosto, Nietzsche estava em Bayreuth. Assim que chegou, adoeceu e ficou acamado no hotel. Wagner estava sobrecarregado de trabalho e exausto, mas compareceu pessoalmente para levar Nietzsche para Wahnfried, a mansão recém-construída perto da casa de ópera e que seria a casa da família. Assim que se instalou lá, Nietzsche imediatamente sentiu-se melhor.

Originalmente, Wagner tinha chamado a mansão de Ärgersheim ("Casa do Aborrecimento"), por causa de todos os desagravos que o projeto de construção havia causado, mas era um nome petulante para passar à posteridade. Uma noite, quando estava na varanda sob uma lua prateada com os braços em torno da cintura de Cosima, os dois olharam para baixo, para a espaçosa tumba abobadada no jardim onde planejavam passar a eternidade juntos, na companhia de seus cães de estimação (Russ foi o primeiro a ser enterrado ali, precedendo seu dono), e Wagner rebatizou a casa com o nome de Wahnfried ("Paz da Ilusão").

Inscrições dos dois lados do grande portão da Wahnfried diziam "*Sei dieses Haus von mir benannt*" ("Que esta casa seja nomeada por mim") e "*Hier wo mein Wähnen Frieden fand*" ("Aqui onde minhas loucas fantasias encontraram a paz"). Porém, paz e liberdade da ilusão estavam longe daquilo que Nietzsche descobriu por lá.

Em estilo e características, Wahnfried não podia ser mais diferente do romântico isolamento e do aconchego de Tribschen. Wagner/Wotan tinham construído seus Wahnfried/Valhala numa escala divina. Quadrangular e imponente, a casa parecia mais a sede de uma prefeitura que uma residência. A fachada severa, revestida por imensos blocos de pedra, era quase desprovida de ornamentos. Toda a atenção concentrava-se em uma sacada semicircular de proporções papais onde Wagner podia aparecer em ocasiões solenes, como estreias, seu aniversário, ou simplesmente fazer uma aparição para acenar alegremente a bandas que passavam marchando, tocando seleções de suas óperas.

"Um homem que proporciona prazer a milhares deve ter o direito a um módico prazer", dizia. E apesar de todas suas raízes revolucionárias, Wagner construiu um palácio na tradição da realeza das arquiteturas monumentais.

O visitante entrava por uma porta localizada no centro, ornamentada com um falso brasão de armas em vidro fosco e uma pintura alegórica da Obra de Arte do Futuro, para a qual Siegfried, o filho de cinco anos de Wagner, tinha posado como modelo. O grande vestíbulo de entrada estendia-se por todos os andares da casa até uma claraboia. Paredes vermelhas em estilo de Pompeia propiciavam um fundo vibrante para o panteão de bustos de mármore e estátuas dos deuses da casa, tanto humanos como míticos: Siegfried, Tannhäuser, Tristão, Lohengrin, Liszt e o rei Ludwig. Wagner e Cosima situavam-se em pedestais altos o bastante para poderem olhar de cima para todos os demais.

No saguão, amplo o suficiente para ensaios e audições, Nietzsche reconheceu o piano Bechstein especialmente alterado, presenteado pelo rei Ludwig. Em Tribschen o piano ocupava a maior parte do estúdio verde que era o coração pensante da casa. Aqui era ofuscado por um grande órgão, um presente dos Estados Unidos. Continuando em linha reta a partir do saguão, altas portas davam para uma sala ainda maior, com uma área de cem metros quadrados. Era a sala de visitas e a biblioteca da família. A decoração fora projetada pelo escultor de Munique Lorenz Gedon, um dos decoradores favoritos do rei Ludwig, perito em mesclar neomedieval com neobarroco em grande escala. Pesadas estantes de livros entalhadas chegavam até dois terços das paredes abaixo de um teto de caixotões de onde pendia um candelabro monstruoso. Os cantos do teto eram percorridos por frisos extravagantes, pintados com os brasões de armas de todas as cidades que se jactavam de abrigar Sociedades Wagnerianas. A faixa larga entre os brasões de armas e o topo das estantes era revestida por um papel de parede com extravagantes estampas florais e retratos de família e de outros notáveis. A parede mais distante das portas estendia-se para uma rotunda semicircular de um andar, cujo teto servia de piso para a tão adorada sacada. Janelas do teto ao piso, uma orgia de cortinas de cetim e veludo arqueadas sobre outro piano de cauda, este um presente da Steinway & Sons de Nova York. Quando se sentava ao piano para tocar para a família, Wagner não via os sublimes picos de Rigi e Pilatos na natureza, como em Tribschen. Aqui seu olhar tinha outra vista, um jardim verdejante que levava à grandiosidade do túmulo que o esperava, feito pelo homem.

Na primeira noite de Nietzsche em Wahnfried, Wagner sentou-se ao piano para entreter seus convidados tocando parte da música de Rhinemaidens de *Götterdämmerung*. Talvez em retaliação à monumental *folie de grandeur* de Wahnfried, Nietzsche apresentou a partitura de *Triumphlied* de Brahms, que tinha ouvido em concerto e que admirava. Não poderia ser mais indelicado. Dez anos antes, Wagner e Brahms tinham discutido sobre a devolução do manuscrito da partitura de *Tannhäuser*, que Wagner queria de volta. O que havia começado como uma pequena disputa tinha ultrapassado os limites da razão. Quando se acomodou em esplêndido salão frente à partitura trazida por Nietzsche, Wagner riu em voz alta, comentando que a incompreensão de Brahms da *Gesamtkunstwerk* era total. A própria ideia da palavra *Gerechtigkeit* (justiça) na música era absurda!

A partitura de *Triumphlied* era um objeto notável, encapada de vermelho. Durante a semana seguinte, cada vez que Wagner passava pelo piano o retângulo vermelho olhava para ele antes que o escondesse embaixo de alguma outra coisa. Mas sempre que voltava, Nietzsche já o havia posto no lugar. Finalmente, no sábado, Wagner sentou-se ao piano para executar a partitura, e quanto mais tocava, mais furioso ficava. Chamou-a de uma composição magra: Handel, Mendelssohn e Schumann "embrulhados em couro". Motivada por uma fúria de esposa, Cosima escreveu em seu diário com uma alegria maldosa que ficara sabendo de coisas lamentáveis sobre Nietzsche na universidade, que só tinha três ou quatro alunos e que havia sido praticamente exonerado.[18]

Wagner se sentiu tão irritado com a deslealdade musical de Nietzsche quanto este se sentiu irritado com o materialismo de Wagner (que, afinal de contas, não era nenhuma novidade). É verdade que o mestre tinha cedido à desprezível economia financeira que os dois já haviam denunciado violentamente. Bayreuth ficava a um mundo de distância do festival livre e democrático da renovação cultural que o idealismo compartilhado pelos dois tinha originalmente previsto.

Ambos lamentavam a perda da preciosa intimidade. Nietzsche não era mais a única companhia do mestre, mas apenas mais um em meio a uma multidão internacional passando incessantemente pela suntuosidade de Wahnfried no interesse de realização do projeto. O primeiro festival estava marcado para acontecer no ano seguinte. Era um prazo assustadoramente curto para a conclusão da casa de ópera, a orquestração final da partitura e a localização, recrutamento e os ensaios dos cantores capazes de atuar e cantar em escala heroica. No fim acabou demorando ainda mais um ano, tendo estreado no verão de 1876.

Durante a visita de Nietzsche, Wahnfried reverberava com temas de Wagner sendo solfejados, tocados e cantados por potenciais Valquírias, Donzelas do Reno, deuses e mortais. Os homens do dinheiro eram sempre recebidos, bajulados, alimentados e lisonjeados pela cidade. Projetos eram enrolados e desenrolados. No final da semana a atmosfera tinha se tornado tão gelada entre Wagner e o negligenciado Nietzsche que este insultou Wagner intencionalmente ao afirmar com petulância que a língua alemã não lhe dava prazer e que preferia conversar em latim. Foi embora no fim de semana, com os nervos em frangalhos, tenso e insone. "O tirano não reconhece nenhuma individualidade a não ser a própria e a de seus amigos mais confiáveis", escreveu em seu caderno de anotações. "Wagner está em grande perigo."[19]

Nietzsche não tinha muitas razões para retornar à Basileia, onde seu aniversário de trinta anos foi marcado por uma comemoração silente. O melhor presente foi a chegada de trinta exemplares da recém-impressa *Consideração* "Schopenhauer como educador". Encaminhou um exemplar para Wagner, que logo respondeu com um telegrama gratificante: "Grandioso e profundo. Mais nova e ousada na apresentação de Kant. Realmente só compreensível pelos possuídos pelo diabo".[20] Hans von Bülow também gostou. Sua entusiasmada carta de agradecimento conseguiu até certo ponto reparar o rompimento entre os dois causado por sua violenta crítica a Nietzsche como compositor musical. Von Bülow definiu o livro como brilhante e expressou a opinião de que Bismarck deveria citar alguns trechos no Parlamento.

Nietzsche se sentiu melhor de imediato. Tão bem a ponto de ir passar o Natal na casa de Naumburg. Não levou seus livros de trabalho, só as partituras de suas composições. Passou um feriado feliz, reforçando sua convicção em seu talento musical, reescrevendo e improvisando suas peças e tocando-as para Franziska e Elisabeth, que compunham uma plateia enlevada. Durante esse tranquilo interlúdio musical, nem os sermões de Naumburg conseguiram estragar seu bom humor ou perturbar sua saúde, apesar de haver motivo de preocupação pela morte de Wilhelm Vischer-Bilfinger, o presidente do Conselho da Universidade, ocorrida naquele ano. Vischer-Bilfinger era quem tinha recomendado originalmente Nietzsche para ser professor na Basileia. Desde então vinha agindo como seu mentor e protetor. As longas ausências de Nietzsche das salas de aula, provocadas por sua saúde precária, significavam que sua recente contribuição à universidade havia sido escassa. Suas publicações controversas pouco acrescentavam ao lustro da instituição. Mesmo assim seu humor se manteve em alta, e talvez isso tivesse algo a ver com uma ideia que tinha lançado na *Consideração* sobre Schopenhauer: que só a liberdade podia libertar a genialidade, que só um filósofo que não estivesse ligado a qualquer instituição poderia pensar com alguma autenticidade. Um rompimento com a Basileia poderia lhe propiciar essa mesma liberdade.

Cosima escreveu a Nietzsche uma carta diplomática, encantadora e educada explicando que ela e Wagner precisavam embarcar em outra viagem para angariar fundos, dessa vez para Viena. Não havia ninguém a quem eles se sentiriam mais felizes em confiar seus tesouros mais preciosos – os filhos – que Elisabeth. Será que ela teria a bondade de coração de assumir a carga de morar por um tempo em Wahnfried e atuar como mãe de suas filhas e do pequeno Siegfried enquanto eles estivessem fora? Seria indelicado pedir a Nietzsche que fizesse a proposta à sua irmã? Franziska resmungou muito com essa apropriação do tempo da filha, mas Elisabeth não viu nenhum obstáculo. Era uma ascensão na escalada social. Em sua estadia, Elisabeth se deu muito bem, utilizando-a para lançar as fundações para um cargo na casa que seria mais do que o de uma criada e menos do que de uma amiga, algo como uma ocasional dama de companhia.

O inverno de 1874-75 foi frio e nevado. Entre dezembro e fevereiro, Nietzsche ficou gravemente doente. Felizmente só tinha trabalhos fáceis para cumprir com o Pädagogium. Voltou seus pensamentos para a *Consideração extemporânea* seguinte, cujo tema, como já havia decidido, seria "Arte" e baseada em sua experiência em primeira mão com Wagner. Porém, antes de seguir com o plano, foi golpeado por dois grandes "terremotos da alma" que descarrilariam sua saúde pelo resto do ano.

O primeiro envolveu Heinrich Romundt, seu amigo íntimo e copista do Chalé do Veneno, que ele considerava quase como uma extensão de seu cérebro. Romundt anunciara que pretendia se tornar padre da Igreja Católica. Nietzsche sentiu aquilo como um ferimento profundo. Estaria Romundt em seu juízo perfeito? Será que poderia ser curado por algum tipo de tratamento médico, como banhos frios? Por que, entre todas as igrejas, Romundt tinha escolhido a Católica Romana? Era a mais absurda de todas as denominações cristãs, com suas relíquias supersticiosas, seus ossos e crânios pagos com a venda de indulgências. Cinco anos antes, a instituição havia superado até mesmo esses absurdos medievais ao elevar o papa à infalibilidade. A Igreja Romana era o guizo no chapéu de um bobo. Era assim que Romundt retribuía anos de estreita amizade, de tantos raciocínios e filosofias em conjunto?

As poucas semanas que Romundt ficou na Basileia foram dolorosas para todas as partes. Romundt estava lacrimoso e inarticulado. Nietzsche, furioso e incompreensivo. No dia em que Romundt partiu para o seminário, Nietzsche e Overbeck o levaram até a estação. O tempo todo ele implorou pelo perdão de ambos. Quando os carregadores fecharam as portas do trem, eles o viram lutando contra a janela, tentando abaixar o vidro para dizer alguma coisa aos dois na plataforma. A janela não cedeu e a última visão que tiveram dele foi o extenuante esforço físico para dizer alguma coisa que eles nunca chegariam a saber, enquanto o trem partia lentamente.

Imediatamente Nietzsche sucumbiu a uma dor de cabeça que persistiu por trinta horas, com vômitos frequentes.

O segundo terremoto da alma a abalar as fundações de Nietzsche veio de seu outro colega do Chalé do Veneno. Franz Overbeck ficou noivo e ia se casar. Romundt o havia abandonado por uma fé supersticiosa, Overbeck o estava abandonando por amor. Será que restava alguém com quem ele constasse em primeiro lugar no mundo? Só sua mãe e a irmã; um pensamento desalentador. Mas o amor deveria resgatar a solidão. Com o exemplo de Overbeck ainda fresco em sua mente, Nietzsche embarcou numa pequena aventura romântica.

Em abril de 1876, ouviu falar de certa condessa Diodati, que morava em Genebra e havia traduzido *O nascimento da tragédia* para o francês. Isto fez com que valesse a pena procurá-la. Tomou um trem. Ao chegar, descobriu que a condessa estava trancafiada em um asilo para lunáticos, mas sua ausência foi mais que compensada pela renovação de sua amizade com Hugo von Senger, o diretor da Orquestra de Genebra e entusiasta de Wagner. Senger dava lições de piano. Entre seus alunos havia uma livoniana etérea de 23 anos, muito admirada por sua beleza e educação. Seu nome era Mathilde Trampedach.

Nietzsche ficou apenas uma semana em Genebra. No topo de sua lista havia uma peregrinação a vila Diodati, onde Byron havia morado por certo tempo. Mathilde estava na mesma excursão. Durante a viagem de carruagem ao redor da margem do lago, Nietzsche discorreu sobre o tema da liberdade da opressão em Byron. Inesperadamente, Mathilde interrompeu-o com o comentário de que considerava estranho que homens dispendessem tanto tempo e energia erguendo impedimentos externos, quando o verdadeiro empecilho eram os internos.

Foi um argumento que incendiou a alma de Nietzsche. Quando voltaram a Genebra, ele sentou-se ao piano para presenteá-la com uma de suas tumultuosas e dramáticas improvisações. O recital terminou, ele fez uma vênia segurando a mão dela e lançou um olhar intenso e penetrante aos seus olhos. Em seguida subiu a escada para escrever um pedido de casamento.

"Reúna toda a coragem de seu coração", começou,

> para não sentir medo da pergunta que vou fazer. Quer ser minha esposa? Eu a amo e sinto como se você já me pertencesse. Nem uma palavra (para qualquer um) sobre a subtaneidade de meus sentimentos! Ao menos eles são inocentes; por isso não há nada que precise ser perdoado. Mas gostaria de saber se sente o mesmo que eu – que nunca fomos estranhos, nem por um momento! Você também não acha que em nossa associação cada um de nós estaria melhor e mais livre do que podemos estar sozinhos – e tão *excelsos*? Ousaria vir comigo como alguém se esforçando de todo coração para se tornar melhor e mais livre? [...][21]

Nietzsche não tinha como saber que, na verdade, Mathilde estava secretamente apaixonada por seu professor de piano, o muito mais velho Hugo von Senger. Ela o seguira fielmente a Genebra na esperança de se tornar sua terceira esposa, uma ambição que acabou realizando.

8
O último discípulo e o primeiro discípulo

> Os dois queriam cortar a amizade ao mesmo tempo, um por se considerar muito mal compreendido, o outro por se considerar muito bem compreendido – e os dois estavam se enganando! –, pois nenhum dos dois entendia a si mesmo muito bem.
>
> *Aurora*, livro IV, seção 287

A tarefa mais urgente para 1875-76 era concluir a próxima *Consideração extemporânea*. Seu editor queria manter o ritmo de publicação de um livro a cada nove meses. Nietzsche fez uma tentativa de escrever sobre filologia, mas "Nós filólogos" não progrediu. O que mais teria a dizer sobre a abordagem histórica reducionista e sua consequente insensibilidade às verdadeiras fontes de inspiração artística? Ele voltou ao tema da arte.

Iria escrever uma nova *Consideração* sobre um assunto de grande interesse para ele: a genialidade individual e o efeito que pode exercer na cultura de uma época. Graças à sua relação longa e íntima com Wagner, ninguém estaria melhor qualificado para aplicar uma lente de aumento na genialidade. A quarta *Consideração extemporânea* se chamaria "Richard Wagner em Bayreuth" e serviria a um duplo propósito: como sua *Consideração* seguinte e como um toque de corneta *Festschrift* marcando a inauguração do Festival de Bayreuth.

"Richard Wagner em Bayreuth" tem cerca de cinquenta páginas, mas Nietzsche demorou o resto do ano para escrever. O texto manquitolava sobre pernas desiguais, não por suas razões usuais da dificuldade de colocar ideias no papel, mas porque a tensão entre sua cabeça e seu coração o estava levando numa longa viagem de entendimento. O processo de escrever uma celebração da genialidade do compositor fez Nietzsche perceber sua necessidade de se libertar de Wagner. A perigosa influência do adorado compositor mal poderia ser subestimada: a própria evolução de Nietzsche exigia a superação de Wagner, e isto estabeleceu um grande conflito emocional.

Havia muito Nietzsche alardeava o poder sublime que a música de Wagner exercia sobre seus sentidos, mas agora percebia como o roubava de seu livre-arbítrio. Essa percepção o encheu de um ressentimento crescente contra a sedução delirante e mistificada que já parecera como a mais alta redenção da vida. Agora ele via Wagner como um perigo terrível, e sua própria devoção ao compositor recendendo a um voo niilista do mundo. Criticava Wagner por ser um romântico histriônico, um tirano espúrio, um manipulador sensual. A música de Wagner tinha esfrangalhado seus nervos e arruinado sua saúde; será que Wagner não era um compositor, e sim uma doença?

Ele não poderia colocar pensamentos desse tipo na obra para a publicação: tais pensamentos invalidariam totalmente seu único livro publicado, *O nascimento da tragédia*. Assim, enquanto escrevia sobre a genialidade de Wagner, a *Consideração* se metamorfoseou, como ele reconheceria mais tarde, em uma análise de sua própria genialidade e numa meditação sobre o uso futuro que poderia fazer do livro.

A *Consideração* anterior sobre Schopenhauer tinha identificado o gênio rousseauniano cuja natureza é tão primordial quanto a serpente Tifão embaixo do vulcão Etna.[1] Wagner era uma força vital, e era isso que Nietzsche aspirava para si mesmo: um rebelde insaciável, descuidado da própria segurança e da segurança do mundo, um inovador cultural cujo pensamento iniciaria vastos conceitos-tremores. Era empolgante pensar que os levantes visionários de gênios como Wagner (e ele próprio), embora espalhassem uma inevitável destruição, fossem essenciais para a salvação da humanidade da estagnação e da mediocridade.

O ensaio reprisa temas que já haviam soado em *O nascimento da tragédia*. Em nome de Wagner ele volta mais uma vez aos seus pensamentos sobre a morte da veneração do dionisíaco pela imposição de incansáveis teorias racionalistas da lei, do Estado e da cultura, resultando na era presente em que o *Bildungsphilister*, o filisteu educado, reina presunçoso em suas certezas, de forma que todo o espírito cultural ativo é usado para apoiar as paredes divisórias dos grandes edifícios quase separados da economia e do poder – substancialmente reforçados pelo poder do ego dos leitores de jornais enquanto solapam sua alma. A verdadeira cultura, como a de Wagner (e, por implicação, também a dele), conduz uma corrente subterrânea de purificação, ampliação e enobrecimento do espírito junto com seu inevitável papel iconoclasta. O ensaio termina com passagens desesperadamente exageradas de elogios a Wagner: seu olhar lança "raios de luz do sol que sugam a umidade, congregam a névoa, dissipam as nuvens de tempestades [...] Ele surpreendeu a natureza que viu nua: então agora ela tenta esconder sua vergonha fugindo para sua antítese",[2] e assim por diante. Mas Nietzsche não consegue deixar de inserir furtivamente alguns cutucões. Comparando a espantosa autoconfiança de Wagner com a de Goethe: "Talvez sua natureza seja ainda mais 'presunçosa' que a de Goethe, que dizia de si mesmo: 'Eu sempre acreditei que tinha tudo; eles podiam colocar uma coroa sobre minha cabeça e eu teria aceitado de bom grado'".[3] A *Consideração* termina inequivocamente com a afirmação de que Wagner não é, de fato, "o vidente de um futuro, como talvez goste de nos parecer, mas o intérprete e transfigurador de um passado".[4]

Nietzsche estava reservando o papel de vidente do futuro para si mesmo.

"Richard Wagner em Bayreuth" nunca foi um texto de sucesso. Transbordando ressentimento filial e insinceridade, é uma volta ao seu estilo rígido de escrita, utilizando muitas análises sérias e nada da leveza e da perspicácia da *Consideração* anterior sobre Schopenhauer. O tempo todo em que a escreveu ele sofria das torturas do parricídio: sua cabeça, os olhos e o estômago não o deixaram em paz. Todos os dias e durante várias horas vivenciava uma sensação semelhante a estar mareado. Na média, passou 36 horas a cada duas semanas na cama em completa escuridão, geralmente em tal agonia que era incapaz de pensar. Tinha perdido os dois amigos que até então se dedicavam a escrever o que ditava: Gersdorff tinha se retirado para suas terras e Romundt para o seminário, mas a solução chegou em abril, na figura energética de um compositor saxão de cabelos revoltos de 22 anos chamado Johann Heinrich Köselitz. Dotado de uma caligrafia das mais lindas e claras.

Enquanto estudava contraponto e composição em Leipzig, Köselitz tinha lido *O nascimento da tragédia*. O livro fez com que ele e seu colega Paul Heinrich Widemann "vibrassem de deleite". Os dois foram suficientemente modestos para confessar que não haviam entendido totalmente o livro, mas perceberam que haviam encontrado uma mente que falava com uma força interpretativa que jamais haviam visto.

Quando Nietzsche mostrou as forças apolínea e dionisíaca finalmente destruídas pelo racionalismo utilitário (como expresso por Sócrates), desconfiamos por que a germinação e o florescimento de uma grande arte é quase impossível sob a dominação da nossa cultura do conhecimento e da razão [...] *O nascimento da tragédia* é um poderoso protesto do homem artístico e heroico contra as consequências enfraquecedoras da vontade e destruidoras do instinto de nossa cultura alexandrina.[5]

"Schopenhauer como educador" aumentou ainda mais o entusiasmo dos dois.

Pois enquanto nossos contemporâneos entendiam "cultura" mais ou menos como o ideal de Bentham de uma maximização do bem-estar geral (o ideal de Strauss e de todos os socialistas desde More), Nietzsche subitamente apareceu entre eles como um legislador emergindo das nuvens tempestuosas ensinando que a meta e o auge da cultura eram produzir gênios.[6]

Köselitz passou a se referir a Nietzsche como "o grande revalidador". Impetuoso, viajou à Basileia, determinado a conhecê-lo e a estudar com ele.

Sem ter ideia da aparência de Nietzsche, procurou as livrarias onde poderia comprar fotografias de paisagens e personalidades locais. Para seu espanto, a vitrine dedicada aos professores da universidade não incluíam uma única imagem de seu herói. Suas inquisições eram respondidas com: "Professor Nietzsche? Há alguém aqui com esse nome?", uma reação talvez não devida à desigual reputação de Nietzsche na universidade, mas também à sua aversão ao que chamava de ser "fotograficamente executado pelo Ciclope de um olho só [...] Eu tento, a cada vez, evitar o desastre, mas o inevitável sempre acontece – e lá saio eu, eternizado de novo como um pirata ou um proeminente tenor ou um boiardo [...]".[7]

Köselitz era um aficionado incondicional de Wagner, e quando os dois acabaram se encontrando, Nietzsche emprestou a ele a ainda incompleta *Consideração* sobre Wagner. O entusiasmo impetuoso característico de Köselitz convenceu Nietzsche a concluir a obra, e de que ele era o homem certo para ajudá-lo. Entre o final de abril e o fim de junho ele anotou os ditados dos três últimos capítulos, além de fazer uma cópia razoável com sua bela caligrafia de todas as 98 páginas. Quando as provas voltaram do editor, o diligente Köselitz as revisou. Finalmente, no final de julho, dois magníficos volumes encapados estavam prontos para ser enviados a Wagner e Cosima, no período final de ensaios antes da abertura formal do festival, em 13 de agosto.

Envolvido nos preparativos de última hora, Wagner não teve tempo para ler o livro, mas foi um presente maravilhoso para receber num período tão turbulento. Ele respondeu rapidamente e entusiasmado por telegrama: "Amigo! Seu livro é prodigioso! Mas como descobriu tanto sobre mim? Agora venha logo e acostume-se aos impactos [de *O anel*] com os ensaios".[8] Wagner mandou o segundo exemplar ao rei Ludwig, que se mostrou igualmente encantado com o texto de Nietzsche.

Antes de sequer pensar em responder à imperiosa convocação para ir a Bayreuth, Nietzsche recebeu uma carta de Erwin Rohde anunciando seu noivado. Amizades se alteram com o advento de uma noiva, e agora três dos seus amigos mais íntimos iriam se casar.

Os sentimentos de Nietzsche não foram claros. Escreveu uma carta entusiasmada de congratulações a Rohde, que incluía a especulação de que talvez estivesse enganado se comparado ao amigo, mas que casamento devia incluir compromisso e uma acomodação inaceitável com a mediocridade humana à qual não estava preparado para assumir. Na noite em que recebeu a carta de Rohde, escreveu um poema sentimental intitulado "O viajante",[9] que o retrata andando à noite por uma paisagem montanhosa e ouvindo um passarinho cantar docemente. Como o pássaro de *Siegfried* de Wagner, ele pode falar. Ao ser interrogado, responde que não está cantando para ele, mas para sua companheira.

No dia 22 de julho, Nietzsche empreendeu a extenuante viagem a Bayreuth, chegando dois dias depois. Apresentou-se a Wahnfried no dia seguinte. Cosima mal anotou sua chegada em seu diário. A agitação frenética dos ensaios finais é sempre um período estressante em qualquer teatro, mas nesse caso era mais do que o normal, pois os homens do dinheiro tiveram a horrível ideia de vender ingressos para os ensaios. Como um prolongado e mal interpretado striptease público, cada deslize ou imperfeição era exposto ao olhar do público. Mas cada dia que se passava estava custando 2 mil marcos, e era uma maneira de recuperar parte das despesas.

"Muito vexame", registra Cosima. Wagner teve uma terrível discussão no palco com o coreógrafo e com o cenografista. Cantores se retiraram e outros tiveram de ser contratados. Herr Unger, que interpretava Siegfried, o jovem herói de *O anel*, estava rouco – ou seria somente uma desculpa? Uma Valquíria de destaque mostrava "uma excessiva falta de jeito e de graça". O vilão Hagen esquecia as letras. A única oficina que conseguiu construir um dragão capaz de expelir fogo, abanar o rabo e revirar os olhos ficava na Inglaterra. O dragão foi embarcado em três partes para ser montado na chegada, mas só duas chegaram a Bayreuth. O pescoço foi mandado a Beirute, capital do Líbano. A máquina que produzia fumaça era inadequada. O cenário desabava e mostrava trabalhadores rudes em mangas de camisa vagando enquanto esperavam as mudanças de cena. Os cantores queriam aplausos nos intervalos. Wagner não permitia: eles quebrariam a magia de manter a plateia cativa. Em um gesto de interesse próprio, mas ainda assim democrático, Wagner admitiu que a brigada de incêndio assistisse a um ensaio gratuitamente, levando um importante membro do comitê administrativo a pedir demissão. O ensaio com os trajes era uma tortura. Wagner tinha contratado um pintor de temas históricos para desenhar os cenários. Eram tão historicamente precisos e tão meticulosamente executados que funcionavam como botas de chumbo, ancorando firmemente a história na dimensão da representação real e impossibilitando que a imaginação levantasse voo, quanto mais voar. Cosima detestou as fantasias: "Reminiscentes de caciques pele-vermelhas e ainda portando, junto com seu absurdo etnográfico, todas as marcas da falta de gosto provinciana. Estou muito desanimada com eles".[10] Tão desanimada que Wagner pôs o chifre de Siegfried na cabeça e dispensou o desamado estilista do traje urrando como um touro.

A aflição de Cosima se multiplicou com a chegada de Judith Gautier, centro de interesse de todos os olhares quando saía pelas ruas de Bayreuth vestida com a última moda de Paris: o terno de marinheiro. A atração de Wagner por Judith, iniciada em Tribschen, ainda era ardente. Isso fazia muito mal a Cosima. Se Judith cedeu ou não aos avanços de Wagner continua sendo tema de discussão, mas isto pouco importava. Ela estava instalada numa casa que Wagner visitava com demasiada frequência, a ligação dos dois era fervorosamente erótica e as fofocas rolavam sem parar. Todo mundo dizia que ela era sua amante. Foi uma terrível humilhação para a ovelha negra filha de Liszt. Cosima tinha andado sobre brasas por Wagner, e agora outra mulher era sua musa, sua inspiração e seu amor. Sem isso Cosima se sentia apagada. Ela escreve sobre se sentir "não existente" e "morta". Durante todo o festival ela se recolheu em sua considerável altura, levantou seu perfil imperial de nariz grande, penteou os cabelos com um rabo de cavalo medieval apropriado para uma rainha dos nibelungos, envolta num véu de seda branca esvoaçante de noiva e, no papel de rainha de Bayreuth, agia como a anfitriã mais que perfeita.

Enquanto o festival se agitava com o escândalo Gautier, a mesma sociedade que acumulara humilhações e desdém sobre Cosima como amante de Wagner agora disputava sua atenção. Bayreuth era o lugar para se estar; Wagner era o homem para se ter ao lado. Toda a sociedade acorria ao portão de Wahnfried, e Cosima era a guardiã. Resplandecente em seus trajes quase medievais e com um grande leque na mão (Bayreuth estava sob a habitual onda de calor de agosto que garante muitos leques na casa de ópera), Cosima se mantinha friamente ereta e majestosa, recebendo centenas de visitantes que vinham de todas as partes do mundo para ver e ser vistos. Era uma magnífica vingança da sociedade e da mulher francesa que antes a desdenhara.

No dia em que chegou, Nietzsche era um dos quinhentos visitantes fluindo por Wahnfried. Como mero professor, ocupava um posto muito baixo na hierarquia. Questões de etiqueta eram observadas como só fazem os alpinistas sociais. Cosima tinha quatro monarcas governantes para lidar, inúmeros príncipes e princesas, grão-duques, grã-duquesas, arquiduques, arquiduquesas, duques, condes, condessas e nobres de hierarquia inferior. Para evitar insultos e escândalos, todos deviam ser recebidos na ordem correta de precedência. Cidadãos comuns esperavam em antessalas falando em voz baixa, como numa igreja.

O rei Ludwig queria permanecer incógnito no festival. Programou sua chegada para o misterioso horário da meia-noite, para ser recebido secretamente por Wagner e transportado numa carruagem para o esplêndido palácio Hermitage de Bayreuth, onde o rei achou que não seria "notado". Sob nuvens protetoras e uma lua fugitiva, os dois homens desnudaram suas almas enquanto a carruagem percorria o trajeto entre desfiles fantásticos, fontes e grutas sombrias do enluarado parque do palácio. Para Wagner, foi um dos poucos momentos puramente espirituais durante todo o festival, um instante de compensação pelo materialismo e o tumulto, uma reconexão com o próprio espírito, com a inspiração e o objetivo do trabalho de sua vida.

Mas relações com monarcas são notoriamente frágeis. O rei havia insistido que não queria ovações públicas durante sua estada em Bayreuth, mas ficou furioso ao ser levado ao pé da letra. No entanto, o teatro vinha antes para o rei Ludwig, antes mesmo da aclamação. Em 28 de julho, ele compareceu ao ensaio já com os trajes de *Das Rheingold*. Apesar da falta de ovação, o ouvido real considerou a música absolutamente sublime. Ao voltar ao Hermitage mandou o parque ser iluminado por archotes, enquanto músicos tocavam a música de Wagner escondidos atrás de arbustos, com as fontes iluminadas pulsando no ritmo da música.

Como Nietzsche havia previsto, o primeiro festival de Bayreuth estava a um mundo de distância de um novo Ésquilo forjando um renascimento do espírito trágico que resgataria a cultura europeia da estagnação e da mediocridade. Originalmente idealizado como muito maior que um evento físico – como uma metáfora da cultura alemã, uma imagem do futuro e um padrão para a modernidade, como concluíra em sua *Consideração* –, acabou sendo algo bem menor: uma covarde continuação da velha ordem, um compromisso e um deleite para o *Bildungsphilister*.

Em tom amargurado, Nietzsche observou que "todo o rebotalho ocioso da Europa" estava tratando o festival de Bayreuth apenas como mais uma ocasião a ser acrescentada à perambulação errante da programação anual de seu calendário social. Ficou repugnado também com a presença de inúmeros antissemitas regozijando-se com o retrato explícito de *O anel* da luta racial entre os sombrios e deformados anões do submundo contra a progênie de cabelos louros de Wotan. O triunfo final de Siegfried os deixou deleitados, como deixaria Hitler em sua primeira visita em 1923, depois da qual começou a trabalhar em *Mein Kampf*.

Dom Pedro II, imperador do Brasil, chegou a Wahnfried na noite seguinte ao ensaio geral. Sua presença imperial destacou as falhas no palco e dos trajes decepcionantes. O rei de Württemberg estava bem abaixo na hierarquia monárquica, sua presença foi também uma fonte de satisfação. O próprio imperador da Alemanha, Kaiser Guilherme, foi um espectador entusiasmado das duas primeiras óperas, aplaudindo e dizendo sorridente a seus ajudantes: "Assustador! Assustador!". Infelizmente, ficou sabendo que não poderia ficar para as duas óperas finais do ciclo.

Embora Wagner dissesse que Nietzsche teria seu próprio quarto em Wahnfried, como tinha em Tribschen, ele nem pensou em ficar lá. Preferiu a hospedagem mais barata que conseguiu encontrar. Era bem no centro da cidade, com teto baixo e uma atmosfera sufocante.

Bayreuth era então uma cidade de cerca de 20 mil habitantes. A nova casa de ópera de Wagner recebeu uma plateia de 1.925 pessoas. Foram encenados três ciclos separados das quatro óperas de *O anel*. Isto representou ao todo um influxo de 5.775 abençoados com a posse de ingressos para entrar no Valhala, trazendo com eles *entourages* que chegavam a milhares de cônjuges, filhos e criados. Depois havia os profissionais: artistas, cantores, músicos, contrarregras, carpinteiros, costureiras, lavadeiras, comerciantes e criados de todos os tipos. Nenhum acontecimento público é completo sem os penetras. Damas da noite, aventureiros bigodudos de calças bombachas até os joelhos, batedores de carteira, moleques de rua, viajantes ignorantes e um número considerável de camponeses que vieram andando de fazendas e plantações próximas para assistir ao espetáculo. Todos amontoados no asfalto árido e escaldante. A confusão era intolerável. Nietzsche não conseguia nem sequer se refugiar civilizadamente em sua hospedaria, onde o calor e o mau cheiro se acumulavam como a atmosfera desagradável do interior de um forno.

Para Tchaikovsky, assim como para muitos outros visitantes, a principal preocupação era encontrar comida: "As mesas de bufê preparadas nas hospedarias não são suficientes para satisfazer todas as pessoas com fome", escreveu.

> Só se consegue obter um pedaço de pão, ou um copo de cerveja, com imensa dificuldade, com uma luta árdua, ou um estratagema astuto ou uma resistência de ferro. Mesmo quando um modesto lugar a uma mesa foi ocupado, é necessário esperar uma eternidade para a tão desejada refeição ser servida. A anarquia reina nessas refeições. Todos chamam e gritam, e os exaustos garçons não prestam atenção às justas exigências dos indivíduos. Apenas por mero acaso alguém consegue experimentar qualquer um desses pratos [...] Na verdade, durante toda a duração do festival, a comida representa o principal interesse do público; as representações artísticas ocupam um lugar secundário. Costeletas, batatas assadas, omeletes – tudo isto é discutido com muito mais ansiedade que a música de Wagner.[11]

O teatro era iluminado demais para Nietzsche assistir do auditório. Ficou num recinto pequeno e escuro do tamanho de um armário ao lado do palco, onde fazia um calor sufocante. Sua chegada coincidiu com os ensaios da quarta e última ópera, *Götterdämmerung*, onde acontece o fim do mundo. A orquestra de cem músicos ilustrando a imagem da apocalíptica queda do

Valhala e a destruição dos antigos deuses produzia um volume de som provavelmente sem precedentes na história da música. "Eu não gostei de jeito nenhum [...] e tive que sair [...]".

Gostou menos ainda das recepções em Wahnfried. Foi a uma delas, onde foi visto acabrunhado e calado, e não compareceu a nenhuma outra.

Um dos padrões repetitivos da vida de Nietzsche é que sempre que estava em seus piores momentos surgia um salvador para cuidar dele. Dessa vez a salvação surgiu na figura de Malwida von Meysenbug, uma anarquista rica e já de idade, três anos mais nova que Wagner, mas da mesma geração revolucionária.[12] A autobiografia de Malwida, *Memoirs of an Idealist* [Memórias de uma idealista],[13] transformou-a numa personalidade em Bayreuth.

Malwida admirava muito o compositor, e seu apartamento em Roma foi organizado ao redor de seu busto de mármore. Era filha de um nobre prussiano; uma rejeição em um baile a transformou de membro da alta sociedade em agente da destruição da sociedade. Assim como Wagner, foi exilada depois das rebeliões de 1848-49, em seu caso por contrabandear cartas escritas pelo primeiro dos muitos revolucionários por quem se apaixonou. Seu exílio a levou para o norte de Londres, onde se estabeleceu com um grupo de anarquistas russos e se tornou tutora das duas filhas do viúvo Aleksandr Herzen, apesar de preferir ter sido sua esposa.[14]

Tamanha era a reputação de Malwida no mundo dos revolucionários que, durante a imensamente popular visita de Garibaldi a Londres para mobilizar os ingleses e montar "uma República flutuante [de navios] sempre pronta a aportar onde houvesse uma luta pela liberdade a ser travada",[15] ele a convidou para um desjejum a bordo de seu navio, ancorado no Tâmisa. Quando ela chegou em um bote a remo, "foi baixada uma poltrona forrada por uma bela manta, na qual fui içada. Garibaldi nos recebeu a bordo com um traje pitoresco – uma túnica cinzenta curta, um quepe vermelho bordado em dourado sobre os cabelos louros e armas no cinto largo. Os marinheiros, de olhos e pele escuros, reuniram-se no convés também com trajes pitorescos". Foram servidas ostras e "seguiu-se a mais alegre e deliciosa conversação [...] Todos os marinheiros pareciam idolatrá-lo e não se podia deixar de sentir o encanto poético de sua personalidade [...]".[16]

Agora uma mulher rechonchuda e aparentemente indefesa na casa dos sessenta anos, com os cabelos brancos penteados para trás cobertos por um lenço de tecido caro, seu coração ainda não tinha perdido nada da sede de sangue de seus dias como jovem anarquista. Ainda se deleitava com o exemplo da Comuna de Paris – teria havido queima de fogos se ela e Jacob Burckhardt chegassem a se encontrar. Não era uma humanista, mas uma mística que acreditava em um poder não específico para uma boa postura fora do mundo, uma força que não podia ser encontrada em nenhum laboratório, muito menos em um tubo de ensaio. Isso conferia ao espírito humano possibilidades ilimitadas que permitiam que homens e mulheres se transformassem em deuses, e por isso era o que deviam fazer.

Malwida mantinha a atitude direta e ingênua dos revolucionários determinados. Os meigos olhos azuis, muito elogiados, ainda viam só o que ela queria enxergar. Sua miopia seletiva filtrava os aspectos do comportamento humano irreconciliáveis com seu idealismo. Todos os seus relacionamentos com revolucionários sobre quem escreveu em suas memórias foram platônicos; ela sempre foi a governante, por mais que preferisse ser a amante influente. É difícil não vê-la como uma admiradora adjunta de homens fortes, mais complacente do que gostaria de se ver: uma "idiota útil" endinheirada, no sentido leninista. Naqueles dias ela entendia sua missão como a de encorajar os jovens "Pioneiros da Liberdade", e decidiu que um deles era Nietzsche.

Os dois haviam se conhecido em maio de 1872 em Bayreuth, no lançamento da pedra fundamental, e desde então mantiveram uma correspondência cortês. Admirava os textos de Nietzsche e ele foi muito solidário quando uma das filhas de Herzen se casou com um homem que o coração revolucionário de Malwida não podia aprovar.

Malwida percebeu o estresse físico causado pelos infernais alojamentos de Nietzsche, e ofereceu um refúgio diário nas sombras frescas de seu jardim. Acalentou-o com uma simpatia ilimitada e com uma calmante dieta de leite. Nietzsche nadava demoradamente nas águas do riacho que passava pelo jardim. Foi um regime que lhe fez tão bem que ele até reviveu sua adoração pela música que ouvia no teatro. Teve de admitir que sua alma não conseguia deixar de se submeter, embora o falatório do resto de Bayreuth fosse intolerável.

Em 3 ou 4 de agosto, Nietzsche fugiu de Bayreuth sem dizer a ninguém, nem mesmo para Malwida. Tomou o trem para Klingenbrunn, um minúsculo vilarejo na floresta da Baviera. Ficou lá por apenas alguns dias, mas isto lhe fez bem. Voltou a tempo para a noite de estreia, em 13 de agosto, seguindo o plano de encontrar sua irmã em Bayreuth, junto com seus queridos amigos Rohde e Gersdorff, com todos tendo pago uma quantia considerável pelos ingressos e acomodações.

Uma poção mágica de amor é um componente comum nas tramas das óperas de Wagner, e agora era como se os três amigos a tivessem tomado em profusão.

Carl von Gersdorff apaixonou-se "loucamente, insanamente, byronicamente" por uma jovem condessa italiana chamada Nerina Finochietti. Pediu-a em casamento precipitadamente e passou os meses seguintes se desemaranhando da rapacidade da família dela.

O recém-noivo Erwin Rohde flertou de forma descarada, ainda que desajeitadamente, com todas as mulheres que encontrou, o que constrangeu consideravelmente seus companheiros.

O próprio Nietzsche ficou embasbacado ao conhecer uma bela loira chamada Louise Ott. A musicalidade dava a ela algo em comum com seus amores anteriores. Louise era uma excelente musicista, com um bom toque de piano e uma voz muito doce para o canto. Quando se conheceram, os dois falaram de tudo, mas ela deixou de revelar que era casada. Quando Nietzsche ficou sabendo, o dano já estava feito. O marido banqueiro de Louise não compartilhava de sua paixão por Wagner e por isso preferiu ficar em casa em Paris, e ela estava no festival acompanhada por seu jovem filho Marcel. Parece que o *coup de foudre* atingiu tanto Nietzsche quanto Louise de forma igualmente intensa e profunda.

"Tudo estava escuro ao meu redor quando você partiu de Bayreuth", Nietzsche escreveu a ela. "Era como se alguém tivesse retirado a luz. Primeiro tive de me recompor, mas isto já está feito, e você pode pegar esta carta na mão sem apreensão. Desejamos nos ater à pureza do espírito que nos reuniu."[17]

"Como é bom", ela respondeu três dias depois, "que uma amizade verdadeira e saudável possa florescer entre nós de forma a podermos pensar um no outro tão diretamente do coração sem a proibição da nossa consciência [...] Seus olhos, no entanto, eu não consigo esquecer: seu olhar profundo e amoroso ainda está comigo, como naquela ocasião [...] Não mencione as nossas cartas para ninguém – Tudo que se passou até agora permanecerá entre nós – é o nosso santuário, só para nós dois".[18]

Um ano depois, quase no mesmo dia, ele escreveu uma carta apaixonada dizendo a Louise que sentia sua presença tão vividamente que tinha vislumbrado seus olhos. Louise estava grávida de novo, mas respondeu quase de imediato, dizendo que aquilo não a surpreendia, pois também vinha se recordando dos breves momentos que passaram juntos: "Eu revivi tudo e me senti tão enriquecida – tão enriquecida – por você ter me dado o seu coração".[19]

9
Espíritos livres e não tão livres

> Mas se a ciência nos proporciona cada vez menos prazer, e nos priva de cada vez mais prazer lançando suspeita sobre os consolos da metafísica, da religião e da arte, a mais poderosa fonte de alegria a que a humanidade deve quase toda sua humanidade se empobrecerá. Por essa razão uma cultura superior deve dar ao homem um cérebro duplo, como se fossem dois cérebros-ventrículos, um para a percepção da ciência, o outro para o que não é ciência: um ao lado do outro, sem se confundirem, separáveis, estanques; isto é uma exigência da saúde.
>
> *Humano, demasiado humano,*
> "Sinais de cultura superior e inferior", seção 251

A universidade concedeu a Nietzsche um ano de licença remunerada, começando no outono de 1876. Liberou-o inclusive dos últimos deveres docentes que vinha mantendo em Pädagogium. Isto significava liberdade total. Malwida von Meysenbug convidou-o para passar o inverno em Sorrento, e ele aceitou.

Seu editor o pressionava para produzir a próxima *Consideração extemporânea*. Nietzsche disse que estava a caminho. Não era verdade, apesar de já ter uma ideia que tentava pôr no papel. Deu um título provisório de "A lâmina do arado". Assim como a lâmina do arado limpa o solo, cortando raízes das ervas asfixiantes que estrangularão os brotos úteis, o livro cortaria as ervas daninhas que até agora tinham sufocado seu pensamento original, ou seja, seus antigos ídolos Wagner e Schopenhauer.

Obviamente a complicada viagem de trem até Sorrento, com suas baldeações e transporte de bagagem seria demais para ele fazer sozinho, por isso Nietzsche arranjou dois amigos para acompanhá-lo. Um deles era um estudante de filologia chamado Albert Brenner, um tuberculoso de vinte anos suscetível à depressão e à poesia, cujos pais acreditavam nas propriedades curativas de passar o inverno no sul. O outro era o filósofo Paul Rée, de 26 anos, que Malwida tinha conhecido em Bayreuth. O primeiro livro de Rée, *Psychologische Beobachtungen* [Observações psicológicas], havia atraído alguma atenção, e ele estava prestes a publicar outro. Seria uma excelente aquisição para o círculo de Sorrento, que Malwida planejava como um salão filosófico-literário. Ela sempre sonhara em viver em uma espécie de comunidade de idealistas e não via a hora de chegar o inverno, uma espécie de laboratório para pensamentos férteis. A própria Malwida tinha planos de escrever seu primeiro romance. De fato, naquele inverno ela produziu um romance chamado *Phädra*, uma saga em três volumes sobre as intrincadas relações de uma família para esclarecer a busca pela liberdade individual.

Em 19 de outubro de 1876, Nietzsche e Brenner embarcaram no trem que passaria pelo túnel do monte Cenis, uma recente maravilha da engenharia, para levá-los até Turim.

Viajaram no mesmo vagão de primeira classe com duas damas elegantes e inteligentes, Claudine von Brevern e Isabella von der Pahlen. Nietzsche caiu em uma de suas comoções românticas, conversando entusiasticamente com Isabella durante toda a viagem. Trocaram endereços antes de se despedirem pela noite, que os dois acabariam passando no mesmo hotel. De manhã, as damas embarcariam num trem diferente e Nietzsche se levantou para se despedir das duas, mas a caminho da estação foi acometido por uma dor de cabeça tão forte que teve de ser levado de volta ao hotel apoiado por Rée.

Em Pisa ele parou para apreciar a famosa torre e em Gênova viu o mar pela primeira vez na vida. Desde então a cidade ficou associada em sua mente a Colombo, Mazzini e Paganini. Era a cidade dos exploradores, fundadores, inovadores; a cidade de almas corajosas que zarparam por mares não mapeados na esperança de descobrir novos mundos. Nietzsche caminhou pelas montanhas ao redor de Gênova, imaginando-se na mente do grande Colombo que, ao descobrir o Novo Mundo, tinha dobrado as possibilidades da Terra num só golpe.

De Gênova eles tomaram um vapor para Nápoles. Seria sua estreia no mundo clássico. Mas não teve tempo para assinalar o momento solene, pois teve de desperdiçar toda sua consciência e pensamento vigiando os moleques de rua que disputavam, pechinchavam e discutiam para cuidar de sua bagagem como uma revoada de passarinhos. Foi intolerável chegar com tal falta de decoro ao mundo que havia imaginado durante toda a vida. Malwida restaurou seu humor com um passeio de carruagem noturno ao longo do semicírculo da baía de Nápoles, desde o promontório de madeira de Posillipo (Pausilipon para os antigos gregos) até o imponente cone do Vesúvio, com a ilha de Ischia incrustada no mar cor de vinho.

"Nuvens tempestuosas se acumularam majestosamente sobre o Vesúvio, dos relâmpagos brilhantes e da escuridão melancólica vermelho-escura das nuvens um arco-íris se formou; a cidade cintilava como se fosse construída de ouro puro", escreveu Malwida. "Foi tão maravilhoso que os cavalheiros ficaram quase inebriados de êxtase. Nunca vi Nietzsche tão animado. Ria em voz alta de pura alegria."[1]

Depois de dois dias em Nápoles, seguiram para Sorrento. Nada o havia preparado para a viagem pela arquitetura do sul. Com suas paredes cor de ocre e tangerina se esfarelando, o reboco descascando, a mistura de fantasmas clássicos mal cuidados não mostravam nenhuma rigidez. Era desconcertante em comparação com as arquiteturas suíça e alemã que Nietzsche conhecera durante toda sua vida, com suas estruturas rigorosamente organizadas simbolizando encarnações geracionais de correição e virtudes cívicas estritas.

Malwida tinha alugado a vila Rubinacci, uma mansão quadrada e estucada a pouca distância da cidade de Sorrento. A vila situava-se no meio de vinhedos e olivas. Os três homens ficaram nos quartos do primeiro andar que dava para um terraço. Malwida e sua criada Trina ocuparam o segundo andar, onde também ficava o salão. Era um aposento grande o suficiente para os espíritos livres se reunirem e rodopiarem em uma inspiração sincronizada.

A primeira carta de Nietzsche para casa, no dia 28 de outubro, intencionalmente excluiu a mãe e a irmã de tudo que havia considerado profundo ou significativo. Em vez disso, a carta foi escrita com tal ingenuidade colegial e caricatural que até Franziska e Elisabeth devem tê-la considerado irritante e pouco informativa. "Aqui estamos em Sorrento! A viagem desde Bex levou oito dias. Em Gênova fiquei doente. De lá levamos cerca de três dias na viagem marítima e – vejam só! – não ficamos mareados."[2] E assim por diante. Mas para si mesmo ele escreveu de forma diferente, confessando que tremia ao pensar que poderia ter morrido sem ver o mundo mediterrâneo.

Ao visitar Pesto (Paestum em latim) refletiu:

> No caso de tudo perfeito, estamos acostumados a nos abster de perguntar como ficou dessa forma: desfrutamos o fato presente como se tivesse surgido do chão por magia [...] Nós ainda *quase* sentimos (por exemplo, em um templo grego como o de Paestum) que um deus deve ter construído, brincando numa manhã, sua moradia naquelas tremendas alturas; em outros tempos em que uma pedra de repente adquiria por magia uma alma que agora está tentando falar por ela. O artista sabe que seu trabalho produz seu efeito total quando excita uma crença em uma improvisação, uma convicção de que veio a ser súbita e miraculosamente; e assim ele pode ajudar esta ilusão e introduzir esses elementos de inquietude arrebatadora, apalpar cegamente a desordem, de um devaneio atento que observa o começo da criação em sua arte como meio de iludir a alma do espectador ou ouvinte em um estado de espírito em que acredita que o completo e o perfeito surgiram repentina e instantaneamente.[3]

Os espíritos livres caíram numa rotina. Passavam as manhãs em liberdade completa. Nietzsche nadava todos os dias que o mar permitia, andava e trabalhava. Reuniam-se para a refeição do meio-dia. À tarde saíam em caminhadas sociais pelos pomares de cítricos, ou iam mais longe montados em jumentos, quando brincavam muito com o jovem Brenner, cujas longas pernas quase tocavam o chão quando montado. À noite todos jantavam juntos. Depois subiam para a sala de estar para estimulantes conversas baseadas num programa de estudos em comum. Rée e Brenner se revezavam lendo em voz alta para Nietzsche e Malwida, que também tinha a visão fraca.

Começaram com palestras de Burckhardt sobre a cultura da Grécia Antiga, depois passaram a Heródoto, Tucídides e as *Leis* de Platão, seguidos por *Pensamento e realidade* de Afrikan Spir, um filósofo e metafísico russo-ucraniano que servira no mesmo batalhão que Tolstói durante o sítio de Sebastopol em 1854-55. O sistema filosófico de Spir baseia-se na demanda pela certeza absoluta. O que importa não é a verdade, mas a certeza. A única proposição incondicionalmente verdadeira é a lei da identidade: A = A. Nada no domínio do vir a ser (*Geschehen*) é verdadeiramente idêntico a si mesmo. Devemos postular uma realidade definitiva, apesar de não podermos dizer nada sobre ela a não ser que, para ser idêntica a si mesma, deve excluir a pluralidade e a mudança. Spir afirmava que isso fornecia uma demonstração lógica do que Platão e Parmênides tinham entendido intuitivamente. É estranho que Spir exercesse uma forte influência sobre Nietzsche nessa época, pois Spir era um deísta e, como Schopenhauer, um metafísico, enquanto o forte interesse de Nietzsche estava nos racionalistas e moralistas franceses Montaigne, La Rochefoucauld, Vauvenargues, La Bruyère, Stendhal e Voltaire.

Rée se definia como um evolucionário ético e é quase certo que foi quem apresentou os racionalistas franceses ao programa de leituras. Voltaire teria sido um anátema nos tempos schopenhauerianos de Nietzsche, mas sua virada de ideias nesse inverno foi tão drástica que quando acabou escrevendo seu novo livro ele o dedicou a Voltaire. De brincadeira, chamou seu novo pensamento de "réealismo".

Paul Rée era cinco anos mais novo que Nietzsche. Era filho de um rico comerciante judeu; não tinha necessidade de ganhar seu sustento e se tornou algo como um eterno estudante, cursando várias universidades, onde estudou direito, psicologia e fisiologia. Havia concluído seu doutorado em filosofia no ano anterior. Com a mesma altura mediana de Wagner e Nietzsche, era atraente, com cabelos castanhos ondulados e não muito autoconfiante, o que explica o que as garras felinas de mulheres fortes como Elisabeth Nietzsche e Lou Salomé fariam com ele no futuro. Rée sofria de um pequeno problema crônico e inexplicável de saúde, mas sofria principalmente de falta de motivação e autoconfiança.

Assim como Nietzsche, Rée tinha participado da Guerra Franco-prussiana e fora ferido, mas não via nisso uma barreira para apreciar a cultura francesa. Seus ares cosmopolitas apelavam para a ambição de Nietzsche de ser um bom europeu, não um bom cidadão do *Reich*. A amizade com Rée durou mais ou menos seis anos, entre outubro de 1876 e 1882, e durante esse período eles produziram obras literárias que influenciaram um o outro tanto no estilo como no pensamento. Ambos tomaram a Grécia Antiga como ponto de partida para pensar sobre as preocupações filosóficas de suas épocas e lutaram para se reconciliar com a reorganização pós-darwiniana do conhecimento humano.

Rée estabeleceu seus princípios básicos em sua dissertação de doutorado de 1875:

1. Ações humanas não dependem do livre-arbítrio.
2. Consciência não tem uma origem transcendental.
3. Meios imorais em geral são louváveis em nome de um bom fim.
4. Não existe progresso em assuntos humanos.

5. O imperativo categórico de Kant não combina com uma doutrina prática de morais.[4]

Era uma intenção declarada de Rée tratar sentimentos e conceitos morais como um geólogo trata a formação da Terra, assumindo a doutrina darwiniana da seleção natural como uma estrutura teórica geral e substituindo a especulação metafísica pelo naturalismo científico.

Sem a crença no livre-arbítrio, não poderia haver crença na responsabilidade moral. A própria ideia de culpa ou transgressão era um equívoco, pois pressupunha que alguém poderia ter agido de forma diferente.

Na análise final, a visão distanciada e sempre cínica de Rée repudiava qualquer intenção, ou na verdade qualquer possibilidade que pudesse edificar, instruir, justificar, elevar ou transcender. E assim, subestimando a metafísica, a visão de Rée era ainda mais pessimista que a de Schopenhauer, mas foi a doutrina naturalista dessas ideias que afastou Nietzsche do romantismo metafísico de Schopenhauer e de Wagner e o levou a um ponto de vista científico e positivista. Essa nova direção foi fortemente influenciada pela tentativa de Rée de explicar sentimentos morais ao reconstruir seu desenvolvimento histórico ou pré-histórico, no que ele chamava de sua "ética evolucionária".

A explicação do sentido moral de Rée era a seguinte: assim como as crianças desenvolvem suas ideias pela experiência cotidiana, pelo exemplo dos pais e os hábitos adquiridos, também a raça humana, com o tempo, desenvolveu uma natureza moral que é transmitida. A noção de Rée da aquisição da moralidade seguia a ética evolutiva de Darwin estabelecida em *A descendência do homem*. É possível que Nietzsche só conhecesse o trabalho de Darwin indiretamente.[5] A capacidade de Nietzsche de ler em inglês era com certeza duvidosa. No entanto, sabemos que ele teve conhecimento direto do artigo de Darwin "Esboço biográfico de uma criança pequena".[6] É uma artigo curto, abordando as primeiras demonstrações de sentido moral. Darwin descreve um encontro com seu filho William, de dois anos, saindo da sala de jantar. William estava com os olhos brilhantes, com "uma atitude estranhamente não natural e afetada". O filho tinha roubado um pouco de açúcar. Darwin concluiu que o sentimento de desconforto da criança se originava de seu desejo frustrado de agradar, embora tenha experimentado sua recém-adquirida capacidade de correlacionar eventos futuros e passados. Não era devido ao medo de ser castigado, pois a criança "nunca havia sido castigada de forma alguma". Para Rée, o artigo demonstrava o segundo princípio de sua tese de doutorado: que a consciência não tem uma origem transcendental. Nietzsche escreveria um livro inteiro sobre isso, explorando o que chamou de genealogia da moral.

Rée levava um exemplar das *Máximas* de La Rochefoucauld no bolso. Ele próprio era um grande criador de aforismos, tais como "O ensinamento altera o nosso comportamento, não nosso caráter" e "A religião surge do medo da natureza, a moralidade do medo de seres humanos".[7]

A tese de doutorado de Rée apresentava a corajosa e surpreendente afirmação de que "Existem lacunas neste ensaio, mas lacunas são melhores que tapa-buracos", e havia muitas lacunas nos aforismos a que ele apelava para basear seu pensamento. O aforismo era uma técnica curiosa e não científica para alguém que se definia como um ético evolucionário, pois com certeza é uma propriedade da prova científica que se conduz de forma transparente de A a B, enquanto o aforismo, como observou Nietzsche, é a grande plataforma de lançamento para a conjetura. "Um aforismo, propriamente carimbado e moldado, não foi 'decifrado' quando foi simplesmente lido; então, alguém tem de começar sua *exegese*."[8]

Nietzsche foi inspirado pelo elegante estilo aforístico francês de Rée. A brevidade exercia grande atração para ele, pois os períodos em que era capaz de ler ou escrever se tornavam cada vez mais curtos. "Esta nevralgia vai funcionar tão totalmente, tão cientificamente, que literalmente me sonda a descobrir o quanto de dor consigo suportar, e cada uma de suas investigações perdura por trinta horas."[9] Nem sempre ele conseguia encontrar um copista para anotar seus ditados, e um aforisma bem elaborado tomava pouco tempo para ser posto no papel.

Os primeiros que ele escreveu em seu caderno de anotações se assemelhavam aos motes dos biscoitos da sorte: "Maternidade está presente em todos os tipos de amor; mas não a paternidade", "Para ver alguma coisa como um todo é preciso ter dois olhos, um de amor e outro de ódio".[10] Com o aperfeiçoamento surgiu a frustração com a língua alemã. Comparado ao idioma francês, o alemão era um pesado leviatã. Suas incômodas construções eram totalmente inadequadas à brevidade. Qualquer um que tentasse escrever aforismos em alemão logo se deparava com o problema de que suas construções não podiam ser resumidas de forma aguda ou espirituosa como podem ser em francês ou inglês. Verbos auxiliares de destaque rolam como numa avalanche, arruinando a concisão e dissipando as conclusões. Ainda assim, ele se entretinha muito com a persistência, e o livro em que estava trabalhando, *Humano, demasiado humano,* acabaria consistindo de quase 1.400 aforismos ou parágrafos aforísticos.

Os Wagner também estavam passando o inverno em Sorrento, no Hotel Vittoria, perto da vila Rubinacci. O único contato entre Nietzsche e Wagner desde o Festival de Bayreuth acontecera em setembro, quando o mestre de repente escreveu pedindo para Nietzsche comprar algumas roupas de baixo de seda na Basileia e mandar pelo correio. Quando recebeu a carta, Nietzsche estava tão doente que não tinha condições de colocar uma palavra num papel, mas conseguiu que as roupas de baixo fossem compradas e postadas e ditou uma carta longa e afetiva para acompanhar a encomenda. A carta expressava um prazer em nada afetado por ser útil: a pequena encomenda havia despertado lembranças preciosas dos bons tempos em Tribschen.[11]

Assim que a comitiva de Malwida chegou a Sorrento, eles não perderam tempo e foram visitar os Wagner no hotel. Encontraram Wagner acometido pela mais negra melancolia. O esforço dispendido no festival havia sido exaustivo. Porém pior, muito pior, foram as imperfeições do festival. Wagner estava num estado de fúria constante. Tudo havia sido malfeito. Ele *precisava* corrigir os erros artísticos do festival do ano seguinte. Mas será que haveria um próximo, quando o festival inaugural o havia deixado com dívidas de 140 mil marcos? Wagner escreveu ao rei Ludwig propondo um engenhoso plano de descontar a dívida do *Reich*, mas o rei estava seguindo seu comportamento habitual de evitar qualquer coisa que considerasse difícil e simplesmente não respondeu suas cartas.

Os dois grupos estiveram ao mesmo tempo em Sorrento por duas semanas. Ficamos sabendo, principalmente por Malwida, do vento nas oliveiras, de passeios cênicos durante o dia, de festas noturnas iluminadas por estrelas cadentes e de ondas fosforescentes batendo na praia, mas não sabemos nada de significativo a respeito das conversas de Nietzsche com Wagner. O diário de Cosima menciona brevemente Nietzsche no primeiro dia, que parecia muito abatido e preocupado com sua saúde.[12] Ela não demonstra nenhuma delicadeza por Rée, cuja "personalidade fria e precisa não nos agrada; em um exame mais próximo, chegamos à conclusão de que deve ser um israelita".[13] Ela não fala mais de Nietzsche, mas talvez fosse apenas por ele estar muito doente e ausente. Outubro foi um mês ruim para ele. Depois de um "acesso bastante desesperador", viajou a Nápoles para consultar Otto von Schrön, um professor de óptica que disse que tudo ficaria muito melhor se ele se casasse. Possivelmente era um eufemismo para que tivesse intercursos sexuais, e Rée afirma que ele aceitou o conselho e dormiu com prostitutas em Nápoles ou quando voltou a Sorrento. Malwida aceitou o conselho do professor em seu aspecto mais inocente e se empenhou alegremente em organizar encontros. Ela e Nietzsche traçaram planos juntos, como ele esboça numa carta a Elisabeth.

> O plano que Frl. Von Meysenbug diz deve ser mantido firme à vista, e que em cuja execução você deve ajudar, é o seguinte: Nós nos convencemos que, no longo prazo, minha existência na Universidade de Basileia não pode continuar, que continuar lá na melhor das hipóteses significaria abandonar todos os meus projetos importantes e ainda sacrificar totalmente a minha saúde.

A saída era se casar com uma mulher rica.

> "Boa, mas rica", como disse Frl. Von Meysenbug, e esse "mas" nos fez gargalhar [...] Com essa esposa, eu então moraria o resto dos meus anos em Roma, um lugar adequado por razões tanto de saúde, de sociedade e de meus estudos. O plano deve ser realizado na Suíça, para eu poder voltar à Basileia no outono já como um homem casado. Várias "pessoas" estão convidadas a ir à Suíça, entre elas [...] Elise von Bülow de Berlim, Elisabeth Brandes de Hanover. No que concerne a qualidades intelectuais, ainda considero Nat[alie] a mais adequada. Você se deu muito bem com a idealização daquela mulher, Köckert, em Genebra! Todas as honras e elogios a você! Mas é duvidoso; e o dinheiro? [...]"[14]

Nietzsche relacionou as mais importantes qualidades (depois do dinheiro) de uma esposa como sendo uma mulher com quem ele tivesse uma conversação inteligente na velhice. Em sua classificação assinalou Natalie Herzen como sem dúvida a candidata mais destacada. Filha russo-judaica do viúvo Aleksandr Herzen, Natalie tinha sido criada e ensinada por Malwida, que a considerava juntamente com a irmã como enteadas. Embora Natalie fosse muito inteligente, não era rica, por isso não havia necessidade de Nietzsche elaborar uma rota de fuga. É difícil imaginar o filósofo pensando em se casar a não ser em pânico. Quando recebeu uma carta de seu flerte no trem, Isabella von der Pahlen, expressando esperança de os dois se encontrarem em Roma, mais uma vez ele foi acometido por uma súbita crise, pela segunda vez em relação a Isabella, e se sentiu doente demais para responder diretamente a carta, embora não tão doente para pedir ao seu editor para mandar a Isabella suas *Considerações extemporâneas* com seus cumprimentos.

Nietzsche parecia ser especialmente suscetível em trens. Em sua próxima viagem de trem, ficou encantado por uma jovem bailarina de um teatro de Milão: "Ó, você devia ter ouvido o meu italiano! Se fosse um paxá, eu a teria levado a Pfäfers comigo, onde, sempre que faltassem ocupações intelectuais, ela poderia dançar para mim. Ainda me sinto meio bravo comigo mesmo por não ter continuado pelo menos alguns dias em Milão por ela".[15] Mas logo admitiu: "Casamento, embora realmente desejável, é a coisa mais *improvável* – sei disso com *muita* clareza".[16]

Os Wagner partiram de Sorrento em 7 de novembro, mas, antes disso, no Dia de Finados, que caiu no dia 2, os grupos das duas casas fizeram uma caminhada antes de passarem a noite juntos. Em sua biografia do irmão, Elisabeth Nietzsche (que nunca esteve em Sorrento) conta ao mundo que naquele dia Wagner e seu irmão tiveram uma grande discussão que os levou a nunca mais se encontrarem. Cosima não fala nada a respeito. Ela estava lá, e a anotação de seu diário naquele dia é breve e tranquila. Mas esse exemplo de Elisabeth exercendo seu talento para inventar histórias deve ser incluído neste ponto da narrativa, pois sua biografia do irmão é um ponto de referência óbvio para qualquer pesquisador, e na verdade sua versão falsa dos eventos influenciou os estudos a respeito da vida de Nietzsche por décadas. Assim como o falso relato de Elisabeth acerca da morte do pai foi projetado para atrair atenção para a possibilidade de sífilis na família, da mesma forma sua história da briga com Wagner foi designada para ocultar a verdadeira razão da separação, que aconteceu mais tarde e teve origem em um segredo médico e em um escândalo sexual que Elisabeth desejava desesperadamente esconder.

"Na última noite juntos [em Sorrento]", escreve Elisabeth,

> Wagner e meu irmão fizeram um maravilhoso passeio ao longo da costa e pelas montanhas, onde se tinha uma gloriosa visão do mar, da ilha e da baía.

"Uma atmosfera de despedida", disse Wagner.

Então, de repente ele começou a falar de *Parsifal* [a nova ópera que estava compondo, que abordava o tema cristão dos cavaleiros do Santo Graal como linha central]. Era a primeira vez que discorria sobre seu trabalho, e o fez de uma maneira notável, descrevendo-o não só como uma criação artística, mas como uma experiência cristã e religiosa [...] Começou a confessar a meu irmão diversas emoções e experiências cristãs, como arrependimento e compensação, e todas as suas tendências aos dogmas cristãos [...] Ele [Nietzsche] só pôde considerar a súbita mudança de fachada como uma tentativa de chegar a bons termos com os poderes vigentes na Alemanha, que agora se mostravam mais devotos – com o único objetivo de obter sucesso material. Enquanto Wagner continuava falando, a última luz do sol desapareceu no mar e uma leve neblina, juntamente com uma crescente escuridão, envolveu a cena. No coração de meu irmão, também, havia surgido a escuridão [...] Que desilusão! Malwida só lembra que meu irmão ficou muito deprimido a noite toda e se retirou cedo para o quarto. Teve um pressentimento de que ele e Wagner nunca mais se encontrariam.[17]

Trata-se de uma fantasia total, mas que se manteve como verdadeira até 1981, quando Martin Gregor-Dellin, especialista em Wagner, contou a verdadeira história.

Quando Nietzsche chegou a Sorrento, Wagner se mostrou preocupado com seu lamentável estado de saúde e escreveu para um amigo médico, Otto Eiser, que aconselhou que Nietzsche passasse por um exame clínico apropriado. Quando voltou da Itália, Nietzsche foi a Frankfurt para ser examinado por Eiser e por um oftalmologista chamado Otto Krüger. Foi a primeira vez que passou por um exame minucioso, que durou quatro dias. Os dois diagnosticaram alterações na parte interior do globo ocular chamada *fundus oculi*, que podem ser causadas pela sífilis. Também descobriram problemas graves nas duas retinas. Isso contribuía para a intensidade das dores de cabeça, que na verdade não eram causadas por "catarro no estômago", mas por "uma predisposição na irritabilidade do órgão central", cuja origem foi diagnosticada como excesso de atividade mental. Nietzsche precisava trabalhar menos, estabelecer programas de relaxamento no trabalho, tomar quinino e usar óculos de lentes azuis. Para alívio de Nietzsche, foi descartado um tumor no cérebro.

Na época, a masturbação era amplamente considerada como causa de graves problemas oculares como os que Nietzsche sofria, e Wagner mandou uma carta aflita e indiscreta ao dr. Eiser revelando suas suspeitas.

> Ao avaliar a condição de N., fui remetido a experiências idênticas ou muito semelhantes em homens jovens de grande capacidade intelectual. Percebendo que eles partilhavam dos mesmos sintomas, descobri que com quase toda certeza eram efeitos da masturbação. Desde minha observação minuciosa de N., orientado por tais experiências, todos os traços de seu temperamento e seus hábitos característicos transformaram meus temores em convicção.[18]

Wagner viu outras evidências de sua teoria na recomendação do médico de Nápoles de que Nietzsche deveria se casar, ou seja, regularizar sua vida sexual.

O dr. Eiser respondeu:

> Ao discutir sua condição sexual, N. não apenas me garantiu que nunca foi sifilítico como também negou quando o questionei sobre forte excitação sexual e satisfação anormal desta. Mas só toquei nessa última questão por curiosidade, e por isso não posso atribuir muito peso às observações de N. sobre o assunto. Acredito ser mais convincente que o paciente fala de infecções gonorreicas durante seu tempo de estudante, e também que recentemente teve intercurso diversas vezes na Itália seguindo orientação médica. Essas afirmações, cuja verdade com certeza não pode ser discutida, ao menos demonstram que não falta ao nosso paciente a capacidade de satisfazer o desejo sexual de uma maneira normal; uma circunstância que, embora não inconcebível em masturbadores na idade dele, não é uma regra geral [...] Admito que minhas objeções estão longe de serem absolutamente precisas e estão abertas a serem refutadas por sua longa e exaustiva observação do seu amigo. Tendo a aceitar sua suposição, quanto mais porque eu, também, sou levado por muitos aspectos das atitudes e comportamentos de N. a considerar tudo isso muito crível.

Eiser continuou dizendo que havia casos de recuperação de pacientes neuróticos e histéricos que ficaram debilitados pela masturbação, mas que isso não era possível depois de tal grau de prejuízo e deterioração dos olhos. A visão de Nietzsche havia passado do ponto de recuperação. Eiser descartou tanto a sífilis como a nefrite crônica (doença nos rins) como causa do problema.

Quanto às dores de cabeça: "Essa irritabilidade patológica dos centros nervosos pode certamente ter relação direta com a esfera sexual, por isso a solução da questão da masturbação teria aqui um peso muito importante no diagnóstico – dada a bem conhecida tenacidade do vício, eu mesmo tenho dúvidas quanto a qualquer método de tratamento e de seu sucesso". O dr. Eiser deu a Wagner o mesmo conselho que Nietzsche havia recebido do dr. Schrön: havia esperança de que o estado geral de Nietzsche – à parte sua visão – pudesse melhorar um pouco se ele contraísse um casamento feliz.[19]

Não foram, como disse Elisabeth, diferenças sobre a religiosidade do libreto de *Parsifal* de Wagner que provocaram o afastamento final entre os dois homens que se amavam e se admiravam tanto. Foi a descoberta de Nietzsche de suas cartas bem-intencionadas, porém deletérias.

10
Humano, demasiado humano

> O pensador – e também o artista – que pôs o melhor de si em seu trabalho sente uma alegria quase maldosa ao ver seu corpo e espírito sendo alquebrados pelo tempo. É como se de um canto observasse um ladrão arrombando seu cofre, sabendo que está vazio, e que seu tesouro está em outro lugar.
>
> *Humano, demasiado humano,*
> "Das almas dos artistas e escritores", seção 209

Para Malwida von Meysenbug

Lugano, manhã de domingo [13 de maio de 1877]
A miséria humana durante uma viagem marítima é terrível, e ainda assim realmente risível, como minhas dores de cabeça às vezes me parecem quando meu estado físico pode estar excelente – em resumo, hoje estou mais uma vez num estado de espírito de aleijão sereno, considerando que no navio só tive os mais negros pensamentos, minha única dúvida sobre suicídio dizia respeito a onde o mar poderia ser mais fundo, de forma que ninguém me pescasse imediatamente e eu tivesse de pagar uma dívida de gratidão ao salvador com uma terrível quantidade de ouro [...] Estava usando meus óculos mais fortes e não confiava em ninguém. O barco da alfândega vinha chegando, mas eu tinha esquecido a coisa mais importante, que era registrar minha bagagem para a viagem de trem. Aí começou uma jornada ao fabuloso Hotel Nationale, com dois malandros na boleia, que queriam me obrigar a descer em uma miserável *trattoria*; minha bagagem continuava em mãos estranhas, e sempre havia um homem ofegante embaixo da mala à minha frente [...] A chegada foi horrível e todo um cortejo de malandros queria ser pago [...] Atravessei a fronteira com a Suíça embaixo de um aguaceiro, houve um só clarão de relâmpago, seguido por um trovão alto. Considerei isso um bom agouro.

Nietzsche tinha interpretado mal as runas. Assim que voltou à Suíça, houve pouco para ele exercitar seu humor autozombeteiro. O clima ameno da Itália não tinha exercido o efeito mágico esperado em sua saúde, e embora a sociabilidade na vila Rubinacci tivesse sido agradável e intelectualmente estimulante, não havia resultado em um livro. Com o fracasso das *Considerações extemporâneas*, tanto na revitalização da cultura alemã como nas vendas (a mais vendida foi "Richard Wagner em Bayreuth", noventa exemplares, para a audiência cativa de milhares de pessoas no primeiro Festival de Bayreuth), Nietzsche escreveu ao seu editor Schmeitzner: "Devemos entender que as *Considerações extemporâneas* estão encerradas?".[1] Schmeitzner objetou, mas Nietzsche já tinha se afastado das *Considerações* originais e de sua atarantada lista de tópicos e agora se concentrava no novo livro que tivera seu início em Klingenbrunn quando se refugiou por breve período de Bayreuth. Os títulos "A lâmina do arado" e "O espírito livre" tinham evoluído para *Humano, demasiado humano*, com o subtítulo "Um livro para espíritos livres". Ele o definia como um monumento a uma crise. Seu tema era a condição humana. A razão era sua estrela guia. A linguagem não é violenta nem didática, presunçosa ou obscura, mas pessoal, lúcida e elegante. Provavelmente é seu livro mais adorável.

Para onde se voltasse, via as impropriedades tanto do Iluminismo como do Romantismo para preencher as lacunas do colapso das formas de pensar tradicionais. Era necessário um novo começo, "livre de fantasmas e do jogo de sombras de um eremita". Livre, em seu caso, da glorificação nostálgica da cultura da Grécia Antiga, de Schopenhauer, de Wagner, da divisão do mundo entre vontade e representação. O livro marcaria sua passagem de filólogo e comentarista cultural a polemista. Não era um livro escrito para filósofos. Era um livro para espíritos curiosos interessados em examinar questões culturais, sociais, políticas, artísticas, religiosas, filosóficas morais e científicas livres de preconceitos, de pressupostos e de todas as outras ficções que vinham sendo utilizadas ao longo das eras para limitar a verdadeira liberdade de pensamento. Nietzsche iria examinar o mundo fenomenológico com os olhos de Voltaire, aceitando que o mundo real não só é inacessível como também sem significado cotidiano para o homem. Ele seria o espírito que se tornou livre ao tomar posse de si mesmo, o herdeiro do Iluminismo. Trombeteou sua intenção na página de rosto dedicando o livro a Voltaire. Foi um ato ostensivo de desafio a Wagner.

Nietzsche dividiu o livro em seções:

Das coisas primeiras e últimas
Contribuição à história dos sentimentos morais
A vida religiosa
Da alma dos artistas e escritores
Sinais de cultura superior e inferior
O homem em sociedade
A mulher e a criança
Um olhar sobre o Estado
O homem a sós consigo
Entre amigos: um epílogo

Cada seção consistia de inúmeros aforismos ou parágrafos aforísticos. "Das coisas primeiras e últimas" começa forte, apontando o defeito congênito do pensamento fundamental de todos os filósofos anteriores: eles viam a natureza humana como uma *aeterna veritas*, uma verdade eterna. O homem pairava sobre ela como algo imutável em meio a todo torvelinho, uma medida segura das coisas. Mas tudo o que o filósofo avalia basicamente não é mais que uma afirmação sobre o homem observado durante um período de tempo muito limitado.[2] O homem evoluiu. Não existem fatos eternos, nem existem verdades absolutas. Todo o essencial no desenvolvimento humano ocorreu em tempos primevos, muito antes desses 4 mil anos com os quais somos mais ou menos familiarizados. Provavelmente o homem não mudou muito nesses anos. Mas o filósofo vê "instintos" no homem dos dias atuais e supõe que eles pertencem aos fatos imutáveis da natureza humana. Baseado nisso ele os assume para fornecer uma chave para a compreensão do mundo em geral.[3] Mas a compreensão do mundo não se dá pelo antropomorfismo ou pela homocentricidade.

As sensibilidades religiosa, moral, estética pertencem apenas à superfície das coisas, embora o homem prefira acreditar que tocam o coração do mundo. Isto é porque são as coisas que dão sentido à sua vida, tornando-o profundamente feliz ou infeliz. Assim ele engana a si mesmo na ilusão astrológica, acreditando que o céu estrelado revolve ao redor de seu destino.[4]

A origem da metafísica e da cultura está nos sonhos. O homem primordial achava que viria a conhecer um segundo mundo real nos sonhos. Esta é a origem de toda a metafísica. Sem sonhos, o homem não teria encontrado ocasião para dividir o mundo. A separação entre corpo e alma está toda relacionada a essas antigas crenças sobre os sonhos. Assim como a suposição de uma aparição espiritual, que é a origem de todas as crenças em fantasmas e provavelmente também em deuses.[5]

Suposições metafísicas são erros passionais de auto-ilusão. Mesmo assim, Nietzsche concorda em conceder que poderia haver um mundo metafísico, pois mal se pode contestar sua possibilidade. Mas mesmo se a existência de um mundo metafísico fosse demonstrada, é certo que o conhecimento dele seria o mais inútil de todos os conhecimentos: mais inútil até que deve ser o conhecimento da composição química da água para o marinheiro correndo risco de um naufrágio.[6]

As seções sobre lógica e matemática se leem como uma vingança não matemática: a lógica se apoia em suposições que não correspondem a qualquer coisa no mundo real.[7] O mesmo se aplica à matemática, que certamente não teria tido origem se fosse conhecido desde o início que não existe uma linha perfeitamente reta na natureza, nem círculos puros nem qualquer começo absoluto.[8] Nós nos lembramos dos terríveis boletins de matemática de Nietzsche em Pforta quando ele nos diz que as leis dos números foram inventadas sobre a base do erro prevalecente inicial de que existem várias coisas idênticas, mas na verdade nada é idêntico. A suposição da multiplicidade sempre presume que existe *alguma coisa* que acontece repetidamente. Isto é errôneo. Nós inventamos entidades e unidades idênticas que não existem. Em outro mundo, um mundo que *não é* nossa ideia, as leis dos números são totalmente inaplicáveis. Elas são válidas apenas no mundo humano.[9]

A seção intitulada "Contribuição à história dos sentimentos morais" vem com alertas. A observação psicológica deve ser a base do pensamento livre. A humanidade não pode ser poupada da horrível visão de si mesma sobre a mesa de cirurgia psicológica, com seus fórceps e bisturis.[10] Nietzsche reforça seu alerta ao se referir a La Rochefoucauld: "O que o mundo chama de virtude em geral não é nada além de um fantasma formado por nossas paixões às quais damos um nome honesto para fazer o que queremos com impunidade".[11] Homem, o superanimal ("*Das Über-Tier*") quer ouvir mentiras. Os instintos sociais se desenvolveram a partir de prazeres compartilhados e uma aversão comum ao perigo. Moralidade é uma mentira oficial enunciada para manter em ordem o superanimal.

"Um olhar sobre o Estado" observa que o governo pelas ordens vigentes põe em perigo a liberdade e beira o despotismo, mas quando se trata das massas, devemos nos acostumar a essa lamentável necessidade como a um terremoto. Aqui ele cita Voltaire: "Quando a população se envolve no pensamento, tudo está perdido".[12]

As intenções do socialismo não podem ser culpadas, mas o todo da antiga cultura foi construído sobre força, escravidão, mentira e erro. Como produtos e herdeiros da totalidade desse passado, não podemos nos repudiar, e não podemos descartar nenhuma parte disso. "O que é necessário não é uma redistribuição forçada, mas uma transformação gradual da mente: o sentido de justiça deve aumentar em todos, o instinto da violência deve enfraquecer."[13]

Nietzsche escreve sobre religião com uma autoconfiança inquebrantável. Aqui ele trilha um terreno muito mais seguro que o da ciência, da governança ou da matemática. Seus aforismos sobre as escrituras soam como cadências bíblicas.

Ele seleciona versículos específicos da Bíblia e se deleita em demoli-los. Lucas, capítulo 18, versículo 14, por exemplo, diz: "Porque qualquer que a si mesmo se exalta será humilhado, e qualquer que a si mesmo se humilha será exaltado". Nietzsche escreve: "Lucas 18, versículo 14 aperfeiçoado: Aquele que se humilha quer ser exaltado".[14]

Acreditar no "mais alto logro" que é a religião, e isso inclui acreditar no ideal, corre o risco de ser substituído por uma crença cega na ciência que, por meio de suas promessas e certezas, está se elevando ao status de religião. O homem que deseja alcançar liberdade de espírito deve aplicar interpretação analítica e crítica à religião, à ciência e ao ideal. Espíritos livres desse tipo ainda não existem, mas um dia existirão: Nietzsche os descreve vindo lentamente em sua direção, surgindo como uma fantasmagoria das brumas do futuro. Andarilhos sobre a Terra, eles se conhecem como viajantes com uma destinação final que não existe. Porém isto não fenece suas vidas; ao contrário, sua libertação jaz em sentir prazer na incerteza e na transição; eles aceitam os mistérios de cada novo amanhecer para a evolução do pensamento que trará.

Nietzsche chamou *Humano, demasiadamente humano* de um monumento a uma crise: não foi só a crise de uma discordância ideológica com Wagner, mas também a crise de desgosto com seu passado de dez anos de universidade empoeirada. Olhando para trás, ele se sentiu furioso por ter sido impelido cedo demais a uma vocação à qual não era condizente: a filologia lhe deu uma sensação de vazio e de fome que ele só conseguia satisfazer com o feitiço opiáceo de Wagner. Mas um sonho musical opiáceo não era uma maneira de mitigar a realidade. *Humano, demasiado humano* assinala o começo de sua jornada filosófica em busca do espírito livre, do homem cuja fome existencial pode ser satisfeita apesar da ausência do ideal, ou do divino, e mesmo a despeito de sua própria suscetibilidade à grandeza da música.

Humano, demasiado humano é o primeiro livro de Nietzsche escrito no estilo aforístico de seções numeradas. Levado a escrever nesse ritmo *staccato* por sua péssima saúde, ele transformou sua aflição numa vantagem. No processo de escrever, teve de aprender que o aforismo é uma provocação, um trampolim, um estímulo para um questionamento que estará mais além e mais profundo. O livro marca o início de sua ascensão como um estilista e um pensador verdadeiramente original.

Nietzsche enviou o texto completo do primeiro volume (haveria mais um) ao seu editor Schmeitzner em meados de janeiro de 1878. Mandou-o junto com uma detalhada lista de instruções. O livro *devia* ser publicado a tempo de homenagear o centenário da morte de Voltaire, em 30 de maio. Não poderia ser anunciado de forma alguma. Deveria ser publicado anonimamente, para que as facções que já haviam se aliado contra Nietzsche não tivessem preconceitos contra ou a favor do livro. O nome do autor na capa deveria ser "Bernhard Cron". Nietzsche incluiu uma biografia do fictício autor a ser impressa no material de divulgação.

> Herr Bernhard Cron é, até onde se sabe, um alemão das províncias bálticas russas, que nos últimos anos tem viajado constantemente. Na Itália, onde entre outras coisas se dedicou a estudos filológicos e da Antiguidade, ele conheceu o dr. Paul Rée. Por meio deste entrou em contato com Herr Schmeitzner. Como seu endereço pelos próximos anos está sujeito a constantes mudanças, cartas devem ser encaminhadas ao editor de Herr Cron. Herr Schmeitzner nunca o viu pessoalmente.[15]

Schmeitzner se recusou totalmente. Um livro de aforismos de Bernard Cron não atrairia nenhuma atenção, enquanto uma virada de opinião do autor de *O nascimento da tragédia* seria um acontecimento. Ele escreveu a Nietzsche, estimulando-o: "Qualquer um que se permita falar em público tem a obrigação também de se contradizer em público, assim que mudar suas opiniões".¹⁶ Schmeitzner encomendou uma tiragem de mil exemplares, desconsiderou a proibição de Nietzsche de anunciar o livro e fixou o preço em dez marcos. Isto tornou o livro o mais caro de seu catálogo, um indicador de grandes expectativas.

O nome de Nietzsche apareceu na página de rosto, intencionalmente sem o título de professor, do qual ele outrora tanto se orgulhara. No final de abril, Nietzsche enviou 28 exemplares com dedicatórias. O de Paul Rée veio com a seguinte: "Todos os meus amigos estão de acordo que meu livro foi escrito por você ou originado por sua influência. Por isso eu o congratulo por sua nova autoria! [...] Viva o réealismo!".

Jacob Burckhardt gostou do livro. Definiu-o como uma publicação soberana que aumentaria a quantidade de independência no mundo, mas ele e Rée foram os únicos entusiastas. Os outros que receberam os exemplares autografados eram do circuito fechado que vinham seguindo Nietzsche pelo labirinto wagneriano-schopenhaueriano. As reações variaram entre se sentirem traídos, perplexos ou repugnados. Rohde perguntou: "Pode alguém remover a própria alma e de repente substituí-la por outra? Pode Nietzsche de repente se tornar Rée?". Foi uma pergunta que também intrigou o restante dos que apoiaram fiel e bravamente *O nascimento da tragédia*. "Eu não quero partidários",¹⁷ respondeu Nietzsche rispidamente quando eles expressaram suas dúvidas.

Um missivista anônimo mandou para ele de Paris um busto de Voltaire com uma nota que dizia: "A alma de Voltaire presta seus respeitos a Friedrich Nietzsche".¹⁸ Pode ter vindo da linda Louise Ott, por quem ele se apaixonou durante o Festival de Bayreuth. Os dois continuaram mantendo uma saudosa correspondência depois de ela ter voltado ao marido banqueiro em Paris. Ou talvez Wagner tenha arranjado para ser entregue de Paris. Ele sempre apreciou uma boa piada.

O livro chegou a Wahnfried em 25 de abril. O fato de ser dedicado a Voltaire causou certa surpresa. Depois de uma rápida olhada, Wagner decidiu que seria mais gentil com o autor se não o lesse. Cosima, contudo, o leu. Viu no livro "muita raiva e rabugice" e algo ainda pior que a influência de Voltaire, a saber, um microcosmo de toda a conspiração judaica para dominar a Europa. Paul Rée era judeu, um fato que ela farejou minutos depois de conhecê-lo em Sorrento. A explicação de Cosima para *Humano, demasiadamente humano* era que: "Finalmente Israel interveio na forma de um dr. Rée, muito matreiro, muito calmo, dominado por [Nietzsche], embora na verdade mais inteligente que ele – a relação entre a Judeia e a Alemanha em miniatura".[19] E tomou a atitude dramática de queimar as cartas de Nietzsche.

Wagner respondeu publicamente ao livro no *Bayreuther Blätter*, o jornal--panfleto propagandístico que conseguiu criar. Quando Nietzsche recusou o cargo de editor do jornal, Wagner designou Hans von Wolzogen em seu lugar. Wolzogen era antissemita e um intelectual de segunda categoria que se insinuara em Wahnfried construindo uma ostentosa mansão ali perto e lisonjeando Wagner. Apesar de Nietzsche sabidamente desprezar a cultura jornalística e ter recusado o cargo, sentiu inveja de Wolzogen como editor. Era uma posição de poder.

O artigo de Wagner era ostensivamente uma análise geral da relação entre arte e público na Alemanha. Na verdade era uma defesa de si mesmo e do schopenhauerismo, do conceito da metafísica e, acima de tudo, da ideia da genialidade artística, da qual se considerava o principal exemplo na Europa. Deplorava a ascensão do modelo de conhecimento científico, com sua grande ênfase na química e em equações ininteligíveis. Culpava essa tendência pela disseminação da intelectualidade cética. O repúdio à metafísica havia levado ao questionamento da própria noção de todas as coisas humanas, inclusive a genialidade. Essa negação do acesso privilegiado do gênio à essência mística interna da realidade era um absurdo. O pensamento científico era incapaz de atingir uma conexão intuitiva comparável ao espírito humano.[20]

Nietzsche, que ainda não sabia das terríveis cartas de Wagner a seus médicos, não respondeu publicamente. Simplesmente anotou em particular que o artigo era vingativo, pernicioso e mal argumentado. Fez com que se sentisse deslocado como uma bagagem postada de um mundo ideal. Durante o resto do ano, Nietzsche sofreu uma prolongada crise de saúde. Quando se recuperou um pouco, escreveu algum material de repúdio, que seria publicado em "Opiniões e sentenças diversas" e "O andarilho e sua sombra", que se tornou a segunda parte de *Humano, demasiado humano*. Escrever foi uma atividade frustrante e aflitiva:

> Todo o texto – exceto umas poucas linhas – foi pensado durante caminhadas, e esboçado a lápis em seis pequenos cadernos de notas; a cópia final me deixava doente cada vez que me sentava para escrevê-la. Tive que omitir quase vinte sequências de pensamentos mais *longuinhos*, infelizmente bastante essenciais, pois não pude

arranjar tempo para extraí-los de meus assustadores rabiscos a lápis [...] Nesse ínterim as relações entre pensamentos escapam da minha memória; tenho que roubar os minutos e quartos de horas de "energia cerebral", como se diz, roubá-los de um cérebro sofredor.[21]

Depois de seu ano de licença remunerada, Nietzsche retornou à Basileia para tentar lecionar de novo. Sentia que não poderia conduzir sua vida sem a sensação de estar fazendo alguma coisa para uso prático.

Havia um novo médico por lá, Rudolf Massini. Ao consultar o dr. Eiser, ele opinou que não poderia ser descartada uma *dementia paralytica*. Previu uma provável cegueira e proibiu Nietzsche de ler e escrever por vários anos. Era como se Massini tivesse assinado sua sentença de morte.

Havia sido comparativamente fácil para Nietzsche continuar ensinando enquanto tinha Köselitz para ler e escrever para ele, e Elisabeth cuidando da casa, mas Köselitz havia se mudado em busca de uma carreira como compositor em Veneza e Elisabeth não estava mais disposta a ficar ao seu lado.

Sentiu-se afrontada pelo anticristianismo ostensivo de *Humano, demasiado humano*. O livro envergonhou sua família. Agora o irmão falava de desistir de sua cadeira de professor, um passo que o deixaria pobre e sem status. Isto empanaria o lustro brilhante refletido pela carreira de professor na mãe e em si mesma. Também não melhoraria suas perspectivas de casamento na sociedade repressiva e patriarcal e, acima de tudo, convencional de Naumburg.

Era hora de mudar de aliança. Um esplendor emprestado poderia ser recuperado de uma fonte diferente, de Wagner e Cosima, cujas estrelas estavam no zênite. Desde que Nietzsche havia apresentado a irmã a Cosima em Tribschen, Elisabeth vinha se mostrando útil de muitas pequenas maneiras. As duas mulheres eram intensamente burguesas e intensamente religiosas. Ambas se sentiram igualmente repugnadas e magoadas por *Humano, demasiado humano*. Cosima escreveu a Elisabeth dizendo francamente que considerou o livro intelectualmente insignificante e moralmente lamentável. O estilo era ao mesmo tempo pretencioso e relaxado. Cosima acreditava ter encontrado em quase todas as páginas "superficialidade e sofismas infantis". A traição de Nietzsche fora absoluta. Ele havia deixado o livro voar para um "campo hostil e bem fortificado", ou seja, o judaísmo.

Elisabeth apoiava esse ponto de vista com entusiasmo. Começou a se corresponder com um destacado agitador antissemita que conheceu em Bayreuth, chamado Bernhard Förster. Seu nacionalismo e seu antissemitismo eram um apelo muito maior que o europeísmo e réealismo do irmão. Ela não tinha intenção de se tornar um espírito livre; pelo contrário, valorizava todos os grilhões que a ligavam à sociedade e às convenções. O círculo de seu irmão na Basileia estivera liberalmente salpicado de solteiros, mas tinha se provado infrutífero. Era hora de se estabelecer em Naumburg e se concentrar em suas perspectivas matrimoniais.

Sem Elisabeth para cuidar da casa, Nietzsche abriu mão da visibilidade. Vendeu suas mobílias e se mudou para um alojamento simples na periferia da cidade, perto do zoológico. A Bachlettenstrasse 11 ficava a uma longa caminhada da universidade, mas ainda assim ele continuou a percorrer bravamente a distância para cumprir suas obrigações como professor. Morando sozinho, "quase morto de dor e exaustão", mantinha detalhadas anotações de suas despesas e elaborou um cronograma semelhante aos de Pforta para se manter intelectualmente produtivo e dentro de um orçamento financeiro pelas duzentas semanas seguintes.

No dia 2 de maio de 1879, Nietzsche exonerou-se oficialmente como professor, alegando problemas de saúde. Depositou esperanças nos diagnósticos de seus médicos que disseram que seu trabalho como professor e escritor era responsável por sua péssima saúde. Também vinha culpando o canto da sereia de Wagner. "Meu ensino e meus textos problemáticos até agora sempre me deixaram doente; enquanto fui realmente um acadêmico, eu também fui saudável; mas depois veio a música, para esfrangalhar meus nervos, e a filosofia metafísica e a preocupação com milhares de coisas que não me dizem respeito absolutamente [...]"²² Assim que as duas cargas fossem aliviadas, com certeza ele recuperaria a saúde física.

Em 30 de junho, a universidade aceitou sua demissão, concedendo-lhe uma pensão de 3 mil francos suíços durante seis anos. Como não tinha sido um residente fixo na Suíça por um período de oito anos, não se qualificava para obter a cidadania suíça. Aceitou bem sua condição de apátrida. Esta era a posição de onde compreender uma moralidade universal, reformular o bem e o mal baseado numa nova avaliação da vida, livre de qualquer cumplicidade meramente receptiva. Talvez finalmente tivesse se tornado um verdadeiro espírito livre.

Pensando em emular seu herói de infância Hölderlin, identificou uma velha torre nas muralhas de Naumburg onde poderia viver com pouco dinheiro trabalhando como jardineiro. Mas bastaram seis semanas para perceber que um jardineiro precisava ter uma coluna firme e uma visão muito, muito melhor. E assim começaram seus anos como andarilho.

11
O andarilho e sua sombra

Nos Alpes sou inexpugnável, principalmente quando estou sozinho e não tenho nenhum inimigo a não ser eu mesmo.

Carta a Malwida von Meysenbug,
3 de setembro de 1877

Nietzsche vendeu suas posses, menos os livros e algumas fotos. Entregou a administração de suas finanças ao seu confiável amigo Franz Overbeck e deixou suas anotações e cadernos aos cuidados de Elisabeth (um erro grave e um risco para o futuro). Manteve apenas dois baús cheios de livros dos quais não conseguia se separar. Eles o acompanharam enquanto fazia suas viagens a termas de cura com leite e ar dos Alpes: Davos, Grindelwald, Interlaken, Rosenlauibad, Champfèr e St. Moritz. Vagueou como Prometeu por lugares altos, frequentemente caminhando durante oito ou dez horas por dia, com a mente fixa no inescrutável propósito do universo, descobrindo uma lucidez maravilhosa ao contemplar o imenso domínio do imperfeitamente entendido. Escalava os caminhos pedregosos o mais alto que se atrevia, mas sua subida tinha sempre de parar longe dos grandes picos, onde a luminosidade das neves eternas penetravam seus olhos como espadas, enquanto anotava seus pensamentos para o próximo livro.

Neste livro você descobrirá um "homem subterrâneo" trabalhando, um homem que abre túneis e escava minas. Você vai vê-lo – pressupondo que tenha olhos capazes de ver seu trabalho nas profundezas – avançando lentamente, cauteloso, delicadamente inexorável, sem revelar muito da aflição que qualquer prolongada privação de luz e de ar deve envolver; você pode até defini-lo como satisfeito, trabalhando lá no escuro. Não parece que alguma fé o esteja levando adiante, que algum consolo lhe ofereça compensação? Como se talvez ele deseje essa prolongada obscuridade, deseje ser incompreensível, oculto, enigmático, porque sabe que assim também irá adquirir: sua própria manhã, sua própria redenção, sua própria *aurora*? [...] Ele mesmo dirá em seu próprio tempo, isto parecendo Trofônio [filho de Apolo que foi engolido pela terra e continuou vivo nos subterrâneos, como um deus oracular], e subterrâneo, assim que ele "se torne um homem" novamente. Estar em silêncio é algo que desaprendemos completamente se, como ele, alguém for por tanto tempo uma toupeira solitária.[1]

Um trecho do prefácio de *Aurora*, e um retrato de si mesmo durante os *Wanderjahre*, os anos em terras ermas durante os quais o quase cego ex-filólogo e toupeira do passado vagava pelas montanhas e pelas praias da Europa transformando-se no vidente cego de horizontes vastos e proféticos.

A toupeira entocada sentia-se em casa debaixo das árvores, onde o dossel suavizava a luz transformando-a num brilho esverdeado. Mais importante, escondia-o das nuvens, que eram cheias de eletricidade e insistiam em persegui-lo impiedosamente. Desde que Benjamin Franklin atraiu a energia elétrica das nuvens com seu experimento com uma pipa em 1752, não era muito extravagante um indivíduo se imaginar como um condutor de eletricidade, embora hoje a ideia de absorção de eletricidade da atmosfera seja considerada um sintoma delirante de doença mental, em geral associado à esquizofrenia.

Nietzsche sempre foi peculiarmente suscetível a tempestades elétricas. Desde os dias de estudante em Pforta, seus contemporâneos notaram que suas mais inspiradas e extasiantes efusões de criatividade e improvisação musical eram produzidas durante tempestades elétricas. O pai de Dionísio, Zeus, tinha aparecido como um relâmpago, e com uma sensação de afinidade cada vez maior com Dionísio, Nietzsche acreditava que devia ser mais suscetível ao poder da eletricidade das nuvens que qualquer outro homem sobre a Terra. Considerou ir a Paris, para se mostrar como um espécime na exposição de eletricidade que acontecia lá, e decidiu que eletricidade era ainda mais deletéria para sua saúde que a música de Wagner.

"Eu sou uma dessas máquinas que podem explodir", escreveu, "[...] o conteúdo elétrico na cobertura das nuvens e os efeitos do vento: estou convencido de que 80% do meu sofrimento resulta *destas* influências."[2] Os acessos agora em geral implicavam três dias de vômitos e dores lancinantes, acompanhados da sensação de estar semiparalisado, mareado e com real dificuldade para falar. Ainda assim, no ar rarefeito do alto das montanhas, ele às vezes se sentia acometido por súbitas ondas de extrema felicidade de uma intensidade exótica que nunca havia vivenciado. Sentia-se tão diluído, tão deliciosamente estiolado, que tinha a sensação de se movimentar pela paisagem como garatujas em zigue-zague desenhadas no papel por um poder superior querendo experimentar uma caneta nova. Começou a classificar as montanhas pela capacidade de suas florestas de escondê-lo do céu que tudo vê.

A lendária floresta de Teutoburgo, cenário da derrota das legiões romanas ante as tribos germânicas, propiciava a mais densa escuridão e as maiores satisfações. Caminhando pelas sombras mortiças, Nietzsche preencheu doze blocos de notas com o que chamava de seu "amaldiçoado estilo telegráfico" – a única maneira de conseguir registrar as explosões de pensamentos significativos entre as dores de cabeça –, apesar de seu editor já ter escrito dizendo que o mercado para aforismos telegráficos estava saturado e que ele deveria mudar o estilo de sua prosa se quisesse ganhar leitores.

Apesar do conselho, ele mandou a Schmeitzner "Opiniões e sentenças diversas" e "O andarilho e sua sombra", duas coletâneas de várias centenas de aforismos que continham os apêndices de *Humano, demasiado humano*. Enviou ainda um novo livro composto por 575 aforismos chamado *Aurora* (*Morgenröte*), com o subtítulo "Reflexões sobre os preconceitos morais". Os pensamentos apresentados variavam da moralidade de acariciar um cão às preocupações mais características de Nietzsche: Wagner, livre-arbítrio, liberdade individual, religião e o Estado.

Aurora foi mais longe na estrada do materialismo. Foi escrito durante um de seus períodos de interesse na especulação científica contemporânea, junto com sua deliciosa descoberta de Espinoza, um filósofo judeu do século XVII. "Minha solidão agora é uma solidão a dois! Estou realmente surpreso, realmente encantado! Eu tenho um precursor!" Escreveu um poema para Espinoza, em quem via espelhada sua própria "negação do livre-arbítrio, de propósitos, do mal, da ordem moral do mundo e do não egoísmo [...] Claro que as diferenças são enormes, mas são mais diferenças de período, cultura, área de conhecimento".[3] Leu *Anotações sobre o equivalente mecânico do calor* de Robert Mayer, a teoria de átomos não materiais de Boscovich e *Força e matéria* (1855) do médico materialista Ludwig Büchner, cujo livro muito vendido disseminou a novidade de que "as pesquisas e descobertas dos tempos modernos não podem mais nos permitir duvidar que o homem, com tudo que tem e possui, seja mental ou corporal, é um produto natural como todos os outros seres orgânicos". *História do materialismo* de A. Lange (1866) afirmava que o homem era apenas um caso especial de fisiologia universal, considerando que era somente uma corrente específica nos processos físicos da vida. Quando estava olhando para os seus anos de vida passados e escrevendo sobre eles em *Ecce homo*, a autobiografia que produziu em 1888, quando já ziguezagueava entre a sanidade e a insanidade, Nietzsche se definiu como preso a uma fascinação ardente e exclusiva pela fisiologia, pela medicina e pela ciência natural. Foi isso que ele estabeleceu para ser explorado em *Aurora*: a ideia de que o homem é meramente um organismo corpóreo cujas convicções e valores espirituais, morais e religiosos podem ser explicados pela fisiologia e pela medicina. Seus interesses gerais da época estavam desembocando na ideia de que o homem poderia controlar o futuro ao controlar seu próprio desenvolvimento evolutivo por meio da dieta. Essa atitude ficou famosa quando evocada pelo filósofo e antropólogo Feuerbach, morto poucos anos antes: "Se você quer melhorar as pessoas, dê a elas uma comida melhor em vez de declamações contra o pecado. O homem é o que ele come".[4]

Porém, numa contradição direta a isso, *Aurora* também apresenta especulações sobre o significado da exaltação e do êxtase da loucura na história da ética e da moralidade. Nietzsche propõe que, embaixo da temível pressão de milênios de costumes, a única forma de escapar seria "por uma temível acompanhante: quase em toda parte foi a loucura que preparou o caminho para as novas ideias, que rompeu o encanto dos costumes veneráveis ou da superstição. Você entende por que tinha que ser a loucura a fazer isso?". Loucura era liberdade total. Era o trompete falante da divindade. Se a loucura não fosse outorgada, deveria ser adotada.

> Todos os homens superiores que foram irresistivelmente atraídos a jogar fora o jugo de qualquer espécie de moralidade e estruturar novas leis, *se já não eram realmente loucos*, não tiveram alternativa a não ser se tornarem ou fingirem ser loucos [...] Como alguém pode se tornar louco quando não é louco e nem se atreve a parecer louco? [...] Ah, deem-me a loucura, seus poderes celestiais! Loucura, para que eu possa afinal acreditar em mim mesmo! Deem-me delírios e convulsões, súbitas luzes e escuridão, aterrorizem-me com gelo e fogo tais que nenhum mortal jamais sentiu, com estrondos ensurdecedores e figuras rastejantes, façam-me uivar e rastejar como uma besta: para que eu possa vir a acreditar em mim mesmo! Sou consumido pela

dúvida, matei a lei, a lei me angustia como um cadáver faz com um homem vivo: se não sou *mais* do que a lei eu sou o mais vil de todos os homens.⁵

O livro termina com um chamado estridente para desafiar tudo:

> Nós, aeronautas do espírito [...] para onde esse poderoso anseio nos atrai, esse anseio que vale mais para nós do que qualquer prazer? Por que justamente nesta direção, onde todos os sóis da humanidade até agora *se puseram*? Será que um dia será dito que nós também, virando para o oeste, esperávamos chegar à Índia – mas que foi nosso destino nos chocar contra o infinito? Ou, meu irmão. Ou? –

Poucos autores têm a coragem de terminar um livro com "Ou? –".

Sua doença era sua própria jornada de Alexandre para chegar a uma Índia, sua maneira de se destroçar contra o infinito. Cada acesso de dor testava sua capacidade de superação, cada recuperação era um renascimento confirmando o valor do sofrimento como o preço da revelação. A recuperação à beira da morte (imaginária ou real) inspirava uma criatividade sublime enquanto dia após dia, sozinho, ele se aproximava lentamente da idade em que o pai morrera, cego e insano, de "amolecimento do cérebro", a idade em que havia muito ele esperava o mesmo para si mesmo.

Examinando retrospectivamente o ano de 1879, Nietzsche registrou 118 dias de doença aguda e incapacitante. E, face a face com Tânatos, o que ele conseguiu? Alguns textos menores, uma carreira de professor fracassada, dois livros: *O nascimento da tragédia*, que não teve qualquer impacto significativo na reforma do mundo cultural além de agradar Wagner, o pai que ele já havia superado, e *Humano, demasiado humano*, o livro confirmando suas aspirações de Ícaro de que espíritos deveriam voar, sem se importar com o preço da cera derretida. O livro ganhou três admiradores, nenhuma resenha, vendeu uma mera centena de exemplares e levou seu editor a desaconselhá-lo a produzir mais livros da única forma que ele era fisicamente capaz.

Nietzsche determinou que seu isolamento espiritual deveria ser refletido o máximo possível em sua vida exterior. Não queria companhia humana, nem mesmo a de um escriba. Nada deveria diluir a intensidade da experiência subjetiva. A insanidade tinha de ser arriscada, se era mesmo o caminho do conhecimento.

Com a aproximação da espectral ocasião emocional do Natal, Nietzsche voltou a Naumburg com planos de levar sua solidão à torre da muralha da cidade. Mas ele estava muito doente. A mãe e a irmã o puseram na cama na antiga casa em que passara a infância, a casa na Weingarten. Em torno do espírito livre de Nietzsche acamado fluíam todos os pequenos e irritantes rituais que asseguravam a continuação da velha ordem: missas, sempre-vivas, bolos, visitas de cerimônia realizadas com as melhores roupas, emoções tépidas, teimosas negações de análises racionais. Não chegava a ser um festival renovador de mentes de uma selvagem embriaguez dionisíaca, mas ele não estava em condições de denunciar "a falsificada construção protestante da história que fomos ensinados a acreditar",[6] ou, de fato, a tomar qualquer atitude moral ou ética, pois no dia 24 de dezembro ele desfaleceu, e três dias depois perdeu a consciência. Suas semanas de recuperação não melhoraram com a insistência da mãe para que ele parasse de praticar o grego. Começou a admitir aos amigos que não gostava da mãe e que a voz da irmã irritava seus nervos. Ele *sempre* se sentia doente quando estava com elas. Evitou conflitos e discussões, achou que sabia como lidar com elas, mas não era do seu feitio agir dessa forma.

No dia 10 de fevereiro de 1880, Nietzsche estava suficientemente recuperado para fugir. Tomou um trem, convocando o útil e dedicado Köselitz para se encontrar com ele em Riva, no lago Garda. Köselitz faria uma razoável cópia das tropeçantes anotações escritas em seus blocos de notas. Ele as transformaria em algo que Schmeitzner fosse capaz de ler e imprimir.

Nietzsche assumiu uma curiosa forma de possessividade sobre o compositor inseguro, tomando a extraordinária atitude de rebatizá-lo. Ele lhe deu o nome de "Peter Gast". Köselitz o adotou de imediato e o manteve pelo resto da vida. A genealogia do nome era enigmática, uma deliciosa mistura entre brincalhão, sério e simbólico. "Peter" [Pedro], pelo principal discípulo de Cristo, são Pedro, que Cristo chamou de "a pedra sobre a qual construirei minha Igreja".[7] Gast com o significado de "guest" [convidado]. As duas palavras juntas se combinaram em "o Convidado de Pedra", o nome do leal personagem do *commendatore* na ópera *Don Giovanni* de Mozart. O papel do *commendatore*, ou Convidado de Pedra, é o de nêmesis. Identificar-se com a figura de Don Giovanni é um dos temas menores, porém recorrentes em Nietzsche. Ele deixa claro que não o Don Giovanni das mil seduções, mas "o

Don Giovanni do conhecimento", uma figura inquieta que persegue as "mais altas e mais remotas estrelas do conhecimento" para explorar domínios proibidos, disposto a sacrificar sua alma imortal e aguentar para sempre o fogo do inferno a fim de obter revelações do oculto. Na ópera, quando Don Giovanni afinal rompe os limites, é o Convidado de Pedra que o obriga a descer ao inferno para pagar o preço em tormentos eternos. Ao dar a Köselitz o nome de Peter Gast, Nietzsche estava lhe conferindo o duplo papel de principal discípulo e nêmesis. Este último pareceu um papel especialmente inapropriado para o meigo amigo que acompanhou Nietzsche durante anos, atuando como copista e secretário não remunerado.

Peter Gast nunca deixou de acreditar intensamente nos livros de Nietzsche, e por sua vez Nietzsche sempre apoiou entusiasticamente suas composições musicais. Gast era o compositor que ele mesmo poderia ter sido. Enaltecia sua genialidade para os amigos e os perseguia para obter dinheiro para apoiar sua ópera cômica *Il matrimonio segreto*, cuja música era totalmente isenta da deliciosa metafísica nebulosa e mortal de Wagner. Em março, ambos saíram de Riva para Veneza, onde Gast passara a morar. Declaradamente, Nietzsche foi a Veneza para acelerar a ópera, mas na verdade estava levando o amigo para se distrair com o que Gast chamava de "trabalho de Samaritano". Isso consistia em ler em voz alta para Nietzsche duas vezes por dia e anotar ditados, além de resgatar o amigo de uma mixórdia de pequenos percalços e problemas físicos.

O dinheiro rendeu bem em Veneza. Nietzsche alugou um quarto grande e muito frio no Palazzo Berlendi, cujo acesso era uma esplendorosa escadaria de mármore e com a janela dando para uma paisagem icônica de enorme significado para sua geração e para várias que viriam a seguir.

"Aluguei um quarto com vista para a Ilha dos Mortos", escreveu.

Devia haver alguma coisa na vista funerária que compensava a geração emergente pelo colapso das ilusões tradicionais. Nesse mesmo ano em que Nietzsche estava lá, o simbolista Böcklin estava retratando *A Ilha dos Mortos*,[9] um quadro que seria exposto nas paredes de Lênin, Strindberg, Freud e Hitler como uma insígnia cultural de todos os intelectuais de Berlim dos anos 1880 aos anos 1930, como observou Nabokov. Wagner ficou tão arrebatado pela apreensão da atmosfera do momento que convidou o pintor para desenhar os cenários de sua nova ópera, *Parsifal*, em Bayreuth. Böcklin declinou o convite e a tarefa ficou com Paul von Joukowsky.

A janela de Nietzsche dominava a vista de Böcklin da água plácida e luminosa agitada por barcos funerários transportando os mortos para as muralhas que cercavam o cemitério da ilha. Acima das muralhas erguiam-se ciprestes escuros, apontando como dedos para os céus e para o mistério que jazia além das tumbas. A paisagem inspiraria Nietzsche a escrever "A canção da tumba", um de seus mais lindos poemas, em que os túmulos da ilha incluíam as tumbas de sua juventude, das estranhas e delicadas maravilhas do amor e o canto dos passarinhos de suas esperanças.

Começou a fazer calor em Veneza; os mosquitos se tornaram ativos. Nietzsche abandonou a cidade aquática sem olhar para trás. Peter Gast voltou ao seu trabalho, aliviado.

Durante dois anos, Nietzsche continuou perambulando. Em cada novo lugar surgia a esperança de ter encontrado sua Arcádia. A beleza das diversas perspectivas o fazia tremer e adorar a Terra, tão pródiga em suas maravilhas, como se nada fosse mais natural que viver a vida como um herói grego transplantado, tanto heroico quanto idílico. "*Et in Arcadia ego* [...] E era assim que homens individualistas realmente *viviam*, era assim que conseguiam *sentir* que existiam no mundo e que o mundo existia neles [...]".[10]

Mas em cada nova Arcádia ele acabava descobrindo alguma imperfeição intolerável: ou era alta demais, ou baixa demais, quente e úmida demais ou muito fria, ou estava mal localizada, embaixo de nuvens elétricas e do céu que tudo vê. Sempre havia uma boa razão para o andarilho seguir adiante.

No verão, ele fixava residência nas regiões alpinas mais frias, mas quando as montanhas ficavam frias demais e a luminosidade da primeira nevasca ameaçava seus olhos, Nietzsche embarcava em desastrosas viagens de trem (perdia a bagagem, os óculos, perdia o senso de orientação) para o calor da Riviera francesa ou italiana. Então, em julho de 1881, descobriu sua Arcádia em Sils Maria, uma das muitas belas aldeias que pontilhavam a paisagem do vale Engadina ao redor de St. Moritz. Sils Maria arrebatou sua alma de uma forma que Veneza jamais conseguiu: "Eu teria de ir aos altos platôs do México com vista para o Pacífico para encontrar algo semelhante (por exemplo, Oaxaca), e claro que a vegetação lá seria tropical",[11] escreveu sem muita razão a Peter Gast, reassegurando na mesma carta que os deveres de assistente de Gast poderiam estar logo chegando ao fim, pois tinha ouvido falar que uma nova máquina de escrever havia sido inventada por um dinamarquês. Nietzsche escreveu uma carta ao inventor pedindo informações.

A alta temporada da estação turística na Suíça estava começando. Havia diversos hotéis modestos em Sils Maria, mas ainda assim seriam caros e sociáveis demais. Nietzsche alugou um quarto monástico no segundo andar de uma casa simples que pertencia a Gian Durisch, o prefeito da aldeia, que vendia gêneros alimentícios no andar térreo e criava porcos e galinhas no jardim. Custava um franco por dia.[12] Um alto pinheiro crescia perto da janela da face leste de seu quarto e estúdio, filtrando a luz que entrava numa tonalidade esverdeada. Era uma gentileza para os olhos dele.

Nietzsche não adorava Sils Maria por poupá-lo de sua doença. Ao contrário, em julho e de novo em setembro sua doença o levou mais perto do abismo como jamais havia acontecido: "Estou desesperado. A dor está conquistando minha vida e minha vontade [...] Já chamei o Doutor Morte cinco vezes".[13] Mas quanto mais profundo o descenso, mais alta a exaltação; "pensamentos surgem como jamais vi [...]". Comparava-se a uma máquina que poderia explodir, e no início de agosto realmente teve seu primeiro pensamento combustível desde a proposta da dicotomia dionisíaco/apolíneo. Na margem do lago Silvaplana, ao lado de uma monumental rocha em forma de pirâmide que mais tarde ele chamaria de "Pedra de Zaratustra", ele concebeu a ideia de eterno retorno:

> E se algum dia ou noite um demônio invadir sua mais solitária solidão e disser: "Esta vida que vive agora e tem vivido você terá de viver de novo e inúmeras vezes mais; e não haverá nada de novo nela, mas todas as dores e todas as alegrias e todos os pensamentos e visões e tudo indizivelmente pequeno ou grande na sua vida deve retornar a você, tudo na mesma sucessão e sequência [...] A eterna ampulheta da existência virada várias vezes, e você com ela, grão de poeira!"[14]

Uma ideia realmente aterrorizante, e tão importante que ele a anotou num pedaço de papel que tinha consigo "1.800 metros acima do mar e muito mais acima das coisas humanas".

Provavelmente estava relacionada com os inúmeros livros científicos que andava lendo, sobre a qual ele fez anotações:

> O mundo das forças não sofre diminuição, caso contrário no tempo infinito teria ficado mais fraco e perecido. O mundo das forças não sofre de cessação; caso contrário esse ponto teria sido atingido e o relógio da existência teria parado. Seja

qual for o estado que este mundo *possa* atingir já deve ter atingido, e não só uma vez, mas incontáveis vezes. Considere este momento: já aconteceu uma e muitas vezes e retornará como é com todas as suas forças distribuídas como agora: e assim se posta com o momento que deu à luz o mundo e o momento que é seu filho. Homem! Sua vida inteira será virada como uma ampulheta, uma vez atrás da outra, e uma vez atrás da outra escoará – um vasto minuto de tempo entre elas, até que todas as condições que o produziram, no curso circular do mundo, cheguem. Então você encontrará todas as dores e todos os prazeres e todos os amigos e inimigos e todas as esperanças e todos os erros e todas as folhas de grama e todos os fachos de luz do sol, todo o nexo de todas as coisas. Este anel, no qual você é um minúsculo grão, brilha de novo e mais uma vez. E em cada anel da existência humana há sempre uma hora em que – primeiro para um, depois para muitos, depois para todos – aflora o mais poderoso pensamento, o pensamento do eterno retorno de todas as coisas: cada momento é para a humanidade a hora do *meio-dia*.[15]

Não pode ser coincidência Nietzsche ter expressado a ideia da vida do homem como o anel da existência humana. Wagner não apenas compôs *O anel*, mas também o estruturou meticulosamente como um anel, um eterno retorno, uma história circular cuja ampulheta se vira diversas vezes.

Nietzsche também escreveu o nome Zaratustra pela primeira vez em seu bloco de notas em Sils Maria, mas somente o nome. Ambas as ideias demorariam alguns anos para amadurecer.

Em outubro de 1881, Sils Maria estava começando a esfriar. "Viajei com toda a energia de um homem louco a Gênova", onde acabou se estabelecendo em uma água-furtada. "Preciso subir 164 degraus dentro da casa, que por sua vez está situada no alto de uma ladeira íngreme de palácios. Por ser tão íngreme, e terminar num grande lance de escadas, a rua é muito tranquila, com grama crescendo entre as pedras. Minha saúde está uma desordem *terrível*."[16] Ele estava economizando o dinheiro que tinha. O que significava que às vezes vivia dias só à base de frutas secas. Às vezes sua bondosa senhoria o ajudava a cozinhar. Não tinha dinheiro para aquecer o quarto. Saía para cafeterias em busca de calor, mas no minuto em que o sol se punha, ia até um penhasco isolado perto do mar para deitar embaixo de seu guarda-sol, imóvel como um lagarto. Era bom para sua cabeça.

De maneira geral Nietzsche não se preocupava com a impressão que passava às pessoas. Durante esses anos migrantes, as pessoas se lembravam de sua quietude, passividade, voz mansa, roupas pobres mas bem cuidadas, dos escrupulosos bons modos com que tratava todos, especialmente as mulheres, e da esquisita falta de expressão causada pelo fato de sua boca estar permanentemente invisível atrás do bigode e dos olhos atrás dos óculos de lentes azuis ou verdes, com o resto do rosto sombreado pela viseira verde. Mas, apesar de tudo isso, ele não era uma sombra, nunca deixava de ser notado; sua presença era ainda mais notada pela aura *noli me tangere* em que se movimentava. Ele descobriu que "O mais cordial e mais razoável dos homens pode, se usar um grande bigode, ficar como se estivesse em sua sombra e se sentir seguro ali – em geral ele parecerá não mais que a *appurtenance* de um grande bigode, isso quer dizer um tipo militar, facilmente irritável e ocasionalmente violento – e como tal será tratado".[17]

Paul Rée chegou a Gênova em fevereiro de 1882, trazendo a máquina de escrever. A Malling-Hansen Writing Ball era uma geringonça hemisférica parecida com um porco-espinho de metal, com cada cerda terminando numa letra. Quando apertada por um dedo, a cerda imprimia aquela letra na página. A máquina chamou alguma atenção quando foi exposta em Paris. Nietzsche tinha muita esperança de que pudesse capacitá-lo a escrever pelo tato, poupando assim os olhos. Não foi um sucesso imediato. "Esta máquina é delicada como um cãozinho e causa um monte de problemas." Tinha sofrido danos durante o transporte e não estava funcionando bem, mas mesmo depois de consertada não era mais fácil para seus olhos enxergarem melhor as teclas da máquina que a ponta da sua caneta percorrendo a página. Felizmente, por ora, Paul Rée estava por perto para ajudá-lo.

Os dois foram ao teatro assistir Sarah Bernhardt interpretar *La Dame aux camélias* [*A dama das camélias*], mas a divina Sarah não teve mais sucesso que a máquina de escrever: desmaiou no fim do primeiro ato. A plateia esperou durante uma hora até sua volta e, quando voltou, ela teve um vaso sanguíneo rompido. Mesmo assim, sua silhueta escultural e postura autoritária provocaram em Nietzsche meigas lembranças de Cosima.

Em março, Rée foi para Roma se encontrar com Malwida von Meysenbug, que havia transferido sua "Academia de Espíritos Livres" de Sorrento para Roma, onde agora era chamada de "O Clube Romano". Rée apareceu de repente numa noite, atormentado e sem dinheiro, tendo perdido tudo o que tinha no caminho, depois de ter jogado em Monte Carlo. Parece que um benevolente garçom tinha emprestado o dinheiro para ele chegar até ali. Malwida correu para pagar o táxi enquanto Rée se juntava ao círculo de espíritos livres reunidos, e imediatamente se viu fascinado pela surpreendente personalidade de Lou Salomé,[18] uma elegante e cosmopolita garota meio-russa de 21 anos de grande magnetismo, originalidade e inteligência. Lou estava viajando com a mãe, declaradamente por causa de sua saúde, mas de fato para tirar vantagem de oportunidades intelectuais maiores do que a Rússia gostava de oferecer às suas mulheres. O pai de Lou, um general russo que ascendera à nobreza por sua participação nas guerras napoleônicas, já tinha morrido, e Lou e a mãe viajaram de São Petersburgo para Zurique para Lou realizar suas ambições intelectuais. Assistia a palestras na Universidade de Zurique, mas tinha começado a cuspir sangue, um sinal para seguir para o sul. Uma carta de apresentação a levou ao Salão Romano de Malwida onde, não pela primeira nem pela última vez, Lou mergulhou no papel de *femme fatale* intelectual. Lou Salomé encantou muitos intelectuais eminentes durante sua longa vida, inclusive Rainer Maria Rilke e Sigmund Freud.

O nome de Nietzsche era pronunciado como o de um deus por Rée e Malwida no Clube Romano. Naturalmente, Lou expressou um grande desejo de conhecê-lo. Nietzsche ainda estava em Gênova, e Lou imediatamente começou uma forte amizade com seu amigo Rée. Quando o salão literário de Malwida fechava suas portas, à meia-noite, Rée acompanhava Lou até sua casa. Logo os dois estavam caminhando pelas ruas ao redor do Coliseu todas as noites entre meia-noite e duas da madrugada. Esse comportamento naturalmente deixou a mãe de Lou chocada. Até mesmo Malwida, progressista e feminista, protestou. "Assim descobri", escreveu Lou com uma falsa franqueza, "até que ponto o idealismo em tais questões pode interferir com o ímpeto da liberdade pessoal".[19] Lou nunca foi avessa ao papel de sereia ou de Circe. Segundo ela própria admitia, desde cedo tinha resolvido que sempre faria o que desejasse. Considerava dizer a verdade como uma "mesquinhez inevitável" que nunca deveria interferir com o objetivo principal. "Eu fui tremendamente mimada em casa, por isso me sentia onipotente. Sem minha imagem no espelho eu me sentia desabrigada", escreveu em suas memórias, que são extremamente sinceras quanto à própria personalidade, embora tremendamente descuidadas quanto a outras verdades.

Em êxtase, Rée escreveu a Nietzsche sobre o "ser energético, inacreditavelmente inteligente com características de garota e até infantis [...] A garota russa que você definitivamente precisa conhecer".[20]

Farejando um dos planos casamenteiros de Malwida, Nietzsche respondeu em tom jocoso de Gênova que, se aquilo significava casamento, ele aguentaria por dois anos, não mais. O que Nietzsche não sabia era que Lou era tão avessa à ideia de casamento quanto ele. Durante toda sua vida, ela sempre preferiu viver com dois homens ao mesmo tempo. Na verdade, Lou se casou cinco anos depois, mas só porque seu pretendente esfaqueou o próprio peito e ameaçou terminar o trabalho se ela o recusasse. Os dois permaneceram casados por 45 anos, totalmente dedicados um ao outro, embora o casamento nunca tenha sido consumado e ela se sentisse perfeitamente feliz por sua governante ser a amante fixa do marido enquanto ela importava seus admiradores para dentro do casamento, sendo Rée o primeiro deles.

Em Gênova, Nietzsche assistiu à opera *Carmen* pela primeira vez. Assim que pôde, assistiu-a de novo. Até sua morte, ele a assistiria vinte vezes. *Carmen* substituiu sua obsessão por *Tristão e Isolda*. Com música de Bizet e o libreto baseado em um romance de Prosper Mérimée, a ópera não tinha pretensões em relação ao sublime ou nem mesmo ao extraordinário. Ao contrário de Wagner, não apresentava aventuras da alma e poderia até ser chamada de uma ópera materialista. *Carmen* não exige uma orquestra superdimensionada. Suas melodias são fáceis de cantar. Dura pouco tempo. Ignora a metafísica. Não é sobre deuses ou lendas, nem mesmo sobre reis e rainhas. Conta uma história de tabloide, de luxúria em meio à classe baixa. Don José é um pequeno e insignificante cabo cuja vida restrita e bem regimentada colide com a dionisíaca figura de Carmen, uma garota passional e sexualmente voraz que trabalha numa fábrica de cigarros. Carmen é uma *femme fatale* que (como Lou Salomé) colhe e descarta homens em seus próprios termos. O turbilhão incompreendido e incontrolável de luxúria, ciúmes e possessividade provocado por Carmen em Don José inevitavelmente o leva a assassiná-la num frenesi dionisíaco.

Tendo expressado seu desejo de viajar a Gênova para conhecer Nietzsche, Lou ficou furiosa ao saber que ele não esperaria que ela chegasse. Tinha decidido trocar Gênova por Messina. Em relação à saúde de Nietzsche, a decisão fazia pouco sentido. Se Gênova estava ficando quente demais para ele no mês de março, a Sicília estava mais quente ainda. Mas seus recentes verões nas montanhas agora o fizeram decidir que passar o verão em altas altitudes o levava para mais perto da eletricidade das nuvens, agravando seu estado. Por isso, iria tentar um verão o mais longe possível do céu: ao nível do mar. Além do mais, *Carmen* tinha despertado seu apetite pelo sul.

> O elemento vulgar em tudo que agrada no sul da Europa [...] não me ilude; mas não me ofende, não mais que a vulgaridade que se encontra em um passeio por Pompeia [provavelmente estava se referindo à arte erótica] e basicamente mesmo quando leio um livro antigo. Por que isso? Por que não há vergonha e tudo que é vulgar age de forma tão confidente e segura quanto qualquer coisa nobre, adorável e passional no mesmo tipo de música ou romance? "O animal" tem seus próprios direitos, assim como o ser humano; deixe que se manifestem livremente – e você também, meu caro companheiro humano, ainda é um animal, apesar de tudo![21]

A outra atração em Messina era Wagner, que estava passando o inverno por lá com Cosima. Não houvera contato nenhum entre Nietzsche e Wagner havia três anos, mas Nietzsche vinha sonhando muito com Cosima. Eram sonhos amistosos, positivos e sem mágoa. Ele gostaria de reencontrá-los.

Nietzsche escreveu oito pequenos poemas leves chamados *Idílios de Messina*, principalmente sobre barcos, cabras e donzelas, e tomou um barco para Messina com o coração leve. Sentiu-se terrivelmente mareado. Quando chegou à Sicília, estava fisicamente arruinado, e Wagner e Cosima já tinham partido. Wagner sentiu espasmos no peito em Palermo e voltou para casa. O escaldante siroco soprava da costa cartaginense, um vento bem conhecido por deprimir os espíritos e preencher toda a superfície e ranhuras com partículas de areia minúsculas e insuportáveis. O único aspecto compensador da desconfortável viagem de Nietzsche à Sicília foi a visão do vulcão de Stromboli, cujas lendas envolvendo fantasmas voadores entrariam mais tarde em sua história de Zaratustra.

Cartões e cartas de Rée enaltecendo a inteligência de Lou Salomé continuavam chegando. Nietzsche recebeu uma carta de Malwida que era quase uma convocação: "Uma garota muito notável (acredito que Rée tenha escrito sobre ela) [...] me parece ter chegado bem perto dos mesmos resultados que você até agora em pensamento filosófico, isto é, ao idealismo prático e ao descarte de qualquer suposição metafísica e preocupação com a explicação de problemas metafísicos. Eu e Rée concordamos no desejo de vê-lo junto com este ser extraordinário [...]".[22]

Outra hedionda viagem de barco o tirou da Sicília. Quando se recuperou, Nietzsche embarcou em um trem para Roma.

12
Filosofia e eros

> Mulheres, ou as mais belas entre elas, sabem: um pouco mais gordas, um pouco mais magras – oh, quantos destinos dependem de tão pouco!
> *Assim falou Zaratustra*, parte III,
> "Do espírito de gravidade"

Mesmo antes de ter conhecido Nietzsche, Lou já estava determinada a viver com ele e Rée num *ménage à trois*. Via nisso uma *Heilige Dreieinigkeit*, uma santíssima trindade de espíritos livres filosofando, "cheia até quase estourar de espiritualidade e argúcia mental".

Essa fantasia tomou forma no período que precedeu a chegada de Nietzsche a Roma, enquanto ela vagava por noites vaporosas ao redor do Coliseu, com Rée pontificando sobre filosofia e encantando-a com infindáveis conversas sobre seu brilhante amigo.

"Vou confessar honestamente", ela escreveu, "que um simples sonho foi o que primeiro me convenceu da viabilidade de meu plano, que batia de frente com todas as convenções sociais. Nele vi um agradável estúdio cheio de livros e flores, ladeado por dois quartos, e nós andando entre eles, colegas, trabalhando juntos em uma ligação alegre e sincera."[1] A divisão dos dois quartos entre os três não foi esclarecida.

Lou não escondeu seu plano anticonvencional de Malwida, que o definiu como uma fantasia impudente e começou a se preocupar. A ineficaz e sempre manipulada mãe falou sobre chamar seus irmãos para impedir o esquema desrespeitoso. Todos ficaram contra. Até Rée, disse Lou, ficou "de certa forma perplexo", embora estivesse totalmente apaixonado. Três semanas depois de conhecê-la, ele a pediu em casamento, incluindo na proposta a condição incomum de que não haveria sexo, que o enojava. Lou também tinha nojo de sexo por causa de um episódio traumático no começo de sua adolescência em

São Petersburgo, quando seu confiável mentor intelectual, um pastor holandês mais velho e casado, com filhas da idade dela, tentou possuí-la à força. A proposta de um *mariage blanc* teria sido de seu gosto se ela prezasse a própria reputação. Com certeza teria conferido respeitabilidade. Mas Lou nunca deu bola para a opinião alheia. Durante sua longa vida, nunca houve nada de que gostasse mais do que *épater les bourgeois*.

Em 20 de abril de 1882, Nietzsche partiu de Messina de navio, chegando a Roma no dia 23 ou 24. Depois de alguns dias sendo mimado por Malwida na luxuosa vila Mattei, foi considerado suficientemente recuperado da viagem marítima para o encontro com Lou. Todos tinham decidido que isto deveria acontecer na Basílica de São Pedro, uma escolha curiosa para um círculo de espíritos livres ateus.

Era a primeira visita de Nietzsche a Roma. Nenhum guia de viagem poderia tê-lo preparado para o trajeto entre a mansão de Malwida, perto do Coliseu, e São Pedro, onde afinal ele conheceria a misteriosa garota. Como Teseu seguindo a pista de Ariadne pelo labirinto do Minotauro, ele seguiu o fio da sombra projetada pela colossal colunata toscana de Bernini. Na luz difusa e incensada da basílica, foi difícil para seus olhos a descobrirem. Mais tarde Lou floresceria numa beleza abundante e luxuriante, não diferente de Judith Gautier, usando sedas, peles e paetês, mas nesse estágio seu indefectível uniforme de aprendiz de filósofo era de uma pureza monástica: um vestido escuro até o chão, de gola alta e mangas compridas, sobre um corpete justo que conferia ao seu corpo a forma de uma ampulheta. Penteava os cabelos castanhos rigorosamente para trás, expondo o rosto de beleza clássica russa, largo e com malares altos. Os olhos eram azuis; o olhar era quase sempre descrito como inteligente, intenso e passional. Era consciente de sua beleza e gostava de seu poder.

Ela diz que a primeira coisa que a impressionou em Nietzsche foi a força de seus olhos, que a fascinavam. Pareciam olhar mais para dentro do que para fora. Apesar de quase cegos, não dispunham de qualquer característica penetrante ou titubeante. Não mostravam aquela característica penetrante ou intrusiva dos míopes. "Acima de tudo, seus olhos pareciam os guardiões e protetores de seus tesouros – silêncios secretos – que não deviam ser vislumbrados por quem não fosse convidado."[2]

Esta deve ter sido uma conclusão posterior. Na basílica, Nietzsche estava com seus óculos escuros, sem os quais não conseguia enxergar. Com certeza

Lou não pôde ter visto qualquer coisa por detrás das lentes grossas e sob a iluminação eclesiástica.

"Para dentro, por assim dizer, ao longe", é como Lou descreve seu olhar. Poderia muito bem ser um autorretrato, uma descrição de seu próprio olhar. Outros costumavam descrever os olhos de Lou como possuidores de uma estranha característica distanciada, parecendo voltados para horizontes distantes. Despertavam a vontade de estalar os dedos, de capturar seu olhar por inteiro, tocar seu remoto cerne interior, forçá-la a ver o mundo físico à sua frente. A contradição entre sua temeridade passional e impetuosa e aqueles olhos estranhamente remotos conferia a Lou um talento excepcional para extrair confissões. Ela ouvia como um espelho, refletindo os pensamentos do interlocutor. Falava pouco, mas sua passividade incentivava novas revelações. Seria a pessoa que Sigmund Freud deixou psicanalisar sua filha Anna.

Nietzsche a cumprimentou com palavras obviamente ensaiadas:
"De que estrelas nós caímos juntos aqui?"[3]
"De Zurique", foi a resposta pedestre de Lou.

De início Nietzsche achou seu sotaque russo áspero. Ela também ficou decepcionada. Esperava encontrar um redemoinho em forma de homem, uma pessoa tão chamejante e tão revolucionária quanto seus pensamentos, ou ao menos um homem com uma presença imponente. Mas lá estava uma figura tão comum, tão pouco notável, tão facilmente anônima que chegava a ser risível. De estatura baixa e postura tranquila, com cabelos escuros cuidadosamente penteados e roupas de bom caimento; parecia querer se destacar o mínimo possível. Seu discurso era calmo, quase silencioso. A risada também era tranquila. Dava a impressão geral de uma cuidadosa introspecção. Curvava levemente os ombros quando falava, quase que como para empurrar as palavras. Provocou nela a desconfortável sensação de que parte dele estava distante.

Poderia ser este o iconoclasta que, segundo Rée, se jactava de ter perdido um dia se não tivesse descartado ao menos uma de suas convicções? Aquela solidão taciturna era um desafio. Lou queria descobrir o que havia por trás da cuidadosa distância que ele colocava entre seu verdadeiro eu e o mundo. De certa forma se sentiu enganada por sua "postura elegante e estudada".

Essa postura foi obviamente também ensaiada, como seu cumprimento, que de imediato elevou os dois a um domínio superior do destino e da sorte, situando o encontro de ambos na roda do eterno retorno ao se referir a um trecho de sua segunda *Consideração extemporânea*:

> [...] quando a constelação de corpos celestes se repete, as mesmas coisas, até os menores eventos, devem também se repetir na Terra: sempre que as estrelas se posicionam numa certa relação com outra, um estoico se junta mais uma vez a um epicurista para assassinar César, e quando se posicionam em outra relação, Colombo descobrirá novamente a América.[4]

Enquanto Lou e Nietzsche conversavam na Basílica de São Pedro, Rée se escondia na luz difusa de um confessionário próximo, aparentemente com a intenção dedicada de trabalhar em suas anotações, mas obviamente para bisbilhotar. Lou sugere que ela e Nietzsche mergulharam diretamente na discussão da futura existência tríplice deles e onde isto teria lugar, apesar de depois ter recuado, contradizendo a história de seu sonho de *Heilige Dreieinigkeit* ao dizer que Nietzsche se intrometeu em um plano que ela já tinha traçado com Rée em que só os dois deveriam viver juntos numa parceria intelectual. Seja o que for que tenha realmente acontecido naquela primeira semana em que se conheceram em Roma, não há dúvida de que os três fizeram planos de morarem juntos. Nietzsche entrou no esquema com entusiasmo. Queria voltar a ser um estudante. Queria frequentar palestras na Sorbonne em busca de validação científica de suas ideias sobre o eterno retorno. Lou e Rée ficaram felizes de irem a Paris, onde poderiam acrescentar Ivan Turguêniev ao trio de amigos.

O encontro na basílica afetou Nietzsche tão profundamente que ele teve de se recolher à sua cama na mansão de Malwida, onde Rée e Lou o visitaram. Ele gostou de ler e recitar para os dois trechos do livro que estava escrevendo, *A gaia ciência*, uma efervescente manifestação de seu estado de espírito jubiloso e irreprimível de quando se encontrava no limiar de uma iminente aventura. Na introdução ele diz que o livro não é mais que um divertimento após uma longa e impotente privação, uma manifestação da fé reavivada no amanhã expressando sua súbita sensação de esperança, de mares reabertos. O livro tinha começado a ser escrito em Gênova, durante o período em que Nietzsche estava seduzido pela descomplicada fisicalidade de *Carmen*, pela representação do eterno feminino na própria Carmen e pela entusiasmante ideia de que em Roma havia uma linda garota intelectual chamada Lou Salomé dizendo a todos que desejava conhecê-lo. E agora eles tinham se encontrado, e havia a perspectiva de Paris.

Apesar de toda a admiração professada, Lou não tinha lido nenhum dos livros de Nietzsche, mas isso não fez diferença: sua intensidade, sua inteligência e seriedade o impressionaram profundamente.

Nietzsche tinha uma reputação de misoginia que basicamente era bastante justa. Escreveu coisas desagradáveis sobre mulheres durante vários períodos da vida, quando se sentia arrasado pela sequência de doenças induzida pela mãe e por Elisabeth. Mas durante esse período sua simpatia pelas mulheres e sua noção da psicologia feminina estavam notavelmente adiante do seu tempo.

Os aforismos sobre mulheres em *A gaia ciência* são claramente positivos e simpáticos. Mais importante, ele expressa a ideia revolucionária de que havia algo muito espantoso e monstruoso na educação paradoxal das mulheres da classe alta. Eram criadas ignorando o máximo possível as questões eróticas, e diziam a elas que tais coisas eram malignas e motivo de grande vergonha. Depois eram arremessadas como que por um terrível relâmpago ao casamento – e sujeitas, precisamente pelo homem que mais amavam e estimavam, aos terrores e deveres do sexo. Como poderiam lidar com a inesperada e chocante proximidade entre o deus e a besta? "É aí que se ata um nó psíquico que talvez não tenha igual",[5] concluiu de forma muito perspicaz.

Poderia ser uma descrição da relação entre Lou e seu reverenciado ex-professor, do duradouro efeito traumático sobre ela do súbito assédio carnal de um deus transformado em fera.

Na semana seguinte ao encontro na basílica, Lou foi se sentindo cada vez mais fascinada por Nietzsche. Ela o via como alguém que usava sua máscara de forma desajeitada. Para Lou era óbvio que ele representava um papel como que para se encaixar no mundo. Era como se tivesse saído da natureza, descido das alturas e vestido um terno para se passar por homem. O semblante do deus deve estar mascarado para que os homens não morram ao encarar seu olhar ofuscante. Isso fez com que refletisse que ela própria nunca havia usado uma máscara, nunca sentira a necessidade de máscaras para ser compreendida. Considerou a máscara de Nietzsche conciliatória, como fonte de sua bondade e pena das outras pessoas. Citava seus aforismos: "Pessoas que pensam com profundidade se veem como comediantes em seus relacionamentos com os outros, pois primeiro precisam simular uma superfície para serem compreendidas".⁶

Nietzsche sugeriu que Lou considerasse viver de acordo com os princípios pelos quais ele decidira viver, *Mihi ipsi scripsi* ("Eu escrevi para mim") e citando Píndaro: "Torne-se quem você é, tendo aprendido o que é isso". Lou aceitou ambas as recomendações como princípios para a vida toda.

Lou desenvolveu sua própria interpretação da psicologia de Nietzsche e escreveu muito a respeito, em diversos artigos e em um livro.⁷ Ele não precisava se destacar, nem dar provas exteriores de sua genialidade, enquanto tivesse sua doença. Isto lhe possibilitava viver um sem-número de vidas em uma só. Ela notou como a vida dele apresentava um padrão genérico. Os declínios regulares e recorrentes da doença sempre demarcavam um período de sua vida para outro. Cada doença era uma morte, um mergulho no Hades. Cada recuperação era um alegre renascimento, uma regeneração. Esse modo de existência o renovava. *Neuschmecken* ("novo sabor") era sua palavra para isso. Durante cada recuperação o mundo ganhava novo brilho. E assim, cada recuperação não apenas se tornava seu próprio renascimento, mas também o nascimento de todo um mundo novo, uma nova série de problemas que exigiam novas respostas. Era como o ciclo de fertilidade anual sendo arado no solo. Só por meio desse excruciante processo novas visões podiam ser abertas a ele. Dentro desse ciclo maior de enormes levantes, havia ainda os ciclos diários menores. Seu padrão mental era o de ondas quebrando de forma incansável na praia, sempre avançando, nunca recuando, apanhadas no ímpeto assustador do movimento perpétuo do qual não poderia haver descanso. "Adoecendo por pensamentos e se recuperando por pensamentos", Lou não tinha dúvida de que "ele mesmo é a causa de sua doença autoinduzida".⁸

Desde o início, Nietzsche considerou a coabitação a três. Hereticamente, rebatizou-a como trindade profana, embora ao mesmo tempo levasse a sério as convenções sociais a ponto de considerar a reputação de Lou e fazer uma proposta de casamento: "Eu me consideraria obrigado a proteger você do falatório das pessoas, pedindo-a em casamento [...]". E incumbiu Rée de entregar a proposta.

Foi uma curiosa tarefa para Rée, pois ele mesmo já havia pedido Lou em casamento e estava cada vez mais apaixonado. Ao receber o pedido de Nietzsche, Lou ficou preocupada com que a rivalidade pela sua mão pusesse em perigo todo o experimento intelectual. Não havia dúvida de que o empreendimento seria, e deveria ser, propelido pela força da energia erótica, mas isto nunca deveria ser transposto para o físico. Lou pediu que Rée declinasse em seu nome, e que explicasse a Nietzsche que ela não era propensa a casamento por princípio. De qualquer forma, acrescentou uma razão prática de que ela perderia a pensão como filha de um aristocrata russo, e isto era sua única forma de sustento.

Roma começava a se tornar úmida e insalubre. Nietzsche estava havia muito tempo acamado. Para se recuperar, precisava de ares mais amenos e frescos. Resolveu partir para os Alpes italianos com Rée. Ansiosa para se juntar aos dois, Lou insistiu para que Rée organizasse tudo.

"Minha exigente senhorita Lou", respondeu Rée,

> Amanhã de manhã, por volta das onze, Nietzsche fará uma visita a sua mãe, e eu o acompanharei para prestar meus respeitos [...] Nietzsche não pode assegurar como se sentirá amanhã, mas gostaria de se apresentar a sua mãe antes de nos encontrarmos novamente nos lagos.

A mãe de Lou alertou Nietzsche sobre a filha em termos firmes. Lou era incontrolável e perigosa; era uma fantasista delirante. Mas o plano seguiu em frente. Lou e a mãe partiram de Roma em 3 de maio, Rée e Nietzsche no dia 4 de maio. No dia 5 do mesmo mês todos se reuniram em Orta, onde, no dia seguinte, Nietzsche e Lou se separaram dos outros para subir o monte Sacro, uma montanha tão envolta por mitos e símbolos quanto o monte Pilatos.

Nietzsche descreveria sua subida à montanha com Lou como a experiência mais extraordinária de sua vida.

O monte Sacro se ergue placidamente a uma altura média acima do lago Orta, uma modesta lâmina d'água na área que abriga os maiores, mais espetaculares e muito mais famosos lagos Maggiore e Lugano. Mas sua beleza é indiscutível e seu sombrio significado histórico-religioso é incomparável. Foi o local da primeira queima de uma bruxa registrada na Itália durante a Idade Média. Diz a lenda que o fantasma da bruxa, assim como o de Pilatos, assombra o local de sua morte horrível. Na esteira do Concílio de Trento (1545--63), quando a Igreja Católica combatia tanto a Reforma Protestante como a aparentemente incontrolável ascensão do islã, o monte Sacro de Orta era considerado um dos locais sagrados na Europa. Esses lugares sacros recém-convertidos se tornaram locais alternativos de veneração quando a questão das cruzadas interditou a Terra Santa aos peregrinos devotos.

Em 1580, o monte Sacro foi declarado "uma nova Jerusalém", cuja escalada garantia à alma os mesmos créditos de uma peregrinação à Jerusalém original. Sua transformação foi conduzida com todo o brio com que o Vaticano ao mesmo tempo erguia o domo de Michelangelo na Basílica de São Pedro. A pequena montanha foi transformada, na visão de um paisagista barroco, em uma jornada ao céu. Um caminho fluido e sinuoso, uma via sacra ou via dolorosa serpeando a encosta da montanha; esmeradamente cultivada com pomares sagrados cujas ondas verdes ora escondiam, ora revelavam vistas sublimes do lago abaixo ou dos Alpes nevados acima. A subida do monte Sacro era como uma versão ao ar livre da via-crúcis. A cada curva do itinerário espiralado, as nuvens de folhas verdes se abriam para revelar um novo objeto de contemplação. O caminho da peregrinação era pontuado por 21 pequenas e sofisticadas capelas maneiristas de pedra, todas ornamentadas com símbolos e sinais espirituais: belos peixes e conchas de vieiras, sóis e luas, lírios, rosas e estrelas. O interior das capelas era repleto de afrescos e grupos de estátuas de terracota em tamanho natural contando histórias sagradas da vida de Jesus e de santos.

Durante os trezentos anos desde sua criação até a escalada de Lou e Nietzsche, o monte Sacro tinha se tornado um lugar abandonado, de beleza decadente. A mata verde se entrelaçava com o solo, quase obliterando as vistas anteriormente planejadas. Antigas árvores enterradas no solo pareciam ter mantido o ritmo da decadência da fé cristã, o que Lou e Nietzsche não lamentaram, e a decadência da espiritualidade, o que lamentaram.

Enquanto subiam, suas conversas se referiam às suas escaramuças com Deus na juventude. Lou se convenceu de que Nietzsche, assim como ela, tinha uma natureza fundamentalmente religiosa. Lou também havia perdido sua intensa fé cristã em tenra idade. Os dois falaram de uma profunda necessidade religiosa insatisfeita. Este fato os aliou contra Rée, cuja insistência num materialismo sem alma os dois discordavam e consideravam quase ofensivo. Nietzsche a submeteu a uma espécie de teste de iniciação filosófica, um rigoroso questionamento de seus conhecimentos e convicções, considerando a qualidade de suas respostas tão empáticas e inteligentes que, segundo nos diz, fez com que transmitisse a ela algo de sua filosofia que ainda não havia revelado a ninguém. Ele não nos diz o que foi isso. Talvez tenha exposto sua teoria do eterno retorno, que ocupava boa parte de seus pensamentos na época. Talvez tenha mencionado o profeta Zaratustra, que então vislumbrava como seu futuro porta-voz. Talvez tenha falado sobre seu outro segredo, a morte de Deus, que havia descrito no livro que preparava para publicação, *A gaia ciência*.

Depois ele escreveu para Lou: "Em Orta, concebi um plano de levá-la passo a passo à consequência final da minha filosofia – *você* como a primeira pessoa que considerei apta para isso".[9]

A subida do monte Sacro convenceu Nietzsche de ter encontrado em Lou o discípulo que havia muito procurava. Ela seria a profetisa indomável de uma nova religião e perpetuadora de seu pensamento.

Isso fez Lou prever que o mundo ainda veria Nietzsche como o profeta de uma nova religião que recrutava heróis e discípulos.

Os dois descreveram como pensavam e sentiam as coisas de forma semelhante, e como as palavras rolavam entre eles. Como se fosse comida, pegavam palavras da boca um do outro. A iniciativa individual diluía quando um concluía os pensamentos e sentenças do outro.

Quando desceram da montanha, Nietzsche disse a Lou, em voz baixa: "Agradeço pelo sonho mais belo da minha vida".

A visão dos dois descendo, tão radiantes e transformados como se tivessem feito amor lá em cima, deixou a mãe de Lou furiosa. Rée estava transtornado de ciúmes. Atormentou Lou com perguntas. Lou esmagou seus rogos mesquinhos respondendo, impenetrável: "Só a risada dele já é uma façanha".

Ao longo dos anos que se seguiram, e durante todos os acontecimentos que se interpuseram entre eles, nenhum dos dois jamais negou a profunda importância da comunicação intelectual e espiritual que tiveram no monte Sacro, embora nenhum dos dois tampouco a tenha explicado.

Mais tarde em sua longa vida, muitas vezes Lou foi indagada se ela e Nietzsche se beijaram no monte Sacro. Ela cobria o olhar pensativo e respondia: "Se nos beijamos no monte Sacro? Não consigo mais me lembrar". Ninguém se atreveu a fazer a mesma pergunta a Nietzsche.

De Orta ele foi direto para a Basileia para visitar seus queridos amigos Franz e Ida Overbeck, que registram que Nietzsche estava bronzeado, vigoroso e feliz. Ficou com eles por cinco dias. Não teve nenhum ataque de nervos, apesar de duas longas sessões no dentista. Seu único sofrimento, notou Ida, era o de pensar que era tão pouco lido e conhecido. Depois de cada publicação, tinha esperança de receber uma aprovação entusiasmada, ser saudado pelo público como uma nova estrela nos céus, encontrar discípulos e seguidores. Ainda não havia acontecido, mas Nietzsche estava convencido de que aconteceria. Falou com Overbeck sobre suas esperanças de ter encontrado em Lou seu alter ego: a outra metade de um cérebro "irmão e irmã". Agora ele participaria mais do mundo, disse a eles. Seria menos solitário, mais aberto ao contato com coisas e com seres humanos.

Enquanto ficou com os Overbeck, entre conversas sobre futuros brilhantes, às vezes ele pulava da cadeira e tocava alguma coisa ao piano. Durante as noites, Nietzsche os surpreendeu ficando acordado até tarde, o que não era característico dele. Franz e Ida Overbeck ficaram encantados com a alegria evidente do amigo. Os dois eram seus amigos mais firmes. Nietzsche havia confiado a gestão de suas finanças a Franz, e Ida assumiu a tarefa de suavizar o ambiente ao redor dele o melhor que podia, um serviço que Nietzsche agradecia quando pensava nisso.

No mesmo dia em que chegou aos Overbeck, 8 de maio, escreveu um bilhete para Rée: "O futuro está completamente selado, mas não *sombrio*. Preciso realmente falar mais uma vez com Frl. L. [Fräulein Lou], em Löwengarten, talvez? Ilimitadamente grato, seu amigo N.".

O Hotel Löwengarten na Lucerna contém um lindo baixo-relevo de um leão moribundo escavado na pedra. Comemora o heroísmo e a fidelidade dos guardas suíços que tombaram durante o ataque ao Palácio das Tulherias na Revolução Francesa. A inscrição do monumento, "*fidei ac virtuti*" ("pela lealdade e a bravura"), poderia conter alguma espécie de subtexto do encontro com Lou.

Quando chegou à estação de Lucerna, em 13 de maio, Lou e Rée foram encontrá-lo na plataforma. Os dois fugiram de Rée para chegar ao Löwengarten juntos, onde Lou diz que Nietzsche a pediu em casamento novamente e ela recusou. Tudo o que sabemos da parte de Nietzsche é um desenho que fez quando estava no asilo durante os anos de sua insanidade. Identifica muito claramente o monumento do leão e duas figuras embaixo, se abraçando.

Quando se reencontraram com Rée, os três foram a um estúdio fotográfico, onde posaram para a famosa fotografia que, seja ou não verdade, se tornou permanentemente associada às palavras que Nietzsche pôs na boca de uma anciã em *Assim falou Zaratustra*: "Vai se encontrar com mulheres? Não esqueça o chicote". Talvez a foto divertida tenha sido ideia de Lou, talvez de Nietzsche. Certamente não foi de Rée: ele detestava ser fotografado e aparenta estar muito constrangido em seu terno elegante ao lado de Nietzsche. Os dois homens posam como um par de cavalos de tração entre as hastes de uma carrocinha de madeira. Lou está na boleia, parecendo alegre e determinada segurando um chicote sobre os dois. Ela enfeitou o chicote com lilás em botões. Nietzsche parece bem contente, ao mesmo tempo solene e travesso, como que gostando da piada.

O estúdio do fotógrafo ficava a uma curta distância caminhando de Tribschen. Mais uma vez os dois dispensaram Rée, e Nietzsche levou Lou a um passeio ao redor de sua Ilha dos Abençoados, iniciando-a em seus mistérios. Lou diz que ele falou de Wagner com muita emoção.

Numa espécie de tentativa de direcionar a vida daquela garota maravilhosa cujo destino, ele não tinha dúvida, estaria intimamente ligado ao dele, Nietzsche fez arranjos para ela e a mãe se mudarem para a Basileia para ficar com os Overbeck. Talvez a ideia fosse que Franz e Ida convencessem as hóspedes do caráter exemplar de Nietzsche, de sua fidelidade e suas virtudes, mas Lou não se interessou muito por esse plano doméstico. Passar seu tempo com o teólogo caseiro e a esposa dele apelou muito menos a ela do que conhecer o mais famoso acadêmico da Basileia, Jacob Burckhardt. Seu comportamento durante a breve estadia fez com que Ida Overbeck concluísse que, embora Nietzsche tivesse a esperança de ter encontrado seu alter ego em Lou, ela não estava disposta a ser dissolvida no de Nietzsche.

Nietzsche mandou seu livro *Humano, demasiado humano* e um poema escrito por Lou, chamado "À tristeza", para Peter Gast em Veneza, pedindo que Gast o musicasse.

"Esse poema", diz a carta de Nietzsche a Gast,

> exerce tanto poder sobre mim que nunca consegui lê-lo sem que lágrimas me viessem aos olhos; soa como uma voz pela qual venho esperando e esperando desde a infância. O poema é de minha amiga Lou, de quem você ainda não terá ouvido falar. Lou é filha de um general russo, e tem vinte [*sic*] anos; é astuta como uma águia e

corajosa como um leão, e ainda assim uma garotinha infantil, que talvez não viva muito tempo [...] Ela é surpreendentemente bem preparada para a *minha* forma de pensar e minhas ideias. Caro amigo, por favor, nos dê a honra de não pensar absolutamente no nosso relacionamento como um caso de amor. Nós somos *amigos*, e eu manterei essa garota e sua confiança em mim sacrossanta.[10]

13
A aprendiz do filósofo

> Paris ainda está em primeiro plano, mas de alguma forma tenho muito medo do barulho e gostaria de saber se o céu está suficientemente *sereno*.
> Carta a Franz Overbeck, outubro de 1882

Enquanto Lou e a mãe iam aos Overbeck na Basileia, Nietzsche foi direto de Lucerna para Naumburg para preparar *A gaia ciência* para publicação. Contratou os serviços de um comerciante falido, que anotou o ditado do que Elisabeth lia do manuscrito em que ele anuncia pela primeira vez a morte de Deus. Ele diz assim:

> Não ouviram falar daquele louco que na luz da manhã acendeu uma lanterna e correu ao mercado, gritando incessantemente: "Estou procurando Deus! Estou procurando Deus!". Como lá se encontrassem muitos daqueles que não acreditam em Deus, ele causou muitas risadas. Então ele está perdido?, perguntou um deles. Perdeu-se no caminho como uma criança?, perguntou outro. Ou está se escondendo? Está com medo de nós? Lançou-se ao mar? Emigrou? [...] O louco se lançou entre eles com um olhar penetrante. "Onde está Deus?", gritou; "Eu vou dizer! *Nós o matamos* – vocês e eu. Somos todos seus assassinos! Mas como fizemos isto? Como conseguimos beber o mar? Quem nos deu a esponja para apagar todo o horizonte? Que estávamos fazendo quando desacorrentamos a Terra do seu sol? Para onde ela se move agora? Para onde nós nos movemos? Para longe de todos os sóis? Não estamos continuamente caindo [...] Ainda existem um acima e um abaixo? Não vagamos como que por um nada infinito? O espaço vazio não está respirando em nós? Não ficou mais frio? [...] Ainda não ouvimos nada do barulho dos coveiros que estão enterrando Deus? Não sentimos nada do cheiro da divina decomposição? – Deuses também se decompõem! Deus está morto! Deus continua morto! E nós o matamos! Como vamos nos consolar, os assassinos de todos assassinos? A coisa mais sagrada e

poderosa que o mundo já teve sangrou até a morte sob nossos punhais: quem limpará este sangue de nós? [...] Será a magnitude deste feito grande demais para nós? Não deveríamos nós mesmos nos tornar deuses para ao menos parecer dignos Dele? Nunca houve um feito maior – e por causa disso quem nascer depois de nós pertencerá a uma história superior a toda a história até agora!"

A multidão olha para ele, desconcertada, e o louco observa: "Esse feito é ainda mais remoto para eles [os pós-deístas] do que as estrelas mais remotas – *e no entanto foram eles que o cometeram*!". O louco solta a lanterna, que projeta uma nova luz no chão. Deixando a multidão na praça do mercado, sai andando pelas igrejas que estão em seu caminho. Em cada igreja ele profere um réquiem pela alma de Deus, usando palavras que são uma paródia blasfema do réquiem pelos mortos. Apesar de não acreditarem mais em Deus, as pessoas se ofendem com seu comportamento e o expulsam à força de suas igrejas.

"O que são essas igrejas agora", ele pergunta, "senão as tumbas e sepulcros de Deus?"[1]

Mais adiante no livro, Nietzsche ensaia outra ideia que será ampliada em sua filosofia posterior: que depois da morte de um deus, sua estátua ainda será exposta por séculos numa caverna, de onde continuará projetando uma sombra tremenda e horrível na parede. Deus está morto, sim. Mas, em vista dos modos dos homens, profetiza Nietzsche, ainda restará por milhares de anos a sombra da moralidade que ele impingiu. É a eterna tarefa do argonauta do espírito conquistar a sombra, assim como o próprio deus.[2]

As duas histórias colocaram uma carga pesada nos ombros dos racionalistas do século XIX (como Rée) que, tendo matado Deus, não pareciam perceber as consequências de não ser possível manter o conteúdo ético do cristianismo sem sua teologia. O materialismo radical também devia abordar a consequente mudança no poder moral. Isto abria a possibilidade de consequências vastas e catastróficas para a humanidade. "*Incipit tragoedia*", profetizou Nietzsche no fim desse trecho, paira a tragédia. O grande acontecimento do verão de 1882 era o Festival de Bayreuth. Seria a estreia de *Parsifal*, a ópera para a qual Judith Gautier usurpou o papel de Cosima como musa. Como membro fundador da *Patronatsverein* (Sociedade dos Patronos) de Bayreuth, Nietzsche tinha direito de comprar ingressos. Lou queria muito ir. Bayreuth tinha se tornado a Parnaso contemporânea, o lugar da moda para os grandes e famosos da Europa se reunirem nos meses de julho e agosto.

Parsifal reconta a lenda cristã do Santo Graal, o cálice usado por Cristo na Última Ceia. O rei Amfortas é escolhido para encontrar o Graal a despeito de sua incapacidade para a tarefa sagrada. O rei é gravemente ferido num dos lados do corpo por uma lança enquanto estava sexualmente distraído pela bruxa Kundry. (No primeiro esboço Amfortas é ferido na genitália, mas depois foi alterado para um posicionamento mais cristão.) O ferimento sangra incessantemente. Quem entre os cavaleiros do Graal é digno de estancar o ferimento sagrado? Parsifal, um tolo sagrado que se torna sábio pela piedade cristã (uma linha narrativa que Nietzsche, que desprezava tanto a tolice como a piedade, não conseguia aprovar). Nietzsche já conhecia o libreto e sabia que não queria ir a Bayreuth para assistir à ópera.

Agora precisamos retroceder cinco anos, quando Nietzsche estava com Malwida na vila Rubinacci em Sorrento, com Wagner hospedado lá perto. Foi durante esse período que a saúde de Nietzsche deixou Wagner tão preocupado que o fez escrever ao médico de Nietzsche e descobrir que a causa poderia ser excesso de masturbação. Elisabeth havia forjado a lenda de que o rompimento final entre os dois acontecera na última caminhada que fizeram juntos em Sorrento. Mas, apesar de ter havido um esfriamento por causa de diferenças intelectuais, não houve um verdadeiro rompimento, e com a virada do ano, enquanto 1877 cedia lugar a 1878, Nietzsche mandou a Wagner seu livro recém-concluído, *Humano, demasiado humano*, e Wagner mandou a Nietzsche o recém-concluído libreto de *Parsifal*. As duas obras quase se cruzaram no correio. Nietzsche comparou esse fato a floretes se chocando no ar.

Nietzsche não gostou do libreto por muitas razões. "Mais Liszt do que Wagner, espírito da Contrarreforma [...] cristão demais, datado [...] Sem carne e com sangue demais. A linguagem soa como tradução de uma língua estrangeira."[3]

Wagner também não gostou de *Humano, demasiado humano* com a mesma intensidade. Enquanto Wagner se tornava mais devoto, Nietzsche vinha se libertando desses "pastores disfarçados de filósofos", em especial Schopenhauer. Wagner continuou sendo um autêntico schopenhaueriano até morrer. Não poderia haver uma via para algum tipo de reconciliação intelectual.

Durante as semanas que precederam o festival de 1882, em que *Parsifal* faria sua estreia, Nietzsche estudou a partitura musical. Considerou-a encantadora. O feiticeiro de Bayreuth não tinha perdido sua magia. Nietzsche queria muito ouvir a música sendo tocada, mas seu orgulho não permitia que comparecesse a Bayreuth sem um convite pessoal de Wagner. Só concordaria em ir se fosse convidado a ir à ópera na carruagem de Wagner, como haviam feito na cerimônia do lançamento da pedra fundamental. Tinha esperança e ficou esperando, mas o convite desejado nunca foi feito.

Nos preparativos para o festival, Lou finalmente conseguiu se livrar da mãe, que voltou a São Petersburgo com certo alívio, como é possível se imaginar. Antes de partir, entregou formalmente a tutela da geniosa filha à mãe de Rée. Frau Rée foi com Lou para a luxuosa casa de campo da família em Stibbe. Rée chegou logo depois. Desejando ter Lou só para si, disse com firmeza a Nietzsche que não havia um quarto para ele na enorme mansão.

Àquela altura, Rée e Lou falavam um com o outro como crianças: ela era o seu "caracolzinho" e ele era a "casinha" dela. Os dois mantinham um "livro-ninho" (um diário em conjunto) registrando a estada no "ninho" de Stibbe. A mãe de Rée se referia a Lou como sua filha adotiva. Pode-se ter a impressão de ranger de dentes.

Nietzsche não ia dar seus dois ingressos para Bayreuth para Lou e Rée irem juntos ao festival sem ele. Por isso, preferiu dar os ingressos a Lou e à sua irmã Elisabeth. A experiência em comum com certeza uniria as duas numa irmandade espiritual que poderia se aprofundar e se consolidar. Com esse objetivo, convidou as duas a se encontrar com ele depois do festival para umas pequenas férias na pitoresca aldeia de Tautenburgo. Rée não foi incluído no convite.

Enquanto esperava pela realização desse delicioso plano, Lou escrevia de Stibbe cartas sedutoras a Nietzsche. Lisonjeiramente, definia Nietzsche e Rée como "dois profetas do passado e do futuro [...] Rée descobre o veredito dos deuses enquanto você destrói o crepúsculo dos deuses". Insinuante, escreveu que os livros que havia mandado a entretinham mais na cama do que qualquer outra coisa. Aos poucos as cartas de Nietzsche para ela foram perdendo a rigidez. Admitiu que quando estava sozinho costumava falar o nome dela em voz alta, só pelo prazer de ouvir o seu som.

Lou escreveu concordando em passar as férias com ele e Elisabeth em Tautenburgo, e Nietzsche transbordou de alegria.

> Tautenburgo, 2 de julho de 1882
> Agora o céu acima de mim está brilhando! Ontem ao meio-dia senti como se

fosse meu aniversário. *Você* aceitou o convite, o mais adorável presente que qualquer um poderia me dar agora; minha irmã mandou cerejas; Teubner mandou as primeiras três páginas de prova de *A gaia ciência* e, além disso tudo, acabei de concluir a última parte do manuscrito, e portanto do trabalho de seis anos (1876-82), todo o meu *Freigeisterei* [livre-pensar] [...] Oh, querida amiga, sempre que penso nisto sinto-me empolgado e comovido e não sei como poderia ter *conseguido* fazê-lo – sinto-me cheio de autocompaixão e uma sensação de vitória. Porque é uma vitória, uma vitória completa – pois até minha saúde física ressurgiu [...] todos me dizem que estou parecendo mais jovem do que nunca. Que o céu me preserve de fazer coisas tolas – mas de agora em diante! – sempre que você me aconselhar, eu estarei sendo *bem* aconselhado e não preciso ter medo [...]

Inteiramente seu, F. N.

As notícias sobre sua boa saúde eram mais um desejo que um fato. A menção da aparência jovem era uma ufania vaidosa de alguém com 37 anos para alguém com 21 em seu triunfo por ter superado Rée na batalha pela dominação do triângulo filosófico-amoroso.

Elisabeth e Lou se encontraram em Leipzig. Uma estava mais ansiosa que a outra para causar uma boa impressão. Quando chegaram a Bayreuth já estavam se tratando pelo íntimo *Du* [você]. Elisabeth tinha reservado quartos para as duas na mesma hospedaria. Não havia como escapar da intimidade.

Havia recepções em Wahnfried para duzentas ou trezentas pessoas todas as noites, entremeadas por festas. Elisabeth gostava de se considerar íntima de Cosima, mas estava dolorosamente ciente de que sua utilidade doméstica não a qualificava para merecer a atenção dela naquele contexto social superior. Na verdade, ninguém ali estava muito interessado na já madura irmã de Nietzsche.

"Ainda não encontrei muita gente que conheço", escreveu para a mãe com certo pesar, "mas o jantar foi muito agradável, ainda que realmente caro. Como piada, amanhã vamos todos comer na mesa vegetariana."[4]

Em comparação, o interesse geral por Lou era voraz. Jovem, bonita, aristocrática, vivaz, rica, cosmopolita, autoconfiante e desinibida, era conhecida como um dos "espíritos livres" de Malwida. Muito em breve Lou demonstraria que esse espírito livre não estava apenas divulgando a perigosa doutrina, mas se propondo realmente a vivê-la. Bayreuth perdia o fôlego quando ela falava abertamente em passar o inverno seguinte desacompanhada, estudando e filosofando com Rée e Nietzsche. Mostrava a própria fotografia brandindo o chicote sobre as costas de seus dois filósofos de estimação. Deu muito o que falar no festival. Mas o escândalo não terminou por ali. Mais frisson foi adicionado pelo assunto tratado pela correspondência de cinco anos com os médicos de Nietzsche, que de alguma forma se tornou pública. Nietzsche era um masturbador! Provavelmente o vazamento aconteceu porque Wagner, um homem ocupado e habituado a delegar, tinha canalizado parte de sua correspondência com o dr. Eiser via Hans von Wolzogen, o editor do *Bayreuther Blätter*.[5] Wagneriano passional e antissemita, Wolzogen não tinha tempo para Nietzsche, que ele invejosamente via como um traidor do mestre por seu abandono apostático do filósofo da casa (Schopenhauer) e da sagrada causa (Bayreuth), e que agora parecia estar ligado a uma garota sem princípios (Lou) e a um "israelita" de sexualidade duvidosa (Rée). De sua parte, Nietzsche nunca escondeu que considerava Von Wolzogen uma mediocridade intelectual.

Não estava se desenvolvendo nenhuma irmandade espiritual entre Lou e Elisabeth. Lou estava destruindo seu bom nome e o do irmão ao mostrar aquela fotografia ridícula. Lou era travessa e impudente. Flertava com todos os homens que conhecia. Sua silhueta sensacional sem dúvida era devida a "seios falsos".

Quem sabe o quanto Elisabeth pode ter ficado intrigada quando antigos amigos a tratavam friamente por pejo ou constrangimento por causa dos rumores sobre os hábitos sexuais do irmão. Lou, que era sempre bem-vinda a Wahnfried, diz que, quando Nietzsche era mencionado, Wagner ficava muito agitado e saía da sala, exigindo que seu nome jamais fosse pronunciado em sua presença. Trata-se de uma reação que pode denotar uma consciência culpada.

Com seu infalível instinto pelo homem do momento, Lou envolveu-se num flerte ostensivo com Paul von Joukowsky, o alegre artista de 37 anos responsável pelos cenários de *Parsifal*. Assim como Lou, Paul era meio alemão e meio russo. Os dois tinham muito em comum, inclusive o interesse pelo espiritualismo, tornado muito mais interessante pela convicção de Lou de que seu caminho pela vida era marcado por ectoplasmas que a seguiam e transmitiam misteriosas mensagens.

A posição de Paul em Wahnfried apoiava-se no retrato extremamente kitsch que havia feito dos filhos de Wagner como a Sagrada Família no ano anterior. Siegfried fazia o papel de Jesus, as meninas eram Maria e os anjos e o próprio pintor era José. Quando Böcklin recusou o pedido de Wagner para desenhar os cenários de *Parsifal*, a indicação de Paul von Joukowsky surgiu em seguida. Seus projetos satisfizeram até o gosto de Wagner por sedas, cetins, milhares de flores e luz cor-de-rosa. Na verdade, fizeram um sucesso tão grande que foram usados em Bayreuth em mais de duzentas reapresentações da ópera, até finalmente se desfazerem em 1934. Paul conhecia o segredo das cartas. Não sabemos se foi ele quem contou a Lou ou se ela soube de alguma outra forma, mas, dadas as circunstâncias, é pouco provável que não tenha ouvido falar do assunto.

Outra conquista fácil de Lou foi Heinrich von Stein. Tomando o lugar de Nietzsche, Von Stein ganhara a posição de tutor do jovem Siegfried. Schopenhaueriano ardente, ele e Lou de início divergiram em questões filosóficas, só para concordarem tão calorosamente em suas diferenças que Von Stein a convidou para visitá-lo em Halle.

De maneira geral, a semana em Bayreuth estava se mostrando maravilhosa para Lou e pavorosa para Elisabeth. Ela despejou sua raiva, frustração e inveja em relação a Lou no único romance que escreveu.[6] Os personagens quase não são disfarçados. Lou é a polonesa "Fräulein Von Ramstein", que tem uma cintura impossivelmente fina e um colo tão protuberante que era obviamente devido à generosidade dos enchimentos. Tem olhos arregalados, cabelos crespos e uma tez amarelada. Os carnudos lábios vermelhos de boca voraz de anêmona do mar estão sempre insinuantemente abertos. Apesar disso tudo, ela é perigosamente atraente aos homens. A feiura de seu intelecto seduz Georg, o herói da história – um Nietzsche mal disfarçado. Tão inocente quanto nobre, Georg acredita nas belas palavras de amor, de filosofia e de *Freigeisterei* [pensamento livre] de Fräulein Von Ramstein. Mal sabe que a traiçoeira garota já fez exatamente os mesmos discursos e abordagens amorosas para "um professor de gramática" (Rée). Felizmente, Georg percebe tudo a tempo e decide ficar com Nora, uma boa garota de bela compleição saxã, de personalidade cordial e encantadora: um triunfante autorretrato da autora.

Não é uma grande obra literária, mas deve-se conceder que a indignação que motivou a história não está fora de lugar: durante todo o tempo em que esteve em Bayreuth, Lou mantinha Rée informado do que acontecia. Rée ficou louco de ciúmes de Nietzsche e de Paul. Disse a Lou que não tinha escrúpulos em agir de forma enganosa ou mendaz com Nietzsche ou com qualquer outro homem que a desejasse. "Você vai descobrir que sou o homem mais ridiculamente ciumento que já conheceu."⁷

Lou não era exatamente sensível à influência da música, mas Nietzsche desejava desesperadamente que ela compartilhasse de sua paixão. Insistiu que ficasse para a segunda apresentação de *Parsifal*. Isto seria bom para ela, mas mesmo antes da segunda apresentação Elisabeth já estava farta do comportamento imodesto de Lou. A gota d'água aconteceu quando ela mandou Paul se ajoelhar aos seus pés para arrumar a bainha do vestido dela. Indignada, Elisabeth mandou um telegrama a Nietzsche e partiu para Tautenburgo. Nietzsche apressou-se em encontrá-la na estação. Esperando relatos maravilhosos a respeito de Lou, ouviu apenas uma litania de reclamações.

Paul von Joukowsky e Heinrich von Stein eram contra Lou se encontrar com Nietzsche e Elisabeth em Tautenburgo. Insistiram para que ela ficasse em Bayreuth. Malwida também. Ela não previa nada além de problemas na planejada ligação a três. Lou ficou em Bayreuth, dizendo a Nietzsche que estava de cama com resfriado. Ele mandou seus desejos de rápida recuperação. Como não fez nenhuma referência a Elisabeth ou qualquer outra coisa desagradável, Lou considerou seguro descartar sua fingida doença e escreveu uma carta encantadora, expressando a mais sincera gratidão pelos cuidados de Elisabeth enquanto estiveram juntas em Bayreuth. Nada iria interferir em suas três semanas de aprendizado filosófico.

De sua parte, Elisabeth não tinha escolha a não ser continuar com o plano. Se abandonasse sua guarda de Lou, estaria removendo a última camada de reputação do nome da família de Nietzsche, deixando tudo desnudado.

Apanhado no meio, Nietzsche simplesmente implorou: "Venha logo. Estou sofrendo muito por ter feito você sofrer. Nós passaremos melhor por isso juntos".⁸

Quando Lou chegou, em 6 ou 7 de agosto, Elisabeth estava lá para encontrá-la. Acontece que, na viagem de trem desde Bayreuth, Lou veio no mesmo vagão que Bernhard Förster, o professor escolar com quem Elisabeth esperava se casar. Os ciúmes de Elisabeth agora se estenderam a Lou tentando roubar seu namorado, além do irmão. Houve uma enorme discussão. Como Lou podia sair flertando com todos os homens que conhecia? Como podia arrastar o respeitável nome de Nietzsche na lama daquele jeito? Lou "riu abertamente" daquilo e replicou: "Quem foi a primeira a sujar nossos planos de estudo com seus baixos desígnios? Quem começou a amizade mental quando ele não pôde me ter para alguma outra coisa? Quem pensou em concubinagem? Foi seu irmão nobre e de pensamento puro! Os homens só querem uma coisa, e não é amizade mental!".

Elisabeth retrucou que tais coisas poderiam ser comuns entre meros russos, mas eram ridículas em relação ao seu irmão de mente pura. Exigiu que Lou parasse com aquela conversa indecente. Lou replicou que estava acostumada a conversas muito mais indecentes com Rée, acrescentando que Nietzsche tinha sugerido que, se não pudesse tê-la como esposa, seria melhor viverem juntos em um "casamento selvagem" (*wilde Ehe*), mas que Elisabeth estava enganada se achasse que ela tinha planos para o irmão dela. Lou poderia dormir a noite toda no mesmo quarto que ele e não se sentir nem um pouco excitada. O horror dessa grosseria fez Elisabeth vomitar. Compressas tiveram de ser aplicadas nela.[9]

Nietzsche tinha arranjado para as duas mulheres ficarem na casa do vigário em Tautenburgo. Com muito decoro, alugou um quarto numa casa de fazenda próxima. Na manhã seguinte à discussão os três se encontraram. Nietzsche confrontou Lou com os relatos de Elisabeth sobre suas perfídias. Lou simplesmente negou. Nada daquilo havia acontecido. As acusações de Elisabeth não eram baseadas em fatos. Elisabeth pediu para que Lou partisse, mas ela fingiu estar doente e retirou-se para a cama.

Para demonstrar sua superioridade, Elisabeth estabeleceu um programa de estimulantes caminhadas pelos lindos bosques, onde os "adoráveis e saltitantes esquilos" ajudaram-na a recuperar o equilíbrio. Entrementes, Nietzsche passou o tempo subindo e descendo a escada de madeira do vicariato, que rangia, e cujas detonações explosivas Lou atribuiu a ectoplasmas. Não permitiu que Nietzsche entrasse no quarto dela, por isso ele passava bilhetes por baixo da porta. Finalmente conseguiu entrar para consolar sua "malcomportada" Lou e beijar sua mão. Logo em seguida ela estava bem o bastante para se levantar.

Durante as três semanas seguintes Elisabeth se manteve afastada, amuada, admirando esquilos e se queixando com seus missivistas por ter sido desdenhada por seus sacrifícios, ridicularizada pelo irmão e substituída por Lou. Os outros faziam longas e divertidas caminhadas juntos pela sombreada floresta de Tautenburgo, Nietzsche duplamente sombreado por seus óculos verdes e o guarda-sol e ela por um chapéu e uma echarpe vermelha. Quando voltavam para o quarto dele na casa da fazenda, ela cobria a lâmpada com a echarpe para suavizar a luminosidade para os pobres olhos de Nietzsche. Os dois conversavam até a madrugada. Isto deixava o senhorio de Nietzsche louco, pois tinha de esperar para levar Lou de volta ao vicariato. E as vacas precisavam ser ordenhadas ao amanhecer.

Ambos descrevem conversas de dez horas seguidas. Cada vez mais Nietzsche se convencia de ter encontrado seu alter ego. A única diferença estava no estilo de escrever de cada um. Lou ainda escrevia da maneira deslumbrada de uma escolar maravilhada, enquanto o estilo de prosa de Nietzsche combinava precisão e brevidade com uma vitalidade quase sempre chocante e orgiástica. Com razão, ele se considerava um dos três maiores estilistas da língua alemã, os outros dois sendo Lutero e Goethe.

Elaborou um guia de estilo para Lou:

O estilo deve ser vívido.
Saiba exatamente o que você quer dizer antes de começar a escrever.
Adapte seu estilo a quem for ler.
Sentenças longas são uma afetação. Somente pessoas com muito fôlego têm direito de escrever longas sentenças.

E finalmente: "Não é de bom-tom ou inteligente privar o leitor das objeções mais óbvias. É de muito bom-tom e muito inteligente deixar o leitor enunciar a quintessência final da nossa sabedoria".[10]

A interpretação de Lou daquelas conversas durante as três semanas em Tautenburgo era de que, fundamentalmente, eles só falavam de Deus. Concluiu que Nietzsche era ainda mais religioso por não ter deuses. Era a dor desse fato que orientava sua filosofia. Todo seu desenvolvimento intelectual era derivado da sua perda da fé e de suas emoções pela constatação da morte de Deus. A possibilidade de encontrar alguma substituição para o deus perdido o obcecava.

Nietzsche falava sobre o darwinismo. Em tempos passados, explicava, era preciso atribuir o sentido da grandeza do homem às suas origens divinas. Esse caminho havia se fechado, "porque em seu portal há o macaco, entre outros animais horríveis, que, receoso, mostra os dentes como que dizendo 'não há mais nada nesse caminho!'". E assim a humanidade explorava incansavelmente os caminhos e direções opostos para provar sua grandeza.11 O homem valorizava a grandiosidade humana como que baseada no não reconhecimento da animalidade. A meta era ser considerado não mais como um animal. Ou pelo menos ser um animal superior, um ser dialético e racional.12

Era possível que o controle do intelectualismo do homem arruinasse sua capacidade de ser feliz. Era até possível que a humanidade perecesse por sua paixão pelo conhecimento. Mas quem não preferiria a queda da humanidade ao declínio do conhecimento?13

Explicou a Lou que desejava examinar, e provavelmente descartar, a falácia do antropocentrismo. Fenômenos naturais não deveriam ser vistos de uma perspectiva humana míope e estreita. Para isso ele tinha decidido passar um número de anos – possivelmente dez – estudando ciências naturais na universidade, em Viena ou Paris. De agora em diante, conclusões filosóficas seriam baseadas em observações e experimentos empíricos.

Eles também conversavam sobre o eterno retorno. Nietzsche dizia que queria aprender a ver o que é necessário em coisas como a beleza. "Assim eu serei um desses que fazem coisas bonitas. *Amor fati* [amor à fé]: que este seja o meu amor de hoje em diante! Não quero travar uma guerra contra a feiura. Não quero acusar; não quero nem sequer acusar os acusadores. Que *olhar para o outro lado* seja minha única negação! E, considerando tudo e o todo: quero algum dia ser somente alguém que diz sim!".14

Amar a própria fé, aceitá-la e adotá-la era amar e adotar a doutrina do eterno retorno. Não era, insistia hereticamente, adotar uma passividade astrológica e supersticiosa ou um fatalismo oriental confortável, mas, se o homem viesse a se conhecer e se tornar quem era, a fé devia ser acolhida. Se alguém tivesse caráter, teria uma experiência típica que também retornaria. Se a vida era uma longa linha estendendo-se do passado para o futuro e alguém fosse um ponto nessa linha, era por estar lá por sua própria responsabilidade. Isto tornava um dever para a alma consciente tender a dizer sim para esse momento e estar preparada para ser feliz de forma que, na roda do tempo, poderia retornar diversas vezes.

É preciso ter os pés ágeis; deve-se dançar. A vida não era simples. Se um dia o homem se atrever a construir uma arquitetura que corresponda à natureza da alma, essa arquitetura teria de usar o labirinto como modelo. Para dar à luz uma estrela bailarina, deve-se primeiro ter um caos interior. Incoerência, mudanças de ideia e vontade de vagar eram deveres. Uma opinião fixa era uma opinião morta, uma mente já formada era uma mente morta, que valia menos que um inseto; deveria ser esmagada com os pés e totalmente destruída.

As observações de Lou durante aquelas três semanas que passaram juntos são valiosas, embora seus relatos tenham sido moldados por doze anos de ponderação retrospectiva. Mais ninguém jamais passou três semanas sendo doutrinado por Nietzsche e sua filosofia.

Depois de três semanas, Lou não aguentou mais a intensidade. Em 26 de agosto, Nietzsche a acompanhou até a estação. Ao partir, Lou o presenteou com um poema, "Uma oração para a vida". Nietzsche transformou-o em música, expressando a esperança de ser um pequeno caminho pelo qual os dois poderiam chegar juntos à posteridade – com outros caminhos também se mantendo abertos.

Com mais entusiasmo que sensibilidade, Nietzsche pediu a Louise Ott, a mulher por quem havia se apaixonado durante o primeiro Festival de Bayreuth, para procurar acomodações para a trindade em Paris. Sua fantasia era de que, quando estivessem todos juntos por lá, eles se sentariam ao redor do piano ouvindo a voz de rouxinol de Lou cantar seu poema já transformado em música.

Lou saiu de Tautenburgo diretamente para o ninho de Stibbe com Rée. O tempo todo ela o manteve informado com anotações para o "livro-ninho". Sua conclusão final era de ter olhado para o abismo subjetivo de Nietzsche, onde havia encontrado misticismo religioso cristão rebatizado como manifestação dionisíaca e fundamentalmente uma máscara para a luxúria corpórea. "Assim como o misticismo cristão (como todos) atinge uma sensualidade crua e religiosa no auge do êxtase, a forma mais idealizada de amor sempre retorna à sensualidade." Conjecturou se isso poderia ser uma espécie de vingança da animalidade da natureza humana sobre a espiritual, e se era o que a estava afastando de Nietzsche e a aproximando de Rée, que não representava uma ameaça sexual.

No domingo seguinte à partida de Lou, Nietzsche tomou um trem para voltar à casa da mãe em Naumburg. Elisabeth se recusou a acompanhá-lo. Disse que seus olhos estavam tão inchados de chorar que não poderia impingir tal visão chocante à mãe.

Nietzsche se dedicou a fazer o papel do filho dedicado. Tudo estava calmo até chegar uma carta de Elisabeth, contando o que havia acontecido. A carta detonou uma briga tão espetacular que Franziska acusou o filho de ser covarde e mentiroso. Era uma desgraça para o nome do pai; tinha desonrado o túmulo do pai. Suas palavras continham o horror primordial da maldição de uma mãe. Nietzsche nunca as esqueceu.

Ele fugiu para Leipzig, refletindo amargamente que ainda sofria do que chamava de "doenças encadeadas": o apego emocional puxando para baixo no caminho de se tornar o ser que se é.

"Primeiro, existe a dificuldade de se emancipar das próprias correntes; e, finalmente, é preciso se emancipar também dessa emancipação! Cada um de nós precisa sofrer, ainda que de maneiras muito diferentes, de doenças encadeadas, mesmo depois de termos rompido a cadeia."[15]

Para recepcionar Lou e Rée em Leipzig, ele agendou uma ida a uma sessão espírita. Os dois eram suscetíveis a esse tipo de coisa. Depois do espetáculo, Nietzsche tinha planos de deslumbrá-los com uma impressionante refutação do absurdo espiritualista. Mas o próprio médium se mostrou tão incompetente que ele não teve nada a se opor com seus argumentos bem ensaiados.

A trindade passou as semanas seguintes de forma apática. Foram a alguns concertos, mas na maior parte do tempo se reuniam para compor aforismos inteligentes. Nietzsche continuou corrigindo e aprimorando a prosa de Lou, que não havia perdido, e jamais perderia sua tendência a exageros vagos e excessivamente coloridos. As anotações de Nietzsche nas margens agora se dirigiam a ela pelo apelido que criou: "Märchen", que significa "conto de fada", mas também "fabulista".

Os três escreviam aforismos para definir uns aos outros. O aforismo definindo Lou dizia: "Mulher não morre de amor, mas se desperdiça pela falta dele". Rée foi definido como "A grande dor e o ódio a si próprio". Para Nietzsche: "A fraqueza de Nietzsche: excesso de sutileza". Para a própria trindade: "Dois amigos são mais facilmente separados por um terceiro".[16]

Schopenhauer tinha falado de uma república de gênios formando uma espécie de ponte sobre o turbulento fluxo do vir a ser, mas nenhum deles estava conseguindo atravessar essa passagem. Ninguém agia honestamente, nem falava abertamente. O "vir a ser" de cada um estava afundando na rocha dos outros dois enquanto todos se afogavam numa pretensão cada vez mais profunda. A santíssima trindade havia se transformado em um triângulo desonesto em que ninguém agia como um espírito livre.

Mais cedo naquele ano, Nietzsche havia declarado em êxtase aos Overbeck que iria sair mais para o mundo e passar mais tempo com as pessoas.

Acabou se transformando numa atitude que demonstrava que até mesmo uma unidade humana pequena e idealista, como uma trindade de espíritos supostamente livres, só conseguiu aprisionar os participantes em cadeias recém-forjadas de sentimentos, ressentimentos e obrigações. Qualquer apego trazia consigo doenças encadeadas recém-fabricadas.

No dia 5 de novembro, Lou e Rée simplesmente desapareceram. Nietzsche não fazia ideia do que acontecera, nem o motivo. Ficava rodeando a caixa de correio, incerto sobre seu destino imediato, mas não recebeu nenhuma carta. Depois de dez dias, se obrigou a ir de Leipzig à Basileia, onde havia prometido comparecer à comemoração pelo aniversário de 45 anos do bom amigo Franz Overbeck. Lá também a caixa de correio era o centro de seu mundo. Alguma carta havia chegado?, ele insistia com Ida Overbeck. Quando chegou a hora de partir, ela ficou terrivelmente chocada com as palavras dele de despedida. "Então vou realmente partir para a solidão total."

Algumas semanas depois, o ardiloso Rée mandou a Nietzsche um cartão-postal reprovando-o de forma absurda por tê-los abandonado. Sempre pronto a perdoar, sempre indulgente, Nietzsche respondeu com uma mensagem de perdão para Lou: a "alma superior" sempre agia além da culpa ou reprovação. Desejava que ela continuasse em sua tarefa de "limpar os céus", embora achasse que toda a dignidade da tarefa de sua própria vida tivesse sido posta em dúvida pelo comportamento dela.

Entre novembro e fevereiro, Nietzsche passou um tempo enorme escrevendo cartas a Lou. Algumas ele postava, outras continuavam como rascunho. Variavam entre cartas de amor, de aversão, de acusações, de perdão, de insultos ou reprovação. Ela tinha "a luxúria predatória de uma gata". Escrevia cartas vingativas como uma adolescente. Era uma monstruosidade, um cérebro com apenas rudimentos de uma alma. Se tivesse energia, vontade e originalidade de pensamento, ela estava destinada a alguma coisa grandiosa; se lhe fosse dada moralidade, ela provavelmente acabaria numa penitenciária ou num hospício.

Nietzsche nunca mais viu Lou nem Rée. Os dois não tinham viajado a Paris, como ele imaginava. Esconderam-se dele a poucos dias de Leipzig antes de seguirem para Berlim. Lá eles estabeleceram residência em um apartamento configurado exatamente como Lou havia imaginado para a santíssima trindade: dois quartos separados por um salão. Lou estabeleceu um salão literário imitando o de Malwida. Não tinha muita qualidade literária, mas pulsava de tensão sexual. Rée continuava lutando contra seu vício no jogo e encontros furtivos com jovens nas ruas depois da meia-noite. Lou era tratada no salão como "sua excelência". Rée era conhecido como "a Dama de Honra".

Lou levou com ela a Berlim o exemplar de *Humano, demasiado humano* presenteado por Nietzsche, no qual ele escrevera um poema:

>Querida – disse Colombo – nunca
>Confie em outro genovês!
>Para o mar ele olha para sempre,
>Para os distantes mares azuis profundos!
>
>Seus entes queridos o atraem de longe
>Pela imensidão do espaço e do tempo –
>Acima de nós estrela brilha ao lado de estrela
>Ao nosso redor ruge a eternidade.[17]

14
Meu pai Wagner morreu.
Meu filho Zaratustra nasceu.

O que haveria para criar se deuses... existissem?
Ecce homo, "Assim falou Zaratustra", seção 8

Em novembro de 1882, Nietzsche saiu da Basileia para Gênova, local de nascimento de Colombo, que atravessou oceanos inexplorados para descobrir um mundo novo. Uma das atrações por Colombo era o de ele não ter ideia do que iria encontrar. Nem Nietzsche, na verdade, quando falava com grandiosidade sobre viajar para a Índia como Alexandre e Dionísio fizeram antes dele. Em vista de seu enjoo crônico em barcos, nitidamente ele estava falando de uma viagem metafórica à *terra incognita* do interior humano.

Sua saúde esteve muito ruim durante o inverno de 1882-3. Não deve ter ajudado o fato de estar ingerindo enormes doses de ópio em tentativas inúteis de conseguir dormir sonos elusivos e amenizar a dor emocional do que definia como os últimos e agonizantes espasmos mortais em relação a Lou. Em meados de dezembro, escreveu uma carta para chamar atenção conjunta de Lou e Rée, dizendo que havia tomado uma enorme dose de ópio e "[...] mesmo se acontecer de um dia eu tirar minha vida por causa de alguma paixão ou outra, não haveria muito a lamentar a respeito [...]".[1] Cartas mencionando overdoses de ópio e suicídio também foram enviadas a Overbeck e Peter Gast: "O cano de um revólver é para mim agora uma fonte de pensamentos relativamente agradáveis"[2] etc. Seus velhos amigos havia muito sabiam que suicídio sempre fora uma possibilidade, e também sabiam que a não interferência poderia, ou deveria, afetar o resultado.

Em sua chegada a Gênova, o novo Colombo descobriu que a hospedaria de que gostava estava lotada, por isso foi para a costa, encontrando um *albergo* pequeno e barato em Rapallo. A troca não fez nenhuma diferença em sua imaginação criativa. Um argonauta do espírito podia ser Colombo partindo para a América, ou podia ser Dionísio ou Alexandre partindo para a Índia também de Rapallo, que estimulava sua imaginação tanto quanto Gênova e a Grécia Antiga.

"Imagine uma ilha no arquipélago grego, arbitrariamente recoberta de florestas e montanhas, que devido a algum acidente um dia nadou para perto do continente e foi incapaz de voltar a nado. À minha esquerda o golfo de Gênova até o farol. Com certeza há algo de grego nisto [...] alguma coisa pirática, inesperada, bucaneira [...] Nunca vivi tanto tempo num genuíno e esquecido isolamento de Robinson Crusoé."[3] O *albergo* era limpo, mas a comida horrorosa. Ainda não havia servido uma porção de carne decente.

Já estava havia dois meses em Rapallo quando a mãe enviou uma carta tão liberalmente açucarada sobre as virtudes de Naumburg que deu coragem para Nietzsche responder que devolveria futuras cartas sem abri-las. Era tempo de se libertar das doenças encadeadas. Isto devia incluir Elisabeth. Instruiu os amigos a não deixarem sua família saber seu novo endereço. "Não consigo aguentá-las mais. Gostaria de ter rompido com elas antes!".

Passou o dia de Natal sozinho. Talvez revigorado pelo dia simbólico de nascimento e renascimento, escreveu sua primeira carta olhando para o futuro. Foi endereçada a Overbeck. "Minha falta de confiança agora é imensa", confessou. "Se não conseguir descobrir o truque alquimista de transformar esse... muco em ouro, estou perdido. Aqui tenho a mais esplêndida oportunidade de provar que para mim 'todas as experiências são úteis, todos os dias são santos e todas as pessoas são divinas'!!!".[4]

O truque alquimista só poderia ser realizado pelo argonauta solitário que estava preparado para se chocar com o infinito. "A solidão tem sete peles; nada mais pode passar por elas [...]"[5] O resultado foi o livro *Assim falou Zaratustra*, uma odisseia extática, poética, profética e espiritual através do mundo moral moderno. Não muito diferente das viagens de Gulliver ou da viagem de Sinbad ou de Odisseu, o livro é uma parábola estendida preocupada com os temas do presente. O antigo profeta persa Zaratustra desce de uma montanha depois da morte do conceito de Deus para explicar que se a humanidade conseguir ascender a esse estado, a moralidade pode existir em um mundo pós-deísta enquanto houver honestidade, coerência e coragem para limpar as paredes da caverna que ainda abriga as sombras escritas sobre crenças sobrenaturais.

Assim falou Zaratustra não foi a primeira aparição do profeta persa nos textos de Nietzsche. Seu livro anterior, *A gaia ciência*, terminava com um longo parágrafo aforístico intitulado "A tragédia começa",[6] em que, de forma desconcertante, apresenta um personagem chamado Zaratustra, jamais mencionado antes no livro. "Quando Zaratustra tinha trinta anos, ele saiu de sua terra natal e do lago Urmi e foi para as montanhas", começa a última seção de *A gaia ciência*. Onde fica na Terra o lago Urmi? De que montanha ele está falando? Quem era Zaratustra?

"Lá ele desfrutou de seu espírito e de sua solidão, e não se cansou disso durante dez anos", continua a passagem.

> Mas afinal seu coração mudou – e certa manhã ele se levantou com uma aurora rósea, desceu antes do sol e assim falou para ele:
> "Grande corpo celestial! Qual seria sua felicidade se não tivesse a quem iluminar? Durante dez anos você subiu até a minha caverna: estaria farto de sua luz e desse caminho sem mim, minha águia e minha serpente; mas nós o esperamos a cada manhã, recebemos da sua abundância e o bendizemos por ela. Veja! Estou enfastiado de minha sabedoria, como uma abelha que colheu mel demais; preciso de mãos que se estendam, quero oferecê-la e reparti-la, até que os sábios entre os homens novamente se alegrem de sua tolice e os pobres de sua pobreza. Para isso tenho que descer à profundeza: como você faz à noite, quando segue por trás do mar e leva a luz também ao mundo de baixo, estrela pródiga! – assim como você, eu tenho que *me rebaixar*, como dizem os homens até os quais quero descer."

Este "me rebaixar" parece se referir ao próprio "me rebaixar" de Nietzsche à época em que escreveu *A gaia ciência*, quando desceu das alturas da solidão para compartilhar a transbordante alegria de suas ideias com Lou, que distribuiria o seu "mel" (sua sabedoria). Enquanto escrevia isso, ele ainda acreditava que tinha encontrado em Lou seu primeiro discípulo.

O trecho continua:

> "Então abençoe-me, olho tranquilo, que sem inveja pode contemplar até uma felicidade em excesso! Abençoe o cálice que quer transbordar, para que dele flua a água dourada e leve a toda parte o reflexo do seu enlevo! Veja! Este cálice quer novamente ficar vazio, e Zaratustra quer voltar a ser humano." Assim começava o rebaixamento de Zaratustra.

Assim termina *A gaia ciência* como publicado em 1882.

A versão final que conhecemos hoje contém as revisões do autor de 1887, que incluem uma nova introdução, uma quinta seção com 39 aforismas adicionais e muitos poemas. Mas quando ele escreveu a primeira parte de *Assim falou Zaratustra*, em 1883, o livro começa exatamente onde termina o original de *A gaia ciência* de 1882. Entre a produção dos dois livros ele tinha perdido Lou e, com ela, seu discípulo escolhido. *Faute de mieux*, o papel de Lou como veículo para assegurar seu legado mortal seria conduzido por Zaratustra. Com frequência, fora das páginas do livro, Nietzsche se refere a Zaratustra como seu filho.

Por que Nietzsche escolheu Zaratustra? Zaratustra, também chamado de Zoroastro, era um profeta persa que provavelmente viveu em alguma época entre os séculos XII e VI a.C. O texto sagrado de Zaratustra, o *Avesta*,[7] fala que os deuses venerados pelos persas eram do mal. Assim, Zaratustra apresentava uma chave para o problema do mal que jamais poderia ser respondida pelo judaísmo, pelo cristianismo ou pelo islã, cujos deuses todo-poderosos eram sempre bons. No zoroastrismo o deus da luz e do bem era chamado de Ahura Mazda (também conhecido como Ormuzd). Ele está em constante conflito com o deus do mal e da escuridão, Angra Mainyu (Ahriman), e seus *daevas*. No fim dos tempos, Ahura Mazda conseguirá uma vitória final, mas até então ele não está no controle dos acontecimentos. Consequentemente, o zoroastrismo, ao contrário das três grandes religiões do livro, escapa do paradoxo de um Deus bom e todo-poderoso responsável pelo que muitas pessoas consideram ser um mal desnecessário.[8]

Os dez anos de solidão de Zaratustra nas montanhas entre os trinta e quarenta anos de idade podem representar para Nietzsche a década pós-Basileia de pensamento independente, geralmente conduzido nas altas montanhas. Zaratustra tem quarenta anos, a mesma idade de Nietzsche ao escrever o livro, quando ele volta a "estar entre as pessoas". Ele traz o fogo, como Prometeu trouxe o fogo que transformaria as culturas e civilizações e como o Espírito Santo portava línguas de fogo no Pentecostes. O fogo agracia os escolhidos (os iluminados) com o dom de "falar em línguas", isto é, em palavras universalmente compreensíveis. Trata-se de um sinônimo de sabedoria e revelação. O fogo de Zaratustra tem a capacidade específica de lavrar significado na falta de sentido da vida que se segue à morte de Deus. Apenas sua boca (através da de Nietzsche) será a primeira a abordar o niilismo, o desespero e a desvalorização da vida moral que beirava sua crise no contexto do materialismo do século XIX.

Todos os deuses estão mortos, prega Zaratustra. Agora queremos que viva um super-homem. Eu ensino o super-homem a vocês. "O ser humano é algo que precisa ser superado."9

O que é o homem? Um híbrido entre uma planta e um espírito. O que é o super-homem? É o significado da Terra que permanece fiel à Terra. Ele não acredita naqueles que oferecem esperanças extraterrestres: eles desprezam a vida, que morre por autoenvenenamento.

O super-homem sabe que seja o que for que pareça cruel, aleatório ou desastroso não é um castigo mandado da eterna aranha da razão para punir o pecador. Não existe uma eterna aranha-razão e nenhuma teia de aranha--razão eterna. Em vez disso, a vida é uma pista de dança para acidentes divinos.10 O sentido deve ser encontrado dizendo "sim" aos acidentes divinos na pista de dança.

Zaratustra prega aos aldeões que o homem é uma ponte, não um objetivo. Esta é a glória do homem. O humano está entre a besta e o super-homem, uma corda estendida sobre um abismo.

Ao ouvir isto, o primeiro discípulo de Zaratustra surge da multidão para tentar atravessar o abismo andando na corda bamba. Um bufão salta e derruba o malabarista, que cai e morre. Zaratustra pega o corpo de seu primeiro discípulo, o andarilho da corda bamba, para ser enterrado. É caçoado por todos. Apesar disso, resolve mostrar a eles a ponte do arco-íris que se estende – não para o Valhala, o lar dos deuses, onde leva a ponte do arco-íris de Wagner, mas ao estado de se tornar um super-homem.

Faz isso lhes concedendo suas beatitudes (dezoito; Cristo concedeu oito). Não são mandamentos nem preceitos místicos impenetráveis. A primeira diz: "Eu amo aqueles que não sabem como viver a não ser se rebaixando, pois são eles que fazem a travessia". A última: "Eu amo todos aqueles que são como gotas pesadas caindo individualmente da nuvem escura que paira sobre a humanidade: eles anunciam a vinda do relâmpago, e como arautos eles perecem".11

O sol está no zênite e ele passa o tempo com seus animais. A águia é "o animal mais orgulhoso sob o sol" e a serpente está enrolada como um anel no pescoço da águia. A serpente é "o mais sábio animal sob o sol". Muitas vezes Nietzsche usou a águia como símbolo de si mesmo e a serpente como símbolo de Lou (a serpente é fêmea e ele usa a mesma palavra, *Klügste*, para a inteligência de Lou e para a inteligência da serpente). Os dois animais juntos contêm um significado cada vez maior para ele. Remetem a muitos símbolos, inclusive o presságio fatal que anunciou a queda de Troia (que pode representar a queda de qualquer doutrina ou civilização) quando Apolo usa uma serpente para amaldiçoar Cassandra que, como Nietzsche, era abençoada com o dom de prever o futuro. A maldição de Cassandra, assim como a de Nietzsche, era a de ninguém acreditar em suas palavras ou previsões.

Então a narrativa é abandonada e Nietzsche nos apresenta 22 discursos aforísticos sobre assuntos que variam da virtude individual ao que constitui a criminalidade e a como fazer uma boa morte. A relação inteira compreende:

Das três metamorfoses
Das cátedras da virtude
Dos transmundanos
Dos desprezadores do corpo
Das paixões alegres e dolorosas
Do criminoso pálido
Do ler e escrever
Da árvore na montanha
Dos pregadores da morte
Da guerra e dos guerreiros
Do novo ídolo
Das moscas do mercado
Da castidade
Do amigo
Das mil metas e uma só meta
Do amor ao próximo
Do caminho do criador
Das velhas e novas mulherzinhas
A picada da víbora
Dos filhos e do matrimônio
Da morte voluntária
Da virtude dadivosa

Os discursos nos dão as ideias de Nietzsche sobre esses temas, expressos na linguagem bíblica e arcaica de seu alter ego Zaratustra.

Em vista de sua recente experiência, não surpreende que as mulheres agora recebam um tratamento ríspido, em chocante contraste com sua cordial compreensão delas em *A gaia ciência*. Não é melhor cair nas mãos de um assassino que nos sonhos de uma mulher lasciva?, pergunta. E o famoso "Vai se encontrar com mulheres? Não esqueça o chicote!". [12]

"Da morte voluntária" talvez seja a seção mais revolucionária para sua época. Os ensinamentos cristãos sobre o suicídio consideravam terminar a própria vida como um pecado imperdoável. Suicidas eram enterrados em solo não santificado, fora dos muros do pátio da igreja. Isso simbolizava a exclusão eterna de suas almas do paraíso. Mas Nietzsche sugere a opção pela eutanásia voluntária para os que estiverem em dores intoleráveis, os que percebem que sua qualidade de vida desapareceu, ou os que simplesmente sentem que seu tempo chegou. Ele recomenda que estes tenham permissão de terminar voluntariamente a própria vida sem o menor bafejo de criminalidade ou danação eterna.

Cada um dos 22 discursos é um modelo de como viver com honra e fiel ao ideal do super-homem que é um não religioso independente, disciplinado e criativo. Todos se encerram com as palavras "Assim falou Zaratustra". O livro termina com uma observação caracteristicamente opaca, extática e otimista:

> E este é o grande zênite, onde os seres humanos estão na metade do caminho entre o animal e o *Übermensch* [super-homem] e celebram seu trajeto até a noite com suas maiores esperanças: pois é o caminho para uma nova manhã.
>
> "Então aquele que se rebaixar abençoará a si mesmo, por ser um dos que atravessam; e o sol de seu conhecimento estará no zênite para ele.
>
> "Mortos estão todos os deuses: agora queremos que viva o *Übermensch*. – Que seja esta nossa última vontade no grandioso zênite!" –
>
> Assim falou Zaratustra.

É um livro curto, mal chega a cem páginas. Sua cadência é poética, repetitiva, hipnótica, breve e dinâmica. Nietzsche disse que o escreveu – ou que o livro o escreveu – em dez dias de êxtase de inspiração e revelação. Na verdade deve ter levado mais tempo, perto de um mês.

Em 14 de fevereiro de 1883, ele mandou o livro ao seu editor, Schmeitzner, definindo-o em sua carta anexa como "um quinto evangelho". Viajou de Rapallo a Gênova para postá-lo, talvez pelo prazer de lançá-lo do lugar adequado de sua viagem simbólica, ou talvez por desejar o serviço postal mais ágil a partir de Gênova. Enquanto estava lá, soube por um jornal sobre a morte de Wagner um dia antes. Considerou o fato um presságio, uma conexão sobrenatural: mais um par de floretes colidindo em pleno ar. Distorcendo um pouco a verdade, observou que a seção final fora concluída exatamente na hora sagrada em que Richard Wagner morria em Veneza.

A alma de Wagner estava viajando para se juntar a outros argonautas do espírito. Wagner também estivera outrora embrulhado nas sete peles da solidão do profeta visionário. Agora que estava morto, a original e mais pura essência de Wagner poderia ser reivindicada. Nietzsche tinha, portanto, o direito de se referir a *Assim falou Zaratustra* como um novo *O anel*. Seu pai Wagner estava morto; seu filho Zaratustra nascera.

É uma marca da discrição e generosidade espiritual de Nietzsche, que, como revelou em uma carta a Franz Overbeck uma semana depois da morte de Wagner, havia algum tempo já sabia do conteúdo da execrável correspondência com seus médicos. "Wagner era de longe o *mais completo* ser humano que conheci, e em *respeito* a isto tive de perdoar muitas coisas durante seis anos. Mas algo como uma ofensa mortal surgiu entre nós; e alguma coisa terrível poderia ter acontecido se ele tivesse vivido mais tempo."[13] Em 21 de abril escreveu mais abertamente ao músico Peter Gast: "Wagner é rico em ideias maliciosas, mas o que você diz de ele ter trocado cartas sobre o assunto (até com meus médicos) para expressar sua *convicção* de que meu estado alterado de pensamento era uma consequência de excessos desnaturados, com insinuações de pederastia?". Alguns meses depois, em julho, ele também mencionou a Ida Overbeck uma "abismal traição vingativa" que havia chegado aos seus ouvidos no ano anterior.

Realmente houve uma traição abismal e humilhações públicas, não só da parte de Wagner, mas também de Lou e Rée.

Ao receber *Zaratustra*, seu editor não o saudou como um quinto evangelho. Na verdade, nem mostrou sinais de que produziria o livro. Quando Nietzsche perguntou, Schmeitzner culpou vagamente atrasos da gráfica. Nietzsche respondeu com um bilhete sarcástico dizendo que Schmeitzner poderia ter dinheiro para pagar a gráfica se não o tivesse esbanjado em panfletos antissemitas. Isto não produziu o resultado desejado.

Nietzsche estava decepcionado, exausto e isolado. Ademais, devia estar malnutrido por só comer nos restaurantes mais baratos da cidade e certamente andava exagerando nos remédios. Estava se tratando com drogas perigosas, escrevendo as receitas e as assinando como "Dr. Nietzsche". Os farmacêuticos italianos o proviam de tudo o que pedia.

Sentia uma aguda autocomiseração:

> Nem por um momento consegui esquecer, por exemplo, que minha mãe me definiu como uma desgraça para meu pai morto [...] Toda minha vida desmoronou sob meu olhar: toda essa vida secreta, intencionalmente isolada e lúgubre, que dá um passo, a cada seis anos, e na verdade não quer nada mais que dar esse passo enquanto tudo mais, todas as minhas relações humanas, tem a ver com uma máscara de mim e que devo ser uma vítima perpétua de viver uma vida totalmente escondida. Sempre estive exposto às mais cruéis coincidências – ou melhor, fui eu quem sempre transformou coincidências em crueldade [...] estou em mau estado. É noite por toda minha volta. Sinto como se o relâmpago tivesse brilhado [...] Inevitavelmente me farei em pedaços, a não ser que alguma coisa aconteça – mas não faço ideia do *quê*.[14]

Não via razão para viver, mas se sentia compelido a se erguer para a luta encarnada que exige que o velho Laocoonte siga em frente e derrote suas serpentes. Mas se fosse para viver, ele não queria ter nada a ver com as pessoas. Até mesmo se hospedar num pequeno *albergo* no chalé de uma fazenda era companhia demais para ele.

> Não há limite para a quietude, a altitude, a solidão de que preciso ao meu redor para ouvir minhas vozes interiores. Gostaria de ter dinheiro suficiente para construir uma espécie de canil ideal ao meu redor – quero dizer, uma casa de madeira com dois quartos, e seria numa península penetrando o lago Sils onde antes existia uma fortaleza romana.[15]

Alternando entre sensações de frio e suores durante a noite, com febre e sujeito a uma exaustão crônica e constante, Nietzsche não tinha apetite nem paladar. A "velha dor de cabeça" o acometia das sete da manhã às onze da noite. Não conseguindo encontrar um aquecedor para esquentar seu quarto em Rapallo, Nietzsche voltou para Gênova. Esperava vagamente que alguém o tirasse da Europa, cujo clima e geografia ele culpava por seus males físicos e mentais. Considerando-se, como de hábito, como uma "vítima de uma perturbação na *natureza*", agora ele culpava o monte Etna pelos problemas previamente atribuídos à eletricidade das nuvens. O fluxo de energia do vulcão, ocupado em rugir e ameaçar uma erupção, era responsável por seus sintomas flutuantes.¹⁶ Havia algum consolo nesse pensamento. Liberava-o de acusar indivíduos como causadores de sua infelicidade.

Nesse debilitado estado físico e mental, ele cedeu a uma desajeitada aproximação conciliatória de Elisabeth. Logo ela o enredou em sua lisonjeira versão do passado recente. Nietzsche era a grande vítima inocente da víbora russa e do "judeu Rée". Nietzsche disse a ela que estava pronto para

> pôr minhas relações humanas, até agora de alguma forma desordenadas, de novo em ordem, começando por você. Quanto à máquina de escrever, está com defeito como qualquer coisa que homens fracos têm em mãos por um tempo, sejam máquinas ou problemas ou Lous.¹⁷

Continuava esperando que Schmeitzner publicasse *Zaratustra* e pediu a intervenção de Elisabeth. Ela teve sucesso onde ele havia falhado, possivelmente porque o editor sabia que Elisabeth era uma companheira antissemita. Por sua vez, Elisabeth persuadiu Nietzsche a participar com ela em uma campanha muito desagradável de escrever cartas a autoridades para expulsar Lou da Alemanha e mandá-la de volta à Rússia como indivíduo imoral. Na verdade, a campanha teve a imprevista consequência de fazer de Lou uma escritora. Ela percebeu que ser marcada como imoral poderia resultar na suspensão de sua pensão russa. Era sua única fonte de renda, e assim ela começou a ganhar dinheiro escrevendo. Produziu um *roman à clef* autobiográfico chamado *Im Kampf um Gott* [Lutando por Deus]. O personagem de Nietzsche é um asceta com uma paixão pela castidade e por prostitutas. A própria Lou é uma cortesã de classe alta e "escrava de sua irrefreável natureza baixa". Rée é seu protetor, "o Conde". O livro termina com ela cometendo suicídio ao ingerir veneno. A vigorosa narrativa de sedução é pontuada pelas lutas filosóficas de todos os personagens para encontrar alguma espécie de sentido religioso ou não religioso no mundo. Quando leu o livro alguns anos depois, Nietzsche reconheceu "uma centena de ecos de nossas conversas em Tautenburgo".¹⁸ Lou chamou inclusive a garota de Märchen, o apelido que Nietzsche lhe dera.

Elisabeth fracassou em seu projeto de deportar Lou. Imperturbável, lançou-se numa campanha para afastar o irmão do "*israelita* Rée". Havia muito tempo que Nietzsche tinha se curado do réealismo em sua filosofia. Aprendera a arte da escrita aforística com Rée, mas já se afastara do materialismo dele. Naqueles dias considerava Rée um homem sem ideais, sem objetivos, sem obrigações e sem instintos, satisfeito em ser o companheiro de Lou, se não seu criado.

Elisabeth incitou a separação, dizendo ao irmão que fora Rée quem contara a Lou que os planos para a trindade sempre se basearam na intenção baixa e lasciva de Nietzsche de "um casamento selvagem". Nietzsche acreditou nela e se sentiu atormentado ao pensar que Rée havia traído a amizade entre os dois ridicularizando sua filosofia para Lou e voltando-a contra ele. Autocomiseração e suspeita espiralaram. Escreveu a Rée acusando-o de ser um sujeito sorrateiro, insidioso e mentiroso, e Lou de ser sua porta-voz, a terrível porta-voz de suas ideias. Lou era uma calamidade, uma macaca suja e estéril que cheirava a maldade com seus seios falsos. (Podemos reconhecer a mão de Elisabeth na referência aos seios.) As violentas acusações de Nietzsche produziram uma ameaça de libelo por parte de Georg, o irmão de Rée, que o desafiou a um duelo de pistolas. Felizmente o desafio não teve sequência.

"Eu nunca odiei ninguém até agora", escreveu Nietzsche a Elisabeth, "nem mesmo Wagner, cujas perfídias foram além de qualquer coisa perpetrada por Lou. Só agora me sinto verdadeiramente humilhado".[19]

15
Só existem ressurreições onde há túmulos

> Na segunda parte [de *Zaratustra*] eu cabriolei quase como um palhaço acrobata. O detalhe contém uma incrível quantidade de experiências e sofrimentos pessoais que só é inteligível para mim – havia algumas páginas que me pareciam pingar sangue.
>
> Carta a Peter Gast, Sils Maria,
> final de agosto de 1883

Apesar de ser uma promotora de espíritos livres, Malwida não podia desculpar o comportamento de Lou. Ao lado de Nietzsche contra sua ex-protegida, ela o convidou a se recuperar visitando-a em Roma. Nietzsche organizou seu baú de livros, agora pesando 104 quilos e batizado de "pé torto". Chegou em 4 de maio de 1883 para se encontrar com Elisabeth, que continuava a trabalhar numa relação próxima com o irmão.

Elisabeth e Malwida nunca se viram como rivais. Durante o mês seguinte a união das duas foi tranquilizadora o bastante para Nietzsche parar de tomar gotas de hidrato de cloro para o estômago. O dinheiro de Malwida bancou saudáveis viagens pela paisagem primaveril da *campagna* nas imediações de Roma, com suas flores silvestres, rústicas casas de fazenda e pequenos resquícios de ruínas. Quando a carruagem os levava aos museus de Roma, de todos os artefatos vistos por Nietzsche, o que mais o impressionou foram dois bustos viris de Brutus e Epicuro e três quadros paisagísticos de Claude Lorrain[1] evocando nostalgicamente a Era de Ouro. As telas foram inspiradas pelas viagens do pintor pela *campagna*.

O absurdo de um autor que havia declarado a morte de Deus encontrando consolo espiritual na fortaleza da Igreja Romana não passou despercebido a Nietzsche. Às vezes ele incomodava as duas mulheres referindo-se a si mesmo como o anticristo. Ficou repugnado ao ver pessoas subindo as escadas da

Basílica de São Pedro de joelhos, usando isso como símbolo da idiotia religiosa quando escreveu a parte seguinte de *Zaratustra*.[2]

Junho chegou. Roma caiu em sua habitual monotonia de calor opressivo. Nietzsche pensou em passar o verão em Ischia, como um romano da Antiguidade; mas acabou indo a Milão com Elisabeth, onde se separaram e ele seguiu viagem para Sils Maria. Foi uma mudança de plano fortuita. Em um mês, Ischia foi abalada por um terremoto que matou mais de 2 mil pessoas.

Nietzsche pensava melhor ao ar livre. O local era de importância vital para ele. No dia em que voltou à sua adorada aldeia alpina ele saudou o lugar: "Aqui vive minha musa [...] esta região é minha família consanguínea e até mais do que isso".[3] Isso o levou a definir o processo de inspiração que, para ele, era inextricável da sensação do local:

> Alguém no final do século XIX tem uma ideia clara do que os poetas das eras fortes chamavam de *inspiração*? Se não, vou definir. – Se você tiver o menor resíduo de superstição, dificilmente vai rejeitar a ideia de alguém ser apenas uma encarnação, um porta-voz ou um meio de superar forças. A ideia da revelação no sentido de alguma coisa subitamente se tornar *visível* e audível com uma indizível afirmação e sutileza, uma coisa que o derruba e o deixa profundamente abalado – isto simplesmente descreve os fatos do caso. Você escuta, não procura por nada, você pega, não pergunta quem está lá; um pensamento se ilumina num clarão, com necessidades, sem hesitação quanto à sua forma, – eu nunca tive escolha. Um deleite cuja tensão incrível às vezes detona uma explosão de lágrimas, às vezes automaticamente apressa o seu passo e às vezes o retarda; um perfeito estado de estar fora de si [...] Tudo isto é involuntário no mais alto grau, mas acontece como em uma tempestade de sentimentos de liberdade, de atividade irrestrita, de poder, de divindade [...] Esta é a *minha* experiência de inspiração; não duvido que você precisaria voltar milhares de anos para encontrar quem dissesse: "É a minha também".[4]

A segunda parte de *Zaratustra* chegou a Nietzsche durante os dez dias entre 28 de junho e 8 de julho de 1883. "Todas as partes concebidas em marchas extenuantes; certeza absoluta, como se cada pensamento estivesse me chamando."[5]

Assim como a primeira parte, é dividida em pequenas seções compactas que ele conseguiu organizar durante suas quatro ou seis horas de caminhadas e transferir ao seu caderno de notas sem praticamente nenhuma ajuda. A paisagem de sua inspiração traçava um trajeto entre os dois pequenos lagos de Silvaplana e Sils, cujas águas de forte tom turquesa formavam o piso cintilante para as luminosas montanhas íngremes recobertas pelas neves eternas. Era um mundo em si mesmo, a partir do qual Nietzsche continuou contando a história de Zaratustra, cuja casa era perto do lago Urmi, que subiu sozinho as montanhas, e que se referia a seus pronunciamentos aforísticos como cumes ou picos de montanhas.

Nietzsche não chega a emergir das páginas da segunda parte de *Zaratustra* como exemplo de seu próprio ideal: "O que diz sim" que conseguiu repudiar a inveja e a vingança ao transformar "Foi assim" para "Eu gostaria que fosse assim". *Zaratustra* II é cheio de alusões a Lou e Rée, salpicado de súbitas e furiosas explosões acusando seus inimigos de o terem assassinado. Não fazem sentido na narrativa do livro.

Na seção chamada "Das tarântulas", Lou e Rée são claramente identificados com as tarântulas pelo símbolo da trindade em suas costas. "Divinamente certas e bonitas", quando a tarântula o pica ela tira sua alma e faz disso uma irrefletida vingança.[6]

O texto é interrompido por três poemas. Ele escreveu o primeiro, "O canto da noite", antes, quando estava em Roma e a carruagem percorria a paisagem arcádica da *campagna* que lhe provocou pesar pela distância da época dos heróis, por seu anseio pelo passado e sua carência de amor.

No segundo poema, "O canto do baile", Zaratustra vê garotas jovens dançando numa campina. Ele acorda Cupido, que dança com as garotas. A vida fala com ele com palavras que Lou havia usado, afirmando que é uma mera mulher e por isso sem nenhuma virtude. As mulheres são volúveis por natureza, mutáveis e selvagens, ela lhe diz, e a mulher se regozija com isso. Mas os homens anseiam pela profundidade, pela fidelidade e mistério das mulheres, e por isso atribuem ao sexo feminino essas virtudes e desejam o que imaginaram.

Ele a repreende por não ter dado nenhum valor quando ele lhe revelou seu maior segredo.

> Essas questões ficam entre nós três [...] Ela é volúvel e teimosa; muitas vezes a vi morder o lábio e pentear os cabelos contra a vontade. Talvez ela seja falsa e maligna e uma mulher em todas as coisas; mas quando fala mal de si mesma, é precisamente quando ela mais seduz.

O terceiro e último poema, "O canto do sepulcro", abre com uma visão de sua janela em Veneza em frente à Ilha dos Mortos. Em seus túmulos foi enterrada a sua juventude, junto com "as delicadas maravilhas do amor" e "o canto dos passarinhos de minhas esperanças".

Amaldiçoa seus inimigos que abreviaram sua eternidade e roubaram suas noites, condenando-o a um tormento insone.

Quando o livro foi concluído, Nietzsche ficou perplexo com o quanto o texto era autobiográfico. Surpreendeu-se ao ver como seu sangue pingava das páginas, mas estava certo de que só ele conseguiria ver isso.[7] Em seu livro seguinte, Nietzsche exploraria a ideia de que toda filosofia (não só a dele) era autobiográfica.

Lou queria organizar um encontro, mas não se atrevia a fazer isso diretamente. Sabendo que Nietzsche estava em Sils Maria, ela e Rée se hospedaram na pequena aldeia de Celerina, nos arredores. Os dois estavam viajando com conhecidos recentes, um jovem chamado Ferdinand Tönnies, que se sentia deslumbrado por ter sido escolhido como o terceiro membro da trindade. Tönnies acabaria se tornando um dos fundadores da sociologia na Alemanha, mas até aquele momento todos os seus livros e suas glórias estavam no futuro e ele era apenas um iniciante se sentindo entusiasmado e privilegiado por ocupar o terceiro quarto do hotel.

Nietzsche nunca havia visto Tönnies, por isso Lou e Rée o mandaram a Sils Maria para acenar o ramo de oliveira. Mas quando viu Nietzsche ao ar livre, envolto em suas habituais defesas pesadas contra a luz do sol e a eletricidade das nuvens, e ainda isolado em "minha solidão azul-celeste com que desenho círculos de limites sagrados ao redor de mim mesmo", Tönnies não ousou se aproximar. E assim o verão se passou sem uma reaproximação.

O tempo já estava amenizando o ódio de Nietzsche por Lou. Ele já tinha aberto a porta para ela. Já mostrara a corda bamba. Ela quase tivera a coragem de subir na corda. Apesar de não ter se alçado ao desafio final, esteve perto do entendimento, e continuava sendo o animal mais inteligente que Nietzsche conhecia. Se quisesse ser fiel à sua ideia de eterno retorno, que exigia que alguém, ao olhar para o passado, transformasse todos os "foi" em "eu queria que fosse", ele deveria dizer "sim" ao quase compromisso de Lou e continuar valorizando-o.

Se fosse para corresponder ao seu ideal do que diz sim e aceita seu destino, ele também deveria reconhecer sua parte nas atitudes bélicas entre Elisabeth e Lou. O rancor e o ressentimento que sentia contra Lou agora se alteravam para ódio de Elisabeth, quando ele percebeu que ela o havia manipulado. Sua malícia, suas mentiras e tramas o tinham arrastado a uma campanha de vingança extensiva e desonrada contra Lou e Rée. Ainda pior que as cartas que Elisabeth o incitou a escrever e as invenções que o fizeram acreditar havia o fato de a irmã ter conseguido deixá-lo inseguro quanto a si mesmo. Mais uma vez ele havia sucumbido às doenças encadeadas, ao sentimento e ao ressentimento, substituindo a lealdade por um passado desonesto.

Nietzsche detestava a forma como Elisabeth havia conseguido provocar nele um ressentimento convicto exatamente no momento em que suas mais profundas convicções eram denunciar toda a inveja, o ciúme, a vingança e a punição para se afirmar como alguém que não quer nada mais do que aquilo que existe. O ressentimento de Elisabeth, sua invejosa tintura de polvo tinha enevoado seu cérebro com

> sentimentos malignos e sombrios; entre eles havia um verdadeiro ódio pela minha irmã, que me enganou nas minhas melhores atitudes de autossuperação durante um ano inteiro [...] de forma a afinal me tornar vítima de um insaciável desejo de vingança, precisamente quando meu pensamento mais íntimo renunciava a todos os esquemas de vingança e punição. Esse conflito está me levando passo a passo para mais perto da *loucura* – sinto isto da maneira mais assustadora [...] Talvez minha reconciliação com ela seja o passo mais fatal na questão toda – *agora* eu vejo que isto a fez acreditar que tinha o direito de se vingar de Fräulein Salomé. Desculpe-me![8]

Elisabeth enviou ao irmão uma carta alegre e triunfante contando o quanto estava gostando dessa "guerra alegre e divertida", o que o levou a observar de modo enfadonho que não era feito para ser inimigo de ninguém, nem mesmo de Elisabeth.

No passado Nietzsche já tinha cortado todas as comunicações com a mãe e com a irmã. Se fizesse isso de novo, seria outro ato negativo, um dizer não. Em vez disso, manteria contato de uma forma neutra, enviando cartas comentando sobre suas necessidades de lavar roupa e pedindo pequenos itens, como linguiça. Seria um dizer sim. Manteria sua integridade, sustentando ao mesmo tempo a ilusão de uma relação.

Mas esse acordo conveniente logo foi perturbado. Em setembro ele recebeu um chamado urgente de Franziska convocando-o a voltar para casa em Naumburg. Elisabeth, a teimosa Lhama, estava falando em ir para o Paraguai para se juntar ao agitador antissemita Bernhard Förster.

Franziska não queria perder sua filha e governanta. E Nietzsche ficou assustado pela ideia de Elisabeth apostar seu futuro em um demagogo fanfarrão cujas visões políticas e morais ele abominava. Ademais, conferia toda uma nova camada de desonestidade à reaproximação de Elisabeth ao longo do ano anterior: durante todo o tempo de suposta reconciliação, em Roma e depois, ela escondeu dele que estava se correspondendo com um racista medíocre que sabia que o irmão desprezava. "Eu não tenho esse entusiasmo por 'coisas alemãs', e menos ainda por manter essa 'gloriosa' raça *pura*. Pelo contrário, pelo contrário."9

Bernhard Förster era um ano mais velho que Nietzsche, um patriota fervoroso altivo e atraente, bem vestido e de porte militar. Era notavelmente hirsuto: com o cabelo castanho excepcionalmente cheio penteado para trás a partir de uma testa alta em forma de V. De sobrancelhas arqueadas, seu bigode fino mantinha uma linha perfeitamente horizontal. Do queixo fluía a barba castanha longa e ondulada de um profeta do Velho Testamento, embora ele jamais apreciaria a comparação semita. Os olhos eram perturbadores, as íris quase transparentes, cor de gelo glacial. Olhos de um idealista fixos em horizontes longínquos. Era um proselitista fanático por caminhadas ao ar livre, vegetarianismo, saudáveis benefícios da ginástica e a favor da abolição do álcool e da vivissecção. Homem de fortes convicções mais do que um intelectual, ele sonhava em refazer a Alemanha, como Nietzsche e Wagner, mas, enquanto os dois imaginavam conseguir isso por meio da cultura, a abordagem de Förster era racial. A raça judaica constituía um parasita no corpo do povo alemão. A pureza do sangue tinha que ser restaurada.

Förster e Elisabeth se conheciam por alto havia alguns anos, por meio de suas mães, duas viúvas de Naumburg e pilares da Igreja. Elisabeth não teve razão para cultivar aquela amizade até que seu fracasso como governanta do irmão na Basileia a fez perceber que não podia contar com um futuro ao lado dele, nem com um casamento em qualquer círculo imediato. Um triste futuro cuidando da mãe idosa se descortinava à sua frente. Solteironas mais velhas, embora virtuosas, não dispunham nem de poder nem de status social em Naumburg. Era preciso arranjar um marido sem demora.

Elisabeth conheceu Förster no Festival de Bayreuth de 1876. Depois, em Naumburg, ela se dedicou a impressioná-lo. Começou uma correspondência baseada em seu ardoroso apoio à causa dele. "Todo meu conhecimento não é mais que uma débil reflexão de sua incrível mente [...] Meus talentos são práticos. É por isso que seus planos e suas magníficas ideias me empolgam: eles podem ser traduzidos em minhas ações."10

Logo após ter iniciado a correspondência, é cômico rastrear a rapidez com que introduz em suas cartas a personalidade de uma garota alegre, galante e doidivanas, cada vez mais dedicada a Förster e sua política. Ele continuou correto, formal e sem perceber o que estava acontecendo. Afinal, ela teve que chamar sua atenção mandando dinheiro para sua causa antissemita e falando sobre sua fortuna. Ainda assim, demorou muito tempo para ele entender que o que estava sendo oferecido era uma noiva com um dote suficiente para a realização de seu sonho.

Em maio de 1880, Förster enviou a Elisabeth uma cópia da petição antissemita que planejava apresentar a Bismarck. Pediu que recolhesse assinaturas, o que ela fez de boa vontade. A petição rogava que os judeus que estavam "destruindo a Alemanha" fossem privados de voto, proibidos de exercer o direito e a medicina, que futuras imigrações de judeus fossem interrompidas e que os não naturalizados fossem expulsos em nome da purificação e do renascimento da raça humana e da preservação da cultura humana. Um total de 267 mil assinaturas foram recolhidas. A petição foi ostensivamente transportada pelas ruas de Berlim a cavalo e por carruagens para ser apresentada a Bismarck, que a recusou. Um ano depois, um furioso e frustrado Förster fez uma piada antissemita num bonde em Berlim que resultou numa sangrenta briga, fazendo com que perdesse seu emprego de professor no *Gymnasium*. Depois disso ele foi um dos fundadores do Deutscher Volksverein (Partido do Povo Alemão), um partido racista e truculento propalando o nacionalismo e teorias evolucionárias mal aplicadas. O solo alemão havia sido poluído para sempre pelos filhos de Abraão e os veneradores do Bezerro de Ouro. O Volksverein iria estabelecer uma nova Alemanha, uma colônia de arianos de puro sangue numa terra nunca antes contaminada racialmente. Passou dois anos viajando pela América do Sul, em busca de um local ideal.

Elisabeth se correspondia com ele regularmente. Quando Förster disse que 5 mil marcos poderiam comprar uma bela faixa de terra no Paraguai, ela se ofereceu para lhe mandar o dinheiro, pedindo humildes desculpas se uma quantia tão pequena o ofendesse. Preocupada com as dificuldades da vida no Paraguai, Elisabeth ofereceu oitocentos marcos para ele contratar um criado. "Na Idade Média as pessoas davam um décimo de suas possessões para a Igreja como sinal de respeito pelos mais altos ideais. Por que você se recusaria a aceitar minha oferta?" Continuou a carta informando-o de que sua fortuna era composta por 28 mil marcos. Caso Förster ainda não tivesse entendido, ela se definia como uma mulher prática e excelente dona de casa, justamente do tipo fiel, e aliás precisando desesperadamente de um corajoso pioneiro. Elisabeth o julgou bem. O dinheiro dela não era suficiente para financiar todo o empreendimento, mas era bem mais que quaisquer outros correligionários já haviam oferecido.

Förster voltou à Alemanha. Recrutou colonos. Redigiu panfletos. Realizou turnês pelo país. Proferiu discursos cujos roteiros, como os roteiros de todos os bons demagogos, incluíam "Aplausos!" ou "Aplausos intensos!" nos momentos apropriados.

Wagner tinha se recusado a assinar a petição de Förster de 1880. Apesar de seus próprios preconceitos antissemitas, Wagner não sentia mais que desprezo pelo homem, considerando-o cansativo, inculto e não muito inteligente. Mas este não era o ponto de vista geral em Bayreuth, onde o velho inimigo de Nietzsche, Hans von Wolzogen, o editor do *Bayreuther Blätter*, teve o maior prazer em dar a Förster uma plataforma para publicar seus ridículos artigos (um deles, sobre educação, propunha que todas as escolas de garotas fossem fechadas pela polícia no primeiro dia em que seu partido chegasse ao poder). O jornal possibilitou o acesso às Sociedades dos Patronos de Bayreuth por toda a Alemanha. Isto se tornou a principal rede de Förster, fornecendo plateias para seus discursos com aplausos coreografados.

Setembro de 1883 foi um mês infeliz para Naumburg. Enquanto Nietzsche e sua mãe se aliavam na tentativa de dissuadir Elisabeth de tentar a sorte com Förster, a mãe e Elisabeth se aliaram contra Nietzsche numa campanha para fazer com que parasse com sua filosofia blasfema, estabelecesse uma vida respeitável e voltasse a lecionar na universidade. Será que também não poderia deixar de se associar com pessoas que não fossem "agradáveis"?

Franziska e Elisabeth não o deixavam em paz, Nietzsche não exercia nenhuma influência na decisão da obstinada Lhama de se casar com o horrível Förster e ainda teve de passar um mês inteiro aguentando seu insuportável racismo e seu virtuosismo equivocado. Era hora de partir.

Em 5 de outubro viajou para a Basileia, onde sempre podia contar com conselhos razoáveis em relação a Elisabeth e suas finanças com os Overbeck.

Mais ou menos recuperado, ele partiu para passar o inverno à beira-mar. Apesar de ainda fascinado pela ideia da descoberta de Colombo de novos mundos, voltou a Gênova apenas de passagem, antes de seguir viagem. Ofereceu como razão (que claramente não era verdadeira) o fato de ser conhecido demais na cidade para desfrutar da "solidão azul" necessária para a criatividade.

Foi para Nice, onde alugou um quartinho na modesta Pension de Genève, na pequena rua St. Etienne. Adorava as colinas atrás de Nice por causa do vento austero. Via o vento como um redentor da gravidade da Terra. Às vezes pegava o trem ou o bonde pelo litoral passando por Saint-Jean-Cap-Ferrat e Villefranche, subindo as rugosas montanhas de onde podia ver, ou imaginava poder ver, a mancha azul-escura da Córsega interrompendo o espelhado horizonte do mar. Conferia muita importância ao fato de que seu pulso batia no mesmo ritmo do de Napoleão: lenta e inexoravelmente a sessenta pulsações por minuto. Naquela paisagem energética, com Napoleão tomando o lugar de Colombo como o argonauta do espírito, Nietzsche foi mais uma vez visitado por um torvelinho de inspiração. Resultou na terceira parte de *Zaratustra*, em um período de mais ou menos dez dias.

Zaratustra sai das Ilhas dos Abençoados de barco. Acaba chegando à cidade original que visitou no primeiro livro, que não se mostra mais receptiva nem frutífera do que da primeira vez. Ele volta à sua caverna, onde expande a ideia do eterno retorno como a grande afirmação da vida, suficiente para gerar enorme alegria no presente, conquistando assim o niilismo. Termina o livro – que ele achava ser o livro final de Zaratustra – com uma paródia blasfema do último livro do Novo Testamento, a revelação de são João, o Divino. Ele a chama de "Os sete selos" e consiste de um poema místico e extático de sete versos celebrando seu casamento com a Eternidade em um anel nupcial de retornos. Os sete versos terminam com as mesmas palavras:

> Jamais encontrei a mulher de quem quisesse filhos, a não ser esta mulher que amo: pois eu a amo, ó Eternidade!
> *Pois eu a amo, Oh Eternidade!*

Nietzsche concluiu o livro em 18 de janeiro. Duas semanas antes ele recebera em sua *pension* a visita do dr. Julius Paneth, um jovem zoólogo judeu de

Viena. Paneth conhecia os livros de Nietzsche e viera prestar homenagens ao autor. Paneth esperava um profeta, um vidente, um orador *fortissimo furioso*. Assim como Lou, ficou surpreso ao encontrar um homem extraordinariamente gentil, claramente descomplicado e amistoso. Não havia nada de profeta nele. Tiveram uma conversa de seis horas, durante as quais Nietzsche foi natural, tranquilo, pacato e espontâneo. Apesar de sério e digno, também era divertido e tinha senso de humor. O encontro começou com uma menção perfeitamente banal ao clima e à hospedaria. Quando a conversa se voltou para o assunto de seu pensamento e de seus livros, os modos de Nietzsche não se alteraram, continuaram em um *pianissimo* firme e cortês. Disse a Paneth que sempre sentira ter uma missão e que possuía a capacidade de ver imagens quando fechava os olhos, imagens muito vívidas, que estavam sempre mudando. Havia uma característica inspiradora nelas, mas que indisposições físicas, como doenças, as tornavam feias, assustadoras e desagradáveis.[11]

Nietzsche conheceu outra pessoa poucos meses antes de ter concluído a terceira parte de *Zaratustra*. Ela confirma que Nietzsche era despretensioso e modesto assim como Julius Paneth havia descrito. Resa von Schirnhofer[12] era uma feminista rica de 29 anos que tinha viajado para Nice assim que terminara seu primeiro semestre de estudo na Universidade de Zurique, uma das primeiras universidades a admitir mulheres. No devido curso, Resa escreveria uma tese de doutorado comparando os sistemas filosóficos de Schelling e Espinoza. Foi a Nice por sugestão de Malwida, que ainda não tinha desistido totalmente de encontrar uma noiva para Nietzsche.

Resa aceitou a indicação de Malwida com sentimentos conflitantes. Admirava *O nascimento da tragédia*, mas tinha visto a notória fotografia de Nietzsche e Rée atrelados à carroça de Lou. Foi uma das muitas pessoas a quem Lou mostrou a foto no Festival de Bayreuth de 1882, e suas reservas em relação à imagem geraram certo constrangimento ao se encontrar com Nietzsche, mas suas dúvidas sumiram quase de imediato por "sua séria aparência professoral" e uma sinceridade sem afetação. Durante os dez dias que passou na Riviera, entre 3 e 13 de abril de 1884, os dois ficaram juntos a maior parte do tempo.

Àquela altura a terceira parte de *Zaratustra* já havia sido concluída e enviada à gráfica. Era de se esperar que Nietzsche só falasse de si mesmo e de sua obra, mas ele se interessou muito pelo programa de leituras de Resa.

Recomendou muitos autores franceses: os irmãos Goncourt e Saint-Simon em história, Taine sobre a Revolução Francesa e *O vermelho e o negro* de Stendhal. Disse que este último havia afirmado "com uma certeza espantosa" que só se tornaria famoso quarenta anos depois, e Nietzsche esperava que o mesmo acontecesse com ele.

Por maior que fosse a distância mental entre o filósofo e a estudante, ela o considerou acima de tudo natural, bem-humorado e muito humano. Era uma pessoa de sensibilidade, ternura e cortesia extraordinárias. Era escrupulosamente cordial com qualquer um que encontrasse, principalmente com as damas, jovens ou mais velhas. Isso o tornou um hóspede popular na Pension de Genève, onde se referiam a ele como "o querido professor quase cego" e prestavam-se a gentilezas que poderiam facilitar sua vida. Resa logo se sentiu tão à vontade com ele que conversava sobre qualquer assunto. Quando contou que às vezes tinha sonhos interessantes, ele solenemente a aconselhou a ter sempre papel e lápis à mão durante a noite, como ele próprio fazia. Conferia importância a sonhos e ao significado de pensamentos noturnos, "já que à noite costumamos receber a visita de pensamentos raros, que devemos registrar imediatamente ao acordarmos no meio da noite, pois pela manhã em geral não os encontramos mais, por terem sido dispersados pela escuridão noturna".[13]

Apesar de ter sido uma relação afetuosa, não passou disso. As paixões de Nietzsche não foram inflamadas como haviam sido com Lou. Resa e Nietzsche não argumentavam de igual para igual. Havia comunhão, mas não uma afinidade de inteligência. Ela despertava nele o professor que tanto gostara de orientar mentes jovens no *Pädagogium*. Falava com ela a sério, mas com cuidado para não exigir muito. Em uma conversa sobre objetividade, alertou-a que era impossível ser livre de preconceitos. Ela deveria estar sempre consciente disso. As pessoas descartam preconceitos só para caírem em novos preconceitos.

Presenteou-a com as três partes de *Zaratustra* com a dedicatória "*In nova fert animus*" ("O espírito leva a coisas novas"). Levou-a para um passeio pelo monte Boron, que tinha sido uma de suas caminhadas inspiradoras na produção de *Zaratustra* III. Mesmo lá, não fez o papel de místico ou professoral. Nuvens de borboletas revoavam dos perfumados tomilhos enquanto eles passavam. Abaixo, a curvatura verde da baía des Anges de Nice cintilava com seus barcos brancos. Ele falou sobre tomarem um barco até a Córsega.

Quando estavam quase chegando ao cume, sentinelas francesas bloquearam o caminho e os mandaram voltar. Os dois tinham entrado em terreno proibido e invadido o forte de Mont Alban, antiga fortificação que mantinha vigília sobre as disputas territoriais entre França e Itália pelos últimos trezentos anos. Nietzsche ficou encantado com esse encontro com soldadinhos de brinquedo. Seu entusiasmo aumentou ainda mais com o surgimento do mistral, que dispersou as nuvens e sua eletricidade, deixando o céu azul-claro e límpido. Desceu com Resa até uma pequena cafeteria, onde lhe apresentou o vermute. Acompanhou os goles dela de nariz torcido com um comentário excêntrico em versos rimados sobre a aventura dos dois no mundo ridículo ao redor, começando pelo tema da *bewachte Berg*, a montanha bem guardada.

Convidou Resa a ir com ele a uma tourada em Nice. Ela tinha suas reservas, mas Nietzsche assegurou que aqui a *corrida* era regida por regulamentos oficiais que proibiam o uso de cavalos e a morte de touros. Os seis touros que se sucederam na arena pareciam conhecer as regras tão bem quanto os toureiros. Logo as suaves escaramuças pareceram tão absurdas que os dois começaram a rir incontrolavelmente. Quando a orquestra rudimentar tocou a música de *Carmen*, o efeito em Nietzsche foi eletrizante. Em um instante ele passou do riso histérico ao êxtase. Chamou a atenção dela para os ritmos pulsantes e Resa entendeu o poder que a música exercia sobre ele. Também fez seu sangue pulsar mais forte, e ela escreveu que ficou surpresa ao despertar nela, mesmo sendo alma amante dos animais, um forte desejo de ver uma verdadeira *corrida de toros* com sua crueldade estilizada e selvagem, a glorificação dionisíaca da morte heroica.

Nietzsche recitou "O canto do sepulcro" para ela e pediu que lesse para ele "O canto do baile", que Zaratustra canta enquanto Cupido e a garota dançam na campina. Resa viu nisso "uma teia transparente tecida de fios de melancolia, que paira trêmula sobre o abismo negro dos que anseiam pela morte".

Depois disso, Nietzsche ficou triste e em silêncio por um longo tempo.

Eles passaram dez dias juntos. Uma semana após Resa ter partido de Nice, Nietzsche viajou para Veneza. Lá, Peter Gast continuava com o equivocado incentivo de Nietzsche, a forçar seu pouco talento musical a compor uma ópera. Ao ler a partitura, Nietzsche criticou-a quase com tanta severidade como Von Bülow havia feito com seus esforços musicais, mas Peter Gast aceitou as afirmações de Nietzsche com humildade. Chegou até a mudar o título e a linguagem do libreto por sugestão de Nietzsche. O título em italiano, *Il matrimonio segreto* [O casamento secreto], tornou-se *Der Löwe von Venedig* [O leão de Veneza] em alemão. Essa demonstração de poder sobre o infortunado Gast talvez tenha sido uma manifestação do próprio colapso da autoconfiança de Nietzsche que se seguiu à impressão dos primeiros três livros de *Zaratustra*.

Seu editor não se entusiasmou com nenhum dos três. Até mesmo Jacob Burckhardt, que tinha entendido e valorizado muito as duas primeiras partes, ficou constrangido ao ter de opinar sobre a terceira e respondeu de forma evasiva, considerando se Nietzsche não estava pensando em escrever uma peça teatral.

A saúde de Nietzsche sofreu um forte declínio durante o verão. Os olhos doíam muito e os acessos de vômito duravam dias sem fim. Os médicos não tinham novas respostas para seus olhos, nem para seu estômago arruinado ou qualquer perspectiva para que ele dormisse melhor. Também voltou a apelar para a automedicação, confiando muito em pós de hidrato de cloro, uma poderosa droga hipnótica e sedativa usada para aliviar a insônia e reduzir a ansiedade. Doses incorretas dessa droga provocam náusea, vômitos, alucinações, confusão, convulsões, irregularidades cardíacas e respiratórias: aliás, todos os sintomas que Nietzsche queria aliviar tomando a medicação.

O desespero o fez voltar à sua adorada Sils Maria, onde tinha um quarto reservado na casa de Gian Durisch e pago para ser decorado com um papel de parede do qual gostava, um estampado floral em suaves tons de verde, marrom e azul.[14] Era um quarto simples e pequeno. Com teto baixo, uma pequena janela, uma cama estreita, uma mesinha rústica em frente à janela, uma calçadeira quase sempre enfiada numa bota. Era um quarto em que mal cabia seu "pé torto", os 104 quilos de livros.

Em meados de agosto, Resa von Schirnhofer foi visitá-lo em Sils Maria. Tinha concluído seu semestre de verão na universidade e estava voltando com um colega de Zurique para sua nativa Áustria. Resa ficou chocada ao ver a mudança radical de Nietzsche, tanto física como na conversação, em comparação aos dias que passaram juntos em Nice.

Nietzsche esteve doente durante a maior parte de sua estada, mas houve um momento em que conseguiu levá-la para uma caminhada até a pedra de Zaratustra, a uns 45 minutos da casa de Gian Durisch. A naturalidade de Nietzsche havia sumido. Falando fogosamente e em tom de urgência, ele despejou "uma abundância de ideias e imagens em pronunciamentos ditirâmbicos". Resa tem o cuidado de enfatizar que, apesar de sua narrativa estar alterada e assustadora, Nietzsche falava sem megalomania ou jactâncias. Falava com uma perplexidade ingênua e ilimitada, como se o fluxo o intrigasse de alguma forma, algo como uma influência fora de seu controle. Disse a Resa que aquilo provocava uma inquietação vibrante em todo seu ser.

Quando partiram da pedra de Zaratustra e começaram a voltar para casa pela floresta, uma manada de vacas desceu a encosta correndo na direção deles. Resa tinha medo de vacas e começou a correr. Nietzsche simplesmente apontou para elas seu famoso e constante companheiro, o guarda-chuva, movendo-o para a frente e para trás. E pôs as vacas para correr. Deu risada, fazendo Resa se envergonhar de sua covardia. Resa explicou que, quando tinha cinco anos, ela e a mãe foram atacadas por um touro e quase não conseguiram escapar. Diante disto, Nietzsche ficou solene e dissertou sobre o efeito em onda, em geral para a vida toda, de um choque nervoso vivenciado cedo na infância.

Resa não o viu no dia seguinte. Nietzsche estava acamado de novo. Um dia e meio depois, ela foi até a casa de Gian Durisch e perguntou sobre a saúde dele. Foi levada a uma pequena sala de jantar de teto baixo e revestida de pinho para esperar por ele.

De repente a porta se abriu e Nietzsche apareceu com aspecto cansado, pálido e perturbado. Apoiando-se na maçaneta da porta, começou imediatamente a falar de seu intolerável estado. Queixou-se de não ter paz. Quando fechava os olhos, via somente uma crescente selva espectral de formas em constante mutação, uma abundância repulsiva e luxuriante de flores fantásticas sempre se emaranhando e se trançando num ciclo acelerado de crescimento e declínio aversivos. Resa tinha lido Baudelaire. Considerou se Nietzsche estava ingerindo ópio ou haxixe.

Ainda apoiado na porta, perguntou com uma voz fraca e com uma urgência inquietante: "Você não acredita que este estado é um sintoma de loucura incipiente? Meu pai morreu de uma doença no cérebro".

Resa estava confusa e assustada demais para responder na hora. Em um estado de ansiedade quase incontrolável, Nietzsche repetiu a pergunta. Paralisada de medo, Resa não soube o que dizer.

16
Ele me emboscou!

> A propósito, o todo de *Zaratustra* é uma explosão de forças que foram sendo desenvolvidas durante décadas. E quem origina tais explosões pode facilmente se explodir. Eu tenho desejado isto com frequência.
> Carta a Franz Overbeck, 8 de fevereiro de 1884

Nietzsche tinha uma confiança suprema em *Zaratustra*, embora as vendas fossem desanimadoras e até mesmo os menos críticos de seus apoiadores, Overbeck e Peter Gast, tenham ecoado o conselho de seu editor. Todos concordaram que ele tinha escrito um bom número de livros de Zaratustra e também o suficiente no estilo aforístico. Não havia demanda para isso. Mas Zaratustra não o deixava em paz. Nietzsche continuava fazendo anotações. Pareceu se configurar um padrão para suas inspirações sobre Zaratustra surgirem sempre no período do Natal e Ano-novo. Ele produziu um quarto volume entre dezembro de 1884 e abril de 1885, exatamente um ano depois da terceira parte.

Foi um grande choque para ele quando Schmeitzner simplesmente se recusou a publicá-lo. As diferenças políticas e ideológicas entre Nietzsche e seu editor tinham aumentado consideravelmente durante a criação e a publicação das partes anteriores. Um lento crescendo de desconfiança se ergueu entre os dois, tornando o processo da publicação de cada parte cada vez mais difícil.

Nietzsche ficou ligeiramente surpreso quando a primeira parte teve que ficar em último lugar numa fila de publicação de meio milhão de hinos de igreja, mas a questão mudou quando soube que Schmeitzner estava publicando o jornal *Antisemitische Blätter* [Os tempos antissemitas], e que isso refletia a visão política do seu editor.

Zaratustra III foi o décimo primeiro livro de Nietzsche publicado por Schmeitzner. Nenhum deles havia dado dinheiro. Schmeitzner imprimia edições de mil exemplares, e os livros de *Zaratustra* tinham vendido menos de cem livros cada. Não surpreende que ele se mostrasse relutante em continuar.

Desde o momento em que havia se exonerado da Universidade de Basileia, Nietzsche manteve uma quase total falta de atenção ou conhecimento de suas finanças pessoais. Sua obstinada ingenuidade tornava seus negócios de publicações confusas. Sua principal fonte de rendimentos vinha de sua pensão da universidade, que lhe rendia 3 mil francos suíços (2.400 marcos alemães) por ano. Em 1879, num acesso de entusiasmo, Nietzsche confiou em seu editor um investimento das economias de seu salário e de sua pensão, totalizando cerca de 1.600 marcos. Também havia herdado um pequeno legado da família da avó Erdmuthe, da tia Rosalie e do meio-irmão de seu pai. Tudo isso foi aplicado em investimentos seguros e de longo prazo pela mãe dele. Franz Overbeck também guardava algum dinheiro de Nietzsche na Suíça. Quando gastava demais, às vezes apelava para os francos suíços de Overbeck, às vezes para os marcos de Schmeitzner. Também pedia para que Overbeck mandasse dinheiro para Schmeitzner. Só apelava para a mãe como último recurso, pois o dinheiro vinha acompanhado por homilias sobre extravagância e em terríveis alertas quanto a um armagedom financeiro.

Schmeitzner honrava os pagamentos dos devidos direitos autorais, mas, assim que *Zaratustra* III foi publicado, Nietzsche se viu em necessidade de quinhentos francos suíços para pagar dívidas contraídas, principalmente com uma loja de livros usados. Schmeitzner prometeu pagá-lo em 1º de abril de 1884. A data expirou. Nietzsche ficou ansioso. Àquela altura Schmeitzner retinha entre 5 mil e 5.600 marcos, uma quantia de grande importância para a segurança futura de Nietzsche. A pensão da universidade fora estabelecida somente por seis anos e terminaria em junho de 1885. Nietzsche tinha muito medo de como iria viver quando ela acabasse. Schmeitzner escreveu:

> Por mais que eu sinta a respeito de complicações financeiras, existe uma grande diferença entre alguém empobrecido e alguém que tem uma fortuna, mas é obrigado a manter uma editora por alguns anos – o que significa que esses bens não têm liquidez [...][1]

Sugeriu que, se Nietzsche precisasse de um dinheiro rápido, ele poderia vender o encalhe de livros não vendidos de autoria dele por 20 mil marcos, e pagaria a parte de Nietzsche desse dinheiro. Era algo muito alarmante. Nenhum autor gosta que seus livros sejam vendidos como encalhe.

No caso, ninguém estava preparado para comprar os 9.723 livros restantes. O dia de Ano-novo de 1885 passou e Schmeitzner não cumpriu sua promessa de pagar a quantia acertada. Nietzsche contratou "um advogado muito inteligente", um parente distante de sua mãe chamado Bernhard Daechsel, para interferir por ele. Daechsel não se mostrou otimista. Schmeitzner prometeu o dinheiro para junho, porém mais uma vez não pagou. Em agosto, Nietzsche enfiou na cabeça que forçaria um leilão dos livros para comprar os que quisesse para republicá-los em outro formato. Ele só queria *Humano, demasiado humano* e seu suplemento, "Opiniões e sentenças diversas", bem como "O andarilho e sua sombra" e as três primeiras partes de Zaratustra.

Ainda em agosto, ele instruiu o advogado a exigir um leilão forçado de todas as publicações da editora de Schmeitzner. Sentir-se encurralado deixou o editor assustado o bastante para pagar 5.600 marcos a Nietzsche em outubro. Significava que Schmeitzner não teve de vender nem sua editora nem seu estoque de livros de Nietzsche. Um bom negócio para Schmeitzner, porém mau negócio para Nietzsche, que agora via seus livros enterrados para sempre "nesse poço antissemita".[2]

Nietzsche pagou sua dívida com a loja de livros usados em Leipzig e se deu ao luxo de agir como patrono musical ao organizar uma apresentação particular especial da abertura de *Der Löwe von Venedig* [O leão de Veneza], de seu protegido Peter Gast. Também agradou a mãe pagando uma nova laje de mármore para o túmulo do pai. Até onde sabemos, Nietzsche foi responsável pela inscrição na lápide. Segue estritamente a convenção cristã: "Aqui repousa em Deus, Carl Ludwig Nietzsche, pastor de Röcken, Michlitz e Bothfeld, nascido em 11 de outubro de 1813, morto em 30 de julho de 1849. Depois foi seguido na eternidade por seu filho mais novo Ludwig Joseph, nascido em 27 de fevereiro de 1848, morto em 4 de janeiro de 1850. O amor nunca falha. 1 Cor. 13.8".

Nietzsche escreveu a Carl von Gersdorff pedindo financiamento para uma pequena impressão particular de vinte exemplares de *Zaratustra* IV.[3] Von Gersdorff nem chegou a responder. Felizmente, a Universidade de Basileia resolveu renovar o pagamento de sua pensão por mais um ano e ele decidiu imprimir o livro por conta própria.

Zaratustra IV se lê como uma abrangente fantasia de vingança contra todos os que o perturbaram durante sua vida, de Deus às sanguessugas aplicadas pelos médicos em sua cabeça.

Zaratustra está vivendo em sua caverna com seus animais, que o incentivam a subir ao topo da montanha. Lá ele tem conversas com "os homens superiores" que até agora foram a vanguarda da cultura. Eles incluem reis, o papa, Schopenhauer, Darwin, Wagner e até o próprio Nietzsche.

Uma a um, Zaratustra manda todos à sua caverna, onde eles descobrem a sabedoria. Quando Zaratustra chega lá, encontra-os venerando um asno. Na ausência de um deus, a humanidade venera qualquer coisa. Zaratustra oferece a eles uma Última Ceia em que prega (extensivamente) sobre o homem superior, o super-homem. Avisa-os para não desejar nada além de seus poderes, não confiar nele para consertar o que fizeram de errado. Recusa-se a afastar o relâmpago deles. Conduz um Dia do Julgamento. E triunfa sobre todos.

Wagner, "o feiticeiro cuja música expressa mais docemente o perigo, a ruína do instinto e a boa-fé, de boa consciência", pega uma harpa e tenta afastar os discípulos de Zaratustra com uma canção. A sombra do andarilho toma a harpa de Wagner e se contrapõe com uma canção longa e muito bizarra que explode em imagens florescentes. Há gatinhas cheias de artimanhas e monstros leoninos de juba loura e outros estranhos híbridos e fantasmagorias que conjuram, na literatura, nada mais que Samuel Taylor Coleridge em seu estilo ultrabarroco sob influência de láudano. O quanto essa passagem é devida aos pós soníferos de Nietzsche e o quanto ao desejo de parodiar a revelação de são João, o Divino, é uma discussão interminável. Alguns a veem como uma referência à sua experiência no bordel de Colônia.

O narrador do poema é identificado como a primeira voz europeia embaixo das palmeiras. Ele ruge como um leão moral diante das filhas do deserto. Demonstrando a complexidade usual do ocidental reagindo ao Oriente, ele se perde em admiração pelas palmeiras balançando os quadris ao vento. Desejando fazer o mesmo, ele o faz, perdendo uma perna no processo. Impávido, e andando numa perna só enquanto bebe na formosura do ar com narinas inchadas como cálices, ele ruge. Afinal Zaratustra sai de sua caverna forte e brilhando, "como um sol da manhã que emerge das montanhas escuras", e com isso termina o que ele chamou de "a terrível e exuberante ousadia de toda essa história de marinheiro".

Nietzsche considerava que *Assim falou Zaratustra* era seu trabalho mais importante, e apesar de sua complexidade mística, ou talvez por causa dela, o livro se tornou sua obra mais popular, ainda que não o tenha tornado reconhecido em seu tempo de vida. *Zaratustra* desenvolve os temas-chave de sua filosofia amadurecida: o eterno retorno, autossuperação e a transformação no *Übermensch* ao eclodir com visões desconcertantes que nos desafiam a pensar por nós mesmos.

É uma das características mais frustrantes e provocantes de Nietzsche que, fiel à sua aversão em interferir com a liberdade de pensamento alheia, não mostra o caminho para se tornar o *Übermensch*; tampouco diz o que é exatamente o *Übermensch*. Sabemos que Nietzsche imagina o *Übermensch* como o homem forte do futuro, o antídoto ao nanismo cultural e moral disseminado por séculos de decadência europeia e dominação da Igreja. É a figura que, apesar da morte de Deus, não sucumbe ao ceticismo e ao niilismo; sua isenção da fé religiosa intensifica a própria vida. Sua liberdade das crenças religiosas é igual à sua resistência a transferi-las à ciência. O *Übermensch* não precisa de crenças para a sensação de um mundo estável.

Como o *Übermensch* atinge esse estado? Nietzsche nunca diz. O mais próximo que chega de uma descrição é sempre abrangente e irritantemente abstrata. Em *Ecce homo*, o *Übermensch* é descrito como um ser cortado da madeira que é ao mesmo tempo duro, cordial e perfumado. Ele trabalha para reparar danos, usa infortúnios como vantagem e sabe como esquecer. É forte o bastante para que tudo se torne o melhor para ele e o que não o mata o faz mais forte.[4] Em *Humano, demasiado humano* ele é definido como alguém que conhece a si mesmo, um viajante rumo a um destino que ainda não existe. Mas isto não arruína sua vida; pelo contrário, sua libertação se baseia em tirar prazer da incerteza e da transitoriedade. Recepciona cada novo amanhecer pela evolução de pensamento que trará. Sua angústia existencial pode ser mitigada apesar da ausência do ideal, ou do divino.[5]

Como é típico em Nietzsche, ele inspira seus leitores a coisas superiores nessas passagens, sem enunciar leis. Nietzsche, que gostava de se definir como o argonauta do espírito, assim como o filósofo do "talvez", não identifica nenhum problema específico da condição humana a ser solucionado, mas sua ampla descrição do *Übermensch* incentiva que cada um busque a própria solução.

A impressão de cerca de quarenta exemplares feita por Constantin Naumann em Leipzig custou a Nietzsche 284 marcos e quarenta pfennigs. Quando a edição ficou pronta, em maio de 1885, ele a guardou para si, mantendo-a escondida de qualquer um que pudesse resenhá-la ou divulgá-la. Seu pretexto foi de que as palavras "publicidade" e "público" soavam idênticas aos seus ouvidos às palavras "prostíbulo" e "prostituta".⁶ Enviou apenas sete exemplares com dedicatórias para: Von Gersdorff, Overbeck, Peter Gast e Paul Widemann – o amigo que acompanhara Gast até a Basileia durante o início da amizade –, um admirador relativamente novo chamado Paul Lansky também recebeu um exemplar. Lansky estava se propondo a escrever um livro sobre Nietzsche, mas irritou o autor porque parecia um sapateiro e tinha o hábito de suspirar. Nenhum exemplar foi enviado a Burckhardt. Um foi para Elisabeth e, estranhamente, outro para Bernhard Förster.

Nietzsche continuava se mantendo afastado de Naumburg. Elisabeth estava prestes a completar 39 anos e sugeriu a Förster que voltasse à Alemanha em março de 1885 para poderem se casar no dia 22 de maio, o aniversário do nascimento de Wagner. A homenagem não passou despercebida em Bayreuth, onde Cosima tinha assumido a direção do festival e de todos os seus preparativos. O antissemitismo de Cosima sempre fora mais visceral que o de Wagner, que pôde se desenvolver com a viuvez. A rede das Sociedades Wagnerianas funcionava como uma câmara de eco do preconceito racial por toda a Alemanha.

Nietzsche recebeu com calma e distanciamento a notícia dos preparativos do casamento de Elisabeth. Deixou claro que não compareceria à cerimônia e que não tinha interesse em conhecer o futuro cunhado. Elisabeth pediu que ele lhe desse sua gravura de Dürer de 1513, *O cavaleiro, a morte e o diabo*, como presente de casamento. Nietzsche adorava o quadro. Tinha presenteado Wagner com uma cópia nos tempos de Tribschen, quando viam o cavaleiro como um símbolo deles próprios em sua cavalgada para resgatar a cultura alemã. Sua cópia da gravura era uma das poucas posses que não tinha vendido quando saiu da Basileia. Deixou-a com Overbeck durante todos os seus anos de perambulações. Era frágil e preciosa demais para ficar balançando entre seus livros no baú. Pediu que Overbeck a mandasse para Elisabeth em Naumburg, onde chegou a tempo do casamento. O casal lhe agradeceu tão profusamente que Nietzsche imaginou que houvesse ultrapassado os limites normais da generosidade para um presente em tal ocasião. Expressou seus desejos de que o futuro do jovem casal pudesse ser mais alegre do que o mostrado na imagem.

Suas cartas para casa eram diplomáticas e sem críticas, mas ele não conseguia resistir a provocar a Lhama sobre pequenas coisas. O apelido amoroso de Förster para Elisabeth era "Eli". Será que os dois percebiam que isso em hebreu significava "meu Deus"? Será que, conjeturava Nietzsche, um vegetariano fanático como Förster conseguiria fundar uma colônia de sucesso? Os ingleses tinham sido os melhores nessas coisas, e seu sucesso parecia se fundar quase exclusivamente na fleuma e em rosbife. Observou que uma dieta exclusivamente vegetariana provocava irritação e melancolia, o contrário do impulso necessário em tais empreendimentos. A dieta atual de Nietzsche era baseada quase exclusivamente em carne, gemas de ovo, arroz, ruibarbo, chá, conhaque e grogues. Ele a recomendava como a forma mais eficiente de obter o máximo de substância do mínimo de material.

Mas, apesar de toda sua frivolidade provocativa, quando surgia a ocasião escrevia a Elisabeth as cartas mais sérias que havia escrito à irmã desde aquela dos tempos de escola sobre a questão da fé. Definindo-a como "uma espécie de balanço da minha vida", Nietzsche disse à irmã que a vida dele parecia uma série de cansativas tentativas de se encaixar em ambientes falsos.

> Quase todas as minhas relações humanas têm resultado de ataques de um sentimento de isolamento [...] Minha mente está carregada com mil lembranças vergonhosas desses momentos de fraqueza, nos quais eu absolutamente não conseguia mais suportar a solidão [...] existe em mim algo muito remoto e estrangeiro que faz com que minhas palavras tenham outras cores que as mesmas palavras de outras pessoas [...] tudo o que escrevi até agora está em primeiro plano; para mim a coisa real começa só com travessões [...] essas coisas são para minha recreação mas, acima de tudo, esconderijos, atrás dos quais eu posso me sentar de novo por um tempo.
>
> Não pense que sou louco por causa disso, minha querida Lhama, e principalmente perdoe-me por não ir ao seu casamento – este filósofo "doente" seria uma má pessoa para entregar uma noiva! Com mil afetuosos desejos de boa sorte, seu F. 7

Nietzsche passou o dia do casamento da irmã na ilha Lido de Veneza, tomando banho de mar com uma família da Basileia. Sua carta reflexiva e introvertida, aliada à evidente calma emocional em relação ao casamento, não parece ser o *coup de grâce* final à persistente lenda de seu amor inapropriado pela irmã.

Importante foi seu pedido: "Não pense que sou louco por causa disso". Em Sils Maria, ele tinha surgido diante de Resa von Schirnhofer aterrorizado por uma insanidade hereditária. Em conversas com Resa ele chamou sua atenção para o livro *Inquires into Human Faculty and Its Development* [Investigação sobre as faculdades mentais humanas e seu desenvolvimento] (1883) de Francis Galton, primo de Darwin e fundador da eugenia.

Os anos 1850, os primeiros da vida de Nietzsche, foram palco do início da compreensão a respeito da transmissão de doenças hereditárias. Isto deu lugar à ideia de hereditariedade de sangue "ruim" ou "degenerado". Com o pai e diversos membros periféricos da família sofrendo de graus variáveis de insanidade, Nietzsche mal conseguia se livrar da ideia de que, no pensamento quase científico contemporâneo, isso implicava a tendência à degeneração moral. A teoria permeou todo o tempo de vida de Nietzsche, culminando com a publicação, em 1892, do best-seller tremendamente influente e horrivelmente racista de Max Nordau, *Degeneração*, que atendia ao desejo de certezas da humanidade apregoando um destino inescapável determinado pelo sangue. Nietzsche abordou essa questão em *Zaratustra* ao sugerir que devemos confrontar não somente os fantasmas de ideias mortas e crenças mortas, mas também o que herdamos de nossos pais que corre em nosso sangue. Só com essa atitude cada um pode preencher seu potencial, tornando-se quem é.

Na mesma conversa com Resa von Schirnhofer, Nietzsche ressaltou que a hereditariedade não era necessariamente um destino inescapável. Empatia com culturas estrangeiras e a compreensão do outro poderiam ter um papel no resultado de uma vida. Resa havia observado que nem a aparência externa nem a natureza espiritual de Nietzsche lhe pareciam tipicamente alemãs. O formato de sua cabeça a fazia lembrar um retrato que vira numa galeria em Viena feito por Jan Matejko, um pintor polonês mais conhecido por seus retratos históricos de membros de sua raça.

Nietzsche adotou a ideia com prazer. Doravante ele diria livremente às pessoas que não era de fato alemão, mas polonês. Era descendente de aristocratas poloneses cujo nome de família era Nietzky. Como ex-filólogo, ficou encantado com a suposta etimologia do nome que, dizia, significava "niilista" em polonês.

Era uma excelente máscara para ser usada. Ele foi de imediato transformado em um bom europeu pelo sangue, e não só por inclinação cultural.

Distanciava-o das virtudes de Naumburg e do nacionalismo alemão que era então apregoado por todo o país por seu novo cunhado.

Os recém-casados não assumiram de imediato sua missão no Paraguai. Franziska propôs que, até as coisas se estabelecerem, Förster fosse o tutor por descendência dos netos de uma das três princesas de Altemburg, que haviam sido orientadas pelo pai de Elisabeth por um breve período. As maiores esperanças de Franziska estavam na princesa Alexandra, que agora era a grã-duquesa Constantina da Rússia. Sua filha era a rainha da Grécia e tinha sete filhos que obviamente necessitavam de um tutor. Ansiosa para fazer isso acontecer, Franziska se ofereceu para mexer alguns pauzinhos, embora admitisse que pudesse haver dificuldades de linguagem, sem mencionar, acrescentou Förster sombriamente, o crescente poder dos judeus.

A sugestão de Elisabeth, mais prática, era a de que seria muito mais vantajoso para seu amado levantar fundos e continuar recrutando colonos na Alemanha do que numa posição de vanguarda no Paraguai. Era uma verdade inegável, e Förster passou os nove meses entre o casamento e o embarque dos dois para a América do Sul viajando por todo o país, falando não só com as Sociedades Wagnerianas, cujos membros eram refinados demais para agirem como a primeira onda de colonizadores quebra-pedras, mas também com organizações menores de fazendeiros, carpinteiros e outros artesãos habilidosos que não fossem orgulhosos demais para participar da valiosa vanguarda.

Sua meta era recrutar vinte famílias. Cada família deveria entrar com algo entre mil e 10 mil marcos. Quando a soma do capital chegasse a 100 mil marcos, uma adequada porção de terra poderia ser "assegurada" e cada família receberia seu lote. Poderiam cultivar suas terras como quisessem e passá-las a seus herdeiros, mas não poderiam jamais trocá-las ou vendê-las. Não surpreende que tenha havido poucos recrutas. A maioria dos artesãos habilidosos que preenchiam os requisitos emigrava com muito mais facilidade, menos gastos e menos imposições para os Estados Unidos, um fato que Förster deplorava: "Sempre que um alemão se torna um ianque, a humanidade sofre uma perda".

Enquanto Förster fazia proselitismo, Elisabeth estava gostando de transformar a casa da mãe em Naumburg no centro de propaganda do empreendimento do marido. Finalmente ela tinha um trabalho para sua considerável inteligência e para seus talentos organizacionais. Qualquer contato era bombardeado por cartas repletas de informações a respeito da maravilhosa oportunidade de investir no Paraguai. Ajudou a preparar a publicação do livro do marido: *Deutsche Colonien im oberen Laplata-Gebiete mit besonderer Berücksichtigung von Paraguay: Ergebnisse eingehender Prüfungen, praktischer Arbeiten und Reisen - 1883-1885* [Colônias alemãs nas regiões do alto La Plata com consideração especial ao Paraguai: resultado de minuciosa pesquisa, trabalhos práticos e viagens – 1883-1885]. Apresentava um retrato totalmente enganoso do Paraguai como um jardim de Demétrio, um lugar onde a marga profunda, vermelha e ridiculamente fértil mal precisava ser arranhada para florescer em uma cornucópia explosiva e abundante. Em resumo, era um lugar tão física e espiritualmente fecundo quanto a Alemanha nos bons tempos, antes da chegada de estrangeiros para contaminar a pátria mãe com sua degeneração, fazendo da Alemanha um pátria madrasta. A Alemanha Original podia, e iria, se erguer de novo em solo paraguaio. Uma centena de colonos racialmente puros, incorruptos pelo sangue e por ideias estrangeiras ganharia a oportunidade de transmitir os valores e as virtudes alemãs para a posteridade.

Enquanto preparava o livro para publicação, Elisabeth ultrapassou os limites de sua subordinação conjugal. Aperfeiçoou a laboriosa prosa do marido e reescreveu a introdução. Ele não gostou. Gostou menos ainda quando ela chamou o irmão como consultor editorial. Como frontispício do livro, Förster escolhera uma bela fotografia de si mesmo, imponente e cheio de medalhas, acompanhado do estimulante mote: "Em desafio a todos os obstáculos encontra-se o nosso solo!". Nietzsche disse a Elisabeth que aquilo era um ato de vaidade ridículo. Förster ficou furioso. A fotografia era um instrumento necessário para ilustrar sua capacidade máscula de liderar pessoas a meio mundo de distância. Houve uma irada troca de cartas. Elisabeth admoestou Förster por depreciar seu julgamento. Förster acusou-a de traí-lo aliando-se ao irmão. Foi a primeira briga do casal. O livro por fim foi publicado com a fotografia e o mote.

Era importante para Elisabeth que o marido e o irmão se conhecessem antes da partida para o Paraguai. Nietzsche escolheu a ocasião de seu aniversário de quarenta anos, 15 de outubro de 1885, por achar que seria um prazer para a mãe e para a irmã vê-lo nesse dia. Nietzsche passou dois dias em Naumburg, e os dois homens se encontraram pela primeira e única vez na vida. Trocaram um aperto de mãos, beberam à saúde um do outro e desejaram-se boa sorte. Nietzsche sentiu-se aliviado por Förster ser menos desagradável do que esperava. Não o achou desagradável como pessoa. Pelo bem de Lhama, foi reconfortante constatar que Förster claramente dispunha da força física para realizar sua aventura.

Dois dias depois do encontro com Förster, Nietzsche escreveu a Franz Overbeck dizendo que se sentiu doente o tempo todo que passou em Naumburg, mas que estava intrigado se essa sensação vinha de dentro para fora ou de fora para dentro. Expressou a esperança de que a lamentável comemoração de seu aniversário tivesse assinalado sua última visita à cidade, mas que sabia, no momento em que escrevia, que isso não era possível. Assim que a Lhama tivesse viajado para o exterior, as doenças encadeadas de Naumburg se apoiariam exclusivamente nele e isto tornaria as correntes ainda mais pesadas. Quanto ao encontro com Förster, Nietzsche disse a Overbeck que a descrição de seu cunhado publicada no *Times* de Londres tinha acertado no alvo. O jornal dissera que "ele é um homem, como muitos de seus conterrâneos, de uma ideia, a ideia de a Alemanha para os alemães, e não para os judeus".[8] Nietzsche confirmou que tinha considerado Förster monomaníaco em seu foco no antissemitismo. Mas que isto era algo que ele já sabia; não conseguiria mudar nada ao confrontá-lo nesse quesito, e por isso decidiu que poderia muito bem tentar extrair algo de útil do encontro: uma avaliação da capacidade da mente de Förster. Quase não havia nada a se respeitar, concluiu Nietzsche, sendo não só preconceituosa como anunciada, mas também estreita e precipitada. De sua parte, Förster considerou Nietzsche desprezível: um típico professor com a cabeça nas nuvens, um espécime fisicamente fraco e longe do tipo de que precisava para sua colônia. Ficou aliviado por Nietzsche ter recusado o convite de Elisabeth para acompanhá-los na viagem ao Paraguai.

17
Declamando no vazio

> A filosofia como eu a entendi e vivi é viver voluntariamente no gelo e nas altas montanhas – uma busca de tudo que for estranho e questionável na existência, tudo que até agora foi excomungado pela moralidade.
>
> *Ecce homo*, Prólogo, seção 2

Durante os dois anos seguintes, Nietzsche mergulhou ainda mais fundo em si mesmo enquanto viajava pelas paisagens mais belas da Europa, morando em hotéis e pensões baratos. Era uma presença calada, cortês, de ombros curvados e cada vez mais displicente nos trajes, facilmente ignorada pelos outros hóspedes. Assim que diziam "Bom dia, professor" ou "*Bon appétit*", era fácil evitar o prosseguimento da conversa. Nas salas de jantar comunitárias ele se distanciava cada vez mais dos glutões ao adotar pequenas porções de frugais e idiossincráticas dietas, em geral baseadas em chá ralo, ovos e carne; às vezes só comia frutas e tomava leite. Tinha a esperança que essa autonegação o pouparia das guerras-relâmpago intestinais travadas pelo seu corpo, mas nada o protegia de implacáveis acessos de vômito, cólicas, dores lancinantes nas têmporas e diarreias que podiam perdurar vários dias a fio. Acamado e agonizante em quartos alugados, dependia totalmente da bondade de estranhos.

Não obstante sua saúde terrível, durante os meses de verão ele caminhava pelos Alpes por horas a fio, fazendo anotações em seu caderno. No inverno ele tomava trens entre os resorts do litoral sinuoso da França e da Itália, sempre à procura do ar seco e do sol que aquecia seus ossos sem ofuscá-lo com seu brilho. Florença o agradou por breve período com seu "ar seco, sútil e recendendo a Maquiavel", mas logo fez objeções ao ruído do tráfego sobre os macadames que soavam como moedores de café.

Nice foi uma boa promessa até 23 de fevereiro de 1887, quando seu frasco de tinta ganhou vida e começou a pular na mesa como uma pulga de circo. A casa tremia e balançava. Outras casas ao redor desabaram. Pessoas seminuas despejavam-se nas ruas rachadas. Nunca antes ele havia visto o pânico prevalecer. A única alma impérvia ao terror geral foi uma senhora muito idosa e devota que estava convencida de que o bom Deus não tinha intenção de lhe fazer nenhum mal. O terremoto destruiu o quarto da Pension de Genève onde ele escrevera a terceira e a quarta partes de *Zaratustra*. Isto o deixou bastante perturbado por causa da transitoriedade das coisas, que agora demonstrava incluir sua própria história recente.[1]

Nietzsche fez um inventário de suas possessões terrestres. Reduziam-se a algumas camisas, calças, dois paletós, chinelos e sapatos, a parafernália para se barbear e escrever e uma panela que Elisabeth havia mandado, mas que ele nunca conseguiu entender. Já publicara quinze livros. O último havia vendido cem exemplares. Sua existência dependia de uma pensão de uma universidade cristã. Por causa do tom cada vez mais antirreligioso de seus livros, ele esperava perdê-la a qualquer momento.

Segundo sua estimativa, ele perdera 7/8 da visão. Luzes muito brilhantes sempre causavam dores excruciantes. Um novo borrão abrangente, junto com pontos que dançavam em seu campo visual, propiciava diariamente uma justificativa ocular para ponderar sobre a natureza do que ele assumia como realidade.

Vista de fora, a vida de Nietzsche entre 1886 e 1887 parece tranquila e inofensiva, mas foi nesse período que, com toda a fúria do profeta negligenciado, ele estava examinando as fundações das nossas tradições morais e intelectuais e forjando-as nos livros de sua filosofia amadurecida.

O aspecto afirmativo de sua filosofia estava concluído. *Zaratustra* tinha apontado o caminho da vida indicando a atitude daquele que diz "sim", o homem pós-religião preparado para assumir por si as dúvidas, incoerências e os horrores do mundo. Mas o grito de Zaratustra não foi ouvido. A função dos novos livros era "tão clara quanto possível": Zaratustra se tornaria evidente.

Dessa vez Nietzsche não apresentaria seus pensamentos numa paródia bíblica ou trajados como a lenda épica de um herói. Nem enterraria seu novo livro. Como nenhum editor tinha a menor intenção de publicar seu trabalho, ele o publicaria por conta própria. Faria uma impressão paga do próprio bolso com uma tiragem de seiscentos exemplares. Se vendesse trezentos, recuperaria o dinheiro gasto. Seria isso impossível?

Além do bem e do mal (1886) teve o subtítulo de "Prelúdio a uma filosofia do futuro". Ao contrário de *Zaratustra*, era um livro grosso, de quase duzentas páginas, mas ainda assim ele sentiu necessidade de escrever mais um livro, para esclarecer o livro que tinha escrito para esclarecer *Zaratustra*. E o livro subsequente a *Além do bem e do mal* teve o nome de *Genealogia da moral* (1887) e o subtítulo "Para esclarecer e suplementar meu último livro".

Assumindo o papel do filósofo do talvez e a consciência da caverna do Minotauro, ele se posicionou numa raivosa oposição à apatia indolente, afável e moral de se apegar ao código judaico-cristão de moralidade enquanto não mais acreditava na própria religião. Isto era viver de forma hipócrita e não verdadeira. Viver como 75% cristão!

Cem anos depois da morte de Deus, previu Nietzsche, sua sombra ainda estaria projetada nas paredes da caverna. O Minotauro da caverna exploraria o perigo talvez a fim de limpar as paredes, para redefinir noções de bem e de mal – se é que existiam tais coisas como o bem e o mal. Um exame desses exigiria uma crítica da própria civilização, uma crítica das fundações da modernidade, das ciências modernas, das artes modernas e das políticas modernas. Como tal, teria de ser um "dizer não" ao que ele definiu como a degeneração da modernidade. Essa negação só poderia ser válida se começasse por um exame da verdade.[2]

"Supondo que a verdade é uma mulher, e por que não", começa de forma irresistível a primeira sentença da introdução de *Além do bem e do mal*, "não há razões para desconfiar que todos os filósofos, levando-se em conta que todos têm sido dogmáticos, não tenham realmente entendido as mulheres?"

O que tomamos como a verdade? Os grandiosos edifícios do pensamento europeu. Mas eles se apoiam em pedras angulares de dogmáticos que desde tempos imemoriais baseiam suas teorias em uma mistura de superstição popular – como a superstição acerca de almas – e de algumas ousadas generalizações originárias de experiências limitadas humanas, demasiado humanas.

O homem não pode viver com tais inverdades. Não pode levar a vida mensurando a realidade a partir de sistemas ficcionais totalmente inventados como a filosofia, a astrologia e a religião. Estes três monstros têm perambulado pela Terra através das eras, e assim temos moldado a arquitetura de nossas convicções supersticiosas às suas imagens. O homem era originalmente livre, mas se emparedou em crenças, construindo loucamente observatórios zoroastristas, templos gregos e romanos, túmulos de pirâmides egípcias e catedrais cristãs. Escolheu erigir uma arquitetura de medo e reverência, cuja própria fundação é o terror de que a morte possa levar a nada mais que o oblívio. Nós nos escravizamos a padres, astrólogos e filósofos. Essa influência é penosa e perigosa para a psicologia do homem.

Devemos questionar nossas noções de bem e de mal como eternos absolutos e não como convenções transitórias. O lugar para começar é com o homem que inculcou sua ideia enganosa de que a verdade absoluta existe: Platão.

O mais prolongado de todos os erros ao longo dos últimos 2 mil anos tem sido a invenção de Platão do espírito puro. Com ela, Platão lançou uma rede de conceitos espessa, fria e cinzenta sobre o redemoinho do arco-íris dos sentidos – a plebe dos sentidos, como ele a chamava.³

Será que a natureza da verdade realmente se encontra na famosa caverna de Platão onde as pessoas, acorrentadas a uma parede, eram incapazes de virar a cabeça e perceber que as coisas que viam nas paredes da caverna eram meramente sombras de objetos reais suspensos no brilho ardente atrás delas? Iludidas, elas tomaram o espetáculo de sombras como realidade ou "verdade". Assim, Platão nos sobrecarregou com a ideia da diferença entre aparência e realidade. Sua teoria das formas pressupunha a existência de uma forma ideal de todas as coisas. Desde a forma da cor vermelha à forma da justiça, aparentemente havia uma marca de referência para cada objeto e característica. Schopenhauer usou a teoria das formas de Platão em sua teoria da vontade e representação, a teoria de um mundo puramente inventado que Nietzsche já havia refutado em *Humano, demasiado humano* ao pegar a luminosa tocha da razão de Voltaire para projetar sua fulgurante luz nas paredes sombreadas da caverna.⁴

Os filósofos não são melhores do que astutos defensores de seus preconceitos, ardilosos porta-vozes de ideias que chamam de "verdades".⁵ Filósofos são vendedores de óleo de serpente da alma. Suas doutrinas se resumem a éditos determinando uma tirania autoimposta sobre a natureza humana. A filosofia sempre cria o mundo à sua própria imagem; não pode fazer outra coisa. Filosofia é a glorificação da universalização. É imposição. Procura fazer toda a existência existir somente a partir de sua própria imagem. Filosofia é uma "motivação tirânica, a mais espiritual vontade de potência, para a 'criação do mundo', para a *causa prima*".⁶

Quanto à ciência, não é melhor. As conclusões dos microscopistas do conhecimento não fornecem mais verdades que as dos filósofos. O significado da ciência não é a religião. Mas, de certa forma, a ciência está se tornando uma substituta da religião. O mundo moderno está confundindo teoria científica com dogma moral.

"Agora está começando a ficar claro para talvez cinco ou seis cérebros que a física também é apenas uma interpretação e uma organização do mundo (segundo nós mesmos!, se posso dizer isso) e *não* uma explanação do mundo. Mas na medida em que se baseia em acreditar nos sentidos, a física se passa por mais do que é, e continuará a se passar por mais, ou seja, por uma explanação, por muito tempo ainda. Tem nossos olhos e nossos dedos como seus aliados, há a evidência visual e a tangibilidade como seus aliados. Isto ajudou a encantar, a persuadir, a *convencer* uma era com um gosto basicamente plebeu." Mas o que foi explicado? Só o que pode ser visto e sentido.[7]

A interpretação do mundo por "darwinistas e antiteológigos" leva Nietzsche a recuar de sua anterior condenação direta da teoria de Platão sobre o ideal. Ao menos nos oferecia "um tipo de divertimento" em comparação aos cientistas que trabalham como a "maior burrice possível" e "menor força possível" para apelar a "uma resoluta raça industriosa de maquinistas e construtores de pontes do futuro".[8]

Apesar de saudarem leis naturais com entusiasmo, o que os humanos realmente querem é reverter a teoria do natural. "Viver – isto não é querer especificamente ser outra coisa que não sua natureza? Viver não é avaliar, escolher, ser injusto, ser limitado, desejando ser diferente?".[9]

Depois de semear dúvidas alarmantes por todas as direções, Nietzsche propõe que o filósofo do perigoso talvez considere a ideia da inverdade tão interessante quanto a ideia da verdade. Por que não inspecionar a verdade a partir de múltiplas perspectivas? Por exemplo, a partir da perspectiva do sapo?[10] Dado que essa verdade, como ele já nos disse, é tão misteriosa quanto a natureza de uma mulher, Nietzsche volta ao ponto de que o eterno feminino é incapaz da verdade porque "o que importa a verdade para uma mulher! Desde sempre, nada é mais estranho, desfavorável e hostil para as mulheres do que a verdade – a grande arte delas é mentir, sua principal preocupação é a aparência e a beleza".[11]

Todas as verdades são apenas interpretações pessoais. Não somos nada mais que nossa memória e nossos estados mentais existindo na sociedade a que pertencemos – uma afirmação que com certeza a última sentença do parágrafo acima confirma. A filosofia tardia de Nietzsche era vingativa e misógina. Depois de recusar seus pedidos de casamento alegando que jamais se casaria por ser um espírito livre, Lou tinha recentemente desfechado outra martelada ao anunciar seu noivado com Fred Andreas. Nietzsche não respondeu sua carta. À parte uma carta nada reveladora a Malwida comentando com desprezo que "ninguém sabe quem é esse Andreas", ele manteve seus pensamentos e emoções reservados a si mesmo.[12]

Tendo examinado a natureza da verdade, *Além do bem e do mal* segue examinando a natureza do eu. Isto Nietzsche faz analisando as consequências de dizer "Eu penso", num trecho brilhante que abala as próprias fundações do pensamento ocidental ao descontruir a famosa formulação de Descartes "Penso, logo existo".

"As pessoas diziam que 'eu' era uma condição e que 'penso' era um predicado e condicionado – pensar é uma atividade e um assunto *deve* ser pensado como sua causa." Mas e se o contrário fosse verdade? E se "penso" fosse a condição e "eu" o condicionado? Nesse caso, "'eu' seria uma síntese que só é *produzida* pelo próprio pensamento".[13] É impossível ter certeza de que existe um "eu" que pensa, impossível saber que tem que ser alguma coisa que pensa, que pensar é uma atividade e uma operação por parte de uma entidade pensada como uma causa. É impossível saber que o que é designado como "pensar" já foi determinado – que eu *sei* o que é pensar. "Eu" não poderia ser meramente uma síntese produzida pelo pensamento?

> Seja quem for que ousar responder essas questões metafísicas de pronto apelando a uma espécie de conhecimento *intuitivo*, como a pessoa que diz "Eu penso e sei que ao menos isto é verdade, real, certo" – encontrará o filósofo dos dias de hoje com um sorriso e dois pontos de interrogação. "Meu caro senhor", talvez o filósofo o faça entender, "é improvável que o senhor não esteja enganado: mas por que insistir na verdade?".[14]

Aquilo que vivenciamos nos sonhos se torna tanto uma parte da economia total das nossas almas quanto qualquer coisa que tenhamos "realmente" vivenciado. A psicologia é a chave para entender o sentido do mundo, não o dogma.[15]

Tendo questionado a natureza do eu e declarado que a verdade objetiva é uma ficção impossível, Nietzsche maliciosamente segue dizendo que afirmar que a verdade objetiva é uma ficção é fazer uma declaração sobre a verdade objetiva que deve ser ela mesma uma ficção.

Isso nos deixa contemplando uma sucessão infinita de espelhos refletindo estonteantemente – o quê? – a verdade? – ou a vertiginosa perspectiva de infinitos talvez? Somos deixados para resolver o problema por nós mesmos. Desconfiando de todos os construtores de sistemas, Nietzsche se recusa firmemente a construir um sistema para os outros. Ele adora se contradizer no cerne das ideias, nos forçar a uma posição como espírito livre e independente dele.

Para estabelecer se alguém está pronto para a independência é preciso não se apegar a nada, nem mesmo à própria sensação de desprendimento. Poucos são moldados para tal independência. É um privilégio dos que andam na corda bamba, dos que ousam até o ponto do destemor.

Deixando de lado a meditação a respeito do espírito livre, Nietzsche volta a abordar a religião com uma abertura tipicamente robusta e chamativa, afirmando belicosamente que os quase 2 mil anos passados deixaram de ver o prolongado suicídio da razão por causa da imposição da doutrina religiosa sobre o indivíduo. Partindo de sua experiência pessoal de seu conflito entre autorrealização e abnegação à doutrina religiosa, Nietzsche se sente no direito de concluir que o primeiro sacrifício humano à religião é o sacrifício de sua própria natureza.

Como adotamos voluntariamente os valores judaico-cristãos que nos transformaram em gado obediente? Por que adotamos o que Nietzsche chama de moralidade de escravos? Ele usa o termo a partir do fato de que historicamente judeus e cristãos eram escravos, primeiro na Babilônia, depois sob o Império Romano. Impotentes para impor sua vontade ao mundo, porém cobiçando o poder, os escravos foram devorados pelo ressentimento contra seus senhores. Afirmando ser sua única vingança possível, eles inverteram os valores ao incorporar seus ressentimentos numa religião que impôs a glorificação de sua própria condição de infelicidade e sofrimento.[16]

A sensualidade e o desejo de potência foram demonizados. As palavras "riqueza" e "poder" se tornaram sinônimos para o mal. O cristianismo foi uma negação da vontade de vida transformada em religião. O cristianismo odiava a vida e odiava a natureza humana; envenenou o mundo ao negar as realidades da natureza humana, transformando tudo em um conflito entre "deveria" e "é". A moralidade nascida da escravidão perpetuou a escravidão, dando continuidade ao significado do niilismo e do oprimido.

Nietzsche escolhe especificamente a palavra francesa *ressentiment* para definir o fundamento da moralidade escrava. *Ressentiment* é uma palavra com um significado mais completo que rancor e inveja. É uma neurose, uma necessidade de infligir dor em si mesmo assim como no outro. *Ressentiment* abrange a posição do rancoroso impotente a quem não tem (ou que gostam de não ter) os meios para purgar seu rancor partindo para a vingança. E assim, *ressentiment* levou os escravos a falsear sua fraqueza como força, a "vingar-se de Roma e de sua nobre e frívola tolerância" subvertendo a prévia moralidade de poder e superioridade, substituindo-a pela superioridade moral de vitimização e de glorificação do oprimido.

Como observou santo Agostinho, o rancor é como tomar veneno esperando que o outro homem morra.

Como aconteceu essa bizarra reversão de valores? Como o ascetismo veio a triunfar sobre os valores afirmativos da vida?

Embora tenha levantado e parcialmente respondido essa questão em *Além do bem e do mal*, Nietzsche não parou por aí. Em junho de 1887, começou a escrever *Genealogia da moral: uma polêmica*, com um título que claramente atesta a preocupação contemporânea pós-darwinista com a questão da descendência. Como de hábito, escreveu o livro rapidamente, em cerca de quatro semanas. Contém três longos ensaios cuja intenção é escavar as próprias raízes da árvore genealógica da moralidade, propondo-se a retroceder para o passado anterior ao judaico-cristão. Investigaria o tempo em que o homem saiu do mar para andar sobre dois pés.

Em algum momento na pré-história, ele conjetura, surgiu alguma prática específica prejudicial à comunidade. Isto levou à imposição da punição. Foi o momento da construção da moralidade; foi quando nossos instintos foram contidos pela primeira vez por uma sociedade punitiva. Com o tempo, a imposição de castigos levou à introspecção. A introspecção levou à consciência.

A consciência, então, é o preço da estrutura social e continua sendo o preço pago pela alma quando a tradição ascética judaico-cristã, com seus "não pecarás", soterra os nossos instintos mais naturais sob a carga mortal da culpa. Instintos que não são liberados externamente se internalizam. Carregados de má consciência, nos voltamos contra nós mesmos com uma infelicidade e uma autonegação alimentadas pela lenda do pecado original e pelo ascetismo imposto pelos padres. O conceito de neurose existencial surgiria mais tarde, mas sem dúvida era o que Nietzsche estava descrevendo quando desenhou um retrato do homem moderno que "não tem inimigos ou obstáculos externos, mas se despedaça, se persegue, corrói a si mesmo, não se dá paz, é como um animal que arremete contra as barras de sua jaula".[17] Como podemos nos libertar das barras da má consciência e do nojo de nós mesmos que nos aprisionam na jaula construída pelo padre asceta? O antídoto para a moralidade escrava é a moralidade do *Übermensch*; o espírito livre, afirmativo e independente. A característica moral do homem superior é motivada por sua força vital, sua vontade de potência. Embora entendesse a teoria evolucionista como uma simples descrição de meios amorais de preservação da vida, sua "vontade de potência" obviamente deve muito à sobrevivência do mais adaptado de Darwin, mas Nietzsche vai além. A vontade de potência de Nietzsche é ao mesmo tempo um símbolo do potencial do homem e uma parábola da importância de se superar.

Nenhuma parte da vida orgânica é estática. Da infância em diante estamos buscando poder. Toda a vida orgânica está constantemente em uma condição dinâmica e caótica de criação e decadência: de subjugar e ser subjugada. A raiz da árvore pulverizando o leito rochoso é a vontade de potência. O gelo se expandindo que rompe o penhasco e redesenha a linha do litoral é a vontade de potência. Está no microscópico esporo de musgo nas telhas do palácio, cuja expansão em forma de uma esponja verde fará que uma chusma de lacaios venha correndo com baldes – ou até resulte no desabamento do teto e do regime. A vontade de potência nunca é estática. É a dinâmica sempre em transformação de todos os relacionamentos pessoais e de todas as relações entre grupos e entre países.

Nietzsche diz que a vontade de potência é uma emoção, a emoção do comando. O que é chamado de liberdade da vontade é essencialmente superioridade a respeito de alguma coisa que deve obediência. Mas essa alguma coisa não precisa estar fora de nós. Nietzsche também está falando de domínio de si mesmo.

> Aquele que exerce a vontade assume esse sentimento de prazer como o comandante, e acrescenta a isto os sentimentos de prazer dos instrumentos que funcionam

na execução da tarefa, bem como as úteis "subvontades" ou subalmas – afinal, nosso corpo é apenas uma sociedade formada por muitas almas.[18]

O homem com autocontrole é capaz de suportar a incerteza semeada pelas múltiplas perspectivas dos "talvez". Com a coragem de abandonar as certezas, qualquer noção de um "resultado" ou de uma "conclusão" é obsoleta. E assim o "homem superior" ou o "super-homem", o "espírito livre" ou o *Übermensch*, o "filósofo do futuro", o "filósofo do talvez" ou o "argonauta do espírito" – chamem do que quiserem – é um brincalhão. A vida não é mais uma tábua de leis. É uma dança para a música do "e se?". Tanto a consciência de nós mesmos como a consciência do mundo ao redor dependem da concepção de que, em última análise, não entendemos nem o mundo nem a nós mesmos. Aquele que olha para o abismo vê o abismo olhando para ele. Não é uma posição confortável. Mas ai de você se não tiver a coragem de viver pelos princípios do "e se?", pois você será um dos "últimos homens", os 75% de cristãos que gozam da religião do conforto apegando-se a certezas obsoletas.

É verdade que não existe tal coisa como a verdade – talvez.

Genealogia da moral é o livro em que a besta loura ("*di blonde Bestie*") ronda pelo palco. É provável que Nietzsche deva sua reputação maculada tanto a essas palavras como a quaisquer outras. A besta loura foi entendida como uma classificação racial e uma criatura com um propósito político: o super-homem ariano de Nietzsche prefigurando as leis raciais de Hitler de 1935 a respeito da Honra Alemã e do Sangue Alemão. Mas isto é uma grotesca má interpretação. Há três menções à besta loura no texto de Nietzsche, e nenhuma delas tem qualquer coisa a ver com classificação racial, e muito menos com a ideia de uma raça dominante.

No primeiro trecho, Nietzsche está explorando como os conceitos de bem e de mal surgiram nas primeiras civilizações. Está descrevendo como as antigas formas do Estado emergiram das brumas da pré-história. Não diz de que período da história está falando a respeito, nem de que parte do mundo, mas não nos deixa dúvida de que a fera loura que assume o comando e constrói os primeiros Estados é o selvagem ancestral comum a todas as raças:

> No centro de todas essas nobres raças não podemos deixar de ver a fera predadora, a magnificente *besta loura* avidamente à espreita em busca da vitória e dos

espólios; este centro oculto precisa de liberdade, e de tempos em tempos a besta loura precisa sair novamente, deve retornar ao selvagem: – a nobreza dos romanos, dos árabes, dos germânicos, dos japoneses, dos heróis homéricos, dos vikings escandinavos – em suas exigências eles são todos iguais. Foram as nobres raças que deixaram o conceito de "bárbaros" em sua esteira por onde passaram; até mesmo suas culturas superiores traem o fato de estarem conscientes disso, e realmente orgulhosos por isso.[19]

Aqui a inclusão de árabes, gregos e japoneses certamente é um argumento de que Nietzsche estava mais entusiasmado com a eufonia de juntar as palavras "besta" e "loura" do que compor um retrato preciso de tipos raciais. Mais perigosamente, o trecho continua:

> Na esteira daquele inextinguível horror com que a Europa observou a fúria das bestas louras germânicas por séculos [...] temos justificativas para manter o nosso medo da besta loura no centro de qualquer nobre raça e permanecer em guarda: mas quem não preferiria ter medo, cem vezes mais, se podemos ao mesmo tempo admirar, em vez de *não* ter medo, mas por isso reter permanentemente o desagradável espetáculo dos fracassados, dos atrofiados, dos desgraçados e dos envenenados [...] pessoas doentes, cansadas e exauridas às quais a Europa de hoje está começando a receder [...][20]

A segunda menção à besta loura aparece no segundo ensaio de *Genealogia da moral*. Mais uma vez Nietzsche está especulando sobre a formação dos primeiros Estados da Terra.

> Usei a palavra "Estado"; é óbvio a quem se aplica o termo – alguma matilha de bestas louras predadoras, um conquistador e uma raça dominante que, organizada, em pé de guerra e com o poder de organizar, crava inescrupulosamente suas terríveis garras em uma população que, embora pudesse ser vastamente maior em número, ainda se encontra amorfa e em transformação. Dessa maneira, o "Estado" começou na Terra.[21]

Essa horda predatória de conquistadores e dominadores não tinha nenhum senso de moralidade ou responsabilidade. Culpa em relação à população subjugada, responsabilidade e consideração por seus súditos, eram tão sem sentido para eles como a noção de seguir regras de acordos.

Talvez inconscientemente, a descrição de Nietzsche da psicologia do mundo primitivo regido pela besta loura leonina retrocede ao mundo mítico que Wagner retrata em *O anel* com sua a moralidade e psicologia de seus deuses e heróis. Os deuses e heróis de Wagner vagavam por suas florestas primordiais exatamente como as bestas louras de Nietzsche: desrespeitando leis e acordos, pilhando e estuprando. Os deuses de Wagner governavam sem limites morais e sem consciência social ou individual. Mas, ao longo do ciclo de quatro óperas, Wagner demonstra que, mesmo dentro dessa estrutura de puro interesse próprio, seu todo-poderoso bestiário de bestas louras descobre o fato inescapável de que ações levam a consequências, e consequências a códigos de leis, e códigos de leis a punições – ainda que nem Wagner nem os deuses e heróis de *O anel* jamais cheguem tão longe a ponto de honrar acordos ou desenvolver muito de uma consciência.

A terceira e última menção às bestas louras ocorre em um dos últimos livros de Nietzsche, *Crepúsculo dos ídolos* (1889). Em um capítulo furioso intitulado "Os 'melhoradores' da humanidade", mais uma vez ele vocifera contra padres e filósofos por apregoarem realidades que não existem. Sua moralidade é contra a natureza e suas doutrinas são meramente instrumentos para domar e domesticar o homem primitivo, a besta loura, cuja civilização é construída a um tremendo custo para si mesmo.

> Chamar a domesticação de um animal de "melhora" soa quase como uma piada para nós. Qualquer um que saiba o que acontece em um zoológico não terá dúvidas se as bestas são "melhoradas" lá. Elas se tornam fracas, tornam-se menos perigosas, são *adoentadas* pelo uso da dor, da injúria, da fome e dos efeitos depressivos do medo. – A mesma coisa acontece com pessoas domesticadas que foram "melhoradas" por padres. No início da Idade Média, quando a Igreja era basicamente um zoológico, os melhores espécimes da "besta loura" eram caçados por toda parte – pessoas como os nobres teutônicos eram submetidos a "melhorias". Mas como ficava um teutônico "melhorado" depois de corrompido em uma clausura? Parecia uma caricatura de um ser humano, como um aborto: tinha se transformado em um "pecador", estava preso em uma jaula, trancado dentro de todos os tipos de ideias horríveis [...] Lá jazia, doente, infeliz, cheio de malícia contra si próprio, odiando a vontade de viver, desconfiado de tudo que ainda fosse forte e feliz. Em resumo, um "cristão" [...] A Igreja entendia isso: arruinava as pessoas, as enfraquecia – mas afirma tê-las "melhorado".[22]

Estas são as menções à besta loura nos textos publicados de Nietzsche. Estão longe de uma evocação da besta loura como representante da raça dominante alemã alimentada pela vontade de potência, para esmagar a humanidade sob suas botas. Contudo, não há duvida de que elas contêm elementos feios que poderiam ser desenvolvidos em incitamentos ao racismo e ao totalitarismo. Seria ingênuo simplesmente ignorá-los como um ponto de partida para o poder conectivo do pensamento disseminar a infecção.

Este foi o ponto escolhido na época pelo crítico literário e editor da *Der Bund*, J. V. Widmann,[23] que escreveu uma resenha profética de *Além do bem e do mal* sob o título "O livro perigoso de Nietzsche":

> Os estoques de dinamite usados na construção do túnel de Gotthard eram marcados por uma bandeira negra, indicando perigo mortal. É exclusivamente nesse sentido que falamos do novo livro do filósofo Nietzsche como um livro perigoso. Essa designação não implica nenhuma reprovação ao autor ou sua obra, assim como aquela bandeira negra também não significava uma reprovação aos explosivos. Muito menos poderíamos pensar em entregar o pensador solitário aos corvos de uma sala de conferência e às gralhas do púlpito ao destacar a periculosidade de seu livro. Explosivos intelectuais, como os materiais, podem servir a propósitos úteis; não necessariamente ser usados para fins criminosos. Só é necessário dizer claramente, onde tais explosivos estão estocados: "Aqui há dinamite!". Nietzsche é o primeiro homem a encontrar um caminho de saída, mas é uma saída tão aterrorizante que chega a ser realmente assustadora [...][24]

Finalmente, era emocionante ser apontado como um pensador poderoso e perigoso. Em uma semana, Nietzsche copiou a resenha (um processo laborioso, por causa da sua visão) e a enviou a Malwida. Era a primeira resenha de seu trabalho em um longo tempo, e amenizava o fato de o livro ter vendido apenas 114 exemplares.

18
Lhamalândia

> Minha irmã é uma idiota vingativa e antissemita!
> Carta a Malwida von Meysenbug, 1884

Em fevereiro de 1886, Elisabeth e Bernhard Förster, e seu pequeno bando de patriotas antissemitas puro-sangue, zarparam de Hamburgo a bordo do *Uruguay* rumo ao Paraguai. Nietzsche só tinha visto o cunhado na vez em que apertou sua mão. Não foi ao cais para o bota-fora. Antes de partir, Elisabeth deu a Nietzsche um anel gravado com suas iniciais e as do marido e disse que ele deveria investir no empreendimento colonial. Se fizesse isso, seria dado a um lote de terras o nome dele. Melhor chamar de Lhamalândia, ele respondeu secamente.[1]

Nietzsche via os princípios em que Nueva Germania se fundava como uma expressão contemporânea da mentalidade escrava. O culto da pátria mãe, o superpatriotismo e o antissemitismo simplesmente mascaravam a inveja, o *ressentiment* vingativo dos impotentes. Considerando-se seu conteúdo, foi estranho Nietzsche ter mandado seus últimos livros a Elisabeth.

Em 15 de outubro de 1887, dia de seu aniversário de 43 anos, Nietzsche estava em uma de suas visitas intermitentes a Veneza para um mês de música e recuperação com o sempre dedicado Peter Gast. Com a deterioração de sua visão, a caligrafia de Nietzsche se transformou em hieróglifos. Gast era então a única pessoa que conseguia decifrá-la para o impressor. Na cidade em que Wagner havia morrido depois de uma altercação com Cosima por causa de sua última paixão passageira por uma jovem soprano inglesa, Nietzsche estava fazendo anotações sobre Dionísio e Ariadne, referindo-se ao idílio de Tribschen enquanto escrevia *O nascimento da tragédia*. Como um eco, ele estava esboçando uma peça satírica.

Com sua mente mais no presente, fazia também anotações sobre psicologia. Elaborou uma lista de estados transfigurais que confirmam nossa avidez pela vida. Era encabeçada pelo desejo sexual, seguido da embriaguez, das refeições e da primavera. Admitiu em seu caderno de anotações que o niilismo era uma posição comum quando um objetivo (como o paraíso) foi removido e os valores superiores foram desvalorizados.[2] Também expressou grandes apreensões em relação à moralidade mandatória: "A grandeza inclui o terror: que ninguém se engane quanto a isso".[3]

O único cumprimento que recebeu pelo aniversário foi da mãe. Respondeu com uma carta com notícias que iriam agradar Franziska: a carta de parabéns havia chegado exatamente quando ele estava escrevendo "uma cartinha para a Lhama sul-americana". As cartas de Elisabeth para casa pintavam um retrato de sua colônia florescendo, e Nietzsche se entusiasmou com o sucesso da irmã, apesar de não suportar as ideias por trás do empreendimento.[4]

Antes de partirem para o Paraguai, o recrutamento de Förster só tinha convencido catorze famílias a se inscrever. A maioria era da Saxônia, a província de origem de Richard Wagner e também de Elisabeth Nietzsche. Entre os recrutas de olhares severos, a nostalgia do sangue e da terra da antiga pátria mãe jorrava tão forte que exemplificava tudo o que Nietzsche havia escrito sobre o *ressentiment* motivando a moralidade escrava. O pequeno bando de nacionalistas furiosos era composto de camponeses, artesãos e pequenos comerciantes que se sentiam abandonados, com suas vidas desvalorizadas pelo implacável progresso industrial, econômico, social e político. Não havia nenhum artista ou intelectual no grupo.

A viagem de um mês no barco mais barato possível para a América do Sul foi difícil e repleta de privações. Seguida por uma atemorizante viagem fluvial até o rio Paraguai à mercê de uma tripulação indiferente de pele morena. Os colonos alemães, simplórios e provincianos, não entendiam a língua sendo falada em seus ouvidos nem o padrão das estrelas no céu, o misterioso crescimento das folhas das árvores e a relva no terreno. Criaturas estranhas pipocavam na vegetação incompreensível, perturbando ainda mais sua paz de espírito. Febres desconhecidas os assolaram. Eles alucinavam. Desenvolveram bolhas de queimadura de sol e incharam de picadas de insetos. Uma das crianças, uma garotinha, morreu. Eles a enterraram em uma cova rudimentar na margem do rio e logo prosseguiram.

Finalmente chegaram a Assunção, capital do Paraguai. Para os alemães, a palavra "capital" significava um eixo de ordem e governo feito de pedra. Mas aqui as ruas eram de lama, assim como as casas, e a população fervilhante, oportunista e inamistosa seguia o mesmo tom. Longos anos de guerra haviam aberto grandes buracos e fissuras nos poucos edifícios de pedra. O palácio presidencial e a alfândega tinham assumido os contornos e convexidades de um delírio. Árvores altas erguiam-se dos salões de baile. Trepadeiras tentaculares comiam o reboco ornamental.

Em 1886, o Paraguai era um país ainda arruinado pela longa Guerra da Tríplice Aliança (1864-70), em que tinha lutado heroicamente, mas afinal em vão, contra as potências unidas do Brasil, da Argentina e do Uruguai. Segundo uma fonte contemporânea, a população antes da guerra era de 1.337.439 habitantes. Depois da guerra, foi reduzida a 221.079.[5]

Bernardino Caballero, um herói de guerra, assumira o poder seis anos antes da chegada de Elisabeth. Com uma dívida internacional equivalente a quase 5 milhões de libras esterlinas à época,[6] colonos eram uma fonte vital de dinheiro para o país, assim como uma forma de repovoar as áreas vazias.

Em 15 de março de 1886, aos 39 anos, Elisabeth desceu do barco como uma madame de Naumburg chegando para um piquenique de igreja. No calor de uma estufa, ela usava um longo vestido preto, uma boina sobre o penteado alto e óculos no nariz. (A miopia de Elisabeth sempre foi mais acentuada que a do irmão, embora seus olhos nunca doessem da mesma forma.) Peões suarentos a seguiam, lutando para carregar seu piano por uma estreita passarela de tábuas. Atrás da esposa vinha o herói conquistador: colarinho alto e engomado, casaca preta, barba proeminente, condecorações cintilando no peito. Tudo na aparência de Förster remetia à ideia de liderança, tanto quanto a fotografia do frontispício de seu livro, que Nietzsche definira com desdém como uma peça de vaidade autoral. Seguindo o esplendoroso casal e seu piano arrastava-se o pequeno e extenuado bando de guerreiros culturais, suando, pálidos e magros, os intestinos castigados por meses de falta de higiene a bordo.

Ninguém sabia exatamente onde ficava Nueva Germania. Os Förster tinham trazido seus compatriotas para povoar um conceito, uma ficção, um lugar nenhum.

Nem Förster nem Elisabeth jamais haviam feito uma transação comercial na vida quando se encontraram com um personagem empreendedor chamado Cirilo Solalinde, que se disse proprietário do Campo Cassacia, uma área de aproximadamente seiscentos quilômetros quadrados a cerca de 240 quilômetros ao norte de Assunção. Segundo Solalinde, era composta por florestas utilizáveis e muita terra fértil e excelente para plantio. Podia se chegar lá facilmente de barco pelo rio Paraguai. Disse que venderia as terras por 175 mil marcos. Era muito mais do que eles dispunham. Solalinde agenciou um negócio. Vendeu a terra a preço baixo para o governo, por 80 mil marcos, e em troca o governo garantiu a Förster o direito de colonizá-la por um pagamento inicial de 2 mil marcos. Se conseguisse estabelecer 140 famílias até o final de agosto de 1889, Förster ganharia o título de propriedade. Se fracassasse, as terras seriam confiscadas. Esses termos não foram divulgados publicamente. Elisabeth e Förster só se referiam a si mesmos como donos, ou governantes, de Nueva Germania.

Elisabeth ficou esperando dois anos em Assunção, enquanto os colonos construíam uma casa apropriada para que ela morasse. Finalmente, em 5 de março de 1888, a casa ficou pronta.

"Chegamos ao nosso novo lar e fizemos nossa entrada como reis", ela contou numa longa e triunfante carta à mãe, passando a descrever como chegou como uma deusa nórdica em uma carroça puxada por seis bois. Em sua triunfal trajetória, "gritos de alegria" erguiam-se dos colonos vestidos festivamente reunidos em frente a seus casebres de tijolos de barro. Só a visão de sua pessoa provocava um frenesi de fervor patriótico e quase religioso. Eles a presentearam com flores e charutos. Ergueram seus bebês para ela abençoar. De repente, saindo do nada, apareceram oito esplêndidos cavaleiros liderados pelo cavalo favorito de Förster. Ágil, Förster desceu da sela. Um cortejo se formou atrás do casal real, Elisabeth em seu carro de boi e Förster montando seu garanhão com o jaez patriótico. Atrás deles trotavam outros cavaleiros, seguidos por um desfile de "uma longa fila de pessoas". Em meio a toda essa glorificação, Elisabeth é sincera e informa à mãe que lamentavelmente nenhuma salva de canhões marcou sua passagem, mas que muitos "tiros comemorativos" foram disparados. De repente surgiu "uma pequena e encantadora carroça". Estava lindamente decorada com frondes de palmeiras e um trono vermelho, no qual ela se sentou. Soa como a produção de uma ópera de Wagner em Bayreuth com cenários de Von Joukowsky.

O cortejo dirigiu-se a Försterröde. Era o nome que tinham dado ao que pretendiam que se tornasse a capital do país. Lá o chefe dos colonos, um certo Herr Erck, fez um discurso solene de boas-vindas, e em seguida eles foram até a projetada praça da cidade, onde um arco triunfal havia sido erguido. Lindas donzelas presentearam Elisabeth com flores. Foram proferidos discursos de gratidão e submissão. As pessoas gritavam "Viva a mãe da colônia!". Elisabeth gostou de ter sido saudada pelos colonos primeiro – antes de Förster. Depois de um retumbante coro de "*Deutschland, Deutschland über Alles*", eles passaram por baixo de um segundo arco triunfal construído em frente a Försterhof, a magnífica mansão que seria o lar dela e do marido. Mais discursos. Mais donzelas com flores. Elisabeth admitiu que o exterior da mansão era bem feio (a fotografia mostra isso claramente), mas falou de um interior magnífico: tetos altos, portas largas acortinadas, poltronas macias, sofás confortáveis e o seu piano, é claro. Disse que também possuía "cinco pequenos ranchos e três outros de tamanho médio", centenas de cabeças de gado, oito cavalos, uma loja com milhares de marcos em mercadorias e vinte criados para os quais eles podiam pagar bons salários. Virtuosa, lamentou ter tantas possessões mundanas.

Franziska ficou exultante. Cosima Wagner podia ser rainha de Bayreuth, mas Elisabeth era rainha de toda uma colônia! Como a bela posição de Elisabeth no mundo contrastava com a insignificância pessoal do irmão! Como sua lista de bens mundanos superava a dele! As conversas em Naumburg decidiram que era quase certo que Förster se tornasse o próximo presidente do Paraguai.

Elisabeth continuou tentando convencer Nietzsche a participar do empreendimento. Por que se apegar a seguranças morosas do velho mundo quando ele poderia ter um fabuloso renascimento do novo mundo dela? Overbeck foi contra. Isto criou mais uma rusga que, assim como a posição de Overbeck em relação a Lou, fez com que Elisabeth se pusesse sempre contra ele e sua mulher. Nietzsche tentou temperar sua recusa de forma bem-humorada, dizendo que não conseguiria aguentar "a lhama [que] pulou para longe de mim e foi fazer parte dos antissemitas". Provavelmente isto não a fez rir. Elisabeth ainda conseguiu tirar dinheiro da velha e leal criada de Franziska, Alwine, dinheiro que a senhora nunca mais veria e que jamais poderia ter perdido.

Em julho de 1888, restavam apenas quarenta famílias e algumas já tinham feito as malas e voltado para casa. A dívida estava aumentando. As taxas de juros eram alarmantes. O dote de Elisabeth e os pagamentos iniciais dos colonos já haviam sido gastos. Não havia nada em termos de construções básicas, abertura de estradas ou saneamento, nem mesmo água limpa para os assentados beberem.

Elisabeth conhecia os termos do contrato. Desde o dia em que se mudara para Försterhof, ela tinha dezoito meses para aumentar o número de colonos para 140 famílias. Escreveu para todo mundo que conhecia e para muitos que nem conhecia. Cartas e apelos foram enviados para as diversas sociedades coloniais da Alemanha, fundadas para organizar e apoiar tais empreendimentos. Mas sua grande vitória foi uma campanha no jornal *Bayreuther Blätter*. Com isso ela descobriu seu talento como populista. Abriu seus olhos para a enorme influência que os textos populares conseguiam exercer e a facilidade com que falsas informações podiam construir uma lenda. A lenda de Nueva Germania provou ser um belo ensaio da lenda que ela depois construiria em torno do irmão.

Como cantos de sereias, os artigos de Elisabeth pintavam o lugar como um alegre El Dorado, cheio de redes de cores brilhantes suspensas nas árvores. Ela admite que as redes eram cobertas por telas contra mosquitos, mas que eram mais necessárias contra o orvalho denso da noite que contra os poucos, muito poucos insetos. Os nativos são chamados de "peões". Os racistas não precisam ter medo deles. Os "peões" são ótimos criados, satisfeitos, obedientes e energéticos. Quando o patrão aparece na porta, eles correm para ser os primeiros a obedecer às suas ordens. Adoram presentes, como crianças. Alguns charutos e um pouco de pão saído do forno os fazem competir para realizar cada desejo do patrão. Em Nueva Germania se levava a vida dos lotófagos.* No desjejum consumiam um café delicioso, pão e caldas, para em seguida supervisionarem o cultivo de frutas e legumes que praticamente brotavam da terra sozinhos, de tão fértil que era o abençoado solo. As "centenas de cabeças de gado" de Elisabeth eram remanescentes de manadas de antes da Guerra da Tríplice Aliança que tinham fugido depois da morte de seus donos. Quando domadas, as vacas eram úteis para os colonos vegetarianos ao proverem leite, manteiga e queijo, mas os touros selvagens à solta apresentavam um problema constante.

A nêmesis de Elisabeth chegou em março de 1888, na pessoa de um alfaiate de ascendência camponesa chamado Julius Klingbeil. Com muita fé, tinha pagado 5 mil marcos para seguir seu herói: Bernhard Förster.

---

* Segundo Homero, pessoas que viviam em estado onírico e de ócio por comer flores de lótus. [N. T.]

Ao chegar, Klingbeil percebeu que as coisas eram muito diferentes das histórias contadas por Elisabeth em seus artigos. O clima era cruel, os mosquitos impiedosos. Insetos tropicais transmitiam febres terríveis e desconhecidas. O tão elogiado solo era infértil e muito difícil de ser cultivado. Os criados paraguaios eram relapsos, taciturnos, ressentidos, insubordinados, dados ao ócio e viciados em chá de erva-mate. Cada colono tinha comprado um lote a uma distância de cerca de 1,6 quilômetro do vizinho. Eram vítimas de solidão, tédio, depressão, doenças e desnutrição. A vida deles tinha perdido o sentido. Muitos eram acometidos de inércia e medo ao tentar construir uma nova vida ao som de uma trilha sonora de filme de terror formada por rugidos, grunhidos e gritos de jaguares, pumas, antas, porcos selvagens, touros selvagens, bugios e outros animais não identificados. Jiboias imensas se enrolavam nas árvores. Insetos malignos os perseguiam em enxames, atraídos pelo suor. O rio abrigava jacarés, peixes dentados sem nome e grandes ninhos de mosquitos, além de uma cobra-d'água que se dizia poder chegar a oito metros.[7] Poços tinham de ser cavados para se extrair água limpa, em geral só encontrada a grande profundidade. Chuvas tropicais desbarrancavam as trilhas na mata, e transformavam campos recém-capinados em lagos de lama.

Tudo era controlado pelos Förster. Todos os colonos tinham de assinar um acordo de não fazer negócios fora da colônia. Qualquer pequeno empreendimento, como vender manteiga ou queijo ou aparas de madeira precisava passar pela loja do casal. Também era o único lugar onde podiam comprar as provisões necessárias e remédios. Eles haviam emigrado sob o pressuposto de que seu investimento seria ressarcido se quisessem voltar à Alemanha, mas esta era uma cláusula que os Förster não podiam honrar. Impotentes e incapazes de fazer valer a justiça, seus pedidos eram ignorados pelo casal que governava a colônia num arranjo corrupto.

Como todos os colonos recém-chegados, Klingbeil foi convocado para ir à bem mobiliada Försterhof para se encontrar com seu admirado líder e ser convencido a comprar o lote para o qual seus 5 mil marcos na verdade já lhe davam o direito de posse. Klingbeil esperava encontrar o herói ariano de traços fortes e porte nobre do frontispício do livro. Em seu lugar viu um homem fraco, trêmulo e atormentado. Förster não conseguia parar quieto. Estava sempre agitado. Era a personificação de alguém com a consciência pesada, que não conseguia olhar ninguém diretamente nos olhos.[8] Era evasivo, divagava, incapaz de se concentrar ou manter uma linha de raciocínio. A desilusão de Klingbeil foi total e imediata. Percebeu que o que os outros colonos haviam dito era verdade. Elisabeth era a governante da colônia.

Vestida com elegância, volúvel e assertiva, Elisabeth saltitou em volta da mesa e mostrou um mapa a Klingbeil. Mostrava toda Nueva Germania dividida em lotes. Havia um nome escrito em cada lote, menos em um. Informou-o de maneira fraudulenta que todos os lotes menos o dele tinham sido vendidos. Se pagasse o valor naquele momento, ele poderia ficar com o lote. Mas Klingbeil era minucioso. Não demorou muito para descobrir que os Förster não tinham direito legal à terra que estavam vendendo.

Klingbeil votou o quanto antes para a Alemanha, para desmentir a reputação do mendacioso casal. Acabou publicando um livro de duzentas páginas, *Revelações acerca da colônia Nova Germânia do dr. Bernhard Förster no Paraguai*.[9] O livro desmascarou os Förster, mostrando-os como fraudulentos, mentirosos, tiranos e charlatães. Em termos assertivos, ele classificou Elisabeth como o espírito ativo por trás do marido fraco que ela manobrava ao seu bel-prazer. Os colonos estavam piores até que os mais pobres trabalhadores diaristas na Alemanha. Sofriam e trabalhavam arduamente enquanto o arrogante casal desfrutava de mobiliário europeu, bebiam álcool e até, apesar dos princípios vegetarianos da colônia, se refestelavam de carne em sua bem equipada mesa de jantar.

Elisabeth nunca teve medo de conflitos. Na verdade, adorava. Foi direto à imprensa. Klingbeil era um traidor e um mentiroso. Tinha sido plantado pelos jesuítas para destruir a colônia. O marido dela era um líder glorioso, um gênio idealista que se empenhava incansavelmente em seu sonho altruísta pela causa de aumentar a felicidade da humanidade. Ela e Förster estavam sacrificando tudo por seus leais e infatigáveis trabalhadores.

Von Wolzogen continuou publicando novos contos de fadas de Elisabeth no *Bayreuther Blätter*, que agora pareciam exagerados para quem os lesse. Elisabeth ficou desacreditada. Até mesmo a Sociedade Colonial de Chemnitz deixou de publicar suas réplicas.

No Paraguai, Förster tinha mais ou menos desmoronado. Passava a maior parte do tempo num hotel em San Bernardino, afagando uma garrafa e deixando o futuro da colônia nas mãos supremas e capazes da mulher.

"No Paraguai as coisas estão tão ruins quanto possível", escreveu Nietzsche a Franz Overbeck no Natal de 1888. "Os alemães que foram atraídos para lá estão em rebelião, exigindo seu dinheiro de volta – não há dinheiro nenhum.

Já ocorreram atos de violência; temo o pior."[10] Mas o talento de Elisabeth para se iludir era infinito. Suas cartas para casa continuavam aguilhoando o irmão com sua própria glória e fama, comparando-as com a miserável obscuridade dele.

Nietzsche entendeu que ela estava se comportando em relação a Nueva Germania exatamente como o fizera com Lou.

Franziska ainda acreditava em Elisabeth. Nietzsche tinha em conta a superação da compaixão como uma das nobres virtudes, ao lado da superação das doenças encadeadas. Definia a pena como seu inimigo interior. Mas, apesar de si mesmo, não conseguia aguentar ser o instrumento da desilusão da mãe. Sua carta a Overbeck continua: "Minha mãe ainda não tem noção disso – esta é a *minha* obra-prima".[11]

Pai de Nietzsche, Karl Ludwig Nietzsche (1813-49), pastor.

Mãe de Nietzsche, Franziska Nietzsche, nascida Franziska Oehler (1826-97).

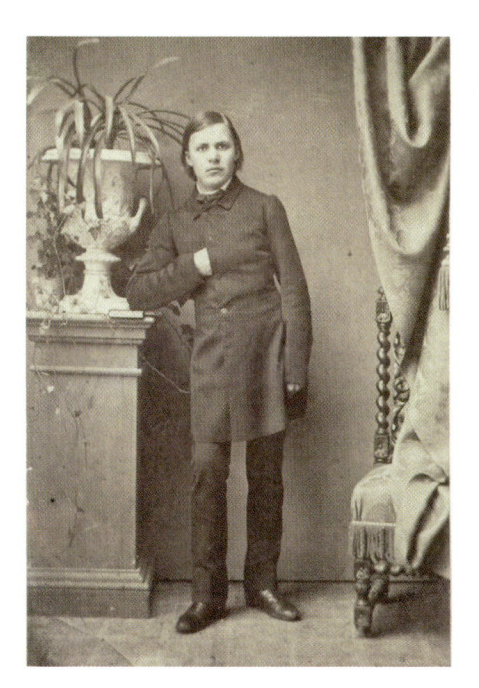

Friedrich Nietzsche com dezessete anos. Retrato do dia da Confirmação: o começo da dúvida.

Elisabeth, irmã de Nietzsche, com dezessete anos. Retrato do dia da Confirmação: sem dúvida nenhuma.

Richard e Cosima Wagner, 1875, quando Nietzsche estava fascinado pelos dois.

Cosima Wagner, por volta de 1870, no início de sua relação com Nietzsche.

Tribschen, casa de Wagner. Monte Pilatos ao fundo.

Capela no monte Pilatos.

A adorada Sils Maria de Nietzsche: "Filosofar é morar numa montanha alta".

Sils Maria: autora na rocha onde Nietzsche vivenciou a revelação para Zaratustra.

Casa de Gian Durisch em Sils Maria. O quarto de Nietzsche é no alto à direita.

Lou Salomé, a *femme fatale* que fascinou Nietzsche, Rilke e Freud.

"Vai procurar mulheres? Não esqueça do chicote." Lou Salomé segura chicote atrás de Nietzsche e Paul Rée.

Os Försterhof, no Paraguai, onde Elisabeth Nietzsche governava sua colônia antissemita.

Nietzsche em 1882,
no auge de seus poderes.

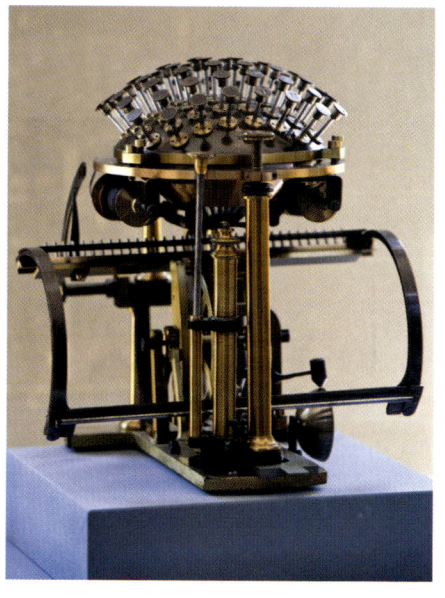

A máquina de escrever que Nietzsche
nunca conseguiu fazer funcionar.

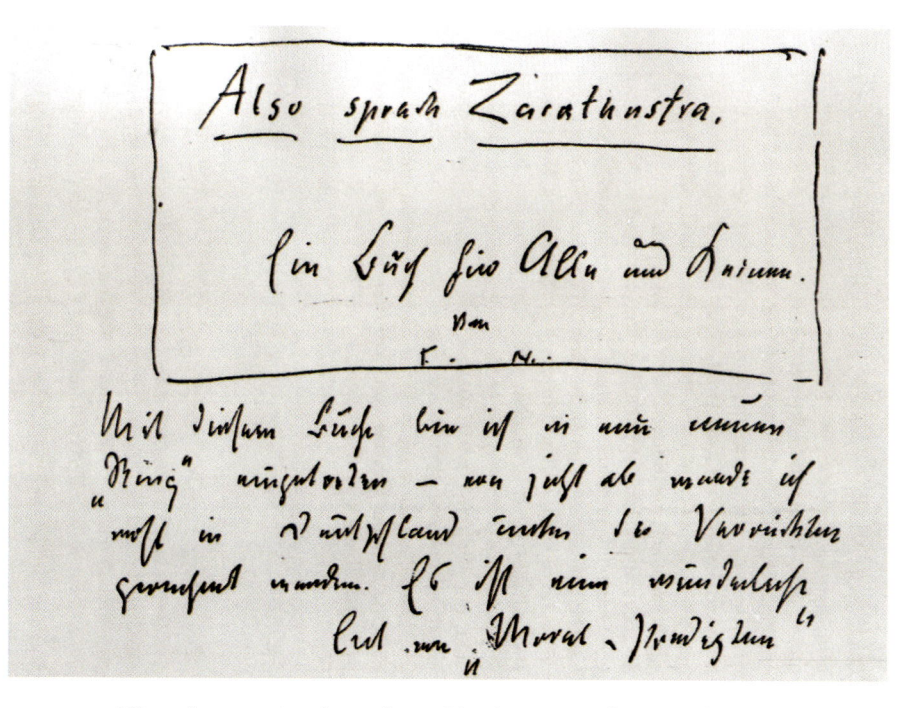

Nietzsche anuncia o livro *Assim falou Zaratustra*, fevereiro de 1883.

Nietzsche já insano aos cuidados da mãe, 1890.

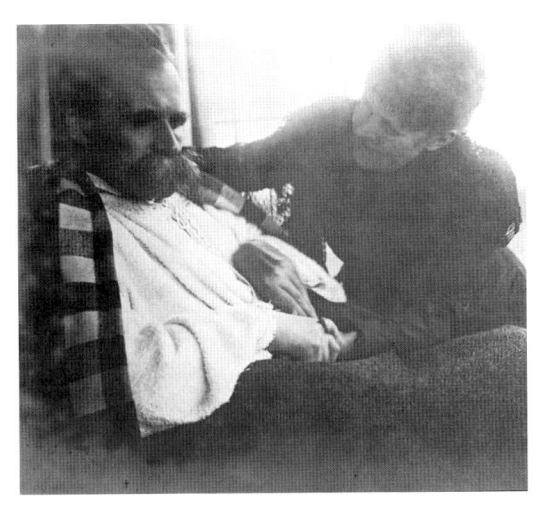

Elisabeth posa em atitude amorosa com o irmão sob seu poder.

Hitler parecendo triste no funeral de Elisabeth.

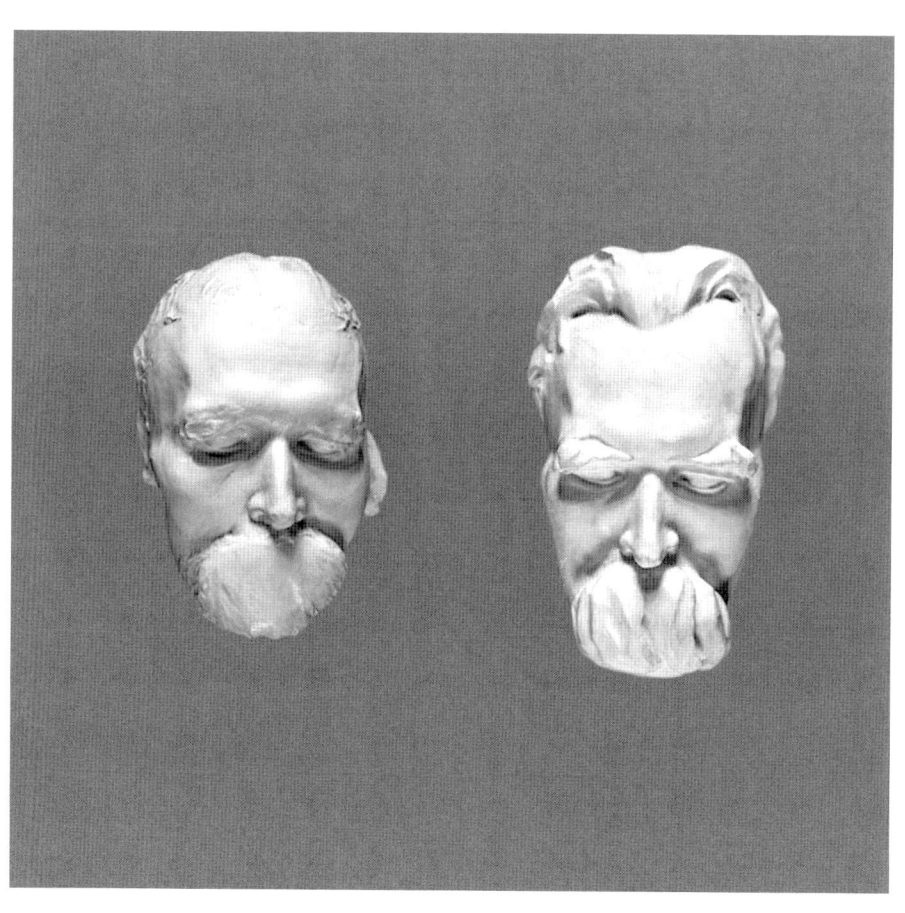

Máscaras mortuárias de Nietzsche. À esquerda, a original.
À direita, "melhorada" pela irmã Elisabeth.

19
Eu sou dinamite!

> Minha ambição é dizer em dez sentenças o que outras pessoas dizem em um livro – o que outras pessoas não dizem em um livro.
> *Crepúsculo dos ídolos*, seção 51

No inverno de 1887-8, Nietzsche retornou a Nice, onde a Pension de Genève havia sido reformada depois do terremoto. Ficou encantado como uma criança por eles deixarem que escolhesse o papel de parede do que agora era o quarto "dele". Escolheu um marrom-avermelhado, listrado e salpicado. Deram a ele uma espreguiçadeira, além da cama. Sabia que a pensão cobrava do "querido professor quase cego" 5,5 francos por dia, enquanto os outros hóspedes pagavam entre oito e dez francos. Era "uma tortura para o meu orgulho", mas o que poderia fazer? Já era uma batalha pagar aquele aluguel. Estava financiando a publicação dos próprios livros, e alarmado pela frequência com que apelava a Overbeck para adiantamentos de sua pensão e investimentos.

O clima em Nice foi decepcionante naquele inverno. Choveu torrencialmente por dez dias seguidos, e fazia frio. Um quarto de face sul seria mais quente, mas Nietzsche não podia pagar. A vida era um tremor de dedos azulados, e ele se preocupava que sua caligrafia só fosse decifrável por quem conseguisse decifrar seus pensamentos. Gast e Franziska o socorreram. Gast mandou para ele uma roupa quente e Franziska melhorou a cor de seus dedos enviando uma pequena estufa. Chamou-a de seu ídolo do fogo e cabriolava ao seu redor com danças e saltos para restaurar sua circulação. Desde então, a pequena estufa e seus cinquenta quilos de combustível o acompanharam junto com seu baú de livros em suas viagens.

Nietzsche tinha composto uma música para acompanhar o poema de Lou, a "Prece à vida", que ele rebatizou como "Hino à vida",[1] e Peter Gast fizera um arranjo para coral e orquestra. Seria sua única partitura musical publicada, e ele pagou a Fritzsch por uma bela impressão, com letras encaracoladas e outros belos floreios. Ele e Gast a mandaram para todos os maestros que conheciam, inclusive, corajosamente, para Hans von Bülow. Ninguém quis apresentá-la. Mesmo assim, Nietzsche se deleitou com o fato de vê-la impressa. Tinha a esperança de que seria tocada em sua memória em algum tempo futuro, o que presumivelmente ele se referia como seu funeral, e reiterou a ideia de que, pelo menos dessa forma tênue, ele e Lou agora estavam ligados para a posteridade.

Depois da resenha de J. V. Widmann, que definiu *Além do bem e do mal* como dinamite, ele agora finalmente estava otimista que seus livros pudessem passar à posteridade. Muito entusiasmado, mandou cerca de 66 exemplares autografados. Era um número enorme comparado aos sete que mandara de seu livro anterior, *Zaratustra* IV, e esses sete foram acompanhados por anotações paranoicas instruindo os destinatários a manter em segredo a sabedoria contida no livro, por ser preciosa demais para divulgação. Agora, acima de tudo, ele queria que suas palavras fossem ouvidas.

Widmann o deixou mais animado ainda com a informação de que o compositor Johannes Brahms tinha ficado muito interessado em *Além do bem e do mal* e estava agora voltando sua atenção para *A gaia ciência*. Percebendo uma brecha, Nietzsche mandou ao compositor a partitura de "Hino à vida". Tinha esperança também de interessá-lo pela ópera em que Peter Gast labutava, *O leão de Veneza*, mas Brahms era muito experiente em relação a esse tipo de abordagem. Simplesmente mandou uma confirmação de que havia recebido o material.

Jacob Burckhardt recebeu *Além do bem e do mal* com apreensão. Já se sentira constrangido com a parte final de *Zaratustra*. O que diabos Nietzsche iria apresentar a seguir? O homem pacato que morava em cima da barbearia sempre tendera à cautela e ao descompromisso; era totalmente previsível que começasse sua resposta ao livro dizendo que tinha poucos conhecimentos de filosofia. Dito isto, passou a elogiar os argumentos de Nietzsche e sua visão da degeneração da sociedade contemporânea pela manada encurralada na mentalidade escrava pelo pastor asceta.

Burckhardt não pensava muito em democracia. A descrição de Nietzsche do homem forte que deve forjar o futuro correspondia bem à imagem de Burckhardt do egoísmo, da avareza, da violência e da crueldade dos príncipes italianos, cujo desejo de poder tinha substituído a Idade Média pela Renascença, possibilitando assim os seguintes quinhentos anos ou mais de humanismo liberal.

Nietzsche havia mandado também os livros recentes de Hippolyte Taine, o historiador e crítico literário francês interessado na interpretação da história a partir de fatores ambientais. Assim como Nietzsche e Burckhardt, Taine criticava duramente a Revolução Francesa. Taine escreveu palavras de incentivo, dizendo que mantinha *Zaratustra* em sua mesa de cabeceira e que era a última coisa que lia antes de dormir.[2]

O segundo volume de *Journal des Goncourt* havia sido recém-publicado, um relato da vida dos irmãos Goncourt nos bulevares de Paris e das festas teatrais e jantares nos quais, nas palavras invejosas de Nietzsche, se reuniam "as cabeças mais inteligentes e céticas" de Paris. Taine frequentava essas reuniões de mentes brilhantes, ao lado de Sainte-Beuve, Flaubert e Théophile Gautier. Às vezes Turguêniev também comparecia. Nietzsche invejava essas sofisticadas reuniões, onde "pessimismo exasperado, cinismo e niilismo se alternavam com muita jovialidade e bom humor".[3] Comentou que se sentiria bem à vontade lá. Se ao menos algo assim tivesse existido para ele.

Na falta de um círculo adequado, foi visitar Erwin Rohde, o velho amigo dos dias de estudante em Leipzig. Rohde agora era professor de filosofia; logo se tornaria vice-reitor da Universidade de Heidelberg. O encontro dos dois foi altamente insatisfatório para ambas as partes. Nietzsche se queixou de que Rohde não proferiu uma única palavra inteligente. Rohde disse ter sentido em Nietzsche uma estranheza indescritível, algo misterioso, como se ele viesse de um país onde ninguém mais vivia. Rohde foi o primeiro a detectar que alguma coisa estava gravemente errada. Não gostou das novas e grandiosas alegações de que um grande destino o aguardava, que era o primeiro filósofo da era, "alguma coisa decisiva e trágica surgida entre dois milênios".[4] Aos ouvidos de Rohde aquilo soou como megalomania. Sua reação foi se afastar. Deixou de responder as cartas de Nietzsche e de confirmar o recebimento dos novos livros que Nietzsche continuava mandando conforme eram publicados. Rohde os considerou cada vez mais frívolos e irrealistas. Nunca mais os dois se encontraram.

Uma boa surpresa surgiu na forma de uma carta da Dinamarca, do autor e crítico Georg Brandes.[5] Nietzsche havia mandado para ele *Humano, demasiado humano* e *Além do bem e do mal*. Finalmente, ao receber *Genealogia da moral*, em novembro de 1887, Brandes respondeu com rapidez e entusiasmo.

Georg Brandes era o mais notável crítico literário do Norte da Europa. Um radical em política e religião, cunhou o termo *indignationslitteratur* ("literatura da indignação", ou "literatura de protesto") para denominar os livros que os respeitáveis maridos dos anos 1880 escondiam de suas mulheres e filhas, livros que bispos pregavam a partir de seus tronos e que com frequência eram proibidos ou censurados. Brandes defendia espíritos livres "perigosos" como Kierkegaard, Ibsen, Strindberg, Knut Hamsun, Balzac, Baudelaire, Zola, Dostoiévski e Tolstói. Era visto como um ídolo da perversidade pelo *establishment* clérigo-político, que costumava referir-se a ele como o Anticristo.

Na Inglaterra, Brandes era amigo de George Bernard Shaw e de John Stuart Mill. Sua tradução de 1869 para o dinamarquês do ensaio de Mill sobre "A sujeição das mulheres"[6] teve grande influência no movimento feminino na Escandinávia, refletido nas peças teatrais de Ibsen (a mulher de Ibsen, Suzannah, era uma feminista ardorosa). Na Rússia, Brandes era amigo do revolucionário Kropotkin,[7] empenhou-se para tornar Pushkin, Dostoiévski e Tolstói mais conhecidos fora de seu país. Seu livro *As principais correntes na literatura do século XIX* acabou chegando a nove volumes e lhe valeu enorme adulação internacional. Fazia palestras nos Bálcãs, na Polônia e na Finlândia. Quando foi falar na Grécia, ficou alojado no apartamento do primeiro-ministro. Durante sua triunfal turnê pelos Estados Unidos, foi várias vezes homenageado com uma coroa de louros. Escritores o soterravam com seus livros. Às vezes recebia trinta ou quarenta cartas por dia. Ser mencionado por Brandes funcionava como um megafone para um autor dissidente ou obscuro.

Brandes conheceu Paul Rée e Lou Salomé quando morou em Berlim, entre 1877 e 1883. Eles devem ter discutido sobre Nietzsche, mas Brandes não escreveu nada sobre ele naquele período. A direção tomada pelos textos de Nietzsche com *Zaratustra* não o seduziu. Com sua linguagem arcaica de salmos e seu estranho misticismo religioso, não era um livro que se encaixasse com seu princípio de afrouxamento e modernização da literatura. Contudo, *Humano, demasiado humano* e *Genealogia da moral* foram outra questão. Ele escreveu a Nietzsche em 26 de novembro para dizer que via nele

> o hálito de um espírito novo e original. Ainda não entendi totalmente o que li; nem sempre sei na direção de qual tema você se dirige. Mas há muito que concorda com meus pensamentos e afinidades – o desprezo pelos ideais ascetas e a profunda indignação com a mediocridade democrática e o seu radicalismo aristocrata [...]

Radicalismo aristocrata! Em 2 de dezembro, Nietzsche respondeu com uma carta entusiasmada e bastante caótica que aquela era a observação mais inteligente que já havia lido sobre si mesmo. Falou a Brandes de seu isolamento e citou as palavras de Ovídio gravadas no túmulo de Descartes, "*Bene vixit qui bene latuit*" ("Viveu bem quem escondeu bem"). Mas logo contradisse esse sentimento afirmando que gostava da ideia de se encontrar com Brandes algum dia. Abaixo de sua assinatura acrescentou, hesitante: "N. B. Só tenho três quartos de visão".[8]

Brandes precisava ter acesso à caverna dele! Pediu a Fritzsch que lhe mandasse as últimas edições de todos os seus textos, que agora incluíam novos prefácios. Chegou a pedir a Peter Gast para mandar um exemplar da pequena edição de *Zaratustra* IV.

Brandes se propôs a realizar uma palestra sobre Nietzsche na Universidade de Copenhague durante a primavera. Isso provocou uma enxurrada de cartas de Nietzsche informando Brandes sobre os fatos por trás de cada livro, alguns úteis, outros totalmente irrelevantes. *Humano, demasiado humano*: "Todo concebido em extenuantes caminhadas, perfeito exemplo de um homem inspirado". *O nascimento da tragédia*: "Concluído em Lugano, onde eu estava morando com a família do marechal de campo Moltke".

Nietzsche anexou um curriculum vitae de rara excentricidade.

> Nasci no dia 15 de outubro de 1844, no campo de batalha de Lützen. O primeiro nome que ouvi foi o de Gustavus Adolfus.[9] Meus antepassados eram nobres poloneses (Niëzky) [...] No exterior costumo ser confundido com polonês; neste inverno a lista de visitantes de Nice me registrou *comme Polonais* [como polonês]. Já me disseram que minha cabeça aparece nos quadros de Matejko [...] No inverno de 1868-1869 a Universidade de Basileia me ofereceu um cargo de professor; eu ainda nem era doutor [...] Entre a Páscoa de 1869 até 1879 estive na Basileia; fui obrigado a desistir de meus direitos de súdito alemão, já que como oficial (artilharia a cavalo) poderia ser chamado com frequência e isso interferiria em meus deveres acadêmicos. Domino não menos que duas armas, o sabre e o canhão [...] desde os meus primeiros dias de vida na Basileia uma proximidade indescritivelmente íntima surgiu entre mim e Richard e Cosima Wagner, que então moravam em Tribschen, perto de Lucerna, como se fosse uma ilha, rompidos de todos os laços anteriores. Durante alguns anos nós tivemos de tudo, grande e pequeno, em comum, uma confiança sem limites [...] Em consequência dessas relações vim a conhecer um grande círculo de pessoas (e

"personesses"), na verdade quase tudo que cresce entre Paris e Petersburgo. Por volta de 1876 minha saúde piorou [...] até atingir tal clímax de sofrimento habitual, que naquela época eu passava por duzentos dias de tormento no ano. O problema deve ter sido inteiramente devido a causas locais, não existe uma base neuropática para ele de forma alguma. Nunca tive um sintoma de perturbação mental, nem mesmo febre, nem desmaios. Minha pulsação naquela época era tão lenta quanto a do primeiro Napoleão (= 60) [...] Foi divulgado por aí que estive num hospício (e que na verdade morri lá). Nada mais longe da verdade [...] Afinal de contas, minha doença tem sido de muita utilidade para mim. Ela me libertou; restaurou a minha coragem de ser eu mesmo [...] Sou um animal corajoso, até um militar. E sou um filósofo, você pergunta? – Mas o que isso importa![10]

Brandes usou esse relato para apresentar Nietzsche no início de duas palestras realizadas em abril de 1888 na Universidade de Copenhague sobre *"Friedrich Nietzsche, En Afhandling om aristokratisk Radikalisme"* ["Friedrich Nietzsche, uma discussão do radicalismo aristocrático"]. A palestra era aberta ao público em geral. A autoridade e a reputação de Brandes eram tamanhas que mais de trezentas pessoas vieram ouvi-lo falar sobre o desconhecido filósofo.

"Minha principal razão para chamar atenção a ele é que a literatura escandinava parece estar vivendo há muito tempo com ideias que foram enunciadas e discutidas na última década", concluiu na última palestra.

> Um pouco de darwinismo, um pouco de emancipação da mulher, um pouco de moralidade da felicidade, um pouco de pensamento livre, um pouco de veneração da democracia etc. Uma grande arte exige intelectos que estejam no mesmo nível que as personalidades mais individuais do pensamento contemporâneo, em excepcionalidade, em independência, em desafio e na supremacia aristocrática.

O teatro veio abaixo. Os aplausos com certeza não eram para ele, disse Brandes a Nietzsche. Foi extremamente gratificante. Levou Nietzsche a ponderar se a compreensão pelos dinamarqueses da ideia da moralidade era devida à sua familiaridade com as sagas islandesas.

Escreveu a todos os amigos contando as maravilhosas notícias de seu grande sucesso. Também contou a Elisabeth, que respondeu do Paraguai com grande desdém, dizendo que imaginava que o irmão também queria ser famoso, como ela. Era um belo estado de coisas, com certeza, alcançar a fama por meio da escória judia como Georg Brandes, que andava por aí "lambendo todos os pratos".[11]

Com seu infalível nariz para essas coisas, Elisabeth farejou que Georg Brandes era judeu. Como muitas outras na Dinamarca, a família dele havia mudado de nome, que originalmente era Cohen, para Brandes, soando mais dinamarquês. Facilitou um pouco a vida.

Nietzsche escreveu a Elisabeth que, depois de ter lido sua carta diversas vezes, sentia-se compelido a se separar dela para sempre. Foi uma carta dolorosa e atormentada, mas não amarga. Na carta ele tentou explicar a difícil tarefa, o monstruoso destino que sentia pairar sobre ele, a poderosa música metálica que soava em seus ouvidos, separando-o da vulgaridade e da mediocridade do igualitarismo. Não era uma escolha pessoal, mas seu destino, confrontar a humanidade como um todo com suas terríveis acusações. "Isso anexa ao meu nome um peso de maldição que é impossível transmitir." No final ele suplica que Elisabeth continue a amá-lo. Assinou a carta: "Seu irmão". Mas nunca a postou.[12]

A atenção despertada pelos livros por parte de Widmann, Taine, Burckhardt e Brandes o incentivou na luta a que se referira na carta a Elisabeth. Rohde tinha razão: ele se sentia como se tivesse vindo de um país onde ninguém mais vivia. Naquele verão ele se sentiu estranho. Seu relógio biológico se desnorteou. Normalmente uma criatura de disciplina férrea em termos de dieta e horários – sistemas estritos que usava para exercer controle sobre sua saúde instável –, de repente ele estava acordando e se vestindo para trabalhar no meio da noite. Escrevia sobre uma importante mudança acontecendo com ele enquanto se preparava para a monumental tarefa à frente: nada menos que a conclusão da incansável batalha subterrânea contra tudo que os seres humanos até agora amavam e reverenciavam. Escreveria alguns livros, provavelmente quatro. Juntos, eles concluiriam a transposição de todos os valores que tinha começado com *Humano, demasiado humano* e *Genealogia da moral*. Estava pensando no seguinte título: *A vontade de poder: tentativa de uma reavaliação de todos os valores*. Dessa vez ele iria demolir o edifício inteiro, não apenas parte dele. Filósofos e mais filósofos seriam derrubados, professores e mais professores, religiões e mais religiões.

Primeiro era preciso encontrar um local. Mais uma vez se viu confrontado com o problema anual de para onde ir na primavera, quando o sol brilhava de forma insuportável na Riviera francesa e italiana, mas suas adoradas montanhas continuavam congeladas. Consultou Peter Gast, que continuava em Veneza. Talvez com certo sentido de autopreservação, Gast sugeriu Turim.

A viagem de trem de Nice a Turim seria relativamente simples. Teria de mudar de trem em Savona, mas haveria carregadores para ajudar com a bagagem. Isso ele conseguiu, e assim que a bagagem estava a bordo do novo trem, Nietzsche se sentiu seguro para andar um pouco e conhecer o lugar. Quando voltou a embarcar, não era o trem com sua bagagem. Partiu na direção errada, para Gênova, no sentido oposto de Turim. Para se recuperar dessa catástrofe, teve de se recolher à cama por dois dias em um hotel e disparar uma rajada de telegramas. Afinal a situação foi resolvida. Em 5 de abril ele finalmente estava em Turim, junto com suas malas.

As palavras de Georg Brandes, "radicalismo aristocrático", fixaram-se em sua mente. A cidade de Turim correspondeu à descrição. Sua primeira impressão foi de elegância, excelência e seriedade. Turim era a sede do governo da Casa de Savoy. Era tranquila e cortês e totalmente "europeia". Sem nada das características de brilho e esplendor das cidades italianas. Era um palco montado para que ele morasse, um lugar "extemporâneo" em seu sentido da palavra: fora do tempo. Via na cidade uma unidade de nobreza, impessoalidade e tranquilidade. Elogiou sua urbanidade e integridade, que se estendia até as cores de sua arquitetura em harmoniosos tons de amarelo-pálido, passando pela terracota e seu favorito marrom-avermelhado. Todas as praças eram solenes e escrupulosamente limpas e adornadas por uma fonte sorridente ou por um nobre herói de bronze imortalizado no estilo clássico.

No noroeste da cidade o horizonte era interrompido pelos picos brancos de suas amadas montanhas cobertas de neve. Convenceu-se de que sua influência distante conferia ao ar a mesma qualidade seca que encontrara em Sils Maria. Combinava com sua constituição e estimulava seu cérebro. Onde Sils Maria tinha florestas silenciosas e sombreadas, propiciando uma luz suave para os olhos, Turim tinha arcadas – 10.020 metros de arcadas, ao menos era o que ele acreditava. Elas forneciam o nível ideal de luz para a toupeira quase cega fazer seus exercícios num dia de sol, enquanto cultivava seus pensamentos e os anotava em seus cadernos de notas. Em um dia chuvoso, podia caminhar durante horas sem que o papel se molhasse. Turim satisfazia seu desejo por um lugar intersazonal para chamar de seu. Decidiu que se tornaria seu terceiro lar em sua ronda anual pela Terra: Nice e Sils Maria sendo os outros dois.

Durante esse ano Nietzsche foi acometido por períodos de euforia. Seu encontro inicial com Turim disparou um surto de entusiasmo excessivo. Suas cartas descrevem repetidamente Turim como oferecendo tudo de melhor: desde os *gelati* à qualidade do ar. As cafeterias eram as mais bonitas que já vira, os sorvetes eram os mais deliciosos que tinha experimentado. A comida era maravilhosamente digestiva. Sem exceções, as pequenas *trattorie* de Turim serviam os alimentos melhores e mais baratos do mundo! Seus intestinos se davam bem com qualquer coisa naquele lugar.

Encontrou um alojamento no centro da cidade, no terceiro andar do número 6 da Piazza Via Carlo Alberto. A esplêndida vista de sua janela dava para a magnificente praça e chegava à ondulada fachada barroca do Palazzo Carignano, onde o rei Vítor Emanuel II havia nascido. Nietzsche gostava de informar seus muitos missivistas sobre esse fato.

Ao lado do apartamento de Nietzsche ficava a Galleria Subalpina, um gigantesco prédio de vidro e ferro fundido construído dez anos antes, no apogeu da paixão internacional pela construção de palácios de cristal. As longas galerias da Subalpina eram do tamanho de uma estação ferroviária, sem o cansativo incômodo dos trens. Com cinquenta metros de comprimento e uma altura de três andares, a Subalpina era a aposta de Turim para se contrapor à praça de São Marcos de Veneza e se tornar uma das grandes atrações públicas da Europa. Debaixo de suas abóbodas havia tudo o que a burguesia podia desejar. Com palmeiras em vasos, orquestras e cafeterias onde um *gelato* e um copo de água podiam ser apreciados pelo tempo que se desejasse, e antiquários com livros raros que podiam ser folheados à vontade. A sala de concertos era muito apreciada por Nietzsche. Bastava abrir as janelas do quarto para ouvir *O barbeiro de Sevilha* flutuando sem ter que pagar pelo ingresso. Gostaria que estivessem apresentando *Carmen*.

O teatro ao ar livre que era Turim permitia que ele existisse em um isolamento sem tumultos. Não contava com a benevolente presença de Peter Gast, que pairava sobre ele em Veneza. Não contava com a discreta benevolência dos veranistas que o pajeavam em Sils Maria. Não havia pessoas generosas para prestar consideradas compensações por sua visão e suas finanças, como em Nice. Em Turim ele podia ser um espírito livre desimpedido da carga de compaixão das outras pessoas.

Nietzsche se sentia perturbado pelas contradições em sua vida. Confidenciou com Franz Overbeck e Peter Gast sua preocupação de estar se tornando ríspido demais em seus julgamentos, muito severo; que seu estado de vulnerabilidade crônica estava gerando nele um excesso de inflexibilidade. Preocupava-se que essa atitude o estivesse arrastando para o poço do *ressentiment*. De qualquer forma, não havia volta da necessária severidade de sua reavaliação de todos os valores. Assim como na concepção anterior da mesma ideia da reavaliação moral, ainda que menos ambiciosa – as *Considerações extemporâneas* –, seu esboço do novo trabalho percorria suas ideias para trás e para a frente, mas fundamentalmente a reavaliação ampliaria os temas já expostos em *Além do bem e do mal* e em *Genealogia da moral*. A entrada na era trágica da Europa foi uma ideia que ganhou várias anotações grifadas em seu caderno de notas. Era para ser ligada à ideia do eterno retorno.

Antes, contudo, ele precisava escrever outro artigo sobre Wagner. O compositor já havia morrido havia cinco anos, mas Nietzsche ainda não conseguia deixá-lo em paz. Passou semanas escrevendo *O caso Wagner: um problema para músicos*.

O volume pequeno, de cerca de trinta páginas, se lê como uma luta contínua e afinal sem esperança de se libertar do encantamento que Wagner exercia sobre seus sentidos. Dificilmente pode ser considerado um argumento coerente. O livro todo fala de seu ressentimento da capacidade da música de Wagner de manipular suas emoções e da luta contra ser roubado de seu livre-arbítrio por esse poderoso empuxo.

O caso Wagner começa louvando *Carmen* como a obra-prima de Bizet. Nietzsche a considera perfeita. Jura que todas as vezes que a ouve a obra faz dele um filósofo melhor. Isso leva diretamente a um ataque ao romanticismo alemão como um todo e a Wagner em particular.

A impressionante e deliciosa capacidade de Wagner de manipular a plateia em elevados estados emocionais está longe de ser saudável. É decadente. Às vezes de uma decadência quase religiosa (*Parsifal*), às vezes de uma decadência nacionalista (*Meistersinger*). Wagner é o artista da decadência. Será que Wagner é realmente um ser humano? Não seria mais uma doença? Sua música não deixou a humanidade doente? É um peso muito grande ser discípulo de Wagner. É preciso reconhecer que toda a música moderna é doente. A decadência vai fundo.[13]

Finalmente, admite que todos os outros músicos modernos não valem nada comparados a Wagner,[14] apesar de Bayreuth ser um mal-entendido total de seu fundador: uma idiotice.

O livro tem uma estrutura curiosa. Nietzsche anexa dois pós-escritos, e é nestes que afinal admite sua admiração por *Parsifal*. É a grande obra-prima de Wagner. "Admiro sua obra, gostaria de tê-la composto."[15]

Em 5 de junho, Nietzsche saiu de Turim para passar os meses de verão em Sils Maria, onde ficou em seu quarto na casa de Gian Durisch. A Suíça estava vivendo um verão tempestuoso, frio e chuvoso. O tempo mudava a cada três horas, e o estado de espírito de Nietzsche mudava junto. Chegou a haver até lufadas de neve, mas os frequentadores habituais já tinham chegado, com suas mulheres superficiais de meias azuis entre os turistas alpinos. Nesse ano houve também alguns músicos excelentes. Nietzsche fazia suas refeições no Hotel Alpenrose, logo depois da ponte da sua pousada. Algumas manhãs, quando o clima estava impossível, ia até a "sala de conversação" do hotel, para ouvir e falar sobre música.

Resa von Schirnhofer não estava lá aquele ano, mas Nietzsche gostou da estimulante companhia feminina de Meta von Salis-Marschlins,[16] que conhecera quatro anos antes em Zurique. Morena, atraente e aristocrática, Meta era a última descendente da nobre e rica família suíça dos Marschlins. Sua mente e determinação superavam até mesmo seu imponente pedigree. Dez anos mais nova que Nietzsche, era uma das novas mulheres, feministas incentivadas a uma vida intelectual independente pelo exemplo de Malwida von Meysenbug. Depois de estudar direito e filosofia na Universidade de Zurique no ano anterior, tinha se tornado a primeira mulher suíça a obter um doutorado. Meta escrevia poemas e livros e fazia campanhas para oportunidades iguais para mulheres, ainda que não para todas as mulheres. Sua marca de feminismo seletivo na verdade a qualificava dentro do radicalismo aristocrata. Não estava interessada em *Herdenglück*, a felicidade das manadas, mas em ampliar os direitos civis a mulheres de nobreza e inteligência inatas, fossem quais fossem suas origens. Isso tornaria o mundo mais aristocrático em vez de mais democrático. Aplicava esse princípio tanto a homens como a mulheres. Em sua lembrança de Nietzsche, ela o situou na categoria de *Élitemensch*: aqueles cujo pensamento nobre superava seu sangue humilde.

Os dois conversaram sobre Dostoiévski, que Meta havia descoberto sob recomendação de Natalie Herzen (a mesma Natalie que Nietzsche achou que poderia ser sua noiva, se ao menos ela tivesse dinheiro). Nietzsche tinha descoberto Dostoiévski por acaso, comprando uma tradução para o francês de *Memórias do subsolo*. Como sua descoberta por acaso de Schopenhauer aos 21 anos, e depois Stendhal aos 35, Dostoiévski estabeleceu uma conexão-relâmpago. As palavras de Dostoiévski eram "realmente uma peça musical, uma música muito estrangeira, muito não alemã", e seus *insights* psicológicos tinham o poder de um gênio.[17] O primeiro livro levou Nietzsche a procurar outros. Continuou com *Memórias da casa dos mortos*, também numa tradução para o francês. A comovente e impiedosa descrição de seus anos de exílio e encarceramento na Sibéria teve um efeito poderoso. "Construam suas casas no Vesúvio", Nietzsche tinha gritado, e Dostoiévski havia feito justamente isto. Era um demônio da verdade, um demônio de lucidez, uma fera selvagem, um argonauta do espírito, um homem cujo sofrimento se igualava ao do próprio Nietzsche. A suprema humilhação de Dostoiévski durante os longos anos de prisão se igualava à contínua humilhação de Nietzsche nos seus longos anos de doença e não reconhecimento literário.

Dostoiévski tinha tudo isso em comum com Nietzsche, além de um conhecimento minucioso dos evangelhos equivalente ao de Nietzsche. Era capaz de apresentar o cristianismo puro, o cristianismo primitivo, o Estado religioso sagrado, antes de ser roubado de sua inocência por posteriores interferências e interpretações. Dostoiévski era um santo anarquista. Entendia que a verdadeira psicologia do Redentor não tinha nada a ver com padres, com religião do Estado ou com método. Não tinha nada a ver com a índole vingativa da moralidade escrava. As tentativas de justificá-lo "cientificamente" eram supremamente irrelevantes. O cristianismo tinha sido pervertido por essas coisas. Nietzsche achava que eles compartilhavam a opinião de que o cristianismo fora poluído por seu legado, que foi chamado de "religião". Fora comprometido pela necessidade de viver no mundo, uma necessidade que só poderia transformar o Redentor em um tolo sagrado.

Quando Nietzsche e Meta faziam seus passeios noturnos à beira do lago em direção à pedra de Zaratustra, ela disse ter visto lágrimas nos olhos dele enquanto falava de *Memórias da casa dos mortos*. Disse que o livro o fizera condenar toda uma série de sentimentos intensos em si mesmo, não porque não os tivesse, mas porque os sentia intensamente demais, e sabia de seu perigo. Meta não nos conta quais eram esses sentimentos, mas é de se supor que ele estivesse falando sobre o perigoso e debilitante efeito da piedade e de sua inutilidade em termos práticos. Ele escreveu sobre isso pouco depois. Piedade é decadente. É a prática do niilismo. Piedade nega a vida. Atrai as pessoas para o nada, embora não seja chamado de nada. É chamado de "o além", ou Deus, ou "a verdadeira vida", ou nirvana, ou salvação. Aristóteles entendeu. É famosa sua visão da piedade como uma patologia perigosa que precisa ser purgada do sistema de vez em quando. A tragédia grega era o purgativo.[18]

No verão anterior Meta tinha ensinado Nietzsche a remar no lago, e os dois saíram em expedições de barco, durante as quais ele falava muito sobre a infância, seus tempos de escola e da mãe. Definia-se como uma criança estranha. A mãe tinha olhos muito bonitos. Meta detectou um ar de tristeza e cansaço que não estavam lá antes.

Mas a velha iconoclastia não estava totalmente extinta. Um resort entre montanhas de grande beleza sempre atrairá sua cota de artistas amadores, que montam seus tripés *en plein air* para imortalizar seus talentos. Quando cruzou com uma jovem irlandesa fazendo estudos com flores silvestres, Nietzsche a aconselhou a acrescentar alguma coisa feia ao quadro. A beleza das flores seria enfatizada pelo contraste. Poucos dias depois ele capturou um sapo e o guardou no bolso da calça. Levou o sapo até a pintora, muito contente consigo mesmo. Ela deu o troco catando alguns gafanhotos e os colocando num pote de bombons. A pintora sabia que Nietzsche gostava muito de doces. Quando ele desatarraxou a tampa, eles pularam. O círculo íntimo de turistas de verão considerou aquilo um excelente intercâmbio de piadas capciosas.[19]

Nietzsche terminou *O caso Wagner* em meados de julho. No dia 17, colocou no correio o manuscrito para o gráfico Naumann, que o publicaria. Naumann considerou o manuscrito totalmente ilegível e o devolveu. Nietzsche mandou-o para o sempre paciente Peter Gast que, como de hábito, deixou seu trabalho de lado para resolver o problema do amigo. O livro foi impresso e publicado em setembro.

Nietzsche estimava que a produção de cada livro lhe custava mil francos. Sua pensão da universidade era de 3 mil francos. Meta entendeu. Com muito tato, conseguiu lhe dar mil francos para ajudar nas despesas de impressão. Em julho ele recebeu de Paul Deussen mais uma ajuda de 2 mil francos para o mesmo propósito, com um bilhete dizendo que estava repassando um presente anônimo de "algumas pessoas que gostariam de compensar pelos pecados da Humanidade contra você". Nietzsche desconfiou que o presente fosse do próprio Deussen ou de Rée, que também estava em Berlim na ocasião. Calculou em 285 marcos suas despesas anuais com publicações em 1885, 881 marcos em 1886 e em 1.235 marcos em 1887. Os presentes dos amigos lhe davam a liberdade de continuar, até mesmo aumentar a impressão de seus livros sem medo da ruína.

Nietzsche estava escrevendo *Crepúsculo dos ídolos*. O título era uma provocação óbvia a Wagner, cuja quarta e última ópera do ciclo de *O anel* era intitulada *Crepúsculo dos deuses*. O livro deveria ser o primeiro da grande reavaliação. Seu subtítulo, "Ou como se filosofa com o martelo", sinalizava a intenção de martelar todos os valores existentes para ver se soavam ocos ou verdadeiros. Se soassem verdadeiros, podiam continuar em pé.

A abertura do livro não tem nada a ver com essa agenda. Mergulha diretamente em "Máximas e flechas", 44 aforismos, entre eles alguns de seus mais conhecidos:

> O homem é um erro de Deus? Ou Deus é um erro do homem?

> O que não me mata me deixa mais forte.

> Se você tiver o seu por quê? na vida, pode se dar bem com quase qualquer como? Pessoas *não* lutam pela felicidade, só os ingleses fazem isso.

> A mulher perfeita comete literatura da mesma forma que comete um pequeno pecado: como um experimento, de passagem, olhando ao redor para ver se alguém percebeu e para ter certeza que alguém *percebeu*.

> Homens maus não têm canções – Então por que os russos têm canções?

> Quando você procura por começos, você se torna um caranguejo. Historiadores olham para trás; e acabam *acreditando* também para trás.

> A satisfação o protege, até mesmo de resfriados. Uma mulher que sabia estar bem vestida alguma vez pegou um resfriado?

> Quão pouco é requerido para a felicidade! O som de uma gaita de fole. Sem música, a vida seria um engano. Os alemães até imaginam Deus cantando músicas.

> Desconfio de todos sistematizantes e os evito. O anseio por um sistema é uma falta de integridade.

Ostensivamente aleatórios, simples, até frívolos; o inteligente "Máximas e flechas" atrai o leitor antes que Nietzsche pegue o martelo para golpear os ídolos que são os alvos do livro. Sócrates, Platão, Alemanha, livre-arbítrio e "melhorar" a humanidade são atacados com ferocidade, com os mais fortes golpes de martelo sendo preservados para os "tecelões de teias de aranha doentes", os padres e filósofos.

Em *Crepúsculo dos ídolos* Nietzsche sente que fechou o anel. Completou o círculo, como reconhece no fechamento do livro:

> E com isso eu volto ao lugar que outrora me serviu como ponto de partida – *O nascimento da tragédia* foi minha primeira reavaliação de todos os valores: e agora estou de volta ao solo onde meus desejos, minhas habilidades crescem – eu, o último discípulo do filósofo Dionísio, – eu, o professor do eterno retorno [...][20]

20
Crepúsculo em Turim

> Quem luta contra monstros deve se precaver para não se tornar também um monstro. E quando você olha por muito tempo para um abismo, o abismo também olha para você.
>
> *Além do bem e do mal*, parte IV, seção 146

No dia 2 de setembro de 1888, Nietzsche terminou *Crepúsculo dos ídolos*. Era o segundo livro escrito naquele ano. No dia seguinte começou outro.

Já em agosto ele havia começado a pensar que a grande obra seria *A vontade de poder*. Ao longo dos meses anteriores fizera um enorme número de notas nesse sentido, mas em 4 de setembro, no mesmo dia em que começou a escrever o novo livro, mudou de ideia e anotou o que chamou de plano final para a reavaliação de todos os valores. Destinado a abalar as próprias fundações do pensamento, consistiria então em quatro livros.

O primeiro seria: "O Anticristo. Tentativa de uma crítica ao cristianismo".

O segundo: "O espírito livre. Crítica da filosofia como um movimento niilista".

O terceiro: "O imoralista. Crítica da forma mais mortal de ignorância, a moralidade".

O quarto: "Dionísio. Filosofia do eterno retorno".

Nietzsche encontrava-se num constante estado de agitação, de alegria, de deleite consigo mesmo e inacessibilidade para o mundo. Chegava a ignorar as condições atmosféricas, que outrora pairavam sobre ele como um ditador aéreo governando seu estado de espírito.

O clima em Sils Maria no fim do verão de 1888 foi um escândalo meteorológico. Uma espantosa quantidade de água caiu céu. Quando tirava algum tempo da principal tarefa de escrever o primeiro livro para manter contato com seus missivistas habituais, ele incluía, quase com orgulho paternal e com uma precisão milimétrica, estatísticas sobre a quantidade de chuva. Os lagos que definiram a paisagem durante os sete anos que havia passado lá agora tinham mudado de forma, planando como amebas. Absorveram espaço, alterando a qualidade da luz tão importante para ele. Suas caminhadas costumeiras se tornaram impraticáveis. Folhas esvoaçantes molhavam sua cabeça. As trilhas estavam entupidas com galhos e pencas de vegetação caídas, perigosas para um homem quase cego. A pedra de Zaratustra, que formava uma transição simbólica entre dois elementos, erguendo-se com um lado na margem e outro no lago, agora estava completamente cercada pela água. A península de Chastè, onde ele sonhava construir sua cabana de ermitão, não era mais uma península, mas sim uma ilha.

Ele também.

Meta von Salis-Marschlins tinha encerrado sua temporada de verão em Sils Maria. Seu amigo musical, Abbé von Holten, também havia partido. Isso significava o fim das conversas sobre Wagner com o bondoso Abbè, que se dera ao trabalho de aprender as composições de Peter Gast para proporcionar a Nietzsche o prazer de ouvir a obra do amigo. Durante umas poucas semanas Nietzsche concentrou-se obsessivamente em definir a diferença entre o antigo ritmo métrico dos versos, que chamou de "ritmo do tempo", e o posterior ritmo métrico, que tinha suas raízes no mundo "barbárico" e que ele chamou de "ritmo da emoção". Concebeu a ideia de que o "ritmo do tempo" do mundo clássico antigo era usado como "uma espécie de óleo sobre as águas", uma forma de controlar a emoção, contendo a emoção e, até certo ponto, eliminando-a. O "ritmo da emoção" tinha suas raízes no primitivo. Fora domado pela música da igreja para se transformar no ritmo bárbaro germânico, usado como forma de enaltecer a emoção.[1]

Em 20 de setembro ele partiu de Sils Maria para Turim. A viagem não ocorreu sem incidentes. Quilômetros de terras ao redor de Como estavam alagados. A certa altura o trem teve de ser conduzido por uma ponte de madeira iluminada por archotes. Normalmente isto teria sido suficiente para lhe causar uma agonizante doença por dias a fio, mas o espírito de Nietzsche se sentia libertado pela força da água. O elemento líquido tinha despertado sua vontade de potência.

Durante sua estada anterior, Turim provocara nele sentimentos de amplitude, liberdade e orgulho, resultando numa miraculosa melhora em sua saúde e numa criatividade profícua. Agora, nesse retorno, Nietzsche descobriu que o lugar evocava algo ainda maior. Caminhando sob a sombra listrada das arcadas e pela margem do rio cintilante, sentiu-se envolvido pela inebriante sensação de afinal ter alcançado o estado espiritual afirmativo do *Übermensch*. Se toda sua vida tivesse encontrado seu momento no agora, ele se sentia satisfeito em dizer sim a todo o anel, a tudo que havia acontecido antes e a tudo que aconteceria depois. O momento presente continha tudo, e era glorioso. "Sou agora o homem mais agradecido do mundo [...] é a minha grande temporada de colheita [...] tudo se tornou fácil para mim [...]".[2]

Suas cartas dessa época descrevem, da mesma maneira que antes, como todas as coisas em Turim eram o melhor no gênero que já havia visto, mas agora a característica aristocrática da cidade ainda era mais exaltada pela comemoração do casamento do príncipe Amadeo, duque de Aosta e ex-rei da Espanha, com sua sobrinha 21 anos mais nova, a princesa Maria Letícia, sobrinha-neta de Napoleão. A realidade do dia a dia de Turim parecia a de Bayreuth. Membros das casas reais de Bonaparte e Savoy desfilavam entre os grandes palácios da cidade. As calçadas estavam repletas de dignitários com faixas douradas de soldadinhos de chocolate e damas vestidas de seda e cetim que lembravam os gostos mais íntimos de Wagner. A cidade havia se transformado em um grande teatro, muito apropriado para o solitário cujo senso ilusório de si mesmo começava a tender à megalomania.

Logo abaixo de um fastidioso relato do casamento real, um jornal da época[3] publicou, sem ironia, um artigo intitulado "O casamento sanitário", que informava que nos Estados Unidos estava havendo "o desenvolvimento do amálgama de muitas vertentes, uma raça inteiramente nova para o mundo. Nossos imigrantes, ao se casarem com os que os precederam, têm produzido descendentes com um tipo mental mais ágil e mais agressivo que eles próprios, e é observado por Darwin que os membros e os corpos desses descendentes são notoriamente mais longos que os de nossos antepassados [...] Logo deveremos aplicar as leis da seleção adequadas ao casamento [...] e há também [...] homens e mulheres jovens que, devido a suas enfermidades, nunca deveriam se casar". A eugenia estava no ar. Dali a sete anos, Alfred Ploetz publicaria seu trabalho pioneiro sobre "higiene racial", misturando sua interpretação distorcida do conceito do *Übermensch* de Nietzsche com o da sobrevivência do mais adaptado de Darwin para apresentar uma validação espúria de suas teorias biológicas de seleção.[4]

Nietzsche estava de volta a suas acomodações em Turim, no terceiro andar da Via Carlo Alberto 6, em frente ao imponente Palazzo Carignano, todo alvoroçado com as importantes núpcias aristocráticas. Nos ensolarados planaltos do estado de espírito sempre alegre de Nietzsche, ele observou o carinho com que seu senhorio, Davide Fino, recepcionou sua volta, bem como sua esposa e filhos. Fino tinha uma pequena banca de jornal no andar de baixo, onde vendia artigos de papelaria e cartões-postais. Cobrava apenas 25 francos por mês pelo quarto, que incluía sapatos e botas engraxados. Era muito mais barato que Nice, onde Nietzsche tinha que pagar 5,50 francos por dia incluindo refeições, mas uma refeição nas pequenas *trattorie* de Turim só lhe custavam 1,15 franco. Meros vinte centavos pagavam uma xícara de café, e era o melhor café do mundo! Os simpáticos e afáveis donos dos pequenos restaurantes eram bem diferentes dos careiros e venais exploradores de Nice e Veneza. Chamavam a atenção dele para as melhores coisas que tinham a oferecer, e Nietzsche aceitava de bom grado suas benignas sugestões. Ninguém ali estava acostumado a gorjetas, por isso ele as dava. Uma gorjeta de dez centavos fazia com que fosse tratado como um rei.

A paisagem de Turim era maravilhosa. As árvores gloriosas ao longo das nobres margens do rio Pó brilhavam douradas contra o fundo lápis-lazúli do céu. Sua fidelidade a Nice tinha sido pura tolice! Como conseguira exaltar tanto aquela paisagem calcária, insípida e sem árvores ao redor da Riviera? Aqui podia-se viver fora do tempo, uma figura atemporal andando por uma paisagem da Antiguidade clássica, um habitante eterno de uma pintura bucólica de Claude Lorrain. E o ar! Não poderia haver um ar de tão exuberante pureza. Dia após dia e a alvorada mostrava a mesma perfeição ilimitada e a plenitude do sol. (Na verdade Turim tinha um clima bem sofrível, com uma média anual de 117 dias de chuva, mais alta nos meses de outubro e novembro, os meses em que Nietzsche pintava esse quadro de perfeição para seus missivistas.) A Via Carlo Alberto costumava ser descrita como uma rua melancólica, monótona e sombria. Mas tudo que ele via seguia sua percepção, e descrevia um lugar mais que perfeito, e também que vinha passando por uma extraordinária mudança. As dores de cabeça e as náuseas haviam cessado. Seu apetite era gigantesco. Conseguia digerir qualquer coisa. Nunca tinha dormido melhor. Estava acontecendo algum tipo de apoteose.

Para completar sua satisfação, a casa de Davide Fino tinha um piano. Ele tocava durante horas durante as noites. A filha de Fino, que conhecia o assunto, disse que a música que ouvia pelas paredes parecia wagneriana.

Nietzsche não teve companhia durante seus dias em Turim. Nem qualquer visita. Passava os dias trabalhando furiosamente, *tempo fortissimo*, no livro que começara em Sils Maria.

O Anticristo, com o subtítulo de "A maldição do cristianismo", é uma obra curta e vitriólica que denuncia o abuso do cristianismo. A palavra anticristo em alemão pode significar "anticristo" ou "anticristianismo". Nietzsche sempre preserva seu respeito pela pessoa de Jesus Cristo, ao mesmo tempo que amaldiçoa a religião que depois se originou em seu nome.

Boa parte do livro repete o que ele já havia dito em *Crepúsculo dos ídolos* e em *Genealogia da moral*.

Reitera suas ideias a respeito da desonestidade e desvalorização da vida na Terra em detrimento da hipotética vida por vir. Esse favorecimento errôneo da eternidade nas nuvens de lã e algodão em relação ao monte de lixo da realidade cotidiana fortalecia o *ressentiment*, a atitude mental vingativa, invejosa e moralmente superior, utilizada pelos padres para subjugar populações inteiras reduzidas a uma mentalidade escrava.

Todo o mundo fictício da religião era enraizado no ódio à natureza e numa profunda inquietação em relação à realidade. E assim todo o domínio da subsequente moralidade no mundo cristão ficava invalidado, pois tudo caía sob esse conceito de causa e efeito imaginários. A hostilidade do cristianismo à realidade era insuperável. Uma vez que o conceito de "natureza" foi marcado como contrário à ideia de Deus, todo o mundo natural ficou marcado como repressivo, inclusive a natureza do homem que, se não melhorada, era condenada como abominável.

Nietzsche deixa claro que suas condenações são reservadas à Igreja e aos padres e não a Jesus Cristo, o fundador da religião, que ele admira e reverencia.

Em uma referência não explícita a Dostoiévski, sugere que Cristo, o santo anarquista que ascendeu de baixo, dos párias e dos pescadores para se opor à ordem vigente, hoje seria banido para a Sibéria. Cristo tinha morrido por razões políticas e não religiosas. Prova disso era a inscrição na cruz. As palavras "Rei dos Judeus" eram dinamite. Sempre seria um título ameaçador enquanto os judeus não tivessem seu próprio território físico.

Cristo, "o que traz marés felizes", morreu como viveu e como ensinou – não para redimir a humanidade, mas para demonstrar como se deve viver. O que ele legou para a humanidade foi sua prática. Isto foi demonstrado por sua postura ante os juízes, os guardas, ante todos os tipos de zombarias e calúnias e finalmente ao carregar a cruz. Não para resistir ao homem maligno, à situação injusta, até para amá-la; foi uma suprema ausência de *ressentiment*. Foi *amor fati*, afirmação eterna.

A Igreja Católica foi moldada pelo intérprete de segunda mão são Paulo. Foi ele quem transformou a vida exemplar de Cristo numa lenda de sacrifício de culpa em sua forma mais repulsiva e bárbara. O sacrifício de sangue do homem inocente pelos pecados da culpa – que paganismo atroz! Foi Paulo quem focou no ódio contra o mundo e no ódio contra a carne. Foi quem reuniu todas as oportunidades para disseminar o *ressentiment*. Paulo deduziu como se pode usar um movimento pequeno e sectário para acender uma fogueira mundial, como se pode usar o símbolo de Deus na cruz para pegar tudo que estava por baixo, tudo pleno de uma rebelião secreta, toda a herança das atividades anarquistas ocultas no Império Romano e uni-las no intenso poder que se tornou a Igreja Cristã.[5]

Trata-se de uma tradução do cristianismo para a política que se sustentaria melhor sem a última seção do livro, em que Nietzsche assume o papel de Deus pronunciando um julgamento final. A exemplo de boa parte de seus textos desse período, é impossível julgar se ele está praticando uma extrema sátira swiftiana ou uma extrema seriedade, ou se representa um marcador temporário num gráfico seguindo uma mente se tornando cada vez mais instável.

Começa assim:

Lei contra o cristianismo
Declarada no Dia da Salvação, no primeiro dia do ano um (– 30 de setembro de 1888, segundo o falso cálculo do tempo)

Guerra até a morte contra o vício: o vício é o cristianismo.
Todos os padres deveriam ser trancafiados.
Participação em serviços da igreja é um ataque à moralidade pública.
A execrável localização de onde o cristianismo chocou seus ovos de basilisco [Israel? Jerusalém?] deveria ser arrasada. Sendo o ponto mais *depravado* na Terra, deveria ser o horror de toda a posteridade.

Serpentes venenosas deveriam ser criadas em cima dele.

O pregador da castidade é o verdadeiro pecador.

Padres deveriam ir para o ostracismo, mortos de fome e dirigidos a todos os tipos de deserto.

As palavras "Deus", "salvador" e "redentor" deveriam ser usadas como termos de abuso significando criminosos.

O resto é decorrente disso.

Esta é a última página do livro e ele assinou "O Anticristo".

O dia em que ele terminou *O Anticristo*, 30 de setembro, foi anotado como um dia de grande vitória, o sétimo dia (referência bíblica: Deus fez o mundo em seis dias e descansou no sétimo). Nietzsche passou o dia "como um deus de folga", vagando à sombra dos álamos ao longo das margens do grande rio Pó.

Os exemplares impressos de *O caso Wagner* chegaram. Nietzsche enviou-os para todos os cantos. Desde a série de palestras de Georg Brandes em Copenhague, Nietzsche via a si mesmo como uma figura internacional. Gabava-se de se interessar pela América. O mundo se tornara sua plateia. Tinha perdido as inibições em relação a para quem mandaria o novo livro e o que pediria a eles.

Enviou um exemplar para a viúva de Bizet, que dizia ler em alemão. Também para o Paraguai, o que deixou seu cunhado muito ofendido, pois tinha baseado toda sua venda da Nueva Germania trabalhando com o circuito e com o culto de Wagner. Elisabeth sentiu-se igualmente ofendida. Ela não chegaria a lugar nenhum sem o patrocínio de Cosima.

Georg Brandes respondeu com entusiasmo, anexando os endereços de alguns radicais bem-nascidos em São Petersburgo. Vários livros de Nietzsche haviam sido proibidos na Rússia, inclusive *Humano, demasiado humano*, "Opiniões e sentenças diversas" e "O andarilho e sua sombra", principalmente por seus ataques ao cristianismo (a proibição só foi suspensa em 1906). Brandes recomendou o príncipe Urussov e a princesa Anna Dmitrievna Tenichev como "especialistas superiores" que tornariam suas obras amplamente conhecidas entre a *intelligentsia* russa radical. Seu conselho foi certeiro. Desde então e durante os anos 1890 houve grande interesse por Nietzsche na Rússia e em todos os outros países da Europa, a julgar pelo número de publicações de seus trabalhos nesse período.[6]

Nietzsche mandou o livro a Jacob Burckhardt com o comovente pedido de que "uma única palavra sua me faria feliz". A opinião de Burckhardt sempre valeu mais para Nietzsche do que a opinião de Nietzsche valia para Burckhardt. Seguro em sua solidão bem estabelecida da Universidade de Basileia, Burckhardt não conseguiu encontrar uma única palavra, e por isso permaneceu em silêncio.

Nietzsche mandou o livro para Hippolyte Taine, na esperança de que ele conseguisse "abrir o grande Canal do Panamá para a França". A chave para isso seria a tradução para o francês, que Nietzsche com certeza não poderia pagar. Enquanto pedia a tradução para Taine, mandou também três exemplares do livro para Malwida von Meysenbug, com o mesmo propósito em mente.

O apartamento de Malwida em Roma era dominado por um formidável busto de Wagner num pedestal alto olhando para todos os lados. Ela nunca tivera problema em apoiar Nietzsche e permanecer leal ao compositor. Malwida tinha a experiência de toda uma vida andando na corda bamba. Conseguiu viver décadas num conforto prestigiado e ostensivo como membro do *establishment*, sempre mantendo sua reputação como anarquista. Sua vida poderia ser simbolizada por seu embarque no iate de Garibaldi numa poltrona bem estofada que era um acessório simbólico de uma sala de estar burguesa. No campo de batalha Nietzsche/Wagner, Malwida sempre conseguiu manter um pé em cada lado, mas a chegada de *O caso Wagner* fazia exigências que iam além até mesmo de sua diplomática neutralidade. Sua carta a Nietzsche explicando as impropriedades do ataque foi perdida, mas ela definiu o texto como "considerado como possível". Dá para acreditar, em vista de sua sutileza habitual.

Nietzsche foi explosivo na resposta. "Essas são coisas sobre as quais não permito que ninguém me contradiga. Eu sou [...] a suprema corte de apelação na Terra [...]"[7]

Suas cartas ganharam um novo tom. Eram cada vez mais agressivas, combativas e peremptórias. Referências à sua própria divindade se inseriam aqui e ali. Começou a fazer alegações quanto a seu status e poder. Achava que nunca houvera um momento mais importante na história do mundo. A humanidade era terminalmente irresponsável, terminalmente desatenta; não tinha ideia de qual era a grande questão de valor sendo exigida, e estabelecida somente por ele.

Sua reavaliação recolocaria o mundo de volta ao seu curso pela primeira vez em séculos. Seu estado físico lhe conferia a prova irrefutável da capacidade de fazer isso. Quando se olhava no espelho, via um jovem em condições exemplares. Nunca parecera tão saudável, tão bem alimentado. Parecia um homem dez anos mais novo do que sua verdadeira idade, e no auge do vigor.

A única outra ocasião em que o reflexo no espelho contou a mesma história foi quando estava no zênite de seu amor por Lou e confiante em um futuro junto com ela.

Era o mês de outubro de 1888 e Nietzsche estava ansioso pelo seu aniversário. Sentia-se lindamente afinado com o momento, com a estação do outono e com o mundo ao redor. As uvas das generosas vinhas ao redor de Turim tinham se transformado naquelas frutas marrons que explodiam doçura na boca. Assim eram as palavras em sua boca. Ele era o homem maduro e pleno. Tudo estava em ordem.

Alegre e confiante, em 15 de outubro ele chegou ao dia de seu aniversário.

Com certeza o momento certo para começar outro livro! Pelo bem do mundo, esse aniversário merecia uma autobiografia. Mais uma vez estava adiando a grande reavaliação. Mas não pensava muito nisso. Havia tempo de sobra. Queria contar a história toda: seus livros, pontos de vista, os incidentes de sua vida e sua psicologia. O mundo poderia testemunhar sua transformação de cada "Era assim" em "Eu queria que fosse". A humanidade, que não prestara atenção nele, finalmente veria a própria sorte quando ele revelasse a luz e o medo de si mesmo.[8]

Estabelecendo-se como o sucessor do deus morto, ele chamou sua autobiografia de *Ecce homo*. Tirou o título da Bíblia, escolhendo as palavras usadas no evangelho de são João no exato momento em que Pôncio Pilatos condenou Cristo à morte,[9] depois do que teria supostamente fugido para se afogar de remorso naquele pequeno lago em monte Pilatos perto de Tribschen. "*Ecce homo*" ["Eis o homem"], proclamou Pilatos quando apresentou seu prisioneiro Jesus, açoitado e sangrando, amarrado e coroado de espinhos, para julgamento do povo, que então condenou o Deus vivo à morte por crucificação.

Ao longo de *Ecce homo*, Nietzsche continua a se pôr em competição com Cristo — ou como um segundo Cristo, outro Deus vivo que fora condenado à morte. No caso de Nietzsche, condenado à morte pela obscuridade, pela negligência, pela falta de interesse por suas ideias. *Ecce homo* contém um grande número de referências e paródias bíblicas, começando pela primeira frase: "Na expectativa de que logo terei de confrontar a humanidade com a exigência mais difícil que jamais enfrentou, parece imperativo dizer *quem sou eu*".[10]

Tudo no livro é flutuante, uma charada, um enigma, uma dança, e acima de tudo muita provocação. "Quando preciso, literalmente, carregar o destino do homem, é parte da minha prova de força ser um palhaço, um sátiro [...] Que minha mente mais profunda deva também ser a mais frívola é quase uma fórmula para minha filosofia."[11]

O galhofeiro segue o ambicioso título do livro com capítulos com títulos burlescos como "Por que sou tão sábio", "Por que sou tão inteligente", "Por que escrevo tão bons livros", "Por que sou um destino". Os capítulos cumprem a tarefa de nos dizer exatamente por que ele é tão sábio, inteligente e assim por diante. São quase uma zombaria do gênero autobiográfico como um todo. Reconhecem o fato de que, por mais que o autor a disfarce, a autobiografia talvez seja o mais monstruoso ato de vaidade que existe. Em *Ecce homo*, Nietzsche detona a convenção de ocultar a vaidade autoral atrás da máscara da modéstia, da autocrítica e do pretexto inocente de manter um registro histórico. Por que não reavaliar a autobiografia junto com a reavaliação de tudo mais? Por que a autobiografia não deveria ser usada para o bombástico e o enganoso, para exagero da autocelebração maníaca misturada a algumas coisas que aconteceram e algumas que não aconteceram e um bocado de perspectivas múltiplas? Não existem fatos, somente interpretações.

Nietzsche começa o primeiro capítulo, "Por que sou tão sábio", nos apresentando um enigma. "Como meu pai eu já estou morto e como minha mãe ainda estou vivo e envelhecendo." Está com um pé em cada mundo. Quem é ele? Não é um santo, nem um bicho-papão, mas meramente um discípulo de Dionísio. Prefere ser um sátiro a um santo. Prefere derrubar ídolos a erguê-los. A última coisa que afirmaria seria a de ser um "melhorador" da humanidade. Convida-nos a dar uma olhada em suas pernas, e mostra que são feitas de barro.

Continua afirmando sua saúde impecável. Tomada literalmente, é uma ficção total, uma fantasia médica. Nós, que sabemos um pouco sobre a vida dele, podemos ler essa autodescrição como projetada especificamente para refutar a condição que pairava, naquela época sifilomaníaca, sobre todos os homens que sofriam de problemas de saúde inexplicáveis e cujo pai morrera de "liquefação do cérebro". Passa por duras penas para nos dizer o quanto está bem fisicamente. Sim, ele teve seus problemas de saúde, mas são apenas o resultado de uma "espécie de degeneração local". Essa pequena degeneração local é responsável pela exaustão geral e pela profunda fraqueza do sistema gástrico que, admite, tem testado seu sistema físico e mental ao limite. Como resultado, desenvolveu a habilidade e o conhecimento de inverter perspectivas. Compara-se ao cirurgião ferido que traduz a própria doença em uma preocupação útil para a saúde da sociedade. Só ele, o médico cultural ferido, é capaz de proceder com a reavaliação de todos os valores.

Suspeitamos que esteja falando sério quando diz, mais uma vez, que sua fórmula para a grandeza humana é o *amor fati*, não querer que nada seja diferente, nem para a frente nem para trás, nem por toda a eternidade.[12] Prossegue dizendo que, quando olha para a mãe e para a irmã, em si elas lhe causam a mais profunda relutância em relação ao *amor fati* e ao eterno retorno.

> Quando olho para meu oposto diametral, um instinto incomensuravelmente execrável, sempre penso em minha mãe e em minha irmã – seria uma blasfêmia para minha divindade pensar que estou relacionado a esse tipo de *canaille* [plebe, rebotalho]. A maneira como minha mãe e minha irmã me tratam até hoje é uma fonte de horror indizível: uma bomba funcionando em tempo real [...] Não tenho a força para resistir a vermes venenosos [...] vou admitir que a maior objeção ao meu "eterno retorno", meu verdadeiro pensamento abismal, são sempre minha mãe e minha irmã [...] Pessoas são *menos* relacionadas aos pais: seria o sinal mais extremo de vulgaridade ser relacionado aos pais.[13]

Segue afirmando a radical inverdade de ser um nobre de ascendência polonesa sem nenhuma gota de sangue alemão "ruim". Nietzsche não sugere que Franziska e Elisabeth compartilhem seu sangue polonês. Ainda assim se refere a elas como "minha mãe" e "minha irmã". Em que devemos acreditar quando ele nos assegura solenemente que é mais veraz que qualquer outro pensador?

O ensaio que se segue, "Por que sou tão inteligente", joga com uma obsessão com seus pulmões e estômago centrais para o todo do exercício filosófico. Transforma-se em um guru de dietas e exercícios. Se evitar café e viver no ar seco, você terá uma saúde à sua altura. Estranho que ele proíba o café e se delicie com o melhor café do mundo de Turim. Aconselha morar em Paris, Provença, Florença, Jerusalém ou Atenas. Acima de tudo, não more na Alemanha, onde o clima desestimula os intestinos, por mais heroicamente que estejam dispostos. Intestinos fortes são muito úteis para os filósofos.[14]

Nunca acredite numa ideia que ocorra num ambiente fechado. Mantenha a superfície de sua mente livre de todos os grandes imperativos e não tente se conhecer. Ao contrário de tudo que aconselhou até agora, recomenda sinceramente que a precondição para se tornar quem se é, é não ter a mínima noção do que se é.

"Aqueles de nós que fomos crianças no pântano dos anos cinquenta" somos necessariamente pessimistas em relação à "cultura" alemã, pois como pode existir pensamento civilizado quando um fanático está no leme do Estado? Nietzsche só acredita na cultura francesa. Quando trata do assunto, não consegue evitar o retorno ao tema Wagner, o primeiro alento profundo que teve na vida. Admite que, desde que ouviu *Tristão e Isolda* pela primeira vez, sempre buscou uma obra de arte da mesma doçura, de estremecimento infinito. Cosima Wagner tem de longe a natureza mais nobre, assim como o gosto mais refinado da Alemanha. Por preço nenhum ele renunciaria aos dias que passou em Tribschen.

"Por que escrevo tão bons livros" faz um relato livro a livro de todos os seus trabalhos publicados. Como comentou com seu editor, também poderia escrever as próprias resenhas. Ninguém mais tinha feito isso.

A seção "Por que sou um destino" começa assim:

> Eu conheço o meu destino. Algum dia estará associado ao meu nome a recordação de alguma coisa assustadora – de uma crise como nenhuma antes na Terra, da mais profunda colisão da consciência, de uma decisão evocada *contra* tudo em que se acreditou até agora, exigida, santificada. Não sou um homem, eu sou dinamite.

Essas palavras foram muitas vezes interpretadas como estranhas profecias ou premonições do Terceiro Reich, às vezes até mesmo como uma aprovação prévia para que tais coisas acontecessem. Mas o restante de "Por que sou um destino", que não é um capítulo curto, deixa perfeitamente claro que Nietzsche não está se referindo a um evento apocalíptico futuro, mas à tarefa a que se propôs de confrontar toda a moralidade prévia.

A sentença final do livro diz: "Será que fui compreendido? Dionísio versus o crucificado...". E o livro termina com uma elipse, como muitos de seus textos.

Nietzsche terminou *Ecce homo* em 4 de novembro. Levou três semanas para ser escrito. Durante esse tempo esteve totalmente sozinho numa cidade de estranhos. Eles mal notavam sua pequena figura andando pelas ruas, com um sobretudo leve de forro azul e grandes luvas inglesas. Sua cabeça agora era perpetuamente mantida em certo ângulo enquanto andava pela luz estroboscópica e sob as sombras das longas arcadas de pedra de Turim. O inverno estava chegando quando concluiu o livro, e as montanhas além da extensa paisagem urbana usavam perucas brancas contra o fundo de um céu desbotado.

Turim estava mais uma vez montando o cenário para uma grande ocasião nacional. O casamento real deu lugar a um funeral oficial, com cetim branco e fitas pretas, pompa festiva e grave melancolia. O mesmo enclave real de poder e privilégio afluía para Turim, dessa vez para as exéquias do conde Robilant. O amor de Nietzsche pela *grandezza* promoveu Robilant a filho do rei Carlo Alberto, embora de fato fosse apenas seu ajudante de ordens.

Em 6 de novembro, Nietzsche postou o manuscrito de *Ecce homo* para seu impressor, Naumann. A carta anexada garantia serenamente a Naumann que o livro fora inspirado por uma inacreditável sensação de bem-estar singular na vida de Nietzsche. Naumann deveria imprimi-lo imediatamente.

Naumann ainda não era um editor, como se tornaria com o tempo. Seu trabalho não era editar, mas sim imprimir o livro para o autor que pagasse a conta. Nietzsche agora queria que ele imprimisse *Ecce homo* antes de *O Anticristo*, que Naumann deveria deixar de lado. *Ecce homo* era o livro revelador. Sua tarefa, como a de João Batista, era pavimentar o caminho. Não deveria haver margens ao redor do texto. O entrelinhamento deveria ser mais largo. Naumann sugeriu usar um papel mais barato. Nietzsche ficou horrorizado.

Tendo transmitido suas instruções a Naumann, começaram as mudanças. Nietzsche acrescentou seções, pediu o manuscrito de volta, voltou a enviá-lo em dezembro de 1888, "pronto para ser impresso", acrescentou poemas, mudou de ideia, voltou à ideia anterior. Estava ocupado com muitas coisas. Nenhuma delas era o livro seguinte, o da grande reavaliação. Selecionou nove poemas que havia escrito entre 1883 e 1888 e fez cópias para publicação. Depois de alguns falsos começos, decidiu-se pelo título *Os ditirambos de Dionísio*. O significado original da palavra ditirambo era um hino coral a Dionísio, mas com o tempo se estendeu para qualquer hino ou poema dionisíaco ou bacante.

Em *O nascimento da tragédia*, Nietzsche usou Dionísio como significado de abandono extático, como oposto à criatividade lúcida e controlada do apolíneo. Com o desenvolvimento de seu pensamento, os mistérios dionisíacos passaram a significar a vontade fundamental à vida.

> O que os helenos garantiram para si com esses mistérios? Vida *eterna*, o eterno retorno da vida; o futuro prometido pelo passado e o passado consagrado para o futuro; o triunfal sim à vida sobre e acima de toda morte e mudança; a *verdadeira* vida como toda a continuação da vida pela procriação, por meio dos mistérios da sexualidade.[15]

O poema com a ligação mais óbvia com Dionísio é "A queixa de Ariadne". Descreve como Ariadne, abandonada por Teseu na ilha de Naxos, lamenta seu destino e recebe a visita do deus Dionísio. Nietzsche publicou o poema pela primeira vez na parte IV de *Assim falou Zaratustra*, no capítulo chamado "O feiticeiro", em que Zaratustra derrota o velho feiticeiro Wagner.

Nos tempos de Tribschen, a mitologia aceita era de que Wagner seria o Dionísio da Ariadne de Cosima, com Nietzsche e Von Bülow representando Teseu, mas agora Nietzsche assumia de forma consistente e ostensiva o nome de Dionísio, e Cosima/Ariadne aparecia em seus textos com cada vez mais frequência.

O Dionísio recém-personificado não era mais prisioneiro das inibições que o restringiam quando estava na casa dos vinte anos. O erotismo transborda. "A queixa de Ariadne" é uma fantasia desinibida que se inicia com a desesperada Ariadne com braços e pernas abertos, tremendo e suplicando ao deus Dionísio, "o caçador atrás das nuvens", atingindo-a com seu relâmpago. Ela o reconhece como deus. Tremendo sob suas flechas pontudas e geladas ela se curva, se retorce, torturada em sua submissão, e é seduzida pelo caçador eterno, o deus desconhecido. Ele a pressiona de perto, escala seus pensamentos. Ela se rende, rolando em êxtase. Seu deus-verdugo a atormenta. "Volte", ela grita, "minha dor, minha última felicidade." Ele surge num clarão de luz. O poema termina com o verso "Eu sou teu labirinto". Até então foi muito bem esclarecido qual dos amantes, Dionísio ou Ariadne, está dizendo qual verso, mas não há indicação de qual dos dois diz: "Eu sou teu labirinto". A conclusão deve ser que foram ambos.

Embora raramente dedicasse seus livros a alguém, Nietzsche dedicou os *Ditirambos* ao "poeta de Isoline". Decodificado, tratava-se de Catulle Mendès, o escritor "lírio na urina" que fora com Judith Gautier a Tribschen.

Mendès escreveu o libreto da ópera *Isoline*, de Messager, um conto de fadas com dragões do tipo Titânia e Oberon,* que estrearia em Paris no mês seguinte, dezembro de 1888. Desde Tribschen, parece não ter havido muita relação, nem mesmo na cabeça de Nietzsche, entre ele e Mendès. Será que Nietzsche, com sua lisonjeira dedicatória, estava querendo se aproximar de Mendès para traduzir seus livros para o francês? Malwida já havia declinado. Taine disse que seu alemão não era bom o suficiente e passou a tarefa a Jean Bourdeau, que alegou falta de tempo. O Canal do Panamá para a França não estava se abrindo.

Reforçado por sua relação com Georg Brandes, Nietzsche escreveu ao dramaturgo sueco August Strindberg, pedindo que fizesse a tradução de *Ecce homo* para o francês. Nietzsche se apresentou a Strindberg por meio da agora costumeira carta falando de sua descendência polonesa, sua impecável saúde física, sua fama mundial e a perfeição que conseguira no idioma alemão: "Eu falo a língua dos que governam o mundo". Ainda tentou Strindberg com a promessa de que o príncipe Bismarck e o jovem Kaiser receberiam os primeiros exemplares do livro "junto com uma declaração de guerra por escrito – assim os militares serão incapazes de retaliar tomando atitudes policiais".[16] O próprio Strindberg não se encontrava num grande momento de estabilidade mental na vida. Andava sem dinheiro, seu primeiro casamento com a esposa que venerava estava desmoronando desastrosamente e eles estavam morando numa ala de um dilapidado castelo invadido por pavões brancos e cães ferozes e regido por uma condessa que atribuíra esse título a si mesma e seu companheiro, um chantagista, alquimista, mágico e ladrão. Foi uma acalorada concatenação de circunstâncias que deu origem à melhor peça de Strindberg, *Senhorita Júlia*, mas, mesmo no contexto caótico em que se encontrava, percebeu que havia algo muito errado com Nietzsche. Nietzsche era louco?, perguntou a Brandes.

Foi uma pergunta que Strindberg faria de novo quando as cartas de Nietzsche endereçadas a ele expressaram uma obsessão com uma dupla

---

* Personagens de *Sonho de uma noite de verão*, de William Shakespeare. [N. T.]

de criminosos cujas horríveis ações encheram muitos centímetros de colunas nos jornais mais quentes da Europa, inclusive os que Nietzsche lia em Turim e Strindberg na Suécia. O primeiro criminoso era o misterioso "Prado", um espanhol que adotou o nome de "Linska de Castilon". Depois de dilapidar a fortuna de sua primeira mulher no Peru, supostamente de 1,2 milhão de francos, ele fugiu para a França, onde praticou roubos e matou uma prostituta. O outro era Henri Chambige, um estudante de direito que assassinou a esposa inglesa de um francês que vivia na Argélia. O gênio criminoso era fascinante, insistia Nietzsche. Era um "tipo superior aos seus juízes, até mesmo aos seus advogados, em autocontrole e sagacidade, em exuberância de espírito" etc. Strindberg, que estava vivendo à mercê de um criminoso, não entendeu a argumentação de Nietzsche. Um mês depois, quando Nietzsche escreveu a Jacob Burckhardt, os dois criminosos já haviam assumido um número cada vez maior de suas identidades. Agora ele não era somente Dionísio e o Anticristo, mas também Henri Chambige e Prado, e até mesmo o pai de Prado.[17]

Nietzsche estava perdendo o controle de suas identidades. Escreveu em júbilo sobre o tema a Peter Gast. Não tinha importância! Nada com que se preocupar! Ele fazia tantos truques consigo mesmo! Em concertos, a música o afetava tanto que ele não conseguia controlar seus esgares faciais. Chorava sem controle. Sorria. Havia ocasiões em que tudo que conseguia fazer era ficar parado sorrindo na via pública durante meia hora. Por quatro dias inteiros, entre os dias 21 e 25 de novembro, foi incapaz de estampar uma expressão séria no rosto. Concluiu que qualquer um que tivesse chegado a tal estado deveria estar maduro para se tornar o salvador do mundo. Em dois meses o nome dele seria o mais proeminente da Terra. A coisa mais notável em Turim era o total fascínio que Nietzsche exercia sobre pessoas de todas as classes e condições. Qualquer expressão facial mudava quando ele entrava numa loja ou chegava a algum espaço público. Não era necessário ter nome, posto ou dinheiro para ser alçado por eles sempre em primeiro lugar, incondicionalmente.[18] Para onde olhasse era tratado como um príncipe. Havia um ar extremamente distinto na maneira como as pessoas abriam as portas para ele. Garçons alegres e elegantes serviam sua comida como se estivessem servindo um rei. Tomava notas mentalmente de todos os indivíduos que haviam descoberto isso nele, em seu período não reconhecido. Não era totalmente impossível que seu futuro cozinheiro já estivesse cuidando dele. Ninguém o via como alemão.[19]

Os quatro livros sobre a grande reavaliação surgiriam logo, disse a Overbeck. Ele estava apelando para suas armas pesadas. Condizente com um velho soldado da artilharia, iria detonar a história da humanidade separando-a em duas metades. Era uma espécie de plano *gelado*, observou com um toque de sagacidade que o agradou muito, sendo apropriado para o inverno que chegava. Mas primeiro dispararia mais um tiro em Wagner, antes de 20 de novembro, o dia em que tinha decidido sair de Turim para Nice ou a Córsega.[20]

O plano para Nice – ou Córsega – foi cancelado assim que estava elaborado. Não havia mais por que ir à Córsega. Os bandidos tinham sido todos eliminados, e os reis também.[21]

Pensamentos, assim como planos de viagem, desapareciam no momento em que surgiam. Em seu quarto, as cadeias de montanhas brancas de papel ficavam cada vez mais altas. Seus textos passados e presentes flutuavam como flocos de neve da escrivaninha ao chão enquanto escrevia um número enorme de cartas e juntava trechos de seus livros anteriores para produzir *Nietzsche contra Wagner*, o quarto livro que escreveu naquele ano, o quinto se incluirmos o *Ditirambos*, e o segundo livro com Wagner no título.

Seu baú chegou afinal de Nice. Agora ele poderia ler os próprios livros. Eram magníficos. Sentiu-se arrebatado de admiração por seu próprio brilho. Era incrível como seus pensamentos tinham poder sobre eventos físicos. Não havia mais coincidências. Basta pensar em uma pessoa para uma carta dela chegar educadamente pela porta. Quando considerou as coisas tremendas que havia perpetrado entre 3 de setembro e 4 de novembro, achou muito provável que logo houvesse um terremoto em Turim.

Em 15 de dezembro, Nietzsche enviou o pequeno manuscrito de *Nietzsche contra Wagner* a Naumann, junto com *Os ditirambos de Dionísio*. A produção dos outros livros poderia esperar. Naumann deveria largar tudo para imprimir *Nietzsche contra Wagner*. Dois dias depois a ordem foi cancelada. Naumann recebeu um telegrama: "*Ecce vorwärts*" ("Prossiga com *Ecce homo*"). *Ecce homo* "transcende o conceito de literatura [...] Não existe paralelo nem mesmo na própria natureza; detona, literalmente, a história da humanidade em dois – o mais alto superlativo de *dinamite*".

A época do Natal estava chegando. Era hora de escrever cartas de Natal:

Para a mãe:

Considerando tudo, sua velha criatura é agora uma pessoa imensamente famosa: não exatamente na Alemanha, pois os alemães são burros demais e vulgares demais para a superioridade da minha mente, e sempre lançaram aspersões em mim, mas em todos os outros lugares. Meus admiradores são todos criaturas exclusivas, todos pessoas proeminentes e influentes [...] as mulheres mais encantadoras, sem excluir de jeito nenhum Mme la Princesse Tenichev! Sou um verdadeiro gênio entre meus admiradores – hoje nenhum nome é tratado com tanta distinção e reverência quanto o meu [...] Felizmente agora estou maduro para qualquer coisa que minha tarefa possa exigir de mim [...]

Sua velha criatura[22]

Para Elisabeth:

Minha irmã [...] Sou obrigado a me separar de você para sempre. Agora que meu destino está certo, sinto cada palavra sua dez vezes mais cortante; você não tem a mais remota concepção do que significa ser a pessoa relacionada mais proximamente com o homem e o destino em quem a questão de milênios foi decidida – tenho na palma de minhas mãos, bem literalmente, o futuro da humanidade [...][23]

Para Peter Gast:

Caro amigo, quero recuperar todos os exemplares da *quarta* parte de *Zaratustra* [...] contra todas as chances de vida e morte. (Eu a li nestes últimos dias e quase morri de emoção.) Se eu publicá-la mais tarde, depois de algumas décadas de crises mundiais – guerras! – seria uma época mais apropriada.

Sinais e maravilhas! Saudação da Fênix[24]

Para Peter Gast:

O príncipe Von Carignano acabou de morrer; teremos um grande funeral.[25]

Para Carl Fuchs:

[...] O mundo estará de cabeça para baixo pelos próximos poucos anos: já que o velho Deus abdicou, *eu* governarei o mundo de agora em diante [...][26]

Para Franz Overbeck:

Caro amigo [...] Em dois meses serei o nome mais proeminente na Terra [...]
Estou trabalhando pessoalmente em um memorando para as cortes da Europa [...] Pretendo costurar o *Reich* numa camisa de ferro e provocar uma guerra de desespero. Não estarei com as mãos livres enquanto não tiver o jovem imperador, e todos os seus equipamentos, em minhas mãos. Que fique entre! *Muito* entre nós! Completa calma da alma! Dez horas de sono ininterrupto.
   N.[27]

Para Meta von Salis-Marschlins:

Verehrtes Fräulein [...] Acho que nenhum mortal recebeu cartas como as que recebi [...] Da mais alta sociedade de São Petersburgo. E da França! [...] A coisa mais notável aqui em Turim é o completo fascínio que exerço em todas as classes de pessoas [...] Meus textos são impressos com um zelo impressionante. Mme Kovaleska em Estocolmo (ela é descendente do velho rei da Hungria, Matias Corvino) [...] é considerada como o único gênio matemático vivo.
   Seu, N.[28]

Para Peter Gast:

[...] Quando seu cartão chegou, *o que* eu estava fazendo? [...] era o famoso Rubicão. Não sei mais meu endereço: vamos supor que logo será no Palazzo del Quirinale.
   N.[29]

Para August Strindberg:

Ordenei uma convocação de príncipes em Roma – pretendo que o jovem imperador seja fuzilado [...] *Une seule condition: Divorçons* [...]
   Nietzsche César[30]

Para August Strindberg:

Eheu? [...] sem *Divorçons* afinal?
O Crucificado[31]

Para Peter Gast:

Cante-me uma nova canção: o mundo está transfigurado e todos os céus se regozijam.
O Crucificado[32]

Para Georg Bandes:

Quando você me descobriu, não foi um grande feito me achar: a dificuldade agora é me perder [...]
O Crucificado[33]

Para Jacob Burckhardt:

Eu perdoo meu tédio por ter criado o mundo. Você é o nosso grande e maior professor; pois eu, com Ariadne, só tenho de ser o equilíbrio dourado de todas as coisas.
Dionísio[34]

Para Cosima Wagner:

Ariadne, eu a amo.
Dionísio[35]

Para Jacob Burckhardt:

Caro professor:
Na verdade eu preferiria muito mais ser um professor na Basileia do que Deus; mas não me aventurei para levar meu egoísmo privado tão longe a ponto de omitir a criação do mundo por causa dele. Você vê, é preciso fazer sacrifícios, enquanto e aonde quer que se possa estar vivendo. Mas mantive um quartinho de estudante para

mim, situado em frente ao Palazzo Carignano (onde nasci como Vítor Emanuel) e que ainda por cima me permite ouvir de minha mesa a esplêndida música da Galleria Subalpina lá embaixo. Pago 75 francos, com serviço, preparo meu próprio chá e faço minhas compras, sofro de botas rasgadas [...] Como estou condenado a entreter a próxima eternidade com piadas ruins, ando escrevendo um negócio aqui, que realmente não deixa nada a desejar – muito agradável e nada cansativo [...]

Não leve a sério o caso Prado. Eu sou Prado. Também sou o pai de Prado. Ouso dizer que sou também Lesseps [o diplomata francês que incentivou a construção do Canal do Panamá] [...] Queria dar aos meus parisienses, que eu adoro, uma nova ideia – a de um criminoso decente. Sou também Chambige – também um criminoso decente [...]

Em relação aos filhos que trouxe ao mundo, é um caso para minha consideração com alguma desconfiança se todos aqueles que entram no "Reino de Deus" também não *saem de Deus*. Neste outono, tão encoberto de luz quanto possível, compareci duas vezes ao meu funeral, primeiro como conde Robilant (não, ele é meu filho, à medida que sou Carlo Alberto, minha natureza abaixo), mas eu mesmo também era o próprio Antonelli. Caro professor, você devia ver esta edificação; como não tenho experiência das coisas que crio, você pode ser tão crítico quanto quiser [...] Vou a todos os lugares com meu sobretudo de estudante; bato no ombro de um ou de outro e digo: *Siamo contenti? Sono Dio, ha fatto questa caricature* [Estamos felizes? Eu sou Deus, e criei esta paródia] [...] Amanhã meu filho Umberto está chegando com sua encantadora Marguerita que recebo, contudo, aqui também em mangas de camisa.

O *resto* é para Frau Cosima [...] Ariadne [...] De tempos em tempos nós praticamos magia [...]

Mandei Caifás [o alto sacerdote judeu que aprovou a execução de Jesus] ser posto a ferros; eu também fui crucificado por muito tempo no ano passado pelos médicos alemães. Guilherme, Bismarck e todos os antissemitas eliminados.

Você pode dar qualquer uso a esta carta que não faça as pessoas da Basileia pensarem em mim de maneira menos enaltecedora.

Com muito apreço

Seu Nietzsche[36]

A carta foi carimbada pelo correio em 5 de janeiro. Burckhardt a recebeu no dia seguinte. Levou-a para Overbeck na mesma tarde. Overbeck imediatamente escreveu insistindo para Nietzsche voltar à Basileia. No dia seguinte,

Overbeck recebeu uma carta assinada "Dionísio", informando: "Estou apenas sofrendo todos os ataques de antissemitas [...]".

Overbeck correu até a clínica psiquiátrica da cidade para mostrar as cartas ao diretor, professor Wille, perguntando o que deveria ser feito.

21
O minotauro da caverna

> Pode um asno ser trágico? – Pode alguém ser destruído por um peso que não consegue carregar ou jogar fora? [...] O caso do filósofo.
> *Crepúsculo dos ídolos*, "Máximas e flechas", 11

Não é muito claro o que aconteceu na manhã de 5 de janeiro de 1889. A história é que viram Nietzsche, como sempre, saindo da casa de esquina de Davide Fino na Piazza Carlo Alberto. Todos já estavam acostumados com a figura triste e solitária envolvida em pensamentos, em geral a caminho da livraria, onde era conhecido por ficar horas com um livro muito perto do rosto, lendo sem nunca fazer uma compra. A praça era cheia de cavalos velhos e cansados, cabisbaixos entre as marcas de carroças e charretes esperando passageiros: animais infelizes e de costelas à mostra sendo atormentados sob pretexto de trabalhar para seus donos. Ao ver um cocheiro espancando impiedosamente seu cavalo, Nietzsche desmoronou. Dominado pela compaixão, chorando diante daquela visão, abraçou o pescoço do cavalo para protegê-lo e desmaiou. Ou ao menos é o que dizem. Crises surgem e passam rapidamente. Testemunhas oculares veem muitas verdades diferentes.

Alguém devia saber em que casa ele morava, pois Davide Fino foi procurado. A polícia também. Não fosse por Fino, Nietzsche teria sido retirado dali de imediato e possivelmente se perdido para sempre no labirinto escuro das instituições italianas como insano, mas Davide Fino o levou para casa.

Em seu quarto no terceiro andar, Nietzsche não deixava ninguém entrar. Durante vários dias, gritou e cantou a plenos pulmões, delirando e falando sozinho. Isso prosseguiu dia e noite. A família Fino afinal subiu a escada para ouvi-lo. Nietzsche entregou a eles cartas para enviar ao rei e à rainha da Itália, bem como as últimas cartas delirantes para Burckhardt e Overbeck. Ficou cada vez mais excitado ao piano, tocando sua música wagneriana alta e violentamente. Golpeava, fazia estrondos. A família olhava apreensiva para o teto, onde as passadas se arrastavam, saltavam e batiam sobre suas cabeças. Estava dançando. Nu e cabriolando, participava de frenesis sexuais sagrados, os ritos orgásticos de Dionísio.

Fino entrou em contato com o cônsul alemão; foi até a delegacia de polícia; consultou um médico. Overbeck chegou na tarde de 8 de janeiro.

"Um momento muito terrível", foi como Overbeck o descreveu. Mesmo assim, encontrou Nietzsche em um de seus períodos relativamente calmos. Nos dias seguintes ele veria coisas muito piores.

Ao entrar no quarto de Nietzsche, encontrou o amigo encolhido na ponta de um sofá. Aparentemente estava revisando as páginas de *Nietzsche contra Wagner*. Segurava as páginas impressas perto do rosto desnorteado, como uma criança fingindo ler. Sabia as ações requeridas para a tarefa. O papel tinha de estar a *esta* distância do nariz; devia ler da esquerda para a direita e voltar. As palavras da página obviamente não significavam nada para ele.

Quando Overbeck entrou, Nietzsche correu até ele, abraçou-o violentamente e rompeu em soluços. Depois afundou de novo no sofá, contorcendo-se, gemendo e tremendo. Overbeck era um homem estável e tranquilo, pouco dado a demonstrar emoções, mas ao ver o velho amigo naquele estado suas pernas bambearam; cambaleou e quase caiu.

A família Fino continuou no quarto com Overbeck e Nietzsche. O professor Carlo Turina, psiquiatra de Turim que Davide Fino consultou, tinha aconselhado que, quando o paciente estivesse superexcitado, gotas de brometo o acalmariam.[1] Havia sempre um copo de água pronto em cima da mesa. Sem espalhafato, deram umas gotas a ele. Controlaram a criatura agitada. De forma imponente, Nietzsche começou a descrever a grande recepção sendo planejada para ele naquela noite. O feliz interlúdio não durou muito tempo. Logo estava falando com palavras interrompidas e explosões de frases pontuadas por súbitos surtos convulsivos de bufonaria, obscenidades, explosões ao piano e saltando e dançando. Conhecendo bem o mundo das ideias de Nietzsche, Overbeck era mais ou menos capaz de seguir as referências que iam e voltavam. Nietzsche falava de si mesmo como o sucessor do Deus morto, o palhaço de todas as eternidades, o Dionísio feito em pedaços. Contorcia e contraía o corpo em uma orgástica encenação do frenesi sagrado. Ainda assim, o tempo todo, havia algo de inocente nele. Não provocou medo ou horror em ninguém, nem mesmo repulsa. Só uma imensa pena. Logo ele, que dissera tantas vezes que considerava a superação da piedade como uma nobre virtude.

Quando Overbeck correu com as cartas de Nietzsche à clínica psiquiátrica da Basileia, o dr. Wille não teve dúvidas de que Nietzsche deveria ser trazido ao seu asilo imediatamente. Isto não seria fácil, avisou a Overbeck. Ele não conseguiria fazer isso sozinho. Deveria viajar com um homem experiente em conduzir e acalmar pessoas delirantes. Foi contratado um dentista alemão, habilidoso com essas situações.

Durante o curto tempo em Turim antes de partirem para a Basileia, Overbeck organizou os livros e papéis de Nietzsche para serem despachados em seguida por Davide Fino. Nietzsche ficava na cama, recusando-se a levantar. A única forma que o dentista teve para convencê-lo a sair da cama foi brincando com seus delírios de grandeza. A realeza estava esperando! Recepções, pajens e atrações musicais estavam sendo preparados para ele na cidade! Nietzsche arrancou a touca de dormir de Davide Fino e a pôs na cabeça como uma espécie de coroa real, e lutou quando tentaram retirá-la.

As ruas movimentadas de Turim e a agitação da estação ferroviária forneceram um suficiente número de pessoas para manter a ilusão de uma recepção real. Foi convencido a entrar no trem.

Surgiram problemas quando chegaram a Novara, onde tiveram de esperar três horas para a baldeação. Nietzsche queria se dirigir às multidões e abraçar seus súditos leais, mas o experiente dentista o persuadiu que se manter incógnito era mais apropriado para um grande personagem como ele.

Enquanto eles se mostravam cúmplices de seus delírios, Nietzsche era dócil como uma criança, mas de repente sua mente o levava a outro lugar e outro fragmento cortante irrompia. Quando eles não tinham a menor chance de seguir sua linha de raciocínio, ele se enfurecia. Ministraram hidrato de cloral para sedá-lo à noite. Quando o trem passou pelo túnel escuro de Saint Gotthard, por baixo dos Alpes, Overbeck ouviu a voz de Nietzsche cantando clara e coerentemente a "Canção da gôndola", um de seus poemas inserido em *Ecce homo* e *Nietzsche contra Wagner*.

> Minha alma, um instrumento de corda,
> Tocado invisivelmente,
> Cantou secretamente para si mesmo
> Uma canção da gôndola

Trêmula, cheia de alegria.

Alguém a estaria escutado?

Um táxi os esperava na Basileia. Em dias melhores Nietzsche já havia conhecido Friedmatt, a Clínica Psiquiátrica da Universidade de Basileia, e seu diretor, o professor Wille, mas não mostrou sinais disso ao chegar. Temeroso de que se reconhecesse o professor e o asilo ele descobriria a traição, Overbeck não apresentou os dois homens. Então Nietzsche perguntou em tom autoritário por que o homem não havia sido apresentado a ele. Não seria conveniente se comportar dessa forma. Ao ser informado do nome do professor Wille, Nietzsche o cumprimentou com grande cortesia, saiu instantaneamente de sua postura real e teve uma lembrança perfeitamente lúcida e surpreendentemente precisa de uma conversa que os dois tiveram sete anos antes sobre Adolf Vischer, um maníaco religioso.

Overbeck foi então dispensado pelos profissionais. Não havia o que fazer enquanto seriam feitos os exames médicos para uma avaliação psiquiátrica.

"Para vocês, meu bom povo, vou preparar o clima mais adorável para amanhã", disse Nietzsche enquanto era levado.

Comeu seu desjejum com muito apetite. Eles perceberam o quanto ele gostou de tomar um banho. Nietzsche ficou oito dias na clínica passando por exames e então foi preparado um relatório.

Corpo saudável e bem desenvolvido. Musculoso. Peito largo. Coração em ritmo lento, normal. Pulso regular 70. Disparidade das pupilas, direita maior que a esquerda, reação retardada à luz. Língua muito áspera. Reflexo patelar exagerado. Urina clara, ácida, sem açúcar nem albume.

O paciente pergunta constantemente por mulheres. Diz que esteve doente durante a última semana e sofre de fortes dores de cabeça. Diz que teve alguns ataques. Sente-se excepcionalmente bem e exaltado durante os ataques. Gostaria de abraçar e beijar todos na rua. Gostaria de subir pelas paredes. É difícil concentrar a atenção do paciente em qualquer coisa definida; ele só fornece respostas fragmentadas e imperfeitas, ou nenhuma resposta.

Nenhum tremor ou disfunção na fala. O fluxo do discurso é constante, confuso e sem relações lógicas. Continua ao longo da noite. Com frequência em um estado de excitação maníaca. Conteúdo consideravelmente priápico. Ilusões de prostitutas em seu quarto.

Às vezes conversa normalmente, mas logo se desvia para piadas, danças, confusão e delírio. Ocasionalmente irrompe em cantos, falsetes e gritos.

11 de janeiro de 1889. O paciente não dormiu nada durante a noite, falou sem parar, levantou diversas vezes para escovar os dentes, se lavar etc. Muito cansado de manhã [...] À tarde, ao ar livre, fica em um contínuo estado de excitação motora; joga o chapéu no chão e às vezes se deita no chão. – Fala de forma confusa e ocasionalmente se repreende por ter sido a causa da ruína de várias pessoas.

12 de janeiro de 1889. Depois do sulfonal, quatro ou cinco horas de sono com diversas interrupções. Quando indagado sobre como se sente, responde que se sente tão incrivelmente bem que só poderia se expressar em música.

Depois de oito dias, surgiu uma espécie de padrão. Ficava mais quieto quando estava na cama. O comportamento maníaco, estridente e disruptivo era pior quando estava de pé. Dentro de casa os acessos eram vocais: *aggravato fortissimo*. Ao ar livre eram mais físicos, com tendência a rasgar pedaços da roupa e deitar no chão.

O professor Wille era uma autoridade em sífilis. Muitos de seus pacientes na clínica sofriam de sífilis no cérebro que podiam surgir nos estágios finais da doença. O diagnóstico parecia ser confirmado por uma pequena cicatriz no pênis e por Nietzsche ter dito que tinha "se infectado duas vezes". Foi deduzido que estava se referindo à sífilis. Eles não tinham acesso aos seus registros clínicos, que os teriam informado que mais cedo na vida, quando ainda estava em seu juízo perfeito e foi examinado pelo dr. Eiser, Nietzsche admitiu que havia sido infectado duas vezes por gonorreia.

Depois de oito dias, Wille estava confiante no diagnóstico de *paralysis progressiva*, paralisação progressiva e paresia geral, o colapso psicótico resultante dos últimos estágios da sífilis. Overbeck tinha agora a difícil tarefa de informar à mãe de Nietzsche que o filho estava em um asilo.

Ao receber a notícia, Franziska saiu imediatamente de Naumburg e foi para a Basileia, chegando no dia 13 de janeiro. Passou a noite com os Overbeck e na manhã seguinte foi até a clínica. Antes de poder ver o filho, precisou ser entrevistada pelos médicos. Teve de fornecer o histórico médico e familiar de Nietzsche.

"A mãe dá a impressão de uma inteligência limitada", diz o relatório. "Pai, um pároco do interior, sofreu de doença cerebral depois de cair da escada [...] Um dos irmãos da mãe morreu em um sanatório de doenças nervosas. As irmãs do pai eram histéricas e de certa forma excêntricas. – Gravidez e confinamento bastante normais [...]"[3]

Franziska ficou em dúvida quanto aos seus deveres e seu desejo. Queria cuidar do filho. Eles não a deixavam. Franziska Nietzsche era uma mulher franzina e frágil na casa dos sessenta anos cuja vida inativa não a dotara de muita força física. Seu filho mais alto tinha esqueleto forte, bem musculoso, irracional, fisicamente imprevisível e intermitentemente violento.

Não havia dúvida de que ele precisava mais do que cuidados maternais. Longe de Franziska desobedecer aos conselhos profissionais vindos de um membro do sexo masculino, mas ela conseguiu uma pequena vitória ao transferir Nietzsche para uma instituição psiquiátrica mais perto dela, em Naumburg, a clínica em Jena.

Mais uma vez, foi decidido ser necessário uma escolta profissional. Um jovem médico chamado Ernst Mähly foi escolhido. Como seria demais para um homem só, ele seria acompanhado por um ajudante. Mähly tinha sido aluno de Nietzsche na Basileia. Era um "adepto secreto e silencioso, cheio de reverência suprimida pelo demoníaco arauto da transavaliação de todos os valores", o criador de *Além do bem e do mal*.[4] Também conhecia Otto Binswanger, o diretor da Clínica de Jena para Cuidados e Cura de Insanos. De repente Mähly era com certeza o vínculo perfeito para aquela viagem. Sua mente deveria ter a maior chance de entender os fragmentos do quebra-cabeça do discurso e juntá-los em algum padrão que pudesse proporcionar pistas para ajudar o professor Binswanger. Uma nota de rodapé nesse episódio foi que, quando a vida de Ernst Mähly acabou em suicídio, seu pai pôs a culpa na influência de Nietzsche.

Na noite de 17 de janeiro de 1889, Nietzsche foi preparado pela segunda vez para uma ida à estação ferroviária que o levaria a um asilo. Dessa vez Overbeck não viajaria com ele, mas queria muito se despedir do amigo. Overbeck vivenciou seu segundo momento "horrível, inesquecível" quando viu o pequeno grupo andando pela estação ferroviária em silêncio como se fosse um cortejo fúnebre. Os passos de Nietzsche eram incomumente duros, como os de um autômato. Eram nove da noite e a iluminação ofuscante e artificial da estação conferia aos rostos concavidades que pareciam horríveis máscaras fantasmagóricas.

Quando a figura curiosamente rígida conseguiu subir os degraus da plataforma para o vagão, Overbeck embarcou no trem e entrou no compartimento reservado para se despedir. Ao vê-lo, Nietzsche emitiu um grunhido roufenho e pulou para abraçá-lo convulsivamente. Disse que Overbeck era o homem que ele amava mais que todos. Em seguida Overbeck desceu.

Três dias depois, Overbeck escreveu para Peter Gast dizendo se sentir atormentado por ter feito mal ao amigo. Ficara sabendo em Turim que estava tudo acabado. Não deveria ter feito truques insinceros e enganado seu querido amigo. Agora ele teria de lutar para carregar pelo resto da vida o terrível peso de ter entregado Nietzsche a um futuro de asilos. Deveria ter tirado a vida de Nietzsche lá mesmo naquele momento, em Turim.

Foi uma afirmação extraordinária para um educado professor de teologia, para quem assassinato era um grave pecado. Mas seu dilema moral foi ainda mais complicado quando passou pela cabeça dos dois amigos que Nietzsche poderia estar fingindo sua loucura. Tanto Gast como Overbeck sabiam da vontade de Nietzsche de dispensar as interpretações convencionais da realidade, seu interesse de toda uma vida na loucura e nos loucos, e como se sentia atraído pelo tumulto sagrado do deus orgástico. De Empédocles a Hölderlin, do louco procurando Deus com uma lanterna em *Zaratustra*, Nietzsche pensara muitas vezes que somente a casca frágil da loucura poderia levar a mente humana a atravessar o Rubicão que deveria ser atravessado para se alcançar a revelação. Era o preço a ser pago. A loucura era o único motor forte o bastante para impulsionar a mudança pela moralidade dos costumes. O "temível atendente", era a máscara e o trompete falante da divindade. Platão havia dito que só através da loucura as principais coisas boas chegaram à Grécia. Mas Nietzsche foi além. Todos os homens superiores que foram irresistivelmente atraídos a descartar o jugo das moralidades estabelecidas, se não fossem realmente loucos, não tinham alternativa a não ser fingir a loucura.

"Eu também estive no submundo, como Odisseu, e estarei aqui com frequência; e não sacrifiquei somente carneiros para conseguir falar com os mortos, pois também não poupei meu próprio sangue", escreveu. "Que os vivos me perdoem se às vezes eles me parecem sombras [...]".[5]

Chocados como estavam com a ideia de que o amigo poderia estar mergulhando no submundo vestindo a máscara da loucura para sair pelo outro lado, suas suspeitas não resistiram à realidade que observaram durante os catorze meses seguintes em que Nietzsche ficou confinado na clínica de Jena. Aquilo não era nenhuma máscara, nenhuma ilusão dionisíaca, nenhuma exaltação das musas, nenhum poderoso mistério do pensamento. Não tiveram dúvida de que estavam observando os últimos suspiros de uma mente se evaporando.

Nietzsche já havia visto a clínica de Jena uma vez, quando tinha quinze anos. A grande instituição chamou sua atenção numa viagem de verão em 1859, com seus contornos angulosos e sombrios que o inspiraram a escrever reflexões melancólicas e lúgubres em seu diário. Enquanto a clínica da Basileia era uma mansão de aparência sólida e burguesa, não diferente de Wahnfried em sua arquitetura e escala, a clínica de Jena era uma construção medonha, uma instituição com torres e seteiras de tijolos pretos e alaranjados. Seu interior ostentava proeminentes aparatos de segurança como trancas e cadeados, paredes acolchoadas em lugares incomuns e janelas gradeadas.

Nietzsche foi internado como paciente de "segunda classe", sem precisar pagar. A decisão foi nominalmente de Franziska, mas sem dúvida ela deve ter consultado Overbeck, que teria aconselhado cautela por causa da situação financeira. A pensão da Universidade de Basileia fora reduzida de 3 mil para 2 mil francos. Eles não faziam ideia de quanto tempo Nietzsche ficaria encarcerado. Acomodações de segunda classe foram com certeza uma medida prudente.

O diretor da instituição, professor Otto Binswanger, tinha estudado neuropatologia em Viena e em Göttingen. Ainda muito jovem – antes dos trinta anos – foi designado como diretor da instituição de Jena; também mantinha o cargo de professor de psiquiatria na Universidade de Jena. Escreveu inúmeros artigos sobre sífilis no cérebro e *dementia paralytica*. Também era especialista em psiquiatria e neuropatologia e seu pai já exercera cargos semelhantes. Não havia dúvida de que Nietzsche estava em uma das instituições de vanguarda em sua doença. Infelizmente, Binswanger não o examinou assim que ele chegou. O diagnóstico enviado com o paciente foi adotado: *paresis* e *dementia paralytica*, demência e paralisia progressivas resultantes de sífilis terciária.

A sífilis não era mais considerada como algo mandado diretamente por Deus como castigo por relações sexuais pecaminosas. Doença mental não era mais uma questão confinada a hospícios lotados e brutais, onde os internos eram tratados como animais de um bizarro e divertido cabaré. Ainda não havia cura, mas existiam tratamentos mais humanos. Calma, calma e sempre mais calma eram o remédio fundamental de Binswanger. Durante os catorze meses que passou no asilo de Jena, Nietzsche era sedado e massageado com linimento de mercúrio, um remédio centenário. Não havia esperança de cura ou recuperação. Tratava-se de uma doença incurável. Era apenas uma questão de esperar o paciente morrer. A expectativa era que acontecesse rapidamente, em um ou dois anos.

Dado o fato de Nietzsche ter sobrevivido por onze, além da ausência de alguns dos sintomas esperados da sífilis terciária, como perda de cabelo e necrose nasal, foi uma pena que Binswanger não tenha examinado Nietzsche pessoalmente para confirmar o diagnóstico.[6]

Durante todos esses meses Nietzsche continuou psicótico, delirante, agitado e incoerente. Fazia caretas e emitia gritos inarticulados sem qualquer motivo exterior. As ilusões de grandeza continuaram: falava de diplomatas, ministros e criados. Havia também delírios de perseguição. Viu uma espingarda apontada para ele atrás de uma janela e cortou as mãos quebrando o vidro tentando pegá-la. "Eles" o amaldiçoavam à noite e usavam dispositivos terríveis contra sua pessoa. Maquinários temíveis eram às vezes ligados nele. Os delírios eróticos continuaram. Certa manhã disse que estivera com 24 prostitutas à noite. Insistia em chamar o administrador-chefe de "príncipe Bismarck". Às vezes referia-se a si mesmo como duque de Cumberland, às vezes de Kaiser. Disse que tinha sido Frederico Guilherme IV "da última vez". Disse que a esposa dele, Frau Cosima Wagner, o havia trazido ali. Com frequência pedia ajuda contra torturas noturnas. Dormia no chão, não na cama. Retorcia-se. A cabeça pendia de lado. Comia demais. Em outubro, havia engordado mais de seis quilos. Tinha incontinência. Urinava no jarro de água. Esfregava-se nas próprias fezes. Às vezes conseguia beber a própria urina. Falava, gritava e gemia de forma enervante. Podia ser ouvido de longe durante a noite. Pelos brancos começaram a crescer no lado direito do bigode.

Nas aulas de Binswanger, Nietzsche era um dos pacientes usados como exemplo nas exposições. Não via isso como uma humilhação. Apesar de não saber o que estava fazendo lá, claramente se sentia um personagem importante. Agia com delicadeza com os atendentes da clínica, sempre expressando gratidão, agindo como um patrão bondoso com seus criados. Agradecia pela esplêndida recepção. Tentava constantemente trocar apertos de mão com o médico. Em algum lugar de sua mente reconhecia o médico como socialmente superior, assim como ele.

Quando Binswanger quis mostrar algumas perturbações no andar do paciente, Nietzsche andou tão devagar e letargicamente que os sintomas não puderam ser vistos. "Ora, Herr Professor", admoestou Binswanger, "um velho soldado como o senhor com certeza ainda consegue marchar!" Ao que Nietzsche começou a andar pela sala de aula com passos firmes.⁷

Havia intervalos de tranquilidade e de um charme patético. Ele pedia ao médico, com um sorriso: "Dê-me um pouco de saúde".

Nietzsche não tinha ideia de onde estava. Às vezes estava em Naumburg, outras em Turim. Conversava muito pouco com os demais pacientes. Roubava livros. Escrevia seu nome em pedaços de papel amassados. Mostrava-os e lia o próprio nome em voz alta: "Professor Friedrich Nietzsche", muitas vezes por dia.

Assim como tinha se apegado a uma touca de Davide Fino ao sair de Turim, agora se sentia extremamente possessivo de uma das toucas da clínica. Usava-a dia e noite e ninguém se atrevia a tirá-la dele. Deduziram que fosse sua coroa real. Ficava irritado e agitado quando revistavam seus bolsos depois de uma caminhada; gostava de enchê-los com pedras de todos os tipos e de outros pequenos tesouros.

Depois de seis meses de sedação, seu comportamento se mostrou suficientemente sob controle para deixarem que a mãe o visitasse. Franziska chegou no dia 29 de julho. Acharam melhor que não se encontrassem no quarto dele; tampouco na ala dos insanos, onde ele costumava passar o dia. Decidiram pela sala para visitantes. Nietzsche disse à mãe que era ali que ele fazia palestras diante de uma plateia seleta. Havia um lápis e alguns papéis por perto. Ele enfiou tudo no bolso, cochichando para a mãe de forma misteriosa, mas muito contente: "Agora eu vou ter algo a fazer quando me esgueirar para minha caverna".⁸

Mais seis meses se passaram com poucas mudanças. Em dezembro, um charlatão cabotino chamado Julius Langbehn entrou em contato com Franziska. Langbehn estava convencido de ser capaz de curar o filho dela. Mas precisava de controle total para praticar sua cura, e por isso seria necessário adotar Nietzsche legalmente. Langbehn era o autor best-seller do mais recente livro a apresentar uma cura para o estado de colapso da cultura alemã. O título, *Rembrandt como educador*, inspirava-se claramente em "Schopenhauer como educador" de Nietzsche. A solução de Langbehn para a crise alemã era uma volta ao cristianismo pé na terra como o representado pelas boas e incorruptas almas dos camponeses alemães retratados nas pinturas de Rembrandt. O fato de o pintor ser holandês não parecia incomodá-lo.

Langbehn tinha feito uma análise da Alemanha. O problema era que o país era culto demais. O professor e o especialista, com suas bolsas de estudos e sua chamada "expertise", deviam deixar de ser venerados. A isso se seguiria, assim como a noite segue o dia, o renascimento do espírito da Alemanha a partir da alma alemã, essencialmente boa. A sabedoria seria encontrada na terra, ao ar livre e nos corações simples do povo. A expulsão de influências estrangeiras estava implícita, especialmente as dos judeus. Seu livro foi a sensação literária de 1890. Foi reimpresso 29 vezes no primeiro ano da publicação. Depois foram acrescentadas duas extensas seções louvando duas *bêtes noires* de Nietzsche: o antissemitismo e o catolicismo romano. Langbehn também escrevia poemas, considerando-se melhor poeta que Goethe. Via a si mesmo como um "imperador secreto" cujos poderes de cura renovariam espiritualmente o império alemão. Bismarck o recebeu diversas vezes.

A "cura" de Nietzsche, o anticristo confesso, seria um lindo penacho no chapéu de Langbehn. Sua prestigiada teoria era de que "ateístas" como Shelley e "anticristos" como Nietzsche "são simplesmente colegiais gazeteiros que devem ser levados de volta à escola".[9] Ele preparou um documento legal para Franziska assinar: "Eu, a signatária, por meio desta confiro a guarda legal de meu filho Friedrich Nietzsche [...]" etc. Seu plano era levar Nietzsche a Dresden, onde as fantasias de realeza do paciente poderiam ser satisfeitas. Rodeado por uma corte e um séquito, Nietzsche seria tratado como um rei e como uma criança. Langbehn acreditava que conseguiria levantar dinheiro bastante para pagar uma grande mansão adequada, com mobiliário elaborado, roupas, regalias e cortesãos fantasiados (médicos e empregados domésticos) para manter a encenação. A ajuda de Franziska como enfermeira foi permitida contra vontade, mas somente sob as estritas condições e permissões de Langbehn.

Binswanger parecia estar tão deslumbrado pela celebridade nacionalista e populista quanto o resto do país. Permitiu que Langbehn fizesse caminhadas diárias com Nietzsche. Seu interminável proselitismo e suas tentativas de exorcismo acabaram enfurecendo tanto o paciente que Nietzsche virou uma mesa e ameaçou Langbehn com os punhos. Fortalecida pela opinião de Overbeck, Franziska reuniu coragem e se recusou a assinar o acordo de adoção. Foi o momento óbvio para os critérios de Langbehn superarem o seu valor. Ele retirou-se para Dresden para escrever poemas pornográficos, pelos quais seria processado por obscenidade. Mas *Rembrandt como educador* continuou sendo uma das primeiras pedras estruturais para as fundações ideológicas do Terceiro Reich. Hitler tinha um exemplar em sua biblioteca particular.[10]

Em fevereiro de 1890, a letargia e o comportamento de Nietzsche melhoraram a ponto de ter permissão de passar algumas horas com a mãe em seus melhores dias. Franziska alugou um apartamento em Jena. Toda manhã ela o visitava na clínica às nove horas. Estava convencida de que, se conseguisse ter a custódia de seu querido e bom garoto, ele poderia recuperar o juízo. O apartamento tinha um segundo quarto no andar de baixo, onde Franz Overbeck e Peter Gast se revezavam para ajudá-la.

Caminhadas de quatro ou cinco horas por dia sempre foram parte importante da rotina de Nietzsche. Na verdade, eram responsáveis pela força física e óssea observada pelos relatórios de ambas as clínicas. Franziska nunca foi muito praticante de caminhadas, mas, se este fosse o preço, não seria muito alto a ser pago. Ela o pegava pelo braço, ou ele a seguia um pouco atrás, às vezes parando para desenhar figuras no chão com seu bastão ou enfiar coisas nos bolsos. Enquanto Franziska se encantava com a obediência do filho, os dois amigos se sentiam horrorizados com sua docilidade infantil. Sempre havia uma ou duas esquisitices nas caminhadas. Nietzsche começava a fazer ruídos. Tentava bater em cachorros ou em estranhos. Tentava apertar a mão de pessoas que claramente o atraíam por alguma razão insondável. Esse comportamento assustava principalmente as damas.

Com frequência os dois iam até a casa de uma família chamada Gelzer-Thurneysen. Quando chegavam, Franziska pedia a Nietzsche para tirar o chapéu e entrar. Ele ficava perto da porta da sala de estar, intimidado, enquanto a mãe ia até o piano e começava a tocar. Em seguida ele se aproximava lentamente, atraído pela música. Finalmente punha os dedos nas teclas. Começava a tocar em pé, depois se sentava no banquinho para continuar. Franziska sabia que poderia deixá-lo sozinho, perdido na música. Enquanto ouvisse a música, não havia necessidade de estar na mesma sala para supervisioná-lo.

No dia 24 de março de 1890, Franziska conseguiu a custódia do filho. Ficaram seis meses no apartamento de Jena, mas um dia Nietzsche deu uma escapadela. Tirou as roupas na rua, possivelmente pretendendo nadar, e foi encontrado por um policial que o devolveu à mãe. O incidente a deixou com muito medo de que o filho fosse levado de volta ao asilo. Convenceu um dos Gelzer a ajudá-la a "contrabandear" o filho para a estação ferroviária, onde tomaram o trem para Naumburg. Alwine, a leal criada, saudou "o professor" com alegria. Nietzsche estava de volta à Weingarten 18, sua casa de infância.

A casinha de dois andares tinha a localização ideal para cuidar de um paciente desinibido: o jardim era pequeno, cercado e fechado com um portão. As janelas do andar térreo tinham persianas resistentes. Um dos lados da casa dava para um vinhedo; o outro ficava em frente ao muro da igreja de São Jacob.

Franziska continuava otimista com a cura por meio de caminhadas. Em geral Nietzsche a seguia em silêncio. Se ela visse um estranho se aproximando, simplesmente o virava para o outro lado e o pegava pelo braço para distraí-lo, apontando alguma paisagem. Uma vez passada a ameaça, podia virá-lo para o outro lado de novo. Se encontrassem algum conhecido e ela parasse para conversar, pedia para o filho tirar o chapéu. Enquanto a mãe trocava palavras gentis, ele ficava parado com o chapéu na mão. Se falassem com ele, fazia uma expressão de quem não compreendia. Quando o encontro acabava, Franziska dizia para ele pôr o chapéu e os dois retomavam a caminhada.

Quando garoto, Nietzsche se orgulhava de nadar no rio Saale "como uma baleia". Era uma recreação que sempre lhe dava grande prazer. Franziska achou que a lembrança física poderia ajudar na recuperação, mas teve que desistir depois de algumas tentativas. A excitação era demais: Nietzsche se tornava incontrolável.

Se estivesse tendo um dia mais irrequieto ou perturbador que o comum, o "filho querido" podia facilmente ser mantido dentro de casa. Não havia muitos vizinhos que pudessem ser perturbados por gritos e berros. Quando Nietzsche ficava insuportavelmente estridente e estrondoso, ela simplesmente punha alguma coisa doce em sua boca, como um pedacinho de fruta. Quando já havia mastigado e engolido, sua atenção mudava de foco e a vocalização violenta se transformava em grunhidos mais aceitáveis. Ele comia muito. Franziska dizia que ministrava cloral ou sedativos ao filho. Se era verdade, funcionava como um interruptor, uma regressão, enquanto a mãe recuperava total controle do filho amado, incontinente e obediente.

22
O ocupante vazio de quartos mobiliados

> Tenho um medo terrível de um dia ser definido como "sagrado". Não quero ser um santo, mas sim um palhaço [...] talvez eu seja um bufão.
> *Ecce homo*, "Por que sou um destino"

No Paraguai, Elisabeth recebeu a notícia do colapso nervoso do irmão no início de 1889, no momento em que o desapontado colono Klingbeil publicava seu livro denunciando o casal fraudulento e sua colônia.[1] Nem pensou em voltar para a Alemanha. Estava lutando pela sobrevivência da colônia enquanto refutava as acusações de Klingbeil em seus artigos para o *Bayreuther Blätter*, e estava lutando sozinha.

O casamento havia se transformado num campo de batalha. Förster passava seu tempo caçando dinheiro de uma ponta a outra do Paraguai, de San Pedro a San Bernardino e Assunção, tentando obter empréstimos para pagar empréstimos anteriores, com taxas de juros de arrepiar os cabelos, para adiar a inevitável bancarrota. Enquanto ele comprometia cada vez mais suas finanças, Elisabeth continuava em Nueva Germania, cheia de ressentimento com a ineficácia do marido, usando suas consideráveis habilidades para recrutar mais colonos na Alemanha. A cota combinada com o governo do Paraguai deveria ser preenchida até agosto daquele ano, ou a colônia estaria perdida.

Ao receber a notícia do colapso nervoso de Nietzsche, Elisabeth expressou mais pena de si mesma do que do irmão. Sim, ela tinha negligenciado seus deveres com o irmão. O pobre inocente! Nietzsche teria se saído muito melhor se ela tivesse ficado na Alemanha. Mas queria dizer à mãe – sem se gabar – que toda a fundação da colônia teria sido um empreendimento duvidoso e incerto sem ela. Sempre fora uma excelente esposa, enquanto Förster era um egoísta terrível que deixava todo o trabalho para ela e não se mostrava solidário com seu sofrimento.[2]

As acusações de Klingbeil pesavam muito na cabeça de Förster. Sempre à beira de um abismo financeiro, ele bebia demais. Finalmente, em 3 de junho, Förster desistiu da luta e se matou num quarto de hotel em San Bernardino, ingerindo uma mistura de estricnina com morfina.

Quando Elisabeth chegou ao local os jornais já haviam noticiado sua morte como suicídio por envenenamento por estricnina. Não fazia ideia de que Förster enviara um bilhete de suicida para Max Schubert, o diretor da Sociedade Colonial de Chemnitz: "[...] Este é meu último pedido: por favor, continue usando seus consideráveis talentos, sua força e seu entusiasmo juvenil a serviço do valioso empreendimento que comecei. Talvez prospere melhor sem mim do que comigo".[3]

Da mesma forma como Elisabeth havia inventado a história de que a morte do pai fora resultado da passagem de baldes combatendo heroicamente um incêndio na aldeia, agora ela usou seus grandes poderes de persuasão com o médico local para alterar a causa da morte para um ataque do coração devido ao estresse gerado pelas falsas acusações e as intrigas de inimigos.

Um mês depois Elisabeth escreveu para a mãe dizendo que era uma pena ela não estar com seu amado marido na ocasião, "ou eu poderia ter evitado o ataque cardíaco usando compressas e escalda-pés, como costumávamos fazer".[4] É difícil imaginar que até mesmo Elisabeth acreditasse ser possível evitar um ataque cardíaco com tais medidas.

Rapidamente ela construiu uma lenda para explicar a insanidade do irmão: o fato de ter sofrido um derrame causado por uma misteriosa droga javanesa desconhecida.

> Até onde me lembro, em 1884 ele [Nietzsche] ficou conhecendo um holandês, que recomendou um narcótico javanês, dando-lhe uma garrafa grande desse específico. A substância tinha gosto de um álcool forte e um cheiro bizarro – e também um nome bizarro que não consigo mais lembrar, pois sempre a chamamos de "o narcótico javanês". O holandês nos deixou impressionados avisando que só umas poucas gotas podiam ser tomadas de cada vez com um copo de água [...] Mais tarde, no outono de 1885, ele [Nietzsche] confessou que em certa ocasião tomou algumas gotas a mais, cujo resultado foi ter se jogado subitamente no chão com um acesso de riso convulsivo [...] Em uma carta para Gast ele fala de seus "esgares", que devem se aplicar à risada artificial provocada pelo narcótico javanês. Finalmente, meu próprio irmão deu uma pista de que apoia esta teoria. Nos pri-

meiros dias de sua insanidade ele confidenciava com frequência a nossa mãe que "tinha tomado vinte gotas" (ele não mencionou do *quê*) e que então seu cérebro "saiu dos eixos". Talvez sua miopia o tenha levado a despejar demais, isso pode ser responsável pelo terrível derrame.[5]

Elisabeth pagou a conta do finado marido no hotel de San Bernardino com a escritura de uma terra de que não era dona, e começou a organizar um funeral adequado a um herói guerreiro a caminho do Valhala. A carta que escreveu à mãe descrevendo o enterro de Förster lembra a carta em que descreveu sua entrada triunfal na colônia. "Sessenta cavaleiros seguiram o caixão e dispararam uma salva de tiros sobre o túmulo."[6] O relato mentiroso sobre seu suicídio fora publicado pela imprensa judia.

Elisabeth continuou no Paraguai, tentando arduamente levantar dinheiro para manter o controle da colônia, até que afinal, em agosto de 1890, perdeu a batalha. A propriedade passou para a Sociedad Colonizadora Nueva Germania en el Paraguay. Em dezembro ela voltou a Naumburg para obter apoio para recuperar o controle alemão da colônia. Franziska acreditou que ela estava voltando para cuidar do irmão.

Elisabeth chegou poucos dias antes do Natal. A mãe levou o irmão para recebê-la na estação. Franziska conduzia Nietzsche pelo braço, como uma criança. Ele andava rigidamente, como um soldado prussiano numa parada, agarrado a um buquê de rosas vermelhas. Franziska teve de lembrá-lo de entregá-lo a Elisabeth. Quando fez isso, Nietzsche recordou de quem era ela e a chamou de "Lhama". Naquela noite, quando ele já estava na cama, mãe e filha sentaram-se para conversar. Elisabeth ficou chocada ao ouvir altos uivos animais vindos do andar de cima.

Elisabeth continuou na casa da família, escrevendo inúmeras cartas, fazendo petições a sociedades coloniais e funcionários do governo e repreendendo organizações antissemitas pela falta de apoio. Mudou o nome usado para assinar seus artigos: "Eli Förster" virou "Frau Doktor Förster". Ela publicou seu primeiro livro, *Dr Bernhard Förster's Kolonie Neu-Germania in Paraguay*.[7] Rebatia as acusações de Klingbeil e apelava para que seus conterrâneos apoiassem uma viúva fraca e de coração partido a fundar uma corporação para comprar de volta as ações do desonroso estrangeiro. Quando o livro foi publicado, no final da primavera de 1891, os colonos que ainda estavam na Nueva Germania se sentiram particularmente indignados com a repetição das afirmações mentirosas originais de seu marido em relação à inimaginável fertilidade do solo e da maravilhosa abundância de água pura.

Durante os seis meses gastos para escrever o livro surgiu a questão dos livros não publicados do irmão, os últimos trabalhos escritos apressadamente em Turim. No final de março o gráfico e editor Naumann estava com *Zaratustra* IV impresso, encadernado e pronto para ser enviado às livrarias. Um exemplar foi mandado a Franziska. Ela e seu irmão Edmund Oehler, um clérigo desconhecido, tinham assumido a guarda legal de Nietzsche, mas Franziska não tinha pretensões literárias e deixou que Gast e Overbeck administrassem as questões de publicação numa base informal.

Ambos estavam convencidos da importância dos manuscritos não publicados, e incentivaram Naumann a imprimi-los. Mas quando *Zaratustra* IV foi mandado a Franziska, ela e Elisabeth ficaram chocadas e horrorizadas com trechos plenamente blasfemos. Elisabeth deixou Franziska assustada ao dizer que a mãe ficaria sujeita a processos criminais se o livro fosse publicado. Franziska e Oehler se recusaram a permitir a publicação. Isto deixou Naumann furioso: havia um novo clima no exterior, uma nova e agitada vanguarda extremamente interessada nos textos de Nietzsche.

Em 1888, finalmente o Kaiser Guilherme morreu, aos noventa anos. Dezessete anos antes, ele havia aceitado a coroa alemã na Galeria de Espelhos de Versalhes, para grande aflição e temor de Nietzsche quanto ao equilíbrio da Europa. Nos anos intervenientes, o Kaiser e o "Chanceler de Ferro" Bismarck ficaram famosos por forjar um Segundo Reich arquiconservador e repressivo impulsionado por industrialização, capitalismo, expansionismo inescrupuloso, pela Igreja Protestante, pelo conservadorismo artístico e a censura. Tudo isto tinha resultado em uma potência mundial de massa, congestionada, esclerótica, nacionalista, repressiva e autoritária – como Nietzsche temia que acontecesse. Mesmo quando sua mente já começava a falsear, Nietzsche não deixou de sentir horror pelo Segundo Reich. Os delírios megalômanos finais em Turim se basearam em seu imaginário poder de fazer com que o Kaiser, Bismarck e todos os antissemitas fossem fuzilados.

A última década do século deveria ter sido uma época de otimismo, uma era de inovação artística, como fora na França. Mas a alvorada do novo imperador, Guilherme II, fracassou em iluminar o horizonte alemão. Mesmo seu exército, que em 1914 o seguiria na Primeira Guerra Mundial, definia o novo

Kaiser em 1891 como "volúvel demais, caprichoso demais, principalmente nas pequenas coisas, com muitas observações incautas [...] Ele mesmo não parece saber o que quer. Rumores sobre distúrbio psicológico".[8]

A incerteza política coincidiu com uma espiritualidade apreensiva que sempre surge com a proximidade do fim de um século. Onde estava o revolucionário iconoclasta, perguntou o conde Harry Kessler, aluno da Universidade de Leipzig na época: "Um messianismo secreto se desenvolveu em nós. O deserto de que todo messias precisa estava em nossos corações, e de repente apareceu acima, como um meteoro, Nietzsche".[9] Foi para o estudante Kessler que os velhos militares desiludidos revelaram sua falta de confiança nas qualificações mentais e no temperamento do novo Kaiser.

Harry Kessler se movimentava pelos altos círculos militares, políticos e sociais de toda a Europa. Sua família era rica, a mãe era belíssima: quase todos supunham que fosse filho do Kaiser Guilherme I, uma suposição não verdadeira (o período não sincronizava) que não o prejudicava. Tanto Bismarck como o Kaiser o tratavam com o favoritismo de um jovem promissor a postos. Logo Harry Kessler se tornaria agente secreto e oficial na Primeira Guerra Mundial, embaixador da Alemanha em Varsóvia em 1918, ativista artístico, patrono das artes e curador de museus. Chegou de táxi com Nijinsky na primeira noite de *A sagração da primavera* e fecharia os olhos de Nietzsche no caixão. Era um cosmopolita irretocável. Se fosse capaz de compreender, Nietzsche teria aprovado que Harry Kessler se tornasse o fundador da curadoria dos arquivos Nietzsche.

Esbelto e elegante como um galgo, poliglota, erudito, extremamente bem relacionado, porém nunca um grão-senhor, em 1891 o estudante Kessler, com 23 anos, sentiu no ar o futuro nietzschiano. Durante os quarenta anos seguintes promoveu aquela nova visão através de teatros, editoras, estúdios de artistas e salas de desenho de duquesas da Europa até 1933, quando fugiu da Alemanha depois da ascensão dos nazistas.

Enquanto estudante universitário, no final dos anos 1880 e início dos anos 1890, Harry Kessler fazia parte da "geração Raskolnikov": aqueles que sofreram uma profunda influência do romance *Crime e castigo* de Dostoiévski. Kessler foi testemunha no julgamento de um colega estudante, filho de uma família rica, que matou a tiros a namorada proveniente das classes trabalhadoras, depois do que não conseguiu se matar porque o tiro no próprio peito foi mal direcionado.[10] Foi um ato niilista inspirado pelo livro de Dostoiévski, que causou uma impressão imensurável na primeira geração de desesperados pós-cristãos. Um surto de assassinatos desse tipo entre estudantes assolados pelo "grande desgosto", a vontade pelo nada, se tornou conhecido como "o efeito Raskolnikov", em referência ao anti-herói do livro de Dostoiévski.[11]

Nesse estado de espírito niilista do final do século, de pessimismo schopenhaueriano, desespero moral e de reflexões sobre pelo que valia a pena lutar, se é que havia algo, Kessler define Nietzsche como tendo um impacto tão profundo e disseminado quanto o causado por Byron na geração anterior.

Almas naufragadas procurando desesperadamente uma resolução entre o ceticismo e o desejo de paz, a geração aderiu à eliminação do sentido de sua posição ilusória fora da vida, substituindo-o pela própria vida. Veneravam Nietzsche como um verdadeiro espírito livre, uma voz solitária exaltando o individualismo, oferecendo uma alternativa tanto ao declínio da fé como ao ataque intenso da ciência à suposição antropomórfica do ego humano. Nietzsche havia criado para eles a possibilidade de haver sentido como algo totalmente pessoal e não, como dizia Johann Fichte, "um utensílio doméstico sem vida que se pode pôr de lado e pegar quando quiser". Se a fé estava morta, a filosofia permanecia válida em sua capacidade de justificar a própria alma da pessoa que a adotava e adaptá-la.

O livro que mais impressionou Kessler foi *Além do bem e do mal*, com seu argonauta do espírito navegando por mares não mapeados em busca de uma nova maneira de interpretar o mundo e de novos valores morais para se situar nas circunstâncias modernas. Matar Deus, sim, mas colocar o *Übermensch* em Seu lugar. O *Übermensch* como resultado de uma batalha metafísica pessoal motivada pela vontade de potência existente em tudo e em todos – embora a batalha que descreva não seja necessariamente contra os outros, mas contra as emoções mesquinhas de si mesmo, como a inveja e o ressentimento.

O *Übermensch*, mais que a vontade de potência, foi o conceito que tornou *Zaratustra* um texto extremamente cultuado no final do século. Um livro que abria caminhos para a vanguarda, oferecia uma saída para o impasse e a decadência. Santificava a terra sem necessidade de uma justificativa usando o céu e o inferno. Nietzsche opôs a dança da alegria dos deuses helênicos à dependência da Igreja responsável pela degeneração e redução do homem cristão europeu ao perfeito animal de manada. *Amor fati* lançou a corda sobre o abismo niilista, sobre os séculos de inveja e *ressentiment* que tinham arrastado o indivíduo ao nível do *Untermensch*.

Harry Kessler escreveu: "Precisamos lutar não pela companheira piedade, mas pela companheira alegria, pelo maior enaltecimento possível da quantidade de alegria, e portanto da força vital no mundo [...] O pensamento é fundamentalmente o cerne da filosofia nietzschiana".[12] Três anos depois de se formar na universidade, Kessler se sentiu apto a escrever: "Provavelmente não existe hoje na Alemanha um homem minimamente culto de vinte a trinta anos que não deva a Nietzsche uma parte de sua visão de mundo, ou que não tenha sido mais ou menos influenciado por ele".[13]

Determinado a tirar vantagem dessa maré de atenção e obter grandes vendas dos livros, em 1891 Naumann imprimiu segundas edições de *Além do bem e do mal*, *O caso Wagner* e *Genealogia da moral*. Elisabeth apelou para a Justiça. Continuava morando em Naumburg, ajudando a mãe a cuidar de Nietzsche em casa, e adiou sua volta ao Paraguai até Naumann aceitar um acordo muito satisfatório de pagar a ela 3.500 marcos para publicar os livros restantes. Percebendo que Peter Gast era a única pessoa realmente capaz de ler os manuscritos que seriam transformados em livros, Elisabeth o designou como editor e fez arranjos preliminares para uma edição barata da coletânea das suas obras antes de partir para o Paraguai, em julho de 1892, para cuidar de seus negócios.

Seu retorno à colônia, juntamente com as ultrajantes afirmações feitas em seu novo livro, irritaram tanto os colonos que eles escreveram a Max Schubert, diretor da Sociedade Colonial Chemnitz e homem a quem Förster tinha escrito seu bilhete de suicídio na véspera de sua morte. Os colonos informaram a Schubert que o período de Elisabeth na pátria mãe não servira em nada para curá-la de sua megalomania. Ao contrário, eles a consideravam uma pessoa mais presunçosa e dominadora que nunca.

Estabeleceu-se um impasse em Nueva Germania. Elisabeth continuou morando na Försterhof, com suas cozinheiras e criadas, trocando cartas acrimoniosas com os colonos através de terceiros e colunas de jornal até abril, quando conseguiu vender a mansão para um certo barão Von Frankenberg-Lüttwitz. Assim, conseguiu recuperar parte de seu dote que havia enterrado no empreendimento do Paraguai. Com o dinheiro garantido, pediu a Franziska para mandar um telegrama informando a necessidade de voltar urgentemente para casa para cuidar do irmão doente.

O *Colonial News* publicou o que se resumia em uma ordem de expulsão: "A primeira exigência para um melhoramento efetivo nos negócios da Nueva

Germania é a exoneração de Frau Doktor Förster". Graças ao telegrama da mãe, quando a nota foi publicada, Elisabeth já tinha saído da colônia para cumprir seu ato de piedade para com o irmão.

Em setembro de 1893, ela voltou do Paraguai para Naumburg, e então a dra. Elisabeth Förster se tornou Elisabeth Förster-Nietzsche.

Foi um ano importante, durante o qual a obra de Nietzsche estourou na vanguarda artística de Berlim e Paris, com grande influência na pintura, na dramaturgia, na poesia e na música. Os escandinavos acenderam o fogo nietzschiano: o crítico literário Georg Brandes já havia disparado a faísca com suas palestras em 1888, alertando o mundo e relacionando o dramaturgo sueco August Strindberg a Nietzsche. Como resultado direto, antes de o ano acabar, Strindberg escreveu a peça teatral *Senhorita Júlia*, que superou a peça anterior de Henrik Ibsen, *Fantasmas*, como a peça proibida em mais locais da Europa e nos Estados Unidos, condenada pela censura a ser apresentada apenas em palcos experimentais e em teatros de clubes privados. Enquanto *Fantasmas* tinha levado ao palco o tema da sífilis, *Senhorita Júlia*, a história de uma aristocrata e o valete do pai, era infinitamente mais perturbadora. Não apresentava uma crise física, como a sífilis, mas era um psicodrama nietzschiano, seguindo com precisão forense os campos de força de submissão e controle provocados pelo *ressentiment* mútuo e o conflito de vontade de potência entre o *Übermensch* e o *Untermensch*, representados pelo impulso dionisíaco do sexo.

Em 1892-3, Strindberg estava morando em Berlim e espalhando a fama de Nietzsche em um dissoluto círculo boêmio e cosmopolita conhecido como *Zum Schwarzen Ferkel* (Os porquinhos pretos), batizado em referência ao bar favorito onde bebiam. O pintor norueguês Edward Munch fazia parte do círculo, e Strindberg o apresentou aos textos de Nietzsche com tanta ênfase que Munch pintou *O grito*. O quadro captou o espírito da época como nenhuma outra obra: Munch produziu o ícone definitivo do terror existencial ao contemplar as consequências da morte de Deus e a subsequente responsabilidade do homem de encontrar sentido e significado na vida. Reproduzido rapidamente em litografias e gravuras, inundou as galerias e revistas da Alemanha e de Paris.

A quarta contribuição individual à crescente fama de Nietzsche foi Lou Salomé. Em 1889, Otto Brahm abriu seu teatro experimental, o Freie Bühne, em Berlim, e um ano depois lançou o jornal *Die freie Bühne für modernes*

Leben [O Palco Livre da Vida Moderna].[14] Lou, agora uma celebridade por méritos próprios, morava ao lado da casa de Brahm e escreveu copiosos artigos sobre Nietzsche, que foram publicados com regularidade no jornal. Seus artigos aumentaram o interesse por Nietzsche, e em 1894 ela publicou um dos primeiros grandes estudos sobre sua vida e sua obra, *Friedrich Nietzsche in seinen Werken*.

A obra de Nietzsche estava apresentando um grande e imediato impacto nas artes dos anos 1890 também. O que na verdade foi impingido a Nietzsche por sua doença – suas explosões curtas, aforísticas e em geral não sequenciais que à primeira vista pareceram desorganizadas e inacabadas – foi assumido como uma forma moderna direta e cativante de comunicação. As peças de Strindberg são notórias por terem ejetado as unidades de tempo teatrais clássicas da época, espaço e ação, e por serem incompreensíveis nas páginas em razão de não seguirem uma progressão lógica, mas se mostravam eletrizantes no palco pela mesma razão. Munch não limpava gotas ou manchas de tinta; deixava áreas inteiras de tela sem pintar. Era o equivalente pictórico do poderoso efeito do vago vislumbre, a característica sugestiva do aforismo que Nietzsche havia descoberto em Sorrento, e sobre o qual construiu a estratégia extraordinariamente moderna do "filósofo do talvez", uma posição que lhe dava o poder de terminar um aforismo, uma linha de pensamento ou até um livro inteiro com uma elipse, deixando a conclusão a cargo do leitor. enquanto, ao mesmo tempo, reconhecia que a verdade objetiva não é sequer concebível para os humanos, sendo a batalha por ela uma mera ilusão.

Em 1893, Elisabeth chegou à provinciana Naumburg e encontrou a extraordinária cacofonia do interesse internacional pela obra do irmão.

Sua primeira tarefa foi organizar uma vasta quantidade de papéis. Franziska preservara fielmente as cartas e textos do filho. Além disso, havia todo o material que Overbeck tinha organizado adequadamente para ser entregue a Franziska quando ela trouxe Nietzsche de Turim. O arquivo sentimental reunido pela mãe durante toda uma vida havia se agigantado com os papéis que fizeram parte da bagagem de Nietzsche durante anos: cadernos de notas, anotações soltas, longos esboços rudimentares abandonados, cartas recebidas, rascunhos de cartas enviadas e rascunhos de cartas jamais enviadas.

Elisabeth derrubou uma parede no andar térreo da casa da mãe. Decorou o aposento ampliado com entalhes dos animais de Zaratustra: a serpente, o leão e a águia. Esta última era muito parecida com a águia imperial alemã. Ela o chamou de arquivo Nietzsche e começou a se empenhar em construir uma nova lenda, para a qual seu esforço de promoção de Förster a um profeta de hombridade heroica fora um mero ensaio interrompido.

Escreveu aos que se correspondiam com Nietzsche exigindo as cartas e outros materiais que possuíssem, alertando que os direitos autorais pertenciam ao arquivo. Só Cosima Wagner e Franz Overbeck não atenderam. Cosima conhecia bem os talentos e inclinações de Elisabeth. A versão de Elisabeth da verdade em relação à interação entre Nietzsche e Wagner provavelmente não era a mesma que ela tinha. O arquivo Nietzsche não receberia nenhuma colaboração dela. Elisabeth interpretou essa reação como uma vingança feminina e rivalidade de Cosima com o arquivo, que continuou organizando seu próprio e extremamente bem-sucedido arquivo Wagner em Bayreuth.

Quanto à recusa de Overbeck de entregar seus papéis: ele não tinha razões para cooperar, por ter sido por longo tempo o destinatário de confidências de Nietzsche em relação às suas doenças encadeadas e seu ódio e desprezo pela irmã. A recusa de Overbeck aprofundou a antiga rixa de Elisabeth com ele, originária de sua falta de apoio quanto ao caso Lou e agravado por seu conselho de que Nietzsche não investisse na Nueva Germania. Overbeck se tornou um arqui-inimigo. Provavelmente "era judeu". Ele e Franziska eram responsáveis pelo atual estado de Nietzsche. Elisabeth não sentia mais do que desdém pela atitude dos dois quando Nietzsche ficara doente pela primeira vez. Deveriam tê-lo levado a um hospital e não a um asilo. O dentista que Overbeck encontrara para acompanhar Nietzsche de Turim à Basileia era judeu e uma fraude (de fato ele era meio-judeu). Elisabeth se correspondia com Langbehn e se aliou a ele contra a mãe. Se Overbeck e Franziska tivessem pagado por um tratamento de "primeira classe" o resultado teria sido completamente diferente.

Peter Gast era outro com um conhecimento profundo e detalhado do passado. Ingenuamente, ele confidenciou a Elisabeth que estava pensando em escrever uma biografia de Nietzsche. Ela afirmou com todas as letras que ninguém além dela era qualificado para fazer isso e o demitiu como editor do arquivo. Nomeou Fritz Kögel[15] em seu lugar, um filólogo e músico catorze anos mais novo que ela, com quem tinha passado uma noite flertando. Kögel era um bonitão de charme romântico, frequentador de salões e de cabelos revoltos e desgrenhados. Não conseguia ler a caligrafia de Nietzsche, mas não importava. Durante os primeiros anos o arquivo era para todos os efeitos um salão onde Elisabeth organizava recepções, enquanto o editor-chefe Kögel a lisonjeava, flertava com ela e cantava ao piano para entreter os convidados. Acima do piano havia três retratos: uma fotografia de Nietzsche, um cavaleiro de Van Dyck e *O cavaleiro, a morte e o diabo* de Dürer. De vez em quando, grunhidos animalescos vindos do andar de cima perturbavam a atmosfera de refinamento civilizado.

À medida que a paralisia progressiva se alastrava pelo cérebro e pelo corpo, os surtos se tornaram violentos e imprevisíveis demais para Franziska continuar seu programa de caminhadas terapêuticas ao ar livre. Nietzsche, que adorava perambular por altas montanhas, encontrava-se agora confinado a dois quartos no segundo andar da casa com uma pequena varanda fechada. Com frequência tinha de ser levado pelos poucos degraus que ligavam seu quarto à varanda; nem sempre ele conseguia encontrar o caminho sozinho. Seus exercícios diários eram os de um animal enjaulado. Andava para a frente e para trás pela varanda, cheia de plantas para não ser visível ao mundo exterior. Franziska temia que seu amado filho insano fosse descoberto pelas autoridades e afastado dela.

Dormia a maior parte da manhã. Depois de ser banhado e vestido, passava o resto do dia no outro quarto, sorumbático e imóvel por horas. Às vezes brincava com bonecos e outros brinquedos. A mãe lia em voz alta para ele enquanto sua voz resistisse. Ele não entendia as palavras, mas gostava de ouvir o som. Não gostava de visitas. Opunha-se violentamente quando o barbeiro vinha aparar sua barba e o bigode ou massagistas eram contratados para estimular a circulação de seus músculos atrofiados. Apesar de serem visitantes regulares, Nietzsche estava convencido de que vinham prejudicá-lo. Para conseguir que concordasse, Franziska o acariciava afavelmente e punha porções de doces em sua boca. Às vezes recitava canções de ninar. Ocasionalmente ele se lembrava de antigos trechos e cantava com ela. Franziska e sua leal governanta Alwine ficavam com medo quando ele se mostrava estridente e agressivo, mas o medo de que fosse tirado delas superava a aflição causada pela luta física para subjugá-lo.

Franziska anotava periodicamente os "dizeres de meu filho doente". Em 1891, Nietzsche ainda se lembrava do pomar de sua casa de infância em Röcken. Conseguia enumerar os diferentes tipos de árvores frutíferas.

Também se lembrava da biblioteca no final do corredor e de uma explosão de pólvora que tinha quebrado todas as vidraças. Ao se recordar disso ele ria muito, depois do que dizia seriamente: "Bem, pequena Lisa, seu garoto que toma banho, o seu querido, está salvo. Estou com ele no bolso da calça". Mas depois disso os esporádicos registros de Franziska revelam as pequenas mechas de memória se esfiapando e se atenuando com o passar dos anos. Em 1895, quatro anos depois de ainda conseguir dar nome às árvores frutíferas, já não era mais capaz de feitos como lembranças de seus dias de infância. O pensamento reativo tinha se acabado. A mãe se recorda de um incidente típico, quando perguntou se queria comer e ele respondeu: "Eu tenho uma boca para isso? Devo comer isto, quero dizer, minha boca? Eu quero comer [...] O que é isto aqui? Uma orelha. O que é isto aqui? Um nariz. O que é isto aqui? Mãos que eu não amo". Mas em algum lugar em seu cérebro labiríntico ainda permanecia, se não algum tipo de lembrança, ao menos uma sombra esmaecida do que já fora: se alguma coisa o agradasse ou a achasse bonita, ele a chamava de "um livro", e perguntava se ele era bobo. "'Não, meu querido filho', eu digo a ele, 'você não é bobo, seus livros agora estão abalando o mundo.' 'Não, eu sou bobo.'"

Infelizmente, parece que foi o mais próximo que Nietzsche chegou de vislumbrar que houve época em que ele teve uma grandeza.

No dia 15 de outubro Nietzsche completou cinquenta anos. Naumann depositou 14 mil marcos na conta dele. Finalmente seus livros estavam vendendo, mas ele não fazia a menor ideia.

Seus velhos amigos desejaram feliz aniversário, mas ele não sabia quem eles eram. Naqueles dias ele só reconhecia a mãe, a irmã e a bondosa Alwine. Overbeck o definiu como nem feliz nem infeliz, parecendo, de forma meio assustadora, alheio a qualquer coisa. Paul Deussen trouxe um buquê de presente de aniversário. Por um momento as flores chamaram sua atenção, mas ele logo as esqueceu. Deussen lhe disse que ele estava então com cinquenta anos, mas as palavras não significaram nada. Só ficou animado quando o bolo chegou.

O ano seguinte foi caracterizado por uma excitabilidade terrível, acompanhada de gritos e grunhidos alternados por períodos de total prostração. Uma das visitas de Overbeck coincidiu com uma fase dessas. Encontrou Nietzsche na mesma posição em que o encontrara em Turim, meio agachado no canto de um sofá. Os olhos pareciam sem vida. Fez Overbeck pensar em um animal mortalmente ferido, encurralado e ansiando pela própria morte.

Overbeck nunca mais viu Nietzsche depois desse dia. Elisabeth acusou-o publicamente de ter roubado parte dos trabalhos não publicados. A verdadeira causa de sua recusa a entregar as cartas, que Elisabeth sabia, era por conterem referências desairosas a ela e não necessariamente corroborar sua versão dos acontecimentos. As cartas acabaram sendo publicadas em 1907-8, mas só depois de Elisabeth ter levado o caso aos tribunais e obtido um veredito que estipulava que os trechos em disputa seriam substituídos por espaços em branco, uma censura que lhe rendeu uma reputação pouco confiável.

A situação acabou ficando insustentável entre mãe e filha. O contraste dentro de casa entre Franziska e Alwine cuidando do inerte Nietzsche no segundo andar e o salão vívido e musical de Elisabeth no térreo era intolerável.

Elisabeth escreveu uma carta de dez páginas denunciando Franziska como incapaz de cuidar de Nietzsche. Ela queria se tornar sua curadora e transferir o irmão para um novo arquivo junto com suas obras, mas o médico da família se recusou a apoiar a acusação de Elisabeth contra a mãe.

Franziska ficou compreensivamente magoada. Sentiu-se mais magoada ainda quando Elisabeth produziu o primeiro volume da biografia do irmão, em 1895, *A vida de Nietzsche*. Franziska ficou chocada com o livro. Queixou-se de que mal reconhecia qualquer verdade na narrativa. Mas como Franziska mal era alfabetizada (como Binswanger havia notado na clínica de Jena), não teve recursos para refutar a impressão da história da filha. Franziska nunca cultivou contatos influentes que pudessem acorrer em sua defesa. Overbeck a apoiou, mas já havia se retirado totalmente da odiosa contenda ao doar as cartas que Elisabeth tanto cobiçava para a Universidade de Basileia. Bem ao seu feitio, Overbeck deixou o julgamento para a posteridade.

Em dezembro de 1895, Elisabeth elaborou um contrato que lhe concedia os direitos autorais dos papéis e manuscritos de Nietzsche. Ofereceu à mãe 30 mil marcos por todos os direitos e royalties das obras do filho. Franziska aceitou com relutância. Não queria dar à filha o poder total sobre o espólio literário, mas, por outro lado, o dinheiro deveria ser suficiente para garantir um futuro seguro para ela e o filho. Não era uma grande quantia em comparação ao arrecadado com a venda dos livros, considerando que já haviam rendido quase metade dessa soma no ano anterior. A admiração pelo trabalho de Nietzsche estava agora tão disseminada que Elisabeth não teve problemas para levantar o dinheiro. Três abastados admiradores de seu irmão providenciaram a quantia: a velha amiga Meta von Salis-Marschlins, um banqueiro chamado Robert von Mendelssohn, que era judeu (o antissemitismo de Elisabeth não incluía nenhum escrúpulo financeiro), e o conde Harry Kessler.

Desde então e até a morte de Elisabeth, em 1935, ela controlou o acesso e a publicação, edição e direitos autorais de todas as obras de Nietzsche, assim como as cartas escritas para e por ele. Colocou-se numa posição em que podia exercer a censura que desejasse, alterar os textos e a história da vida do irmão e receber direitos autorais por tudo que permitisse ser publicado.

Em abril de 1897, o *Sturm und Drang* entre mãe e filha finalmente explodiu. Cansada e infeliz, Franziska morreu aos 71 anos, provavelmente de câncer no útero. Elisabeth ganhou o controle sobre a pessoa de Nietzsche, além do de sua obra.

A primeira coisa a fazer era mudar Nietzsche e os arquivos para um local mais apropriado. Naumburg era um fim de mundo. Considerou que Weimar seria uma solução; lá ele poderia ocupar seu lugar no panteão da cultura alemã.

Weimar tinha se transformado na sede das musas da Alemanha com a chegada de Goethe, em 1775. A transformação em "nossa Atenas alemã" foi completada pelos grandes homens das letras da era de ouro: Fichte, Herder, Von Humboldt, Schelling, Schiller e Wieland. Em 1848, Liszt assumiu o manto cultural, instituindo uma era de prata ao formar uma associação cultural, a *Neu-Weimar-Verein*, e dirigindo as primeiras produções de óperas de Wagner no teatro público.

Os arquivos de Goethe e Schiller estavam guardados em Weimar, e Elisabeth calculou que partilhar dessa glória aumentaria ainda mais a chance do arquivo Nietzsche se igualar ao arquivo Wagner de Cosima em Bayreuth, pelo qual ela nutria admiração invejosa.

Vender uma casa pequena em Naumburg e comprar uma grande em Weimar exigia dinheiro. Meta von Salis-Marschlins pagou com prazer. Como retribuir de melhor forma os verões que tinha passado com Nietzsche em Sils Maria? Enquanto Meta só o havia ensinado a remar um bote no lago Silvaplana, em troca Nietzsche a ensinara que uma mulher também podia se tornar um *Übermensch*.

Meta descobriu a recém-construída vila Silberblick,[16] uma feia mansão quadrada de tijolos ao sul da periferia de Weimar. Era menor que Wahnfried, mas não havia necessidade de acomodar um salão de concertos e era grande o suficiente. A glória da vila Silberblick era sua localização; seu nome vinha de sua visão prateada. Era, e ainda é, situada no alto da suave ladeira da Humboltstrasse, com uma bela vista da cidade, e portanto de uma das mais belas paisagens neoclássicas da Europa, criada por Goethe quando retornou de sua viagem à Itália. Goethe, assim como Nietzsche, era um apaixonado pela *campagna*, a zona rural ao redor de Roma, e com suas representações nas telas de Claude Lorrain. Quando voltou para casa, Goethe se propôs a transformar os contornos ondulados do planalto de Weimar em uma versão em miniatura da Arcádia. Prados foram transformados em campos elísios. Templos e grutas foram cravadas nas curvas do rio Ilm. A vista das janelas da vila Silberblick se estendia pelo menos por dezesseis quilômetros dessa recriação da adorada paisagem que havia inspirado Nietzsche, quando estava apaixonado por Lou, a compor "O canto da noite".

A varanda de dois andares da vila Silberblick foi o lugar onde Nietzsche ficou quase todos os dias durante os três anos que compreenderam o resto de sua vida. Se seus olhos fossem capazes de vê-la, o que não é nada certo, ele teria sido lembrado da *campagna* e da paisagem da subida do monte Sacro com Lou que mudou sua vida, espalhado na planície da Turíngia e sombreando com seus limites as reentrâncias onduladas da floresta de Ettersberg.

Para Meta, pareceu uma excelente localização para seu querido amigo. Ela comprou a mansão e o terreno por 39 mil marcos. Sem informá-la, Elisabeth embarcou num extravagante programa de reformas, jogando um banheiro aqui, uma sacada ali e mandando a conta para Meta, que ficou indignada ao ser cobrada por melhorias cosméticas e desnecessárias. Mas o que ela considerou ainda pior foi a mania de Elisabeth por publicidade. Meta leu o artigo de um jornalista descrevendo como Nietzsche era posto em exposição para angariar fundos: primeiro dormindo, depois acordado, em seguida agachado numa cadeira sendo alimentado com pedaços de bolo. Foi demais para ela. Meta rompeu definitivamente.[17]

Em julho de 1897, com as reformas concluídas, Elisabeth organizou uma viagem noturna secreta muito bem divulgada. O filósofo foi transportado numa cadeira de rodas de trem de Naumburg para Weimar, chegando à estação por uma entrada particular, aberta especialmente para isto. Normalmente reservada para uso exclusivo do grão-duque de Saxe-Weimar. Desde o momento de sua chegada, Elisabeth nunca foi vista pela cidade andando a pé. Só se transportava de carruagem, acompanhada de um cocheiro e um lacaio na boleia.[18]

Um dos primeiros visitantes foi o conde Harry Kessler. Ao chegar, em agosto, ficou surpreso ao ser recebido na estação por um criado uniformizado ostentando a coroa de cinco pontas da nobreza e botões dourados.[19] Kessler tinha vindo para falar sobre *Assim falou Zaratustra*. A peça musical de mesmo nome de Richard Strauss havia estreado no ano anterior, causando grande sensação. Kessler propôs uma edição de luxo de *Zaratustra* para bibliógrafos. Também queria apressar a publicação de poemas posteriores, assim como de *Ecce homo*, que ainda não havia sido publicado. Elisabeth não reagiu bem. Além de suprimir trechos desairosos sobre ela em *Ecce homo*, preferia lançar pequenos fragmentos parcimoniosos do livro em seus artigos autobiográficos sobre o irmão. Isso preservava sua privilegiada posição como guardiã do portal, a única com acesso à valiosa autobiografia: uma arma muito poderosa a ser usada para silenciar qualquer um que pudesse questionar (sombras do caso Klingbeil) a autenticidade do que o arquivo revelava. Elisabeth se agarrou ao texto de *Ecce homo* por mais onze anos, sem permitir sua publicação. Mesmo então, só deixou que Kessler o publicasse no que é conhecido como "a edição do diretor do banco", uma tiragem de luxo limitada com design de Van de Velde e impressa com tinta preta e dourada, que lhe rendeu 29.500 marcos.

Na primeira visita de Harry Kessler à vila Silberblick, Elisabeth estava mais interessada em discutir os preparativos adequados para o funeral de Nietzsche, que ainda estava bem vivo no andar de cima. Já tinha resolvido que seu irmão deveria ser enterrado no terreno da casa, como Wagner fora enterrado em Wahnfried, mas as autoridades municipais estavam criando dificuldades. Harry Kessler achou que a península de Chastè, em Sils Maria, seria um lugar mais apropriado, mas a ideia não entusiasmou Elisabeth. No entanto, ela lhe ofereceu a editoria do arquivo. Ele não aceitou, a despeito do cativante charme com que Elisabeth, com 51 anos, fez a proposta a Kessler, 29 anos mais novo.

Elisabeth era positivamente vienense em seu amor a flertes com jovens atraentes com metade de sua idade. O primeiro editor do arquivo, Fritz Kögel, foi demitido quando se apaixonou e ficou noivo de uma garota mais ou menos da mesma idade dele. Elisabeth contratou então o jovem Rudolf Steiner, que depois se apegou ao culto religioso teosófico de Madame Blavatsky antes de fundar sua própria mixórdia de "ciência espiritual" chamada antroposofia, baseada em visões durante a juventude. Além do trabalho editorial dos arquivos de Nietzsche, Elisabeth empregou Steiner para instruí-la na filosofia do irmão, mas foi um caso de visionário excêntrico fracassando no ensino da obstinada Lhama. Steiner desistiu, dizendo-se incapaz tanto de dar instruções como de compreender a filosofia de Nietzsche. As duas coisas eram provavelmente verdade.

A recusa de Kessler deixou o arquivo precisando de um editor. Uma avalanche de papéis havia chegado recentemente de Sils Maria. Quando Nietzsche saiu de lá pela última vez, seu quarto na casa de Gian Durisch estava cheio de todos os tipos de notas e rabiscos. Nietzsche disse a Durisch que eram bobagens, que ele deveria queimar tudo. Durisch chegou a colocar tudo num guarda-louça, mas, antes de fazer uma fogueira, peregrinos chegaram para caminhar pelas montanhas para tocar na pedra de Zaratustra. Eles acabaram ficando com as relíquias sagradas, embora os textos dissessem coisas como "Esqueci o meu guarda-chuva"[20] ou especulassem sobre os diferentes significados do Cristo crucificado e de Dionísio feito em pedaços. Quando Elisabeth ficou sabendo, exigiu que tudo fosse mandado para Weimar, onde se juntaram à montanha cada vez mais alta do espólio literário, o *Nachlass*.

Afinal Elisabeth teve que engolir o orgulho e trazer de volta Peter Gast como editor. Era realmente o único que conseguia ler os últimos textos, o que era vital para a ambição de Elisabeth de transformar o caótico *Nachlass* em um livro de sua autoria e publicá-lo com o nome de Nietzsche. Seu plano era dar o título de *A vontade de poder* e apresentá-lo como sua obra-prima, sua reavaliação de todos os valores. Não tinha dúvida de que a partir dos fragmentos de *Nachlass* ela poderia criar o livro que, em certas ocasiões durante seu último ano de sanidade, Nietzsche mencionara estar pensando em escrever, ou que já havia escrito, ou que não precisava mais escrever depois da conclusão de *O Anticristo*.

Nietzsche nunca foi rico. Tinha o hábito parcimonioso de um homem pobre de usar o mesmo caderno de notas vezes e mais vezes até estar cheio. Quando não há marcas de deterioração na caligrafia, normalmente não existem pistas sobre a cronologia ou a sequência de pensamentos. Às vezes ele escrevia de frente para trás, às vezes de trás para a frente. Páginas e trechos eram riscados ou reescritos por cima. Pensamentos profundos dividiam a página com listas de compras garatujadas.

Enquanto Gast trabalhava no *Nachlass*, a vila Silberblick se transformou num local de peregrinação onde os textos de Nietzsche, fotografias e incunábulos eram expostos ao lado de véus emoldurados, artefatos folclóricos paraguaios e um busto do pioneiro dr. Förster, herói de nobres causas do arianismo e da colonização antissemita. Elisabeth organizava um salão aos sábados e diversas festas nos intervalos. Os visitantes animavam-se em estar cientes de que acima deles, "separados apenas por uma camada de vigas", como observou um deles, encontrava-se o ídolo Nietzsche-Zaratustra. Aos visitantes especiais era permitido um vislumbre da figura no segundo andar, agora sempre usando um roupão de linho branco até os pés e de mangas compridas, emprestado da iconografia sagrada.

O visitante mais suscetível achava fácil imaginar Nietzsche divinizado, e começaram a surgir relatos quase religiosos na imprensa. Em geral focados nos olhos dele. O sublime príncipe do intelecto tinha olhos com a capacidade mística de enxergar mais fundo no abismo do coração humano e mais alto nos picos gelados que os de qualquer outra pessoa viva. Os pobres e quase cegos olhos de Nietzsche eram comparados a estrelas gêmeas, órbitas celestiais e até galáxias. "Quem via Nietzsche nessa época", escreveu Rudolf Steiner,

> reclinado com seu roupão plissado, com a nobreza de seu semblante enigmático e questionador e a carruagem majestosa de sua cabeça leonina de pensador – tinha a impressão de que esse homem não poderia morrer, mas que seus olhos repousariam por toda a eternidade na humanidade e em todo o mundo das aparências em sua exultação insondável.[21]

O arquiteto Fritz Schumacher, chamado por Elisabeth para projetar um monumento ao irmão, disse:

> Ninguém que [o] visse poderia acreditar que estava olhando para um corpo do qual a mente havia fugido. Tinha de acreditar que estava olhando para um homem que se erguera acima das pequenas coisas do dia a dia.[22]

Elisabeth gostava de exibi-lo depois do jantar. Em geral dava um jeito para que ele fosse vislumbrado através de uma cortina enevoada, como uma aparição numa sessão espírita.[23] Poucos tinham a visão clara de Harry Kessler, que provavelmente o via com mais frequência por passar a noite na vila

Silberblick quando tinha negócios a discutir com Elisabeth. Ficava na cama olhando para o teto enquanto Nietzsche dava voz a "longos sons de puro gemido, que ele gritava à noite com toda sua força; depois tudo ficava de novo em silêncio".[24]

Kessler não via em Nietzsche um homem doente, um profeta ou mesmo um lunático, mas sim um envelope vazio, um cadáver vivo. As mãos expostas, com suas veias em tons verde e violeta, eram pálidas e inchadas, como as de um morto. O longo bigode que cobria toda sua boca e o queixo era para esconder propositadamente o lapso de uma idiotia vazia que uma boca sem controle não pode deixar de revelar. Nada de louco, nada de assustador, nada de espiritual.

> Prefiro descrever o olhar como leal e, ao mesmo tempo, sem muita compreensão, de um intelecto infrutífero à procura, como se vê com frequência em um cão grande e nobre.[25]

Nietzsche sofreu seu primeiro derrame no verão de 1898. Outro ocorreu no ano seguinte. Em agosto de 1900, ele pegou um resfriado e passou a ter dificuldades respiratórias. Uma testemunha que preferiu permanecer anônima, talvez temendo o longo alcance da vingativa Elisabeth, relatou o fim de Nietzsche. A descrição dá a impressão de ter sido escrita por alguém que cuidava do paciente havia alguns anos.

Ele ou ela notou que, depois da transferência para Weimar, Nietzsche ficou incapaz de ler, de compreender e até mesmo de qualquer discurso lúcido, embora não tenham faltado entrevistas com o pobre infeliz. Os entrevistadores raramente viam Nietzsche frente a frente. Todos os contatos passavam por Elisabeth, todos os relatos fluíam por ela enquanto Nietzsche deitava-se de lado, paralisado, impotente no que as testemunhas chamavam de seu "colchão-cova", cercado por móveis deslocados para evitar sua fuga. As funções físicas eram realizadas com dificuldade, inclusive porque, sempre que via um objeto brilhante, Nietzsche tentava colocá-lo na boca. À parte isso, era no todo um paciente cordato e obediente. Seu estado era desolador e sem esperança, mas ele raramente sentia dores físicas.

Harry Kessler confirma essa descrição, mas os informes de Elisabeth contam uma história diferente. Nietzsche estava tendo grande prazer com seu autor favorito – aparentemente, Guy de Maupassant. Segundo ela, Nietzsche manteve sua capacidade de falar até o fim. "Quantas vezes ele me elogiou pelo que fiz. Quantas vezes ele me consolou quando eu parecia triste. Sua gratidão era comovente. 'Por que você chora, Lisbeth?', perguntava. 'Nós estamos bem felizes'."[26]

Os dois relatos de sua morte também variam. Sua luta contra a morte foi dura, mas não muito longa, escreve a testemunha anônima, obviamente experiente na observação de leitos de morte, que comenta ainda que a impressionante constituição física de Nietzsche, "que continuou imponente até mesmo no caixão", talvez tivesse resistido por mais tempo, se a vontade ainda estivesse ali.[27]

Elisabeth conta a morte do irmão de outra forma. Um dia, enquanto estava sentada à frente dele, uma terrível tempestade se formava. Toda a expressão dele mudou e ele tombou inconsciente, por causa de um derrame. (Elisabeth gostava de derrames.)

> Parecia que sua grande mente estava para perecer em meio aos trovões e relâmpagos, mas à noite ele se recuperou e tentou falar [...] Quando dei a ele um copo de refresco eram quase duas horas da madrugada e ele empurrou o abajur ao lado para poder me ver [...] Abrindo seus magníficos olhos, olhou em [meus] olhos pela última vez e chorou de alegria: "Elisabeth!". Depois abanou a cabeça de repente, fechou os olhos voluntariamente e morreu [...] Assim aconteceu de Zaratustra perecer.[28]

Nietzsche morreu em 25 de agosto de 1900.

Elisabeth chamou Harry Kessler. Ele interrompeu sua visita à Exposição Universal de Paris, onde o mundo saudava a chegada do novo século iluminando a Torre Eiffel e celebrando a maravilha da eletricidade. Kessler chegou a Weimar e encontrou Nietzsche em seu caixão em um quarto, cheio de vasos de flores e palmeiras.

Normalmente a confecção de máscaras mortuárias era feita por escultores. Elisabeth pediu a presença de Max Klinger e Ernst Geyger para fazê-la, mas ambos andavam muito ocupados, e assim a tarefa ficou para Kessler. Ele se pôs ao trabalho, auxiliado por um jovem aprendiz que estava lá para ajudar com a decoração do funeral. A cabeça tinha caído para um lado e eles tiveram de erguê-la um pouco para endireitá-la. Sentiram-se aliviados quando a tarefa foi concluída. Elisabeth fez cópias da máscara mortuária e as distribuiu como *memento mori*. Mas não demorou muito para decidir que a máscara mortuária não era impressionante o bastante. Foi feita uma segunda versão melhorada e também distribuída para pessoas mais especiais. A testa foi salientada para competir com a de Sócrates, e os cabelos de Nietzsche aos 55 anos ganhou mais volume para se igualarem às luxuriantes melenas de um jovem Apolo.

Nietzsche dissera que desejava descer à tumba como um pagão honesto. Como fundo musical, queria apenas sua versão do "Hino à vida" de Lou. Nenhum ritual cristão. Acima de tudo, nenhum padre.

Um longo ritual cristão foi realizado ao redor do caixão na sala de arquivo. A música foi de Brahms e de Giovanni Pierluigi da Palestrina. Uma interminável e pedante elegia no estilo de Polônio* foi proferida por um historiador da arte chamado Kurt Breysig. Alguns dizem que, se Nietzsche a tivesse ouvido, teria jogado Breysig pela janela junto com toda a congregação.[29]

No dia seguinte tudo foi transferido para Röcken, onde o caixão, adornado por uma cruz brilhante e prateada, foi enterrado no centro das fileiras de túmulos da família onde jaziam seu pai, sua mãe e seu irmão mais novo, Joseph. Depois Elisabeth mudou de ideia sobre isso, como havia feito com a máscara mortuária, e transferiu o caixão do centro para a última fileira. Quando chegasse a hora, ela queria passar a eternidade no centro das coisas.

Elisabeth herdou 36 mil marcos quando Nietzsche morreu. O arquivo Nietzsche foi formalizado, com Harry Kessler designado como um dos curadores. Ele assumiu a diretoria do Grande Museu Ducal de Artes e Artesanato e começou a estabelecer uma nova era cultural de Weimar como um *Gesamtkunstwerk* centrado em Nietzsche, assim como a primeira era de ouro havia tido Goethe como centro. Foi mais uma tentativa de realizar o antigo sonho de Nietzsche e Wagner: a criação de uma identidade cultural alemã coerente, abrangendo todas as artes em uma visão unificada.

Kessler trouxe Henry van de Velde para chefiar a Escola de Artes e Artesanatos de Weimar e para transformar o interior da vila Silberblick, agora conhecida como *Das Nietzsche-Archiv*. Van de Velde era o brilhante belga criador do estilo mais recente, chamado *Jugendstil* na Alemanha e *art nouveau* na França. Antes de chamar Van de Velde a Weimar, Kessler já havia projetado o

---

* Personagem de *Hamlet*, de William Shakespeare. [N. T.]

interior de *La Maison de l'Art Nouveau* para o famoso comerciante de arte de Paris, Samuel Siegfried Bing, que lançou o estilo no mercado.

A ênfase da *Jugendstil* nas formas naturais e artesanais estava de acordo com as ideias de Nietzsche sobre o poder e a força irracional e ilógica do mundo natural em comparação à força das máquinas. O Kaiser dizia que as curvas onduladas dos interiores de Van de Velde o faziam se sentir enjoado, mas Elisabeth adorou a transformação do arquivo em um ícone de estilo modernista muito visitado. A letra "N" de Nietzsche nas linhas sinuosas no estilo *Jugendstil* ornamentava tudo: dos painéis de madeira às maçanetas das portas.

O cerne do *Gesamtkunstwerk* deveria ser os textos publicados de Nietzsche. Kessler contratou Van de Velde para criar um novo caractere tipográfico para libertar as arrojadas palavras de Nietzsche do emaranhado gótico dos textos impressos tradicionais alemães.

Enquanto Van de Velde cuidava das artes decorativas, Kessler se ocupava das belas-artes. Era bem relacionado com os lendários comerciantes de arte de Paris, Ambroise Vollard e Paul Durand-Ruel. Sua galeria de Weimar tornou-se um posto avançado da vanguarda parisiense, com exposições de impressionistas, pós-impressionistas e expressionistas. Conhecia muitos dos artistas pessoalmente, inclusive Monet, Renoir, Degas, Bonnard, Redon e Vuillard, além do escultor Maillol, que queria contratar para fazer um nu simbolizando o *Übermensch* como parte de um plano de 1911 para um grande monumento a Nietzsche. O comitê proposto para esse monumento mostra o amplo espectro de interesse por Nietzsche no início do século xx. Além de Maillol, incluía George Bernard Shaw, George Moore, W. B. Yeats, Gilbert Murray, William Rothenstein, Harley Granville-Barker, Eric Gill, Auguste Rodin, Maurice Denis, Anatole France, Henri Bergson, Charles Maurras e Maurice Barrès. O plano tropeçou na eclosão da Primeira Guerra Mundial.

Em 1906, Edvard Munch foi chamado a Weimar para pintar um "retrato de ideias" póstumo de Nietzsche. O tamanho da tela costumava refletir a opinião de Munch sobre seus temas, e o "retrato de ideias" de Nietzsche é um de seus maiores quadros. Assim como a figura de *O grito*, Nietzsche tem como fundo um trilho que percorre a tela em diagonal até o infinito.[30] Enquanto o balaústre de *O grito* corre do canto direito inferior ao superior esquerdo, o de Nietzsche corre do canto inferior esquerdo para o superior direito, uma interessante declaração de como Munch via a diferente jornada mental de cada figura. A gigantesca figura de Nietzsche reduz as dimensões de uma igrejinha colocada na paisagem: assim como Nietzsche, Munch estava destinado originalmente ao sacerdócio pela família extremamente religiosa e, como Nietzsche, tomou um caminho muito diferente.

Elisabeth e Munch não se deram bem. Mesmo assim ela quis que ele pintasse o seu retrato. Escolhendo uma tela de proporções esquisitas, Munch bagunçou o vestido de babados que ela usava e a retratou com a expressão implacável de um executor.[31]

Do alto de sua colina verdejante, Elisabeth acreditava ter afinal atingido um status igual ao de Cosima. Cosima morreu em 1930 e Elisabeth em 1935, momento em que seu período como encarregada da produção de Nietzsche era mais de duas vezes maior que os dezesseis anos entre a publicação do primeiro livro dele, *O nascimento da tragédia*, e a produção do último, *Ecce homo*. Durante esses anos Elisabeth foi uma aranha no centro do arquivo Nietzsche, tecendo as palavras do irmão em sua teia e inflando a própria reputação ao apresentar o irmão como um profeta místico segundo suas próprias convicções.

Elisabeth nunca entendeu o conceito-terremoto subjacente na base do pensamento do irmão. Nunca entendeu sua rejeição de todos os sistemas e de todas as filosofias que reduziam o mundo a um único sistema. A oposição revolucionária à certeza que o levou a se definir como o filósofo do "talvez" estava além de sua compreensão. Ignorava a ideia que ele fazia de si mesmo como um piadista, o filósofo que preferia ser visto como um bufão do que como um santo. Ignorava sua ideia de que a verdade não tinha uma só definição, mas poderia ser examinada de forma frutífera como uma questão de perspectivas. Ignorava sua noção de que não existia uma teia de razões eterna, mas meramente acidentes na pista de dança da vida, e que a existência não era menos significava por isso. Com o controle total de suas obras, ela nem ao menos entendia o propósito por trás de sua principal exploração intelectual: como encontrar valor e sentido em um universo incerto em que não existia nem o ideal nem o divino.

Em 1901, apenas um ano após a morte de Nietzsche, Elisabeth publicou *A vontade de poder* como o volume XV de suas obras completas. Consistia numa coletânea de 483 aforismos selecionados do *Nachlass*, as anotações e rascunhos que Nietzsche jamais pretendeu que fossem lidos por ninguém, muito menos publicados. Nietzsche sempre foi neuroticamente escrupuloso em relação ao que devia ser publicado, como se pode ver a partir de sua correspondência com Gast e com seu editor. O que Elisabeth publicou em *A vontade de poder* não representava a visão final dele sobre qualquer coisa. Na reimpressão de 1906, Elisabeth triplicou o tamanho do livro: os 483 aforismos tinham inchado para 1.067. Elisabeth deleitava-se com seu controle editorial póstumo.

A imagem era um componente importante na lenda de Nietzsche, e Elisabeth mandou fazer esculturas musculosas, pinturas radiantes e luminosas fotografias de efeito. Nietzsche chegou a ser mostrado como Cristo usando uma coroa de espinhos. Administrando a produção literária, ela transformou livros e artigos em fragmentos selecionados de seus textos. Sem ninguém para contradizer sua versão dos eventos, escreveu um imaginativo segundo volume biográfico, *O Nietzsche solitário*, com um nada confiável relato da *Correspondência Nietzsche-Wagner*, e um livro sobre *Nietzsche e as mulheres* no encalço de sua rixa com Lou. Depois de sua versão expandida de *A vontade de poder*, Elisabeth foi indicada para o Prêmio Nobel de literatura de 1908. Chegou a ser indicada mais três vezes por seus textos sobre o irmão.[32] A Universidade de Jena conferiu a ela um doutorado honorário, depois do que sua assinatura assumiu sua forma final: "Frau Dr. Phil. H. C. Elisabeth Förster-Nietzsche".

Nos anos anteriores à Primeira Guerra Mundial, enquanto Harry Kessler ainda exercia certo grau de poder, o interesse pelo arquivo era intelectual e cosmopolita. Atraía mais críticos, escritores criativos e artistas do que filósofos. Nietzschianos convictos incluíam Hugo von Hofmannsthal, Stefan George, Richard Dehmel, Richard Strauss, Thomas Mann, Heinrich Mann, Martin Buber, Carl Gustav Jung, Hermann Hesse, Paul Heyse, Rainer Maria Rilke, Max Brod, Albert Schweitzer, André Gide, os dançarinos Vaslav Nijinsky e Isadora Duncan e o aviador Graf Zeppelin. Outros dos primeiros admiradores incluíam George Bernard Shaw e W. B. Yeats, H. G. Wells, James Joyce, Wyndham Lewis, Herbert Read e T. S. Eliot. H. L. Mencken foi talvez o primeiro americano a admirar sua obra, seguido por Theodore Dreiser, Eugene O'Neill, Ezra Pound e Jack London. Na França, Hippolyte Taine, Jean Bourdeau, André Gide, Paul Valéry, Alfred Jarry e Eugène de Roberty. Na Itália, Gabriele D'Annunzio e Benito Mussolini.

Isso seria espantoso para Nietzsche, que expressara com tanta frequência seu horror à ideia de ter discípulos, mas o tom político do culto a Nietzsche o teria deixado ainda mais horrorizado. A aproximação da Primeira Guerra

Mundial deu ímpeto a uma forma belicosa de nietzscheísmo que transformou a vontade de poder em um ensinamento moral sancionando a violência e a crueldade, o *Übermensch* virara o maior dos brutos, e a besta loura como um incentivo direcionado a um programa de reprodução racial. Os artigos de jornal de Elisabeth incentivavam essas interpretações distorcidas, entusiasticamente definindo seu irmão como um amante da guerra.

Nada menos que 150 mil exemplares de *Zaratustra* foram impressos em edições especiais de bolso para soldados alemães na Primeira Guerra Mundial, para serem levados ao front junto com o *Fausto* de Goethe e o Novo Testamento. Só se pode ponderar para que fim foram usados, assim como se pode perguntar o que teria feito Nietzsche, tão hostil ao militarismo pangermânico, em relação a esse desdobramento.

"Se pudéssemos dissuadir de guerras, tanto melhor", ele escreveu em um de seus últimos cadernos de notas.

> Eu saberia como encontrar melhores usos para os 12 bilhões que custam por ano à Europa para preservar sua paz armada; existem outros meios de honrar a fisiologia do que em hospitais militares [...] Reunir tal colheita selecionada de jovens e energia e poder para colocá-los em frente a canhões – isto é *loucura*.[33]

A primeira figura política de destaque a perceber como a filosofia de Nietzsche poderia ser adaptada às suas ideias de nacionalismo e de emprego da violência foi Mussolini. Quando jovem, bem antes de sua ascensão ao poder, ele pertenceu à geração que encontrava esperança em Nietzsche.[34] Em 1931, quando o arquivo estava cheio de nazistas e Mussolini havia se tornado o ditador fascista da Itália e era muito próximo de Hitler, ele mandou um telegrama a Elisabeth parabenizando-a pelo aniversário de 85 anos. Elisabeth era grande admiradora de Mussolini, e se dispôs a convencer o Teatro Nacional de Weimar a montar uma peça de sua coautoria, chamada *Campo di Maggio*.[35] Quando a peça foi apresentada, em fevereiro de 1932, Hitler compareceu ao teatro com suas tropas de choque e presenteou Elisabeth com um buquê de rosas vermelhas. Os dois se encontraram um ano depois, numa apresentação de *Tristão* em homenagem ao aniversário de cinquenta anos da morte de Wagner. A essa altura Hitler já era chanceler da Alemanha.

"Estamos inebriados de entusiasmo, pois o chefe do nosso governo desponta como uma personalidade maravilhosa, realmente fenomenal como nosso magnífico chanceler Adolf Hitler", transbordou Elisabeth. "*Ein Volk, Ein Reich, Ein Führer.*"36

A longa descida do arquivo Nietzsche para o campo nazista começou no período entreguerras da República de Weimar (1918-33), quando a Alemanha estava envergonhada e ressentida por sua humilhante derrota na Primeira Guerra Mundial, assolada por uma hiperinflação e com 6 milhões de desempregados, o que resultou na ascensão de extremos políticos como o comunismo e o nacional-socialismo.

Durante a República de Weimar, o arquivo estava bem no centro da política, enquanto Elisabeth saudava os nacional-socialistas (os nazistas), cujo nacionalismo agressivo e o antissemitismo repercutiam suas ideias. Ela indicou seu primo Max Oehler como arquivista-chefe. Oehler era um soldado de carreira que tinha voltado da Primeira Guerra indignado com a derrota da Alemanha e entrado para o Partido Nacional-Socialista. Ele ocuparia esse cargo no arquivo até a queda de Hitler.

Elisabeth e Oehler encheram o arquivo com nazistas que elaborariam a filosofia de seu partido em nome de Nietzsche. A vila Silberblick se tornou o covil de tarântulas vingativas que Nietzsche havia previsto e alertado contra:

> Meus amigos, eu não quero ser misturado e confundido por outros. Há os que apregoam a minha doutrina de vida, e ao mesmo tempo eles são [...] tarântulas [...] "Que o mundo se tornou pleno de tempestades de nossa vingança, precisamente o que consideraríamos como justiça" – assim eles falam uns com os outros [...] Eles parecem os inspirados, mas não é o coração que os inspira – mas a vingança. E quando eles são frios e refinados, não é o espírito, mas sim a inveja que os torna frios e refinados. Sua inveja até os conduz pelo caminho dos pensadores; e esta é a marca de sua inveja [...] De cada um de seus lamentos soa a vingança, em cada um de seus elogios está a agressão, e ser o juiz é uma bênção para eles. Mas assim eu os aconselho, meus amigos: desconfiem de todos em quem o impulso da vingança seja forte! Essas são pessoas de má espécie e má índole; em seus rostos estão visíveis o carrasco e o cão de caça [...]37

As tarântulas, todos homens em postos elevados, foram designados como editores ou membros do comitê do arquivo. Entre eles estava Carl August Emge, professor de filosofia jurídica na Universidade de Jena, futuro ministro nazista do governo da Turíngia e importante signatário da declaração de trezentas palestras universitárias apoiando Hitler em março de 1933. Outro editor era o filósofo Oswald Spengler, cuja influência mais venenosa na manipulação das ideias de Nietzsche era sua crença no darwinismo social: a corrupção da teoria da seleção evolutiva de Darwin do conflito e da sobrevivência do mais adaptado traduzidos em supremacia racial alemã, justificando a eugenia e, no fim, a Solução Final. Os termos *Übermensch* e "moralidade mestre" foram presentes para Spengler. Harry Kessler fumegou de fúria e desprezo com a presença totalmente medíocre de Spengler no arquivo e seus intermináveis enunciados de slogans banais e triviais.

Alfred Bäumler, professor de filosofia nas universidades de Dresden e Berlim, preparou textos de Nietzsche para novas edições, inclusive uma outra edição de *A vontade de poder* que mais uma vez dava a impressão de que o texto era de autoria do próprio Nietzsche. Bäumler chefiava a divisão de ciência e bolsas de estudo do departamento de Alfred Rosenberg para Supervisão de Toda a Educação Intelectual e Ideológica,[38] que produzia livros-textos para escolas ensinando teorias de raça e sangue como um fato. Bäumler já foi definido como a principal figura a ter estabelecido a relação entre Nietzsche e Hitler.[39]

Bäumler supervisionou a notória queima de livros de Berlim. Poucos dias antes o filósofo Martin Heidegger havia entrado para o Partido Nazista, em uma cerimônia pública repleta de suásticas. Ele aparece no pódio apoiando a nazificação das universidades e conclamando mais queimas de livros por todo o país.[40] Heidegger juntou-se a Bäumler como um dos editores do arquivo, quando adotou a visão extraordinária de que os livros publicados por Nietzsche mal deviam ser considerados, pois a verdadeira filosofia encontrava-se no *Nachlass*, o espólio literário que Elisabeth já havia manipulado para seus próprios fins. E elevação do *Nachlass* ao status de escritura sagrada foi a chave para permitir a filósofos e editores do arquivo recortarem e colarem fragmentos deslocados e os reunirem para transmitir suas próprias ideias.

Harry Kessler via aquilo em estado de choque:

> Dentro do arquivo, todos, do porteiro ao chefe, são nazistas [...] É suficiente para fazer chorar [...] pela porta aberta vi o sofá onde Nietzsche sentava, parecendo uma águia doente, da última vez que o vi [...] Misteriosa, incompreensível Alemanha.[41]

Kessler fugiu para o exílio, deixando sua amada Alemanha e seu adorado filósofo, cuja dança dionisíaca afirmativa da vida estava sendo transformada em uma *danse macabre* pelos novos governantes do país.

Hitler deu continuidade a seu primeiro encontro com Elisabeth visitando-a no arquivo em 2 de novembro de 1933. Chanceler da Alemanha, chegou com uma escolta completa, com seu costumeiro chicote. Ficou no arquivo durante uma hora e meia. Quando saiu, não estava mais com o chicote. Em seu lugar levava o bastão de caminhada de Nietzsche, presente de Elisabeth.[42] Também entregou a Hitler uma cópia da petição de 1880 contra os judeus, que Bernhard Förster dera de presente a Bismarck. Hitler mandou uma porção do solo nativo da Alemanha ao Paraguai, para ser espalhada no túmulo de Förster.

Hitler se entusiasmou com a ideia de si mesmo como líder filósofo. Adorava citar grandes nomes. É impossível provar se Hitler chegou a ler Nietzsche. Acredita-se que jamais o tenha feito. Os livros que sobreviveram de sua biblioteca durante o tempo em que esteve na prisão em 1924, quando escreveu *Mein Kampf*, não incluía qualquer obra de Nietzsche.[43] Claro que é possível que fossem parte de sua coleção de livros à época e que depois foram perdidos, mas sua biblioteca posterior não mostra nenhum exemplar bem folheado. O notório filme de 1934 dos comícios de Nuremberg recebeu intencionalmente o título nietzschiano de *Triunfo da vontade*, mas, quando a diretora Leni Riefenstahl perguntou se Hitler gostava de ler Nietzsche, ele respondeu: "Não, não posso fazer muito com Nietzsche [...] ele não é meu guia".[44]

As complicadas ideias contidas nos livros não tinham utilidade para ele a não ser como simples slogans e títulos como o *Übermensch*, a "vontade de potência", "moralidade mestre", "a besta loura" e "além do bem e do mal", que podiam ser sujeitos a infinitas más interpretações. O pianista de Hitler, Ernst Hanfstaengl, que o acompanhou em pelo menos uma visita ao arquivo Nietzsche, definia de forma sinistra porém apropriada seu Führer como um barman genial que usava tudo o que podia na mistura de seu coquetel venenoso e genocida.[45] Nietzsche esteve longe de ser o único filósofo interpretado de forma distorcida. Citações selecionadas de Kant e outros apoiavam o antissemitismo, o nacionalismo e a excepcionalidade da raça dominadora alemã. Como observou Hanfstaengl, "o uso arbitrário da guilhotina que Robespierre justificou com os ensinamentos de Jean-Jacques Rousseau foi repetido por Hitler e pela Gestapo com sua simplificação das teorias contraditórias de Nietzsche".[46]

Mas mesmo enquanto os propagandistas e os frasistas do arquivo usurpavam as palavras e conceitos de Nietzsche, havia entre os próprios nazistas aqueles que perceberam o absurdo da apropriação de Nietzsche pelo partido. Ernst Krieck, um proeminente ideólogo nazista, observou com sarcasmo que à parte o fato de Nietzsche não ser um socialista, nem nacionalista e ser contrário ao pensamento racial, ele poderia ter sido um líder do pensamento nacional-socialista.[47]

Em 1934, Hitler visitou a vila Silberblick com Albert Speer, o arquiteto escolhido para projetar a arquitetura triunfalista do Terceiro Reich que subjugaria o mundo. Para deleite de Elisabeth, Speer iria projetar o memorial de Nietzsche. Mussolini contribuiu mandando uma monstruosa e gigantesca estátua grega de Dionísio.

Elisabeth estava agora chegando aos noventa anos. Passava a maior parte do tempo na cama, com *Mein Kampf* sendo lido para ela em voz alta. Nove dias antes de morrer, ela escreveu a Hitler: "Alguém só pode amar este grande e magnífico homem se o conhecer tão bem quanto eu".[48]

A morte foi bondosa com Elisabeth. Ela contraiu influenza e morreu poucos dias depois, sem dor e pacificamente, em 8 de novembro de 1935.

Elisabeth morreu como sempre viveu, imperturbada por dúvidas sobre si mesma. Nunca teve problemas para se convencer sobre o que queria acreditar e morreu feliz, certa de que era a pessoa que o irmão mais amava. Também acreditava sinceramente que foi sua própria grandeza que garantiu a imortalidade de Nietzsche. Foi ela, não o irmão, quem montou o arquivo. Foi ela, não o irmão, que foi indicada ao Prêmio Nobel. Foi ela, não o irmão, que obteve um doutorado honorário da tradicional Universidade de Jena. Foi ela, não o irmão, que supervisionou as grandes vendas de seus livros. Foi ela, não o irmão, que usufruiu da amizade da figura mais elevada da Terra, o chanceler da Alemanha.

Hitler sentou-se na primeira fila da sala do arquivo onde jazia o corpo de Elisabeth. Manteve uma postura de grande e ostensiva tristeza e ouviu solenemente as extravagantes elegias enaltecendo Elisabeth como uma das sacerdotisas da Eterna Alemanha – os outros eram Cosima e Wagner. Como Elisabeth teria gostado disso. Era pouco frequente Hitler se deixar fotografar aparentando tristeza, como havia feito nessa ocasião.

"Eu tenho medo", escreveu Nietzsche,

> de pensar que um povo não qualificado e inapropriado possa um dia invocar minha autoridade. Mas este é o tormento de todo grande professor da humanidade: saber que, dadas as circunstâncias e os acidentes, ele *pode* se tornar tanto um desastre como uma bênção para a humanidade.[49]

Ser uma fonte de teorias políticas nunca foi o objetivo de Nietzsche. A ironia da apropriação de suas ideias é que ele era o único interessado no homem como indivíduo, não no homem como um animal de rebanho – fosse um rebanho político ou religioso.

Nietzsche definia o homem como "o animal doente", por ser provido de tudo e ainda assim infectado por uma insaciável necessidade de metafísica que nunca pode ser abrandada. Numa tentativa de satisfazer essa necessidade eterna e indestrutível, muitos de seus contemporâneos se voltaram para a ciência e o darwinismo, mas, como apontou Nietzsche, o significado da ciência não é a religião, e a evolução está longe de ser uma estrada moral. O "bom" e o "mau" evolutivos só equivalem a "mais útil" e "menos útil", e isso não tem nada a ver com a moral ou a ética.

A afirmação de Nietzsche de que "Deus está morto" disse o indizível para uma época querendo atingir o reconhecimento do óbvio: que sem fé no divino não havia mais qualquer autoridade moral para as leis que persistiram ao longo da civilização desenvolvida durante os últimos 2 mil anos.

O que acontece quando um homem cancela o código moral sobre o qual foi construído o edifício de sua civilização? O que significa ser humano desacorrentado de um propósito metafísico central? Acontece um vácuo de sentido? Se assim for, o que vai preencher esse vácuo? E se a vida por vir for abolida, em última análise o sentido está no aqui e agora. Dado o poder de viver sem religião, o homem deve assumir responsabilidade por suas próprias ações. Mas Nietzsche via seus contemporâneos contentes em continuar vivendo em um compromisso preguiçoso, recusando-se a examinar sua própria inautenticidade: recusando-se a bater com o martelo nos ídolos para ver se soavam como a verdade.

Esse desafio continua presente na modernidade. Talvez parte dos persistentes apelos de Nietzsche esteja em sua relutância em nos fornecer uma resposta. Nossa tarefa é encontrar a resposta, se houver, por nós mesmos: esta é a verdadeira realização do *Übermensch*.

Pode-se rejeitar a ciência como fé; pode-se rejeitar a própria fé religiosa e ainda assim manter os valores morais. Primeiro, o homem precisa se tornar o que é. Segundo, *amor fati*: deve aceitar o que a vida trouxer, evitando os becos sem saída de ódio a si mesmo e *ressentiment*. Então afinal o homem conseguirá se superar para encontrar a verdadeira realização como *Übermensch*, o homem em paz consigo mesmo, encontrando alegria em seu propósito terrestre, deleitando-se na pura magnificência da existência e contente com sua finitude e mortalidade.

Tragicamente para Nietzsche, a necessidade de nos superar se tornou tão ostensivamente distorcida pela necessidade de superar os outros que obscureceu sua capacidade de fazer as eternas perguntas de forma tão gloriosa e provocativa. Da mesma forma, sua dedicação em examinar todas as facetas da verdade e nunca recomendar uma resposta além de "talvez..." proporcionaram um potencial infinito para interpretação.

Se você visitar a vila Silberblick hoje, vai ver que árvores cresceram no jardim, escondendo a magnífica vista que dá nome ao local. Mas se passar pelas árvores e atravessar o jardim, poderá desfrutar da vista que outrora era visível para Nietzsche da sacada. Enquanto seus olhos passeiam pela arrebatadora recriação da perfeição clássica do Iluminismo de Goethe, você será envolvido pelo deleite, admirado com a capacidade de o homem usar os simples materiais da natureza da terra e das pedras, da água e das plantas, e moldá-los numa visão simbólica da perfeição da Terra por meio de seus próprios altos ideais. Somos apresentados a uma visão de transcendência que se estende por dezesseis gloriosos quilômetros antes de afinal os lindos regatos e pradarias pontilhadas por ovelhas desaparecerem na massa escura da floresta de Ettersberg, onde surge um novo marco estampado contra o fundo das árvores no horizonte: a chaminé alta e enegrecida de fumaça do crematório do campo de concentração de Buchenwald.

Assim como essa terrível chaminé se impõe sobre a paisagem cujo propósito era ilustrar as mais altas aspirações humanas, as afirmações proféticas de Nietzsche também permanecem obscurecidas por temíveis conotações.

"Eu conheço o meu destino", escreveu.

> Um dia será associada ao meu nome a reminiscência de algo atemorizador – de uma crise como nunca houve na Terra, da mais profunda colisão da consciência, de

uma decisão evocada *contra* tudo em que até então se acreditou, que se exigiu, se santificou. Eu não sou um homem, eu sou dinamite.[50]

Corações moldados pela história submergem na profecia. Mas só em nossa imaginação, obscurecida pelas longas sombras da visão do passado, este é o grito de um homem querendo desencadear o mal no mundo. Soa mais como o triunfante chamado do homem que abriu à força um túnel através da pesada indiferença de sua época às consequências da morte de Deus, abrindo caminho para audaciosos argonautas do espírito chegarem a novos mundos.

Aforismos

Os piores leitores são os que se comportam como soldados em pilhagens: pegam algumas coisas que podem usar, sujam e misturam o restante e caluniam o todo.
Humano, demasiado humano, livro II, seção 137

Pessoas têm se reconhecido nos aforismos de Nietzsche há mais de cem anos. Apresento a seguir uma seleção pessoal de alguns que parecem ter uma forte ressonância contemporânea. Com frequência eles se contradizem, lembrando-nos como Nietzsche adorava provocar, denominando-se o filósofo do "talvez". A força de suas sínteses, combinada com a capacidade de transmitir o que o leitor enxergar nelas (como as letras de Bob Dylan), significa que muitos de seus ditos foram disseminados na cultura popular. Dado que suas ideias passam pelo espírito da época com uma variedade de diferentes traduções, a fonte de seus textos é fornecida na seção abaixo, mas o texto é extraído ecleticamente da maioria das versões populares.

O ABISMO
O homem é uma corda estendida entre o animal e o super-homem – uma corda sobre um abismo.
Assim falou Zaratustra, "Prólogo de Zaratustra", parte I, seção 4.

Quem luta com monstros deve se cuidar para não se tornar um monstro também. E se você olhar longamente para um abismo, o abismo também olha para você.
Assim falou Zaratustra, "Aforismos e interlúdios", 146.

ARTE
Arte é a tarefa suprema, a verdadeira atividade metafísica nesta vida.
O nascimento da tragédia, "Prólogo para Richard Wagner".

TÉDIO
Nem os deuses conseguem evitar o tédio.
O Anticristo, seção 48.

A vida não é cem vezes curta demais para se sentir entediado?
Além do bem e do mal, "Nossas virtudes", seção 227.

O objetivo de todas as organizações humanas passa por distrair o pensamento para deixar de estar ciente da vida.
Considerações extemporâneas, "Schopenhauer como educador", seção 4.

A pressa é universal porque todos estão fugindo de si mesmos.
Considerações extemporâneas, "Schopenhauer como educador", seção 5.

CRISTIANISMO
Cristianismo é uma hipocondria romântica para os que não estão firmes sobre os pés.
Caderno de notas 10, outono de 1887, 127.

O reino dos céus é um estado do coração – não uma coisa que desce "sobre a Terra" ou "depois da morte".
O Anticristo, seção 34.

A própria palavra "cristianismo" é um mal-entendido – na verdade só houve um cristão, e ele morreu na cruz.
O Anticristo, seção 39.

São Lucas, versículo 18 corrigido – Aquele que se humilha deseja ser exaltado.
Humano, demasiado humano, "Contribuição à história dos sentimentos morais", seção 87.

EXASPERADO PELA FAMÍLIA
As pessoas são *minimamente* relacionadas com os pais; seria a maior vulgaridade estar relacionado com os pais.
Ecce homo, "Por que sou tão sábio", seção 3.

FAMA
É preciso pagar caro pela imortalidade; é preciso morrer diversas vezes enquanto ainda estiver vivo.
Ecce homo, "Assim falou Zaratustra", seção 5.

Eu não sou um homem, eu sou dinamite.
Ecce homo, "Por que sou um destino", seção 1.

FÓRMULA PARA A GRANDEZA
Minha fórmula para a grandeza humana: amor fati, ame seu destino. Não queira nada diferente, nem para trás nem para a frente por toda a eternidade. Não tolere a necessidade – ame-a...
Ecce homo, "Por que sou tão inteligente", seção 10.

DEUS
Deus está morto; mas em vista da atitude dos homens, ainda pode haver cavernas por milhares de anos em que sua sombra será mostrada. – E nós ainda precisamos conquistar essa sombra também.

Deus está morto! Deus continua morto! E nós o matamos! Como vamos nos consolar, os assassinos de todos assassinos? A coisa mais sagrada e poderosa que o mundo já teve sangrou até a morte sob nossos punhais: quem limpará este sangue de nós? Que água existirá para nos limpar? Que festivais de expiação, que jogos sagrados teremos de inventar? Não será a grandeza deste feito grande demais para nós? Não devemos nós mesmos nos tornarmos deuses simplesmente para parecer dignos disso?
A gaia ciência, livro III, seção 125.

O homem é um erro de Deus, ou Deus é um erro do homem?
Crepúsculo dos ídolos, "Máximas e flechas", seção 7.

VIDA
Torne-se quem você é.
A gaia ciência, livro III, seção 270.

O homem é uma ponte, não uma meta.
Assim falou Zaratustra, "Prólogo de Zaratustra", parte I, seção 4.

Ninguém pode construir a ponte pela qual você deve atravessar o fluxo da vida, ninguém a não ser você mesmo.
Considerações extemporâneas, "Schopenhauer como educador", seção 1.

A vida em si é vontade de potência.
Além do bem e do mal, "Os preconceitos dos filósofos", seção 13.

Vivam perigosamente! Construam suas cidades nas encostas do Vesúvio!
A gaia ciência, livro IV, seção 283.

Para dar à luz uma estrela bailarina deve-se primeiro ter um caos interior.
Assim falou Zaratustra, "Prólogo de Zaratustra", parte I, seção 5.

Nós queremos ser os poetas de nossa vida – primeiro de tudo na maioria das menores questões cotidianas.
A gaia ciência, livro IV, seção 299.

O que não me mata me faz mais forte.
Crepúsculo dos ídolos, "Máximas e flechas", seção 8.
Aquele que tem um *por quê?* na vida pode tolerar quase qualquer *como?*
Crepúsculo dos ídolos, "Máximas e flechas", seção 12.

O homem não luta pela felicidade; só os ingleses fazem isso.
Crepúsculo dos ídolos, "Máximas e flechas", seção 12.

Deve-se pegar uma linha ousada e perigosa com a existência: aconteça o que acontecer, nossa tendência é perdê-la.
Considerações extemporâneas, "Schopenhauer como educador", seção 1.

Como pode um homem conhecer a si mesmo? Ele é uma coisa escura e velada, e se a lebre tem sete peles, o homem pode esfolar setenta vezes sete e ainda assim não ser capaz de dizer: "Este é realmente você, esta não é mais a casca exterior".
Considerações extemporâneas, "Schopenhauer como educador", seção 1.

Nenhum vitorioso acredita no acaso.
A gaia ciência, livro III, seção 258.

A vantagem de uma má memória é poder desfrutar as mesmas coisas boas pela primeira vez várias vezes.
Humano, demasiado humano, "O homem a sós consigo", seção 580.

A virtude não corresponde mais a nenhuma crença; sua atração desapareceu. Alguém teria de pensar em uma nova forma de comerciá-la, talvez como uma forma incomum de aventura e excesso.
Bloco de notas 9, outono de 1887, 155.

CASAMENTO
Alguns homens suspiraram pelo rapto de suas mulheres, mas a maioria pelo fato de ninguém querer raptá-las.
Humano, demasiado humano, "A mulher e a criança", seção 388.

MATEMÁTICA
As leis dos números supõem que existem coisas idênticas, mas de fato nada é idêntico a qualquer outra coisa.
Humano, demasiado humano, "Das coisas primeiras e últimas", seção 19.

A matemática certamente não teria chegado a existir se alguém soubesse desde o começo que não existe na natureza tal coisa como uma linha reta, nem um círculo perfeito ou a magnitude absoluta.
Humano, demasiado humano, "Das coisas primeiras e últimas", seção 11.

O MUNDO METAFÍSICO
Mesmo se a existência de um mundo metafísico fosse demonstrada, é certo que seu conhecimento seria tão inútil quanto o conhecimento da composição química da água para um marinheiro naufragando.

Humano, demasiado humano, "Das coisas primeiras e últimas", seção 9.

MONSTROS
A grandeza pertence ao aterrorizante, que ninguém se engane sobre isso.
Bloco de notas 9, outono de 1887, seção 94.

BIGODES
O homem mais gentil e razoável pode, se tiver um grande bigode, postar-se como se estivesse em sua sombra e se sentir seguro. Pois o acessório de um grande bigode dará a impressão de ser militar, irascível e às vezes violento – e será tratado de acordo.
Aurora, livro IV, seção 381.

MÚSICA
Sem música, a vida seria um equívoco. Os alemães até imaginam Deus cantando músicas.
Crepúsculo dos ídolos, "Máximas e flechas", 33.

Wagner é um ser humano? Não é mais uma doença? Ele contamina tudo o que toca – deixou a música doente.
O caso Wagner, seção 5.

MÚSICA E DROGAS
Você precisa de haxixe para se livrar de uma pressão insuportável. Bem, então eu preciso de Wagner. Wagner é o antídoto para tudo que é alemão.
Ecce homo, "Por que sou tão inteligente", seção 6.

NACIONALISMO
"Deutschland, Deutschland über Alles", receio que este foi o fim da filosofia alemã.
Crepúsculo dos ídolos, "O que falta aos alemães?", seção 1.

Pois mesmo se eu for um mau alemão, de qualquer forma eu sou um bom europeu.
Carta para a mãe, agosto de 1886.

FILOSOFIA
Para se viver sozinho é preciso ser um animal ou um deus, diz Aristóteles. Mas você pode ser as duas coisas – um filósofo.
Crepúsculo dos ídolos, "Máximas e flechas", seção 3.

Platão é um chato.
Crepúsculo dos ídolos, "O que devo aos antigos", seção 2.
Nunca poderia ter havido uma filosofia platônica sem tantos jovens bonitos em Atenas. A filosofia de Platão é mais precisamente definida como um concurso erótico.
Crepúsculo dos ídolos, "Incursões de um extemporâneo", seção 23.

Os filósofos de hoje querem desfrutar do princípio divino da incompreensibilidade.
Aurora, livro v, seção 544.

Explicações místicas são consideradas profundas; a verdade é que elas não são nem rasas.
A gaia ciência, livro III, seção 126.

Considerar tudo profundo – esta é uma característica inconveniente. Faz-nos forçar os olhos o tempo todo, e no fim encontramos mais do que poderíamos ter desejado.
A gaia ciência, livro III, seção 158.

A filosofia oferece um asilo para um homem no qual nenhuma tirania pode entrar à força, a caverna interior, o labirinto do coração – e isto incomoda os tiranos.
Considerações extemporâneas, "Schopenhauer como educador", seção 3.

Pensamentos são as sombras de nossos sentimentos – sempre mais escuros, mais vazios, mais simples.
A gaia ciência, livro III, seção 179.

A equação socrática: razão = virtude = felicidade, era contrária a todos os instintos dos gregos antigos.

Crepúsculo dos ídolos, "O problema de Sócrates", seção 4.

FILOSOFIA / ENSINAMENTO
Retribui-se mal a um mestre continuando a ser apenas um aluno.
Ecce homo, "Prólogo", seção 4.

Como arruinar um jovem: instruindo-o a manter em alta estima somente os que pensam como ele.
Aurora, livro IV, seção 297.

FOTOGRAFIA
Ao ser fotograficamente executado pelo ciclope de um olho eu tento cada vez evitar um desastre, mas sempre saio eternizado de novo como um pirata ou um proeminente tenor ou um boiardo.
Carta a Malwida von Meysenbug, 20 de dezembro de 1872.

POLÍTICA
Moralidade é o instinto de rebanho no indivíduo.
A gaia ciência, livro III, seção 116.

Qualquer um que tenha construído um "novo céu" só reuniu o poder de que precisava por meio de seu próprio inferno.
Genealogia da moral, ensaio 3, seção 10.

Quem pensa muito não tem feitio para ser um homem de festas: ele pensa enquanto passa pela festa e sai pelo outro lado cedo demais.
Humano, demasiado humano, "O homem a sós consigo", seção 579.

Ninguém fala mais apaixonadamente sobre seus direitos do que aquele que no fundo da alma duvida se tem algum direito.
Humano, demasiado humano, "O homem a sós consigo", seção 597.

POSSESSÕES
A possessão em geral diminui a possessão.
A gaia ciência, livro I, seção 14.

Alguém tem a própria opinião da mesma forma que possui peixes — isto é, desde que possua um tanque de peixes. É preciso ir pescar e ter sorte — então se pode ter o próprio peixe, a própria opinião. Estou falando aqui de peixes vivos. Outros ficam contentes em possuir um gabinete de peixes empalhados — e convicções na cabeça.
Humano, demasiado humano II, "O andarilho e sua sombra", seção 317.

PÓS-VERDADE
Convicções são inimigas muito mais perigosas da verdade do que as mentiras.
Humano, demasiado humano, "O homem a sós consigo", seção 483.

Pessoas que vivem numa época de corrupção são argutas e difamadoras; elas sabem que há outros tipos de assassinato que não por adagas ou ataque; também sabem que tudo o que for *bem enunciado* é acreditado.
A gaia ciência, livro I, seção 23.

A maneira mais pérfida de prejudicar uma causa consiste em defendê-la deliberadamente com um argumento errôneo.
A gaia ciência, livro III, seção 191.

REALITY TV
Sem crueldade não há festival: assim ensina a parte mais longa e antiga da história humana — e no castigo há tanto de festivo!
Genealogia da moral, ensaio 2, seção 6.

Ver outros sofrerem faz bem, fazer outros sofrerem faz mais bem ainda.
Genealogia da moral, ensaio 2, seção 6.

O HERÓI ROMÂNTICO
A distinção que implica ser infeliz (como se sentir feliz fosse um sinal de superficialidade, falta de ambição, mediocridade) é tão grande que geralmente protestamos quando alguém diz "Mas como você deve estar feliz!".
Humano, demasiado humano, "O homem a sós consigo", seção 534.

Para aqueles que precisam de consolo nenhuma forma de consolo é tão efetiva como a afirmação de que em seu caso nenhum consolo é possível: implica um

grau tão grande de distinção que eles imediatamente voltam a levantar a cabeça.
Aurora, livro IV, seção 380.

VERDADE?
Não existem fenômenos morais, somente interpretações de fenômenos.
Além do bem e do mal, "Epigramas e entreatos", seção 108.

O fato de alguma coisa acontecer de forma regular e previsível não significa que isso necessariamente acontece.
Livro de notas 9, outono de 1887, 91

A irracionalidade de uma coisa não é argumento contra ela – faz parte de sua condição.
Humano, demasiado humano, "O homem a sós consigo", seção 515.

Não existem fatos, somente interpretações.
Livro de notas, verão de 1886-outono de 1887, seção 91.

SEXO
Sexo: o grande espinho de todos os que desprezam o corpo, pois zomba e faz de tolos todos os professores...
Sexo: o fogo lento em que a ralé é cozida na luxúria...
Sexo: livre e inocente para corações livres...
Sexo: cercarei meus pensamentos e meu coração para porcos e larápios não os arrombarem...
Assim falou Zaratustra, parte III, "Dos três males", seção 2.

O ESTADO
O Estado quer que os homens lhe dediquem a mesma idolatria que costumavam dedicar à Igreja.
Considerações extemporâneas, "Schopenhauer como educador", seção 4.

Tudo o que o Estado diz é mentira, e tudo que ele tem foi roubado.
Assim falou Zaratustra, parte I, "Do novo ídolo".

Estado é o nome do mais frio de todos os monstros. Mente friamente, e esta mentira se esgueira de sua boca: "Eu, o Estado, sou o povo".
Assim falou Zaratustra, parte I, "Do novo ídolo".

SUPLEMENTO DE VIAGEM
Filosofia, até onde a entendi e a vivi até agora, é viver livremente no gelo e nas altas montanhas.
Ecce homo, "Prefácio", seção 3.

Até mesmo o mais lindo cenário não está mais seguro de nosso amor depois de termos vivido nele por três meses, e algum litoral distante atrair nossa avareza.
A gaia ciência, livro I, seção 14.

Nunca confie em um pensamento que tenha lhe ocorrido em espaço fechado.
Ecce homo, "Por que sou tão inteligente", seção I.

ESCRAVOS DO SALÁRIO
Trabalho demais, curiosidade e compaixão – nossos vícios modernos.
Caderno de notas 9, seção 141.

É o infortúnio do homem ativo que sua atividade seja quase sempre um pouco irracional. Por exemplo, alguém não deve perguntar ao banqueiro que acumula dinheiro qual é o propósito de sua incansável atividade: é irracional. Pessoas ativas rolam como pedras, conformando-se com a estupidez da mecânica.
Humano, demasiado humano, "Sinais de cultura superior e inferior", seção 283.

Hoje como sempre, os homens se dividem em dois grupos: escravos e homens livres. Quem não tiver dois terços de seu dia para si mesmo é um escravo, seja ele o que for: um estadista, um homem de negócios, um funcionário ou um acadêmico.
Humano, demasiado humano, "Sinais de cultura superior e inferior", seção 283.

GUERRA
Quem vive pelo amor ao combate tem interesse em que o inimigo continue vivo.
Humano, demasiado humano, "O homem a sós consigo", seção 531.

As águas da religião estão baixando com a maré, deixando charcos e poças estagnadas; as nações estão se afastando umas das outras da maneira mais hostil, ansiosas para se fazer em pedaços.
Considerações extemporâneas, "Schopenhauer como educador", seção 4.

MULHERES
Deus criou a mulher. E o tédio realmente cessou a partir desse momento – mas muitas outras coisas cessaram também! A mulher foi o *segundo* erro de Deus.
O Anticristo, seção 48.

Duas coisas deseja um verdadeiro homem: perigo e divertimento. É por isso que deseja a mulher – o divertimento mais perigoso.
Assim falou Zaratustra, parte I, "Das velhas e novas mulherzinhas".

Mulheres sabem disto: um pouco mais gordas, um pouco mais magras – oh! Quanto destino jaz em tão pouco!
Assim falou Zaratustra, parte III, "Do espírito de gravidade", seção 2.

Vai procurar mulheres? Não esqueça o chicote!
Assim falou Zaratustra, parte I, "Das velhas e novas mulherzinhas".

ESCRITORES
Há algo de cômico na visão de autores que gostam das dobras farfalhantes de sentenças longas e envolventes: eles estão tentando cobrir os pés.
A gaia ciência, livro IV, seção 282.

Só aqueles com grandes pulmões têm direito a escrever longas sentenças.
Regras de escrita estabelecidas por Lou Salomé.

Pensamentos em um poema. O poeta apresenta seus pensamentos festivamente, na carruagem do ritmo: geralmente porque não conseguiram andar.
Humano, demasiado humano, "Da alma dos artistas e escritores", seção 189.

É verdade que as florestas vão ficar mais rarefeitas, poderá chegar o tempo em que as bibliotecas devam ser usadas como lenha para o fogo? Como a maioria dos livros nascem da fumaça e do vapor do cérebro, talvez eles devam retornar

ao seu estado. Se não houver fogo neles, o fogo deveria castigá-los por isso.
Considerações extemporâneas, "Schopenhauer como educador", seção 4.

Sou o primeiro alemão a ter dominado o aforismo, e aforismos são uma forma de eternidade. É minha ambição dizer em dez sentenças o que todos os outros dizem em um livro inteiro – o que todos os outros *não* dizem em um livro inteiro.
Crepúsculo dos ídolos, "Incursões de um extemporâneo", seção 51.

Cronologia

1844 Friedrich Nietzsche nasce em 15 de outubro. Primeiro filho de Karl Ludwig Nietzsche, pastor, e Franziska (nascida Oehler) em Röcken, na Saxônia.

1846 A irmã Elisabeth Nietzsche nasce em 10 de julho.

1848 O irmão Ludwig Joseph Nietzsche nasce em 27 de fevereiro.

1849 Morte de Karl Ludwig Nietzsche em 30 de julho, de "amolecimento do cérebro".

1850 Morte de Ludwig Joseph em 4 de janeiro. Família muda-se para Naumburg.

Nietzsche entra para a escola pública elementar.

1851 Nietzsche entra para a instituição particular do professor Weber.

1854 Nietzsche entra para a escola da catedral de Naumburg.

1858 Franziska, Friedrich e Elisabeth mudam-se para a Weingarten 18 em Naumburg. No outono, Nietzsche começa a estudar em Schulpforta.

1860 Funda Germania, um clube musical e literário com os amigos Gustav Krug e Wilhelm Pinder. Início de uma amizade de toda a vida com Erwin Rohde.

1864 Forma-se na Schulpforta em setembro. Matricula-se na Universidade de Bonn em outubro, estudando teologia e filologia clássica. Entra para a fraternidade de Franconia.

1865 Troca Bonn pela Universidade de Leipzig. Desiste de teologia. Estuda filologia clássica com o professor Friedrich Ritschl. Descobre Schopenhauer. Visita um bordel em Colônia.

1867 Serviço militar. Começa o treinamento no 2º Batalhão de Cavalaria, 4º Regimento de Exército de Campo.

1868 Ferido em um acidente a cavalo. Fica encantado ao ouvir *Tristão e Isolda* e as aberturas de *Meistersinger* de Richard Wagner. Perde cada vez mais o interesse por filologia. Conhece Wagner em novembro.

1869 Nomeado professor extraordinário de filologia clássica na Universidade de Basileia. Renuncia à cidadania prussiana. Visita Wagner e sua amante Cosima von Bülow na mansão onde moram, Tribschen, em Lucerna. Primeira subida ao monte Pilatos. Faz anotações para *O nascimento da tragédia no espírito da música*. Está presente em Tribschen quando Cosima dá a luz o filho de Wagner, Siegfried. Passa o Natal em Tribschen.

1870 Promovido a professor titular. Palestras públicas sobre "Drama na música antiga", "Sócrates e a tragédia" e *Oedipus Rex*. Em julho é declarada guerra entre Alemanha e França. Alista-se como auxiliar médico na Guerra Franco-prussiana. Tratando dos feridos é contagiado por difteria e disenteria e hospitalizado. Volta à Basileia. Início da amizade com Franz Overbeck, professor de teologia e crítico do protestantismo. Wagner se casa com Cosima.

1871 Candidata-se sem sucesso à cadeira de filosofia na Basileia. Escreve *O nascimento da tragédia no espírito da música*. Fim da Guerra Franco-prussiana. Declarado o Segundo Reich alemão. Guilherme II é coroado imperador.

1872 Vai de carruagem com Wagner para o lançamento da pedra fundamental do Festival de Bayreuth. É publicado *O nascimento da tragédia*. É duramente criticado por Ulrich von Wilamowitz-Möllendorf e fortemente defendido por Erwin Rohde. Nenhum aluno de estudos clássicos se matricula para suas aulas de verão sobre retórica grega e latina. Richard e Cosima Wagner mudam-se de Tribschen para Bayreuth.

1873 Começa *A filosofia na era trágica dos gregos*, que permanece inconcluso. Conhece Paul Rée. Primeira *Consideração extemporânea*, "David Strauss, o confessor e o escritor", publicada em agosto. Escreve a fanfarrona "Exortação à Alemanha" para angariar dinheiro para Bayreuth. É rejeitada.

1874 Publica duas *Considerações extemporâneas*: "Da utilidade e desvantagem de história para a vida" e "Schopenhauer como educador". Wagner termina o ciclo de *O anel* e convida Nietzsche para passar o verão em Bayreuth. Nietzsche faz viagens de cura para sua saúde na Floresta Negra.

1875 Começa a escrever a quarta *Consideração extemporânea*, "Richard Wagner em Bayreuth". Saúde muito abalada, mas continua a lecionar. Elisabeth vai à Basileia para cuidar dele. Conhece alguém que vai apoiá-lo a vida toda, Heinrich Köselitz (depois conhecido como Peter Gast). Gravemente enfermo durante o inverno.

1876 Publica "Richard Wagner em Bayreuth" a tempo para a abertura do primeiro Festival de Bayreuth. Flerta com Louise Ott. Sai de Bayreuth repentinamente. Começa a trabalhar em *Humano, demasiado humano*. Pede Mathilde Trampedach em casamento, que declina o pedido. Em outubro, consegue uma licença na Basileia para se tratar. Vai a Gênova; primeira vez que vê o mar. E também para Sorrento com Malwida von Meysenbug e Paul Rée. Lê Voltaire e Montaigne. Último encontro com Wagner.

1877 Fica em Sorrento até o início de maio. Visita Capri, Pompeia e Herculano. Passa por exames médicos com o dr. Otto Eiser. Visão muito ruim. Retoma as aulas no outono, dependendo de Peter Gast como copista e de Elisabeth como governante.

1878 Publica *Humano, demasiado humano*. Envia exemplar para Wagner. Wagner manda para Nietzsche o libreto de *Parsifal*. Nenhum dos dois gosta do trabalho do outro. Wagner ataca Nietzsche no *Bayreuther Blätter*. Elisabeth volta a Naumburg. Estabelece amizade íntima com Franz Overbeck e esposa.

1879 Publica "Miscelânea de opiniões e sentenças" como apêndice de *Humano, demasiado humano*. Demite-se da Universidade de Basileia em maio, dando como razão a má saúde. Ganha uma pensão de 3 mil francos suíços durante seis anos (depois estendida). Escreve "O andarilho e sua sombra". Sofre de grave crise de enxaqueca que dura

118 dias do ano. Faz planos de se tornar um jardineiro morando numa torre na prefeitura de Naumburg.

1880 Viaja para o sul do Tirol, encontra-se com Peter Gast em Riva, no lago de Garda. Os dois viajam para Veneza. Um ano agitado, terminando em Gênova no Natal. Escreve *Aurora*.

1881 Mais viagens para Recoaro, lago de Como e Saint Moritz. Descobre Espinoza. Visita Sils Maria pela primeira vez; vive a revelação do eterno retorno. Primeiros esboços de *Zaratustra*. Publica *Aurora*. Volta a Gênova; identifica-se com Cristóvão Colombo. Ouve pela primeira vez a ópera *Carmen* de Bizet.

1882 Experimenta uma máquina de escrever. Publica *A gaia ciência*. Escreve os poemas "O idílio de Messina". Viaja para Messina. Em abril, para Roma, onde conhece Lou Salomé; Lou propõe que morem juntos com Paul Rée em uma "trindade profana" de espíritos livres. No monte de Orta, Nietzsche pede Lou em casamento; ela declina. Na Basileia é tirada uma fotografia notória de Nietzsche e Rée atrelados a uma charrete com Lou brandindo um chicote sobre os dois. Nietzsche leva Lou a Tribschen, mas se recusa a acompanhar Elisabeth e Lou a Bayreuth. Encontra-se com as duas em Tautenburgo, onde revela o eterno retorno a Lou. Rompe com Elisabeth e com a mãe. O plano da "trindade profana" era morar em um estúdio em Paris, mas Lou e Rée fogem juntos. Nietzsche ameniza a dor com ópio e escreve sobre suicídio.

1883 Redige a primeira parte de *Assim falou Zaratustra* em janeiro. Em fevereiro Wagner morre em Veneza. Escreve a segunda parte de *Zaratustra* em Sils Maria e a terceira em Nice. Elisabeth anuncia seu noivado com o agitador antissemita Bernhard Förster.

1884 Publica a terceira parte de *Zaratustra*. Tem problemas com o editor: os livros de Nietzsche não estão vendendo. Conhece Meta von Salis-Marschlins e Resa von Schirnhofer. Adota ascendência polonesa. Reconcilia-se com Elisabeth. Escreve a quarta parte de *Assim falou Zaratustra*.

1885 Financia pequena tiragem da quarta parte de *Zaratustra*. Elisabeth se casa com Förster. Nietzsche paga uma nova lápide para o túmulo do pai. Escreve *Além do bem e do mal*.

1886 *Além do bem e do mal* é publicado pelo próprio autor, como serão todos os seus livros a partir de então. O editor Ernst Fritzsch compra os direitos autorais dos primeiros livros de Nietzsche e publica novas edições de *O nascimento da tragédia* e *Humano, demasiado humano* (agora com um segundo volume contendo "Opiniões e sentenças diversas" e "O andarilho e sua sombra") e *Aurora*. Franz Liszt morre em Bayreuth. Elisabeth e Bernhard Förster viajam ao Paraguai para fundar a Nueva Germania, uma colônia ariana "racialmente pura".

1887 Vivencia um terremoto em Nice. Lê Dostoiévski em tradução para o francês. Lou Salomé anuncia seu noivado com Friedrich Carl Andreas. Nietzsche musica o poema "Hino à amizade" de Lou e paga sua impressão com o título "Hino à vida". Tenta em vão que seja apresentado. Ouve *Parsifal* e é arrebatado pela melodia. Publica *Genealogia da moral*. Novas edições expandidas de *Aurora* e *A gaia ciência*.

1888 Finalmente ganha a aclamação do público depois das palestras de Georg Brandes sobre sua obra em Copenhague. Corresponde-se com o dramaturgo sueco August Strindberg, que escreve peças "nietzschianas". Nietzsche descobre Turim, onde escreve *O caso Wagner*. Abandona *A vontade de poder*. Completa, em rápida sucessão, *Crepúsculo dos ídolos*; *O Anticristo*; sua autobiografia final *Ecce homo*; *Nietzsche contra Wagner*. Faz uma coletânea de poemas que escreveu nos anos 1880 no volume *Os ditirambos de Dionísio*. Apresenta sinais evidentes de colapso nervoso em cartas cada vez mais bizarras.

1889 Desmaia em Turim em 3 de janeiro. O leal amigo Overbeck o leva à Suíça. Diagnosticado com paralisia progressiva induzida por infecção sifilítica. É internado num asilo em Jena. *Crepúsculo dos ídolos* é publicado em 24 de janeiro. No Paraguai, Bernhard Förster se suicida. Elisabeth luta pela sobrevivência da colônia.

1890 Entregue aos cuidados da mãe na casa da infância em Naumburg. Mergulha cada vez mais na insanidade e na paralisia, perdendo a razão e a fala.

1896 A vanguarda se entusiasma com sua obra. Richard Strauss compõe e estreia *Assim falou Zaratustra*.

1897 Franziska Nietzsche morre em 20 de abril. Elisabeth muda Nietzsche e seus papéis para Weimar, onde funda o arquivo Nietzsche.

1900 Nietzsche morre em 25 de agosto. Enterrado no túmulo da família em Röcken.

1901 Elisabeth publica primeira versão de *A vontade de poder*, misturada com fragmentos que escolheu de anotações de Nietzsche.

1904 Elisabeth publica a "edição definitiva" e expandida de *A vontade de poder*.

1908 Autobiografia de Nietzsche *Ecce homo* finalmente é publicada. Referências pouco lisonjeiras a Elisabeth são omitidas.

1919 Primo de Elisabeth, Max Oehler, um nazista entusiasmado, torna-se arquivista-chefe do arquivo Nietzsche.

1932 Elisabeth, ardente admiradora de Mussolini, convence o Teatro Nacional de Weimar a apresentar a peça *Campo di Maggio*, de coautoria de Mussolini. Adolf Hitler visita Elisabeth em seu camarote.

1933 Hitler visita o arquivo Nietzsche. Elisabeth o presenteia com o bastão de caminhadas de Nietzsche.

1934 Hitler visita o arquivo com o arquiteto Albert Speer e é fotografado olhando para o busto de Nietzsche.

1935 Morre Elisabeth. Hitler comparece ao funeral e deposita uma coroa de flores. Tendo previamente desenterrado o irmão de seu lugar no meio do túmulo da família, Elisabeth assume essa importante posição para si mesma.

Notas

1. UMA NOITE MUSICAL

1. Ottilie Brockhaus (1811-83), irmã de Richard Wagner e esposa de Hermann Brockhaus, professor e estudante de literatura indiana.
2. Wilhelm Roscher (1845-1923), um colega estudante.
3. Os poemas de Eudóxia, filha do filósofo ateniense Leôncio. Renunciou ao paganismo para se casar com Teodósio, o imperador de Bizâncio em 421 d.C.
4. Fragmento autobiográfico, 1868-9.
5. *Rückblick auf meine zwei Leipziger Jahre*, citado em R. J. Hollingdale, *Nietzsche, the Man and His Philosophy*, p. 36.
6. *O caso Wagner*, seção 10.
7. *Ecce homo*, "Por que sou tão inteligente", seção 6.
8. Ver Michael Tanner, *Nietzsche, a Very Short Introduction*, Oxford University Press, 2000, p. 23.
9. *Ecce homo*, "Por que sou tão inteligente", seção 6.
10. Nietzsche para Erwin Rohde, 20 de novembro de 1868.
11. Karl Ludwig Nietzsche (1813-49). Franziska Oehler [mãe] (1826-97).
12. Friedrich Nietzsche, *Jugendschriften*, ed. Hans Joachim Mette et al., 5 vols., Walter de Gruyter; Deutscher Taschenbuch Verlag, 1994, vol. 1, pp. 4-5, em *The Good European*, p. 14.
13. Ibidem, pp. 6-7. Especulações envolvem dois relatos ligeiramente diferentes de Nietzsche de seus sonhos proféticos (ver *The Good European*, pp. 16-7, nota de rodapé n. 2). Nietzsche descreve a experiência ocorrendo no fim do ano de 1850, mas deve ter sido em março de 1850. A confusão é devida à data na tumba em que o pequeno Joseph se juntou ao pai. "Nascido 27 de fevereiro 1848, morto 4 de janeiro 1850", diz a lápide, embora, segundo o registro da paróquia, Joseph morreu vários dias depois de ter completado dois anos, que teria sido em março. Isto estaria de acordo com o período do sonho de Nietzsche.
14. Paul Julius Möbius (1853-1907), neurologista, atendia em Leipzig, publicou muitos livros. Seu nome foi dado à síndrome de Möbius, um raro tipo de tremor associado à paralisia dos nervos cranianos, e à síndrome de Leyden-Möbius, distrofia muscular da região pélvica.
15. Richard Schain, *The Legend of Nietzsche's Syphilis*, Greenwood Press, 2001, pp. 2-4.
16. *Jugendschriften*, op. cit., p. 7.
17. Elisabeth Nietzsche escrevendo como Elisabeth Förster-Nietzsche, *The Life of Nietzsche*, 1912, vol. 1, p. 27.
18. Ibidem, pp. 22-3.
19. Ibidem, p. 24.
20. *Jugendschriften*, op. cit., p. 19.
21. "*Aus meinem Leben*", um breve relato autobiográfico dos anos 1844-63. Keith Ansell Pearson; Duncan Large, *The Nietzsche Reader*, Blackwell, 2006, pp. 18-21.
22. Ibidem.
23. *The Life of Nietzsche*, op. cit., vol. 1, p. 40.

24. *Ecce homo*, "Por que sou tão sábio", seção 5.
25. *Aus meinem Leben.*
26. *Sämtliche Werke, Kritische Studienausgabe*, vol. 11, p. 253. Nietzsche se refere novamente a esse trabalho no fim da vida ainda como escritor, em 1887, na terceira seção do prefácio de *Genealogia da moral*.

2. NOSSA ATENAS ALEMÃ
1. Texto para Wilhelm Pinder citado em *The Good European*, op. cit., p. 61.
2. Philipp Melanchthon Schwarzerd (1497-1560), principal assistente de Lutero na tradução do Velho Testamento para o alemão, mais conhecido por seu pseudônimo helênico, Melanchthon.
3. Karl Wilhelm von Humboldt (1767-1835).
4. Karl Wilhelm von Humboldt, *Gesammelte Schriften: Ausgabe der Prussischen Akademie der Wissenschaften*, vol. 2, p. 117.
5. Fragmento autobiográfico, 1868-9.
6. Anne-Louise Germaine de Staël-Holstein, *Germany*, 1813, vol. 1, *Saxony*.
7. Nietzsche para Wilhelm Pinder, abril de 1859.
8. Diário, 18 de agosto de 1859. Citado em *The Good European*, op. cit., p. 23.
9. Sander L. Gilman (ed.), *Conversations with Nietzsche*, Oxford University Press, 1987, p. 15.
10. O professor provavelmente era o professor Koberstein.
11. Nietzsche, "Letter to my friend [...]", 19 de outubro de 1861.
12. Friedrich Hölderlin, *Hyperion*, em *The Peacock and the Buffalo: The Poetry of Nietzsche*, Continuum Books, 2010, p. 34.
13. Empédocles, Fragmentos 38 e 62.
14. Nietzsche para Raimund Granier, 28 de julho de 1862.
15. *The Good European*, op. cit., p. 26.
16. Fragmento autobiográfico, 1868-9.
17. O autor romano Tácito (*ca*.55-116 d.C.) escreveu a primeira descrição da Alemanha, *Germania*.
18. Fragmento autobiográfico, 1868-9.
19. *The Life of Nietzsche*, op. cit., vol. 1, p. 117.
20. Fragmento autobiográfico, 1868-9.

3. TORNE-SE QUEM VOCE É
1. *The Life of Nietzsche*, op. cit., vol. 1, p. 144.
2. Ibidem, pp. 143-4.
3. Gilman (ed.), *Conversations with Nietzsche*, p. 20.
4. Chambers' *Encyclopedia*, 1895, vol. 4, p. 433.
5. Nietzsche para Elisabeth Nietzsche, 11 de junho de 1865.
6. Nietzsche para Carl von Gersdorff, Naumburg, 7 de abril de 1866.
7. Heinrich Stürenberg, colega estudante da Universidade de Leipzig. Ver *Conversations with Nietzsche*, p. 29.
8. *Pythian Odes*, 2:73.
9. Nietzsche para Erwin Rohde, Naumburg, 3 de novembro de 1867.
10. Nietzsche para Jacob Burckhardt, 6 de janeiro de 1889.
11. Carl Bernoulli citado em Hollingdale, *Nietzsche, the Man and his Philosophy*, p. 48.
12. *Conversations with Nietzsche*, op. cit., p. 62.
13. Nietzsche para Carl von Gersdorff, agosto de 1866.
14. Nietzsche para Erwin Rohde, fevereiro de 1870.
15. Richard Wagner para Franz Liszt, 15 de janeiro de 1854, citado em Barry Millington, *The Sorcerer of Bayreuth: Richard Wagner, his Work and his World*, Thames and Hudson, 2013, p. 144.
16. Immanuel Kant, *Critique of Judgement* [*Crítica da faculdade de julgar*], 1790, Oxford University Press, 1928, p. 28.

17. É muito provável que o fantasma de Rigi tenha contribuído com certos elementos sobrenaturais de *O anel* de Wagner: a ponte do arco-íris levando ao Valhala, o lar dos deuses, a dupla de gigantes que se erguem ameaçando na neblina nas janelas de Valhala e a instrução específica do palco em *Rheingold* que diz: "A nuvem se ergue subitamente, revelando Donner e Froh. A partir de seus pés uma ponte de arco-íris luminosa e radiante se estende através do vale até o castelo, que agora cintila à luz do sol da tarde".
18. Judith Gautier, *Wagner at Home*, John Lane, 1911, p. 97.
19. Alan Walker, *Hans von Bülow, A Life and Times*, Oxford University Press, 2010, p. 98.
20. Richard Wagner para Eliza Wille, 9 de setembro de 1864.
21. Richard Wagner para Mathilde Wesendonck, 4 de setembro de 1858, citado em *Hans von Bülow*, op. cit., p. 110.

4. NAXOS
1. Cosima Wagner, *Diary*, 17 de maio de 1869.
2. Hans von Bülow, citado em Joachim Köhler, *Nietzsche and Wagner, A Lesson in Subjugation*, Yale University Press, 1998, p. 28.
3. Lionel Gossman, "Basel in the Age of Burckhardt", University of Chicago Press, 2000, p. 15.
4. Jacob Burckhardt, *The Civilisation of the Renaissance in Italy* [*A cultura do Renascimento na Itália*], Penguin, 1990, p. 4.
5. *Considerações extemporâneas*, "Richard Wagner em Bayreuth", seção 3.
6. *The Civilisation of the Renaissance in Italy*, op. cit., p. 5.
7. Mendès, "Personal Recollections", em Grey (ed.), *Richard Wagner and His World*, pp. 233-4.
8. Wagner para Nietzsche, 7 de fevereiro de 1870.
9. "*Zwei Nietzsche Anekdoten*", *Frankfurter Zeitung*, 9 de março de 1904, citado em Millington, *Richard Wagner*, p. 153.
10. Carta de 29 de setembro, citada em *Richard Wagner*, p. 221.
11. Originalmente publicado em *Revue Européenne*, 1º de abril de 1861.
12. Joanna Richardson, *Judith Gautier, a Biography*, Quartet, 1986, p. 39.
13. *Richard Wagner and His World*, op. cit., pp. 231-4.
14. Newell Sill Jenkins, "Reminiscences of Newell Sill Jenkins", publicado pelo autor em 1924, em *Richard Wagner and His World*, op. cit.
15. Köhler, *Nietzsche and Wagner*, pp. 55-6.
16. *The Life of Nietzsche*, op. cit., vol. 1, pp. 230-1.
17. Nietzsche para Wilhelm Vischer-Bilfinger, Basileia, provavelmente em janeiro de 1871.
18. Nietzsche para Franziska Nietzsche, com cabeçalho de Sulz, perto de Weissenburg, nos arredores de Wörth, 29 de agosto de 1870.
19. Nietzsche para Carl von Gersdorff, Basileia, 12 de dezembro de 1870.
20. Nietzsche para Carl von Gersdorff, 21 de junho de 1871.
21. Cosima Wagner, *Diary*, domingo, 25 de dezembro de 1870.
22. Wilhelm Vischer-Bilfinger (1808-74), arqueólogo notável, professor e membro do conselho da Universidade de Basileia.
23. Malwida von Meysenbug, *Rebel in a Crinoline*, George Allen & Unwin, 1937, pp. 194-5.
24. *The Life of Nietzsche*, op. cit., vol. 1, pp. 243-4.
25. Ibidem, p. 246.
26. Um hotel imenso nas margens do lago, agora chamado Residenza Grand Palace e transformado em prédio de apartamentos.

5. O NASCIMENTO DA TRAGÉDIA
1. *O nascimento da tragédia*, seção 1.
2. Ibidem, seção 7.

3. Ibidem, seção 15.
4. Ibidem, seção 15.
5. Ibidem, seção 18.
6. Ibidem, seção 20.
7. Ibidem, seção 21.
8. Cosima Wagner, *Diary*, 18 de agosto de 1870.
9. Ibidem, 8 de abril de 1871.
10. Nietzsche para Erwin Rohde, 1871.
11. Nietzsche para Carl von Gersdorff, 18 de novembro de 1871.
12. Nietzsche para Erwin Rohde, 21 de dezembro de 1871.
13. Nietzsche para Franziska e Elisabeth Nietzsche, Basileia, 27 de dezembro de 1871.
14. Nietzsche para Gustav Krug, Basileia, 31 de dezembro de 1871.
15. "Sobre o futuro de nossas instituições educacionais", primeira palestra, realizada em 16 de janeiro de 1872.
16. Cosima Wagner, *Diary*, 16 de janeiro de 1872.
17. Nietzsche para Erwin Rohde, Basileia, 28 de janeiro de 1872.
18. Cosima Wagner, *Diary*, 31 de janeiro de 1872.
19. Nietzsche para Carl von Gersdorff, 1º de maio de 1872.
20. Nietzsche para Friedrich Ritschl, Basileia, 30 de janeiro de 1872.
21. Nietzsche para Erwin Rohde, 25 de outubro de 1872.
22. Cosima Wagner, *Diary*, 22 de maio de 1872.
23. Walker, *Hans von Bülow*, p. 5.
24. Nietzsche para Hans von Bülow, rascunho de carta, provavelmente de 29 de outubro de 1872.
25. William H. Schaberg, *The Nietzsche Canon, A Publication History and Bibliography*, University of Chicago Press, 1995, pp. 203-4.

6. O CHALÉ DO VENENO

1. Cosima Wagner, *Diary*, 11 de abril de 1873.
2. Professor Hermann Karl Usener, teólogo e filólogo clássico que sucedeu Friedrich Ritschl na Universidade de Bonn.
3. Franz Overbeck (1837-1905).
4. Carl von Gersdorff para Erwin Rohde, 24 de maio de 1873.
5. *Ecce Homo*, "Humano, demasiado humano", seção 4.
6. *Considerações extemporâneas*, "David Strauss", seção 8.
7. Carl von Gersdorff para Erwin Rohde, 9 de agosto de 1873.
8. Nietzsche para Erwin Rohde, Basileia, 18 de outubro de 1873.
9. Johann Karl Friedrich Zöllner, *Natur der Kometen*, 1870; Hermann Kopp, *Geschichte der Chemie*, 1834-7; Johann Heinrich Mädler, *Der Wunderbau des Weltalls*, 1861; Afrikan Spir, *Denken und Wirklichkeit*, 1873.
10. *Considerações extemporâneas*, "Sobre a utilidade e a desvantagem da história para a vida", seção 10.
11. Cosima Wagner, *Diary*, 9 de abril de 1974.
12. Nietzsche para Von Gersdorff, 1º de abril de 1874.
13. Cosima Wagner, *Diary*, 4 de abril de 1874.
14. Richard Wagner para Nietzsche, 6 de abril de 1874.

7. CONCEITO-TREMOR

1. Nietzsche para Malwida von Meysenbug, 11 de agosto de 1875.
2. Samuel Roth (1893-1974), pornógrafo, escritor e editor.
3. Para o relato de Walter Kaufmann, ver "Nietzsche and the Seven Sirens", *Partisan Review*, maio/junho de 1952.

4. Herlossohn, *Damen-Conversations-Lexikon* (1834-8), citado em Carol Diethe, *Nietzsche's Sister and the Will to Power*, University of Illinois Press, 2003, p. 17.
5. Conde Harry Kessler, Diário, 23 de fevereiro de 1919, em Charles Kessler (ed. e trad.), *Berlin in Lights, The Diaries of Harry Kessler, 1918-1937*, Grove Press, Nova York, 1971, p. 74.
6. Diethe, *Nietzsche's Sister and the Will to Power*, p. 20.
7. Elisabeth Nietzsche para Nietzsche, 26 de maio de 1865.
8. *Ecce homo*, "Por que escrevo tão bons livros", Seção 5.
9. Gilman (ed.), *Conversations with Nietzsche*, p. 69. Ludwig von Scheffler, memórias, verão de 1876.
10. *Considerações extemporâneas*, "Schopenhauer como educador", seção 4.
11. Ibidem, seção 1.
12. Ibidem, seção 1.
13. Ibidem, seção 4.
14. Ibidem, seção 7.
15. Ibidem, seção 8.
16. Ibidem, seção 4.
17. Ibidem, seção 4.
18. Cosima Wagner, *Diary*, 8-18 de agosto de 1874.
19. Caderno de notas, 1874.
20. Telegrama, 21 de outubro de 1874.
21. Nietzsche para Mathilde Trampedach, 11 de abril de 1876.

8. O ÚLTIMO DISCÍPULO E O PRIMEIRO DISCÍPULO

1. *Considerações extemporâneas*, "Schopenhauer como educador", seção 4.
2. *Considerações extemporâneas*, "Richard Wagner em Bayreuth", seção 7.
3. Ibidem, seção 8.
4. Ibidem, seção 11.
5. *Conversations with Nietzsche*, op. cit., pp. 54-60.
6. Ibidem, p. 56.
7. Nietzsche para Malwida von Meysenbug, 20 de dezembro de 1872.
8. Wagner para Nietzsche, 13 de julho de 1876.
9. "*Der Wanderer*", também conhecido como "*Es geht ein Wandre*".
10. Cosima Wagner, *Diary*, 28 de julho de 1876.
11. Artigo apresentado a *Russky Viedomosty*, citado em Millington, *Richard Wagner*, p. 231.
12. Malwida von Meysenbug (1816-1903).
13. *Memoiren einer Idealistin*, publicado anonimamente, 1869.
14. Aleksandr Herzen (1812-70), às vezes chamado de "o pai do socialismo russo", trabalhou pela emancipação dos servos e pela reforma agrária.
15. Von Meysenbug, *Rebel in a Crinoline*, op. cit., p. 194.
16. Ibidem, p. 196.
17. Nietzsche para Louise Ott, 30 de agosto de 1876.
18. Louise Ott para Nietzsche, 2 de setembro de 1876.
19. Louise Ott para Nietzsche, 1º de setembro de 1877, citado em Carol Diethe, *Nietzsche's Women: Beyond the Whip*, Walter de Gruyter, 1996, p. 39.

9. ESPÍRITOS LIVRES E NÃO TÃO LIVRES

1. Malwida von Meysenbug para Olga Herzen, Sorrento, 28 de outubro de 1876.
2. Nietzsche para Elisabeth Nietzsche, Sorrento, 28 de outubro de 1876.
3. *Humano, demasiado humano*, seção 4, "Da alma de artistas e escritores", seção145.
4. Paul Rée, *Notio in Aristotelis Ethicis Quid Sibi Velit, Halle, Pormetter*, 1875, citado em Robin Small,

Nietzsche and Rée, A Star Friendship, Clarendon Press, Oxford, 2007, p. xv.
5. Enquanto estudante, Nietzsche obteve a maior parte de suas informações sobre o assunto com Friedrich Albert Lange, *Geschichte des Materialismus und Kritik seiner Bedeutung in der Gegenwart* [História do materialismo e seu significado no presente], 1879. Em 1887 ou 1888, Nietzsche adquiriu um exemplar de Karl Wilhelm von Nägeli, *Mechanisch-physiologische Theorie der Abstammungslehre* [Teoria mecânica-fisiológica da evolução], 1884, um detalhado estudo do darwinismo. Ver Carol Diethe, *The A to Z of Nietzscheanism*, Scarecrow Press, 2010, pp. 53-4.
6. Publicado em *Mind*, 2 (1877), pp. 291-2. Para uma cobertura abrangente do assunto, ver Small, *Nietzsche and Rée*, pp. 88-90.
7. Small, *Nietzsche and Rée*, pp. 72, 98.
8. *Genealogia da moral*, "Prefácio", seção 8.
9. Nietzsche para Wagner, 27 de setembro de 1876.
10. Caderno de notas de 1876, citado em Small, *Nietzsche and Rée*, p. 58.
11. Nietzsche para Richard Wagner, Basileia, 27 de setembro de 1876.
12. Cosima Wagner, *Diary*, 27 de outubro de 1876.
13. Ibidem, 1º de novembro de 1876.
14. Nietzsche para Elisabeth Nietzsche, 25 de abril de 1877.
15. Nietzsche para Malwida von Meysenbug, 13 de maio de 1877.
16. Nietzsche para Elisabeth, 2 de junho de 1877.
17. *The Life of Nietzsche*, op. cit., vol. 2, pp. 11-3.
18. Richard Wagner para o dr. Eiser, 27 de outubro de 1877, citado em Martin Gregor-Dellin, *Richard Wagner, His Life, His Work, His Century*, Collins, 1983, pp. 452-3.
19. Relatório do dr. Eiser, 6 de outubro de 1877, citado em Ibidem, pp. 453-4.

10. HUMANO, DEMASIADO HUMANO
1. Nietzsche para Ernst Schmeitzner, 2 de fevereiro de 1877.
2. *Humano, demasiado humano*, "Das coisas primeiras e últimas", seção 2.
3. Ibidem, seção 2.
4. Ibidem, seção 4.
5. Ibidem, seção 5.
6. Ibidem, seção 9.
7. Ibidem, seção 6.
8. Ibidem, seção 11.
9. Ibidem, seção 19.
10. Ibidem, "Contribuição à história dos sentimentos morais", seção 37.
11. La Rochefoucauld, frase de abertura de *Sentences et maximes morales*, referindo-se a *Humano, demasiado humano*, "Contribuição à história dos sentimentos morais", seção 35.
12. Ibidem, "Um olhar sobre o Estado", seção 438.
13. Ibidem, "Um olhar sobre o Estado", seção 452.
14. Ibidem, "Contribuição à história dos sentimentos morais", seção 87.
15. Schaberg, *The Nietzsche Canon*, p. 59. Ver também *The Life of Nietzsche*, op. cit., vol. 2, p. 32.
16. Ernst Schmeitzner para Nietzsche, citado em Ibidem.
17. Nietzsche para Mathilde Meier, 15 de julho de 1878.
18. "*L'âme de Voltaire fait ses compliments à Friedrich Nietzsche.*"
19. Cosima Wagner para Marie von Schleinitz, junho de 1878.
20. Wagner publicou três artigos sobre *Publikum und Popularität* no *Bayreuther Blätter*, agosto-setembro de 1878.
21. Nietzsche para Johann Heinrich Köselitz (vulgo Peter Gast), 5 de outubro de 1879.
22. Nietzsche para Malwida von Meysenbug, 1º de julho de 1877.

11. O ANDARILHO E SUA SOMBRA

1. Seção 1 do prefácio da segunda edição de *Aurora*, 1886.
2. Eletricidade: ver cartas a Peter Gast e Franz Overbeck de agosto e setembro de 1881.
3. Nietzsche para Franz Overbeck, 30 de julho de 1881.
4. Ida Overbeck lembrou-se de Nietzsche citando ideias de Feuerbach nos anos 1880-3, quando Nietzsche morou na casa dos Overbeck durante alguns curtos períodos; ver *Conversations with Nietzsche*, op. cit., pp. 111-5.
5. *Aurora*, livro I, seção 4.
6. Nietzsche para Peter Gast, 5 de outubro de 1879.
7. Mateus 16:18.
8. Nietzsche para Franz Overbeck, 27 de março de 1880.
9. Na verdade o quadro de Böcklin retrata o cemitério de Florença, também acessado por via aquática, embora sempre tenha sido suposto, por razões aquáticas, que a visão retratada era a ilha cemitério de San Michele, Veneza.
10. *Humano, demasiado humano*, livro III, "O andarilho e sua sombra", seção 295.
11. Nietzsche para Peter Gast, 14 de agosto de 1881.
12. Segundo um índice suíço de preços ao consumidor de 1501 a 2006, o pagamento médio de um bom artesão de construção na Suíça na época era de 2,45 francos por dia ou 12,25 francos por semana. O aluguel estava baixo.
13. Carta a Franz Overbeck, 18 de setembro de 1881.
14. *A gaia ciência*, livro IV, seção 341.
15. Caderno de notas, 1881.
16. Nietzsche para Elisabeth Nietzsche, 5 de dezembro de 1880. O sótão era em Salita dele Battistine 8, em frente ao parque da Villeta di Negro, onde ele encontrava sombra e paz.
17. *Aurora*, livro IV, seção 381.
18. Lou Salomé (1861-1937), filha de um general russo; a mãe era alemã.
19. Lou Andreas-Salomé, *Looking Back: Memoirs*, Paragon House, New York, 1990, p. 45.
20. Paul Rée para Nietzsche, 20 de abril de 1882.
21. *A gaia ciência*, livro IV, seção 77.
22. Malwida von Meysenbug para Nietzsche, 27 de março de 1882.

12. FILOSOFIA E EROS

1. Andreas-Salomé, *Looking Back*, p. 45.
2. Lou Salomé, escrevendo como Lou Andreas-Salomé, *Nietzsche*, trad. Siegfried Mandel, University of Illinois Press, 2001, pp. 9, 10.
3. Andreas-Salomé, *Looking Back*, p. 47.
4. *Considerações extemporâneas*, "Dos usos e desvantagens da história para a vida", Seção 2.
5. *A gaia ciência*, Livro II, Seção 71, "Da castidade feminina".
6. Andreas-Salomé, *Nietzsche*, p. 11. Ela está citando o aforismo número 338 de "Miscelânea de opiniões e sentenças" de *Humano, demasiado humano* II.
7. Lou Salomé, *Friedrich Nietzsche in seinen Werken*, 1894.
8. Andreas-Salomé, *Nietzsche*, p. 13.
9. Julia Vickers, *Lou von Salomé: A Biography of the Woman Who Inspired Freud, Nietzsche and Rilke*, McFarland, 2008, p. 41.
10. Nietzsche para Peter Gast, 13 de julho de 1882.

13. A APRENDIZ DO FILÓSOFO

1. *A gaia ciência*, livro III, seção 125, "O homem louco".
2. Ibidem, seção 108, "Novas lutas".

3. Nietzsche para Reinhardt von Seydlitz, 4 de janeiro de 1878.
4. Elisabeth Nietzsche para Franziska Nietzsche, 26 de julho de 1882.
5. A história foi contada pela primeira vez por Martin Gregor-Dellin. Em *Richard Wagner, His Life, His Work, His Century*, pp. 451-7.
6. Elisabeth Nietzsche, *Coffee-Party Gossip about Nora*, provavelmente 1882. Pode ser lido na íntegra na tradução para o inglês em Diethe, *Nietzsche's Sister and the Will to Power*, pp. 161-93. Diethe deu o título da história.
7. Vickers, *Lou von Salomé*, op. cit., p. 48.
8. Nietzsche para Lou Salomé, 4 de agosto de 1882.
9. O lado de Elisabeth da disputa está em suas memórias do irmão e em cartas, principalmente para Clara Gelzer, escritas entre 24 de setembro e 2 de outubro. Seguindo seu firme princípio de ignorar realidades desconfortáveis, Lou não faz referência à desavença com Elisabeth, nem em suas memórias nem em seu livro sobre Nietzsche. Quanto à pergunta se beijou Nietzsche no monte Sacro, ela mais uma vez exerce sua genialidade para o silêncio.
10. Andreas-Salomé, *Nietzsche*, pp. 77-8.
11. Ibidem, p. 71.
12. Ibidem, p. 70.
13. Ibidem, p. 71.
14. *A gaia ciência*, livro IV, "Sanctus Januarius", seção 276.
15. Nietzsche para Lou Salomé, final de agosto de 1882.
16. Rudolph Binion, *Frau Lou: Nietzsche's Wayward Disciple*, Princeton University Press, 1968, p. 91.
17. *Freundin – sprach Kolumbus – traue
Keinem Genuesen mehr!
Immer starrt er in das Blaue
Fernstes zieht ihn allzusehr!
Wen er liebt, den lockt er gerne
Weit hinaus in Raum und Zeit –
Über uns glänzt Stern bei Sterne,
Um uns braust die Ewigkeit.*

14. MEU PAI WAGNER MORREU. MEU FILHO ZARATUSTRA NASCEU.

1. Nietzsche para Paul Rée e Lou Salomé, meados de dezembro de 1882.
2. Nietzsche para Franz Overbeck, 11 de fevereiro de 1883.
3. Uma descrição posterior de Rapallo em carta a Peter Gast, 10 de outubro de 1886.
4. Nietzsche para Franz Overbeck, 25 de dezembro de 1882.
5. *Ecce homo*, "Assim falou Zaratustra", seção 5.
6. *A gaia ciência*, "Sanctus Januarius", seção 342. Esta era a seção final de *A gaia ciência* nesta data. Depois ele acrescentaria a última seção do livro com o título "Nós, os impávidos".
7. Nietzsche estava longe de ser o único interessado em Zaratustra. Durante os cinquenta anos anteriores, vinte estudos do *Zend-Avesta* ou de seu autor foram publicados em língua alemã.
8. Ver Mary Boyce, *Zoroastrians: Their Religious Beliefs and Practices*, London, 1979; *The Oxford Companion to Philosophy*, ed. Ted Honderich, Oxford University Press, 2005.
9. *Assim falou Zaratustra*, "Prólogo de Zaratustra", seção 3.
10. Ibidem, parte III, "Antes do nascer do sol".
11. Ibidem, "Prólogo de Zaratustra", seção 4.
12. *Assim falou Zaratustra*, parte I, "Das velhas e novas mulherezinhas".
13. Nietzsche para Franz Overbeck, 22 fevereiro de 1883.
14. Nietzsche para Franz Overbeck, de Rapallo, recebida em 11 de fevereiro de 1883.
15. Nietzsche para Carl von Gersdorff, 28 de junho de 1883. Ele está se referindo à península de Chastè.

16. Nietzsche para Peter Gast, 19 de fevereiro de 1883.
17. Nietzsche para Elisabeth Nietzsche, abril de 1883, citado em Binion, *Frau Lou*, p. 104.
18. Nietzsche para Franz Overbeck, 17 de outubro de 1885.
19. Nietzsche para Elisabeth Nietzsche, final do verão de 1883.

15. SÓ EXISTEM RESSURREIÇÕES ONDE HÁ TÚMULOS
1. Claude Gellée (1604-5?-82), conhecido como Claude Lorrain, pintor francês de paisagens arcádicas remetendo à Bíblia, a Virgílio e a Ovídio. Seus quadros, adornados por fragmentos de arquitetura clássica, figuras e animais, foram a principal inspiração para o movimento paisagístico pitoresco inglês do século XVIII.
2. *Assim falou Zaratustra*, parte II, seção 4, "Dos sacerdotes".
3. Nietzsche para Carl von Gersdorff, 28 de junho de 1883.
4. *Ecce homo*, "Assim falou Zaratustra", seção 3.
5. Nietzsche para Georg Brandes, 10 de abril de 1888.
6. *Assim falou Zaratustra*, parte II, "Das tarântulas".
7. Nietzsche para Peter Gast, final de agosto de 1883.
8. Nietzsche para Franz Overbeck, recebida em 28 de agosto de 1883.
9. Nietzsche para Franziska Nietzsche e Elisabeth Nietzsche, 31 de março de 1885.
10. Elisabeth Nietzsche para Bernhard Förster, janeiro de 1884.
11. Dr. Julius Paneth descrevendo visitas a Nietzsche em Nice em 26 de dezembro de 1883 e em 3 de janeiro de 1884.
12. Resa von Schirnhofer (1855-1948), nascida em Krems, Áustria, autora de uma pequena biografia de Nietzsche não publicada, *Vom Menschen Nietzsche*, escrita em 1937.
13. Resa von Schirnhofer, 3-13 de abril de 1884, citado em *Conversations with Nietzsche*, op. cit., pp. 146-58.
14. O fantasma do papel de parede continua no quarto da casa, agora o museu Nietzsche-Haus de Sils Maria.

16. ELE ME EMBOSCOU!
1. Ernst Schmeitzner para Nietzsche, 2 de outubro de 1884, citado em Schaberg, *The Nietzsche Canon*, p. 113.
2. Nietzsche para Franz Overbeck, começo de dezembro de 1885, citado em ibidem, p. 118.
3. Nietzsche para Carl von Gersdorff, 12 de fevereiro de 1885.
4. *Ecce homo*, "Por que sou tão sábio", seção 2.
5. *Humano, demasiado humano*, livro I, seção 638.
6. Nietzsche para Carl von Gersdorff, 12 de fevereiro de 1885.
7. Nietzsche para Elisabeth Nietzsche, 20 de maio de 1885.
8. *The Times*, 1º de fevereiro de 1883.

17. DECLAMANDO NO VAZIO
1. Nietzsche para Franz Overbeck, 24 de março de 1887.
2. *Ecce homo*, "Além do bem e do mal", seção 2.
3. *Além do bem e do mal*, "Os preconceitos dos filósofos", seção 14.
4. *Ecce homo*, "Humano, demasiado humano", seção 1.
5. *Além do bem e do mal*, "Os preconceitos dos filósofos", seção 5.
6. Ibidem, seção 9.
7. Ibidem, seção 14.
8. Ibidem, seção 14.
9. Ibidem, seção 9.
10. "Perspectiva do sapo" se explica por si, mas tem origem como termo artístico para um ponto de vista de baixo para cima.
11. *Além do bem e do mal*, "Nossas virtudes", seção 232.

12. Nietzsche para Malwida von Meysenbug, 12 de maio de 1887.
13. *Além do bem e do mal*, "O fenômeno religioso", seção 54.
14. Ibidem, "Os preconceitos dos filósofos", seção 17.
15. Ibidem, "Pela história natural da moral", seção 193.
16. Ibidem, "O fenômeno religioso", seção 46.
17. *Genealogia da moral*, Segundo ensaio, seção 16.
18. *Além do bem e do mal*, "Os preconceitos dos filósofos", seção 19.
19. *Genealogia da moral*, Primeiro ensaio, seção 11.
20. Ibidem.
21. Ibidem, Segundo ensaio, seção 17.
22. *Crepúsculo dos ídolos*, "Os 'melhoradores' da humanidade", seção 2.
23. Joseph Victor Widmann (1842-1911), influente crítico literário suíço. Como Nietzsche, era filho de um pastor.
24. A resenha foi publicada em *Der Bund*, 16 e 17 de setembro de 1886.

18. LHAMALÂNDIA
1. Nietzsche para Elisabeth Nietzsche, fevereiro de 1886.
2. Caderno de notas 9, outono de 1887, nota 102.
3. Ibidem, nota 94.
4. Nietzsche para Franziska Nietzsche, 18 de outubro de 1887.
5. Chambers' *Encyclopedia*, 1895, vol. 8, pp. 750-1.
6. Ibidem.
7. Ibidem.
8. Klingbeil citado em H. F. Peters, *Zarathustra's Sister: The Case of Elisabeth and Friedrich Nietzsche*, Crown, 1977, p. 110.
9. Julius Klingbeil, *Enthüllungen über die Dr Bernhard Förstersche Ansiedlung Neu-Germanien in Paraguay* [Revelações acerca da colônia Nova Germânia do dr. Bernhard Förster no Paraguai], Baldamus, Leipzig, 1889.
10. Carta a Franz Overbeck, Natal de 1888.
11. Ibidem.

19. EU SOU DINAMITE!
1. *Hymnus an das Leben für gemischten Chor und Orchester*, publicado em 20 de outubro de 1887. Para mais detalhes sobre a tortuosa história da publicação, ver Schaberg, *The Nietzsche Canon*, pp. 140-9.
2. Resa von Schirnhofer foi informada sobre isso por Nietzsche, embora depois Elisabeth tenha dito a ela que tal carta não existia.
3. Nietzsche para Peter Gast, 10 de novembro de 1887.
4. Nietzsche para Reinhart von Seydlitz, 12 de fevereiro de 1888.
5. Georg Brandes (1842-1927), crítico literário e biógrafo dinamarquês.
6. *Qvinnans underordnade ställning*, 1869.
7. Príncipe Pyotr Alexeyevich Kropotkin (1842-1921).
8. Nietzsche para Georg Brandes, 2 de dezembro de 1887.
9. Gustav Adolf ou Gustavus Adolfhus, rei da Suécia e líder dos protestantes alemães, que perdeu a vida derrotando as forças católicas imperiais na Batalha de Lützen em 1632, na Guerra dos Trinta Anos. No mesmo local, em 1813, Napoleão foi vitorioso na batalha.
10. Georg Brandes, *Friedrich Nietzsche*, William Heinemann, 1909, pp. 80-2.
11. Elisabeth Nietzsche, carta citada por Nietzsche em suas cartas a Franz Overbeck, Turim, Natal de 1888.
12. Nietzsche para Elisabeth Nietzsche (rascunho), dezembro de 1888.
13. *O caso Wagner*, primeiro pós-escrito.

14. *O caso Wagner*, segundo pós-escrito.
15. Ibidem, primeiro pós-escrito.
16. Meta von Salis-Marschlins (1855-1929), autora de *Philosoph und Edelmensch*, 1897, um relato sobre sua amizade com Nietzsche.
17. Nietzsche para Franz Overbeck, 23 de fevereiro de 1887. Também Nietzsche para Peter Gast, 7 de março de 1887.
18. *O Anticristo*, seção 7.
19. Carl Bernoulli, 6 junho-20 setembro de 1888, citado em *Conversations with Nietzsche*, op. cit., p. 213.
20. *Crepúsculo dos ídolos*, "O que devo aos antigos", seção 5.

20. CREPÚSCULO EM TURIM

1. Observações sobre diferenças entre o ritmo métrico antigo ("ritmo temporal") e a métrica bárbara ("ritmo da emoção") estabelecidas em carta a Carl Fuchs, de Sils Maria, sem data, final de agosto de 1888.
2. Nietzsche para Franz Overbeck, 18 de outubro de 1888.
3. *The Maitland Mercury and Hunter River General Advertiser*, New South Wales, 30 de outubro de 1888. O jornal usa o *Boston Herald* como fonte original do artigo sobre "O casamento sanitário".
4. Alfred Ploetz, *Die Tüchtigkeit unserer Rasse und der Schutz der Schwachen. Ein Versuch über Rassenhygiene und ihr Verhältnis zu den humanen Idealen, besonders zum Sozialismus* [A engenhosidade da nossa raça e a proteção do fraco: Um ensaio sobre higiene racial e sua relação com os ideais humanos, especialmente no socialismo], 1895.
5. *O Anticristo*, seção 58.
6. Ver Herbert W. Reichert e Karl Schlechta (eds.), *International Nietzsche Bibliography*, Chapel Hill: University of North Carolina Press, 1960.
7. Nietzsche para Malwida von Meysenbug, 18 de outubro de 1888.
8. Nietzsche para Franz Overbeck descrevendo *Ecce homo*, 13 de novembro de 1888. Ele tinha concluído o livro no dia anterior.
9. João 19:5.
10. *Ecce homo*, "Prefácio".
11. Nietzsche para Ferdinand Avenarius, publicado em *Der Kunstwart*, 2 (1888-9), p. 6.
12. *Ecce homo*, "Por que sou tão sábio", Seção 10.
13. Ibidem, seção 3.
14. Ibidem, seção 2.
15. *Crepúsculo dos ídolos*, "O que devo aos antigos", seção 4.
16. Nietzsche para August Strindberg, 7 de dezembro de 1888.
17. Nietzsche para Jacob Burckhardt, 6 de janeiro de 1889.
18. Nietzsche para Meta von Salis-Marschlins, 29 de dezembro de 1888.
19. Nietzsche para Franz Overbeck, Natal de 1888.
20. Nietzsche para Franz Overbeck, 18 de outubro de 1888.
21. Nietzsche para Meta von Salis-Marschlins, 14 de novembro de 1888.
22. Nietzsche para Franziska Nietzsche, 21 de dezembro de 1888.
23. Nietzsche para Elisabeth Förster-Nietzsche, dezembro de 1888.
24. Nietzsche para Peter Gast, 9 de dezembro de 1888.
25. Nietzsche para Peter Gast, 16 de dezembro de 1888.
26. Nietzsche para Carl Fuchs, 18 de dezembro de 1888.
27. Nietzsche para Franz Overbeck, Natal de 1888 e 28 de dezembro de 1888.
28. Nietzsche para Meta von Salis-Marschlins, 29 de dezembro de 1888.
29. Nietzsche para Peter Gast, carimbo postal de Turim, 4 de janeiro de 1889 e 31 de dezembro de 1888.
30. Nietzsche para August Strindberg, sem data.
31. Ibidem.

32. Nietzsche para Peter Gast, carimbo postal de Turim, 4 de janeiro de 1889.
33. Nietzsche para Georg Brandes, carimbo postal de Turim, 4 de janeiro de 1889.
34. Nietzsche para Jacob Burckhardt, carimbo postal de Turim, 4 de janeiro de 1889.
35. Nietzsche para Cosima Wagner, início de janeiro de 1889.
36. Nietzsche para Jacob Burckhardt, datada de 6 de janeiro de 1889, mas com carimbo postal de Turim de 5 de janeiro de 1889.

21. O MINOTAURO DA CAVERNA
1. Schain, *The Legend of Nietzsche's Syphilis*, p. 44.
2. Verso 2 de *"An der Brücke stand"* ["Eu fiquei na ponte"]:
   Meine seele, ein Saitenspiel,
   Sang sich unsichtbar berührt,
   Heimlich ein Gondellied dazu,
   Zitternd vor bunter Seligkeit.
   – Hörte jemand ihr zu?
3. "Depoimento da Mãe", parte do relatório de saúde da clínica, janeiro de 1889.
4. Carl Bernoulli, citado em E. F. Podach, *The Madness of Nietzsche*, 1931, p. 177.
5. *Humano, demasiado humano* II, "Opiniões e sentenças diversas", seção 408, "Descida ao Hades".
6. Dr. Stutz, um dos diretores da clínica da Basileia nos anos 1920, descobriu pelos registros que muitos casos diagnosticados no local como *paralytica progressiva* eram de fato casos de esquizofrenia.
7. Lembrança do estudante de medicina Sascha Simchowitz, citado em *The Good European*, op. cit., p. 50.
8. Podach, *The Madness of Nietzsche*, p. 195.
9. Langbehn para o bispo Keppler, outono de 1900, depois de Langbehn ter recebido a notícia da morte de Nietzsche. Citado em ibidem, pp. 210-1.
10. Timothy W. Ryback, *Hitler's Private Library, The Books that Shaped His Life*, Vintage, 2010, p. 134.

22. O OCUPANTE VAZIO DE QUARTOS MOBILIADOS
1. Klingbeil, *Enthüllungen über die Dr Bernhard Förstersche Ansiedlung Neu-Germanien in Paraguay*.
2. Elisabeth Förster-Nietzsche para Franziska Nietzsche, de Nueva Germania, 9 de abril de 1889.
3. Bernhard Förster para Max Schubert, 2 de junho de 1889.
4. Elisabeth Förster-Nietzsche para Franziska Nietzsche, 2 de julho de 1889.
5. *The Life of Nietzsche*, op. cit., vol. 2, pp. 400-1.
6. Elisabeth Förster-Nietzsche para Franziska Nietzsche, 2 de julho de 1889.
7. Elisabeth Nietzsche, escrevendo como Eli Förster, *Dr Bernhard Förster's Kolonie Neu-Germania in Paraguay*, Berlin, Pioneer, 1891.
8. Harry Kessler, *Diary*, 23 de julho de 1891, em Easton (ed.), *Journey into the Abyss*, p. 30.
9. Citado em Laird M. Easton, *The Red Count, The Life and Times of Harry Kessler*, University of California Press, 2002, p. 41.
10. Em 20 de agosto de 1891, o barão Zedlitz-Neumann matou a tiros Marie Elisabeth Meissner e em seguida tentou se matar. Depois se tornou jornalista.
11. Para fenômeno semelhante na Noruega, ver Sue Prideaux, *Edvard Munch: Behind the Scream*, Yale University Press, 2005, pp. 72-4.
12. Harry Kessler, *Diary*, 22 de junho de 1896, em Easton (ed.), *Journey into the Abyss*, p. 160.
13. Ibidem, 28 de janeiro de 1895, em ibidem, p. 128.
14. O teatro *Die Freie Bühne* foi fundado em 1889, a revista em 1890. Em 1893 seu nome foi mudado para *Neue Deutsche Rundschau*.
15. Fritz Kögel (1860-1904), filólogo, compositor e escritor.
16. Construída em 1889-90. Arquitetos: Theodor Reinhard e H. Junghans.

17. Meta von Salis-Marschlins para o dr. Oehler, 14 de julho de 1898, citado em Peters, *Zarathustra's Sister*, p. 164.
18. Peter Gast para Franz Overbeck, 4 de agosto de 1900.
19. Harry Kessler, *Diary*, 7 de agosto de 1897, em *Journey into the Abyss*, op. cit., p. 186.
20. "*Ich habe meinen Regenschirm vergessen*".
21. Hollingdale, *Nietzsche, the Man and His Philosophy*, p. 253.
22. Fritz Schumacher, lembrança de 1898, em *Conversations with Nietzsche*, op. cit., pp. 246-7.
23. Karl Böttcher, *Auf Studienpfaden: Gefängnisstudien, Landstreicherstudien, Trinkstudien, Irrenhausstudien*, Leipzig, 1900; Walter Benjamin, "*Nietzsche und das Archiv seiner Schwester*", 1932, citado em Paul Bishop (ed.), *A Companion to Friedrich Nietzsche*, Camden House, Nova York, 2012, p. 402.
24. Harry Kessler, *Diary*, 2 de outubro de 1897, em *Journey into the Abyss*, op. cit., p. 190.
25. Ibidem, pp. 190-1.
26. *The Life of Nietzsche*, op. cit., vol. 2, p. 407.
27. Anônimo, citado em *Conversations with Nietzsche*, op. cit., pp. 260-1.
28. *The Life of Nietzsche*, op. cit., vol. 2, p. 410.
29. A elegia foi feita pelo historiador da arte Kurt Breysig (1866-1940). O comentário sobre a elegia foi feito pelo arquiteto Fritz Schumacher. Em 1923 Breysig indicou Elisabeth para o Prêmio Nobel de Literatura.
30. Edvard Munch, *Friedrich Nietzsche*, 1906, óleo sobre tela, 201 cm x 160 cm, Galeria Thiel, Estocolmo.
31. Edvard Munch, *Elisabeth Förster-Nietzsche*, 1906, óleo sobre tela, 115 cm x 80 cm, Galeria Thiel, Estocolmo.
32. Indicações de Elisabeth Förster-Nietzsche para o Prêmio Nobel de Literatura: 1908, indicada por Hans Vaihinger e Harald Hjärne, historiador sueco; 1917, indicada por Hans Vaihinger; 1923, indicada pelo filólogo Georg Goetz; 1923, indicada por Kurt Breysig, que proferiu o interminável discurso nas exéquias de Nietzsche; 1923, indicada por Hans Vaihinger (de novo).
33. Um dos últimos cadernos de notas, W 13, 646, W 13, 645, citado em *The Good European*, op. cit., p. 213.
34. Em 1912, Mussolini escreveu um ensaio biográfico sobre Nietzsche, "*La vita di Federico Nietzsche*", publicado na revista *Avanti*.
35. Embora não seja uma tradução literal, o título em inglês de *Campo de Maggio* sempre foi *The Hundred Days*.
36. Elisabeth Förster-Nietzsche, cartas não publicadas, Weimar, 12 de maio de 1933. Citado em *Zarathustra's Sister*, op. cit., p. 220.
37. *Assim falou Zaratustra*, "Das tarântulas", seção 29.
38. Alfred Rosenberg, comissário para supervisão de toda a educação intelectual e ideológica da NSDAP, 1934-45.
39. Yvonne Sherratt, *Hitler's Philosophers*, Yale University Press, 2013, p. 70.
40. *Breisgauer Zeitung*, 18 de maio de 1933, p. 3.
41. Harry Kessler, "Inside the Archive ...", 7 de agosto de 1932, em Conde Harry Kessler, *The Diaries of a Cosmopolitan, 1918-1937*, ed. e trad. de Charles Kessler, Phoenix Press, 2000, pp. 426-7.
42. Relato de testemunha ocular escrito por Ernst Hanfstaengel, pianista de Hitler, em seu livro de memórias, *The Unknown Hitler*, Gibson Square Books, 2005, p. 233.
43. Ver *Hitler's Private Library*, op. cit., pp. 67-8.
44. Ibidem, p. 129.
45. Hanfstaengel, *The Unknown Hitler*, p. 224.
46. Ibidem, p. 224.
47. Ernst Krieck, professor de pedagogia na Universidade de Heidelberg, citado em Steven E. Aschheim, *Nietzsche's Legacy in Germany*, University of California Press, 1992, p. 253.
48. Elisabeth Förster-Nietzsche para Ernst Thiel, 31 de outubro de 1935.
49. Carta a Elisabeth Förster-Nietzsche, de Veneza, meados de junho de 1884.
50. *Ecce homo*, "Por que sou um destino", seção 1.

Bibliografia selecionada

A edição-padrão das obras completas é *Kritische Gesamtausgabe: Werke*, ed. Giorgio Colli e Mazzino Montinari, Walter de Gruyter, 1967.

Citações de Nietzsche são de Cambridge Texts in the History of Philosophy Series, a não ser que citada outra fonte. Citações de cartas, a não ser que citadas outras fontes, são extraídas de *Selected Letters of Friedrich Nietzsche*, editadas por Christopher Middleton, Hackett Publishing, Indianapolis, 1969.

Andreas-Salomé, Lou. *Looking Back: Memoirs*. Trad. Breon Mitchell, Paragon House, 1990.

_____. *Nietzsche*. Trad. Siegfried Mandel, University of Illinois Press, 2001.

Bach, Steven. *Leni, The Life and Work of Leni Riefenstahl*. Abacus, 2007.

Binion, Rudolph. *Frau Lou, Nietzsche's Wayward Disciple*. Princeton University Press, 1968.

Bishop, Paul (ed.). *A Companion to Friedrich Nietzsche, Life and Works*. Camden House, 2012.

Blanning, Tim. *The Triumph of Music: Composers, Musicians and their Audiences, 1700 to the Present*. Allen Lane, 2008.

Blue, Daniel. *The Making of Friedrich Nietzsche, The Quest for Identity 1844-1869*. Cambridge University Press, 2016.

Brandes, Georg. *Friedrich Nietzsche*. William Heinemann, 1909.

Brandes, Georg (ed.). *Selected Letters*. Trad. W. Glyn Jones, Norvik Press, 1990.

Burckhardt, Jacob. *The Civilisation of the Renaissance in Italy*. Penguin, 1990.

Cate, Curtis. *Friedrich Nietzsche, A Biography*. Pimlico, 2003.

Chamberlain, Lesley. *Nietzsche in Turin, The End of the Future*. Quartet, 1996.

Detweiler, Bruce. *Nietzsche and the Politics of Aristocratic Radicalism*. University of Chicago Press, 1990.

Diethe, Carol. *The A to Z of Nietzscheanism*. Scarecrow Press, 2010.

_____. *Nietzsche's Sister and the Will to Power*. University of Illinois Press, 2003.

_____. *Nietzsche's Women, Beyond the Whip*. Walter de Gruyter, 1996.

Dru, Alexander. *The Letters of Jacob Burckhardt*. Liberty Fund, Indianapolis, 1955.

Easton, Laird M. (ed.). *Journey into the Abyss, The Diaries of Count Harry Kessler, 1880-1918*. Alfred A. Knopf, 2011.

Easton, Laird M. *The Red Count. The Life and Times of Harry Kessler*. University of California Press, 2002.

Feuchtwanger, Edgar. *Imperial Germany, 1850-1918*. Routledge, 2001.

Förster-Nietzsche, Elisabeth. *The Life of Nietzsche*. Vol. 1, *The Young Nietzsche*, trad. Anthony M. Ludovici, Sturgis e Walton, 1912.

_____. *The Life of Nietzsche*. Vol. 2, *The Lonely Nietzsche*. Trad. Paul V. Cohn, Sturgis e Walton, 1915.

Gautier, Judith. *Wagner at Home*. Trad. Effie Dunreith Massie, John Lane, 1911.

Gilman, Sander L. (ed.). *Conversations with Nietzsche, A Life in the Words of His Contemporaries*. Trad. David J. Parent, Oxford University Press, 1987.

Gossmann, Lionel. *Basel in the Age of Burckhardt, A Study in Unseasonable Ideas*. University of Chicago Press, 2002.

Gregor-Dellin, Martin. *Richard Wagner, His Life, His Works, His Century*. Trad. J. Maxwell Brownjohn, Collins, 1983.

Gregor-Dellin, Martin; Mack, Dietrich (eds.). *Cosima Wagner's Diaries*. Trad. Geoffrey Skelton, vols. 1 e 2, Helen e Kurt Wolff Books, Harcourt Brace Jovanovich. Vol. 1, 1978, vol. 2, 1980.

Grey, Thomas S. (ed.). *Richard Wagner and His World*. Princeton University Press, 2009.

Hanfstaengl, Ernst. *The Unknown Hitler*. Gibson Square, 2005.

Hayman, Ronald. *Nietzsche, A Critical Life*. Weidenfeld e Nicolson, 1980.

Heidegger, Martin. *German Existentialism*. Trad. Dagobert D. Runes, Philosophical Library Inc., 1965.

Hilmes, Oliver. *Cosima Wagner, the Lady of Bayreuth*. Yale University Press, 2010.

Hollingdale, R. J. *Dithyrambs of Dionysus*. Anvil, 2001.

_____. *Nietzsche, The Man and His Philosophy*. Cambridge University Press, 1999.

Johnson, Dirk R. *Nietzsche's Anti-Darwinism*, Cambridge University Press, 2010.

Kaufmann, Walter (ed.). *Friedrich Nietzsche, The Will to Power*. Trad. Kaufmann e R. J. Hollingdale, Vintage, 1968.

Kessler, Charles (ed. e trad.). *The Diaries of a Cosmopolitan*. Phoenix Press, London, 2000.

Köhler, Joachim. *Nietzsche and Wagner, A Lesson in Subjugation*. Trad. Ronald Taylor, Yale University Press, 1998.

Krell, David Farrell; Bates, Donald L. *The Good European, Nietzsche's Work Sites in Word and Image*. University of Chicago Press, 1997.

Levi, Oscar (ed.). *Selected Letters of Friedrich Nietzsche*. Trad. Anthony M. Ludovici, Heinemann, 1921.

Love, Frederick R. *Nietzsche's St Peter, Genesis and Cultivation of an Illusion*. Walter de Gruyter, 1981.

Luchte, James. *The Peacock and the Buffalo, The Poetry of Nietzsche*. Continuum Publishing, 2010.

Macintyre, Ben. *Forgotten Fatherland, The Search for Elisabeth Nietzsche*. Macmillan, 1992.

Mann, Thomas. *Doctor Faustus*. Trad. H. T. Lowe-Porter, Penguin, 1974.

Meysenbug, Malwida von. *Rebel in a Crinoline, Memoirs of Malwida von Meysenbug*. Trad. Elsa von Meysenbug Lyons, George Allen & Unwin, 1937.

Middleton, Christopher (ed.). *Selected Letters of Friedrich Nietzsche*. Hackett Publishing, Indianapolis, 1969.

Millington, Barry. *Richard Wagner, The Sorcerer of Bayreuth*. Thames and Hudson, 2013.

Moore, Gregory. *Nietzsche, Biology and Metaphor*. Cambridge University Press, 2002.

Moritzen, Julius. *Georg Brandes in Life and Letters*. Colyer, 1922.

Nehemas, Alexander. *Nietzsche, Life as Literature*. Harvard, 2002.

Peters, H. F. *Zarathustra's Sister: The Case of Elisabeth and Friedrich Nietzsche*. Crown, 1977.

Podach, E. F. *The Madness of Nietzsche*. Trad. F. A Voight, Putnam, 1931.

Roth, Samuel (atribuído a Friedrich Nietzsche). *My Sister and I*. Trad. Dr. Oscar Levy, AMOK Books, 1990.

Ryback, Timothy W. *Hitler's Private Library, The Books that Shaped His Life*. Vintage, 2010.

Safranski, Rüdiger. *Nietzsche, A Philosophical Biography*. Trad. Shelley Frisch, Norton, 2003.

Schaberg, William H. *The Nietzsche Canon, A Publication History and Bibliography*. University of Chicago Press, 1995.

Schain, Richard. *The Legend of Nietzsche's Syphilis*. Greenwood Press, 2001.

Sherratt, Yvonne. *Hitler's Philosophers*. Yale University Press, 2013.

Small, Robin. *Nietzsche and Rée, A Star Friendship*. Clarendon Press, Oxford, 2007.

Spencer, Stewart; Millington, Barry (eds.). *Selected Letters of Richard Wagner*. Dent, 1987.

Storer, Colin. *A Short History of the Weimar Republic*. I. B. Tauris, 2013.

Tanner, Michael. *Nietzsche, A Very Short Introduction*. Oxford University Press, 2000.

Vickers, Julia. *Lou von Salomé, A Biography of the Woman Who Inspired Freud, Nietzsche and Rilke*. McFarland, 2008.

Walker, Alan. *Hans von Bülow, A Life and Times*. Oxford University Press, 2010.

Watson, Peter. *The German Genius, Europe's Third Renaissance, The Second Scientific Revolution and the Twentieth Century*. Simon & Schuster, 2010.

Zweig, Stefan. *Nietzsche*. Trad. Will Stone, Hesperus Press, 2013.

DISCOGRAFIA SELECIONADA

Albany Records, USA, *Friedrich Nietzsche*, vol. I, *Compositions of His Youth, 1857-63*, vol. II *Compositions of His Mature Years, 1864-82*.

Deutsche Grammophon, *Lou Salomé* (ópera em dois atos) de Giuseppe Sinopoli. Lucia Popp, José Carreras e Orquestra Sinfônica de Stuttgart.

Agradecimentos

Muitas pessoas me ajudaram de várias maneiras ao longo da jornada de quatro anos de escrita deste livro. Sou grata aos que cheguei a encontrar e também aos que não consegui. Aos estudiosos de Nietzsche, ainda vivos ou não, que traduziram e esclareceram os textos, em alguns casos eliminando edições criativas posteriores para voltar ao original de Nietzsche, separando o falso do verdadeiro do *Nachlass*, o espólio literário.

Obrigada aos meus editores no Reino Unido e nos Estados Unidos, Mitzi Angel e Tim Duggan, por estabelecerem novas vias de pensamento. A Nigel Warburton, que demonstrou imensa generosidade e usou seu martelo com grande eficiência ao supervisionar a filosofia.

Na Suíça e na Alemanha: Erdmann von Wilamowitz-Moellendorff da Herzogin Anna Amalia Bibliothek em Weimar, Tanja Fehling da Klassik-stiftung.de, professor Peter André Block e dr. Peter Villwock da Nietzsche-Haus em Sils Maria, e Katya Fleischer do Museu Richard Wagner em Tribschen.

No Reino Unido, agradeço a Felicity Bryan, Michele Topham e a toda a equipe da Felicity Bryan Associates. Na Faber, Anne Owen, Anna Davidson, John Grindrod e Sophie Portas. Agradeço a Eleanor Roes pelo copidesque e a Rachel Thorne pela obtenção de permissões. Obrigada a Louise Duffett (parente de Harry Kessler) e ao Departamento de Clássicos da Escola Goldophin de Londres. Obrigada a Roger Lomax por conferir as complicações das moedas correntes no século XIX, e a Laura Sanderson por uma hilária sessão sobre aforismos. Sou grata à equipe da Andrew Nurnberg e, como sempre, ao onisciente corpo de funcionários da Biblioteca de Londres.

Nos Estados Unidos, além de Tim Duggan, agradecimentos a George Lucas, William Wolfslau e a Hilary McClellen pela checagem dos fatos.

Agradecimentos especiais a Gillian Malpass, Christopher Sinclair-Stevenson e ao falecido Tom Rosenthal, todos me encorajaram e apoiaram desde o início, a Antony Beevor, Artemis Cooper, Lucy Hughes-Hallett e Sarah Bakewell por valiosas conversas, e à minha família pelo tato, pelas críticas, pelas pesquisas e por tolerar o fantasma pela casa.

Agradecimentos das citações

Meus agradecimentos às seguintes permissões para reprodução de material com direitos autorais:

Excertos de *Nietzsche: On the Genealogy of Morality and Other Writings, 2nd edition*, editado por Keith Ansell-Pearson e traduzido por Carol Diethe, Cambridge University Press, 2006, copyright © Cambridge University Press 1997. Reproduzidos com permissão da editora; Excertos de *Nietzsche: Untimely Meditations, 2nd edition*, editado por Daniel Breazeale e traduzido por R. J. Hollingdale, Cambridge University Press, 1997, copyright © Cambridge University Press 1997. Reproduzidos com permissão da editora; Excertos de *Nietzsche: Thus Spoke Zarathustra*, editado por Robert Pippin e editado e traduzido por Adrian Del Caro, Cambridge University Press, 2010, copyright © Cambridge University Press 2006; Excertos de *Nietzsche: Daybreak. Thoughts on the Prejudices of Morality, 2nd edition*, editado por Maudemarie Clark, Brian Leiter e traduzido por R. J. Hollingdale, Cambridge University Press, 1997, copyright © Cambridge University Press 1997. Reproduzidos com permissão da editora; Excertos de *Nietzsche: Humano, demasiado humano. A Book for Free Spirits, 2nd edition*, editado e traduzido por R. J. Hollingdale, Cambridge University Press, 1996, copyright © Cambridge University Press 1986, 1996. Reproduzidos com permissão da editora; Excertos de *Nietzsche: Beyond Good and Evil. Prelude to a Philosophy of the Future*, editado por Rolf-Peter Horstmann e editado e traduzido por Judith Norman, Cambridge University Press, 2002, copyright © Cambridge University Press 2002. Reproduzidos com permissão da editora; Excertos de *The Good European: Nietzsche's Work Sites in Word and Image*, traduzido por David Farrell Krell e Donald L. Bates, The University of Chicago Press, 2000, copyright © 1997 by The University of Chicago Press. Reproduzidos com permissão da editora; Excertos de *Selected Letters of Friedrich Nietzsche*, editado e traduzido por Christopher Middleton, Hackett 1996. Reproduzidos com permissão da Hackett Publishing Company, Inc.; e a tradução para a língua portuguesa de excertos de *Nietzsche: The Anti-Christ, Ecce Homo, Twilight of the Idols. And Others Writings*, editados por Aaron Ridley e traduzidos por Judith Norman, Cambridge University Press, 2011, copyright © Cambridge University Press 2005. Reproduzidos com permissão da editora e do professor Aaron Ridley.

Índice remissivo

Alexander, Duque de Württemberg, 109;
Alwine (governanta), 283, 339, 351-3;
Andreas, Fred (Friedrich Carl), 270, 391;
Andreas-Salomé, Lou, *ver* Salomé, 14, 161, 194-6, 243, 292, 348, 384;
Antisemitische Blätter [Os tempos antissemitas], 253;
antissemitismo:
    Cosima, 257-8;
    editor Schmeitzner, 234-7, 253;
    editoria do *Bayreuther Blätter*, 177-8, 215-6;
    Elisabeth, 179-80, 236-7, 244-6, 283-4, 343-4, 353-4, 365-6;
    Förster, 180, 243-7, 263, 358;
    ponto de vista de Nietzsche, 150-1, 234-5, 255, 263, 279, 283-4, 325-6, 336-7, 344-5;
    projeto Nueva Germania, 279;
    reações ao ciclo *O anel*, 150-1;
    Wagner, 76, 246-7, 257-8;
arquitetura de Naumburg, 21-2;
    apartamento em Neugasse, 19;
    casamento de Elisabeth, 258-9;
    cidade fortaleza, 20-1;
    educação de Elisabeth, 129-32;
    encontro de Nietzsche com Förster, 262-4;
    escolas, 23-5, 29-30, 41-2, 129-30;
    formação da família de Nietzsche, 15-6;
    loucura de Nietzsche, 338-9, 347-8;
    mudança para Weimar, 354-6;
    Natal em, 115, 138-40, 187-8;
    População, 20;
    regimento de artilharia de campo, 50;
    religião, 21-2;
    retorno de Elisabeth, 343, 347-50;
    retorno de Nietzsche, 338-9;
    sociedade conservadora, 21-3, 128-9, 227-8, 244-5, 260-1;
    torre da prefeitura, 181, 188;

visita do rei, 22-3;
Weingarten, 24-5, 29, 83-4, 96-7, 99-100, 187-8, 261-2, 338-9, 347-8, 349-50, 354-5;
arquivo Nietzsche:
    arquivista-chefe, 366;
    caixão e serviço funerário de Nietzsche, 360-1;
    conteúdo, 349-50, 352-3, 357-8;
    controle de Elisabeth, 349-51, 353-5, 357-8, 361-3, 367-8;
    curadores, 345-6, 361;
    dedicados, 363-5;
    editoria, 347-8, 350-1, 356-8, 366-8;
    Elisabeth mentindo em depoimento, 369-70;
    mudança para Weimar (vila Silberblick), 353-7;
    nazificação, 365-70;
    papéis de Sils Maria, 357-8;
    projeto do interior, 361-2;
    quarto em Naumburg, 349-51;
    salões de Elisabeth, 350-3, 358-9;
    visitantes, 357-9;
A vontade de potência:
    publicação de anotações e rascunhos de Nietzsche editados por Elisabeth, 357-8, 363-4, 367-8;
    título da obra planejado por Nietzsche, 305;

Basileia:
    Bachlettenstrasse, 180;
    bar Chalé do Veneno, 117-9;
    ("Chalé do Veneno"), 117-9, 126, 140-1;
    Schützengraben 45, 118;
    Spalentorweg 48, 53-4, 128-9, 131-2;
Baudelaire, Charles, 25, 77, 252, 292;
Bäumler, Alfred, 367;
Bayreuth:
    capacidade da casa de ópera, 150-1;
    construção da casa de ópera, 126-7, 138-9;

festival, 137-9, 143, 146-52, 163-5, 172, 212-4, 216-7;
financiamento da casa de ópera, 96-7, 102-4, 115-6, 121-3, 126-7, 147-8;
financiamento do festival, 147-8, 164-5;
Hotel Fantasie, 109;
local da casa de Wagner (Wahnfried), 104-5, 135-8;
Palácio Hermitage, 149;
pedra fundamental da casa de ópera, 108-10, 153;
Bayreuther Blätter, 178, 216, 246, 284, 286, 341;
Beethoven, Ludwig van, 26, 36, 79, 111;
Bernhardt, Sarah, 193;
Biedermann, Karl, 13;
Bing, Samuel Siegfried, 362;
Binswanger, Otto, 332, 334-5, 337, 353;
Bismarck, Otto von:
    chancelaria prussiana, 20-1;
    Guerra Franco-prussiana, 81, 95-6;
    petição de Förster, 244-6, 368-9;
    política de educação, 103-4;
    políticas do Segundo Reich, 343-5;
    políticas expansionistas, 49-50, 68-9;
    ponto de vista de Nietzsche, 68-9, 83-5, 103-4, 325-6, 335, 344-5;
    relacionamento com Kessler, 344-5;
    relacionamento com Langbehn, 336-7;
    relacionamento com Wagner, 94-6;
    visão de Burckhardt, 68-9;
Bizet, Geneviève, 195, 298, 311;
Böcklin, Arnold, 189-90, 217;
Boscovich, Roger Joseph, 185;
Bourdeau, Jean, 319, 364;
Brahm, Otto, 348-9;
Brahms, Johannes, 137, 290, 361;
Brandes, Elisabeth, 165, 294-5;
Brandes, Georg, 291-6, 311, 319, 348;
Brenner, Albert, 157-8, 160;
Brevern, Claudine von, 158;
Breysig, Kurt, 361;
Brockhaus, Hermann (família), 10-3, 65;
Brockhaus, Ottilie (irmã de Wagner), 10-3, 65;
Buchbinder, professor, 43;
Büchner, Ludwig, 185;
Buddensieg, Professor, 28;
Bülow, Elise von, 165;
Bülow, Hans von:
    casamento com Cosima, 61-3;
    divórcio de Cosima, 66-8, 81;
    filhas (Daniela e Blandine), 62-3, 66-7, 104-5, 110;
    relação com Nietzsche, 110-2, 138-9, 250-1, 289-90;
Burckhardt, Jacob:
    A civilização da Renascença na Itália, 70-2, 290-1;
    Aparência, 67-9, 132-3;
    cartas de Nietzsche, 319-20, 324-7;
    influência sobre Nietzsche, 67-8, 94-5, 102-3, 295-6, 311-2;
    medo da guerra entre França e Alemanha, 68-9, 81, 84-5;
    opiniões, 68-9;
    palestras, 67-9, 70-1, 132-3, 160-1;
    ponto de vista de *O nascimento da tragédia*, 108-9;
    ponto de vista de *Humano, demasiado humano*, 176-7;
    ponto de vista de Wagner, 67-8;
    ponto de vista de *Zaratustra*, 250-1, 289-90;
    quartos em Basileia, 67-8, 131-2;
    reação a *Além do bem e do mal*, 289-91;
    reação à Guerra Franco-prussiana, 68-9, 81, 84-5, 153-4;
    relacionamento com Nietzsche, 68, 71-2, 84-5, 108-9, 257-8;
    segunda *Meditação extemporânea*, 125;
    visita de Lou à Basileia, 209-10;
Byron, Lord, 34, 40, 141, 346;

Chambige, Henri, 320, 325;
Claude Lorrain, 308, 355;
Clínica de Jena para cuidados e cura de insanos, 129, 332-4, 338, 353;
Cohn, barão, 103;
Cron, Bernhard (pseudônimo sugerido por Nietzsche), 176;

Daechsel, Bernhard, 255;
Darwin, Charles: 31-2, 36-8, 162-3, 256, 273-4, 307-8;
    Darwinismo, 220, 268-9, 294-5, 370-1;
    darwinismo social, 366-7;
    Europa pós-darwiniana, 94, 161-2, 272-3;
Descartes, René, 270, 293;
Deussen, Paul, 35-6, 46, 301-2, 352;
Deutscher Volksverein (Partido do Povo Alemão), 245;
Diodati, condessa, 141;
Diógenes Laercio, 42, 50;
Dionísio:
    A origem da tragédia, 92-5, 318-9;
    anotações de Nietzsche, 279;
    "feito em pedaços", 328-9, 357-8;

festiva de *O anel* como festival de, 77;
estátua, 369;
Nietzsche como discípulo, 303, 314-5;
Nietzsche identificando-se com, 38-9, 183-4, 227-8, 318-20, 324-6, 328-9;
Os ditirambos de Dionísio (poemas), 318-9;
Ritos, 328;
"versus o crucificado", 317-8;
Wagner como, 94-5, 318-9;
Wilamowitz sobre, 112;
Dostoiévski, Fyodor, 292, 300, 309, 345-6;
Dürer, Albrecht, *O cavaleiro, a morte e o diabo*, gravura, 86, 258, 351;
Durisch, Gian, 191, 251-2, 299, 357;

Eiser, dr. Otto, 167-9, 179, 216, 331;
Eliot, George, 120;
Emerson, Ralph Waldo, 36-7;
Emge, Carl August, 366;
Empedocles, 37, 39, 40, 42, 48, 333;
Engels, Friedrich, 68;

família Gelzer-Thurneysen, 338;
Feuerbach, Ludwig, 74, 186;
Fino, Davide, 308-9, 327-9, 336;
Finochietti, Nerina, 154;
floresta de Teutoburgo, 185;
Förster, Bernhard:
    Antissemitismo, 179-80, 243-6, 263, 279;
    Aparência, 244-5, 262-3, 280-1, 285-6;
    artigos para jornal, 246-7;
    busto de, 358;
    carreira, 245-6, 261;
    casamento, 258-9;
    chegada ao Paraguai, 280-1;
    colapso, 286-7;
    correspondência com Elisabeth, 180, 244-6;
    encontro com Lou, 218-9;
    encontro com Nietzsche, 262-4, 279;
    finanças, 245-6, 281-8, 341-2;
    funeral, 343;
    nacionalismo, 179-80, 244-6, 260-1, 280-2;
    opinião de Nietzsche, 262-4;
    opinião de Wagner, 246-7;
    petição a Bismarck, 244-7, 367-9;
    primeiro encontro com Elisabeth, 180, 244-5;
    projeto Paraguai (Nueva Germania), 243-6, 260-2, 279-82, 341-2;
    publicação do livro (Colônias alemãs), 261-3;
    relacionamento com Elisabeth, 179-80, 218-9, 243-6, 262-3, 285-6, 341, 350;
    suicídio, 342, 347-8;
    textos, 246-7, 261-3;
    vegetarianismo, 244-5, 258-9, 285-6;
    viagem ao Paraguai, 279-80;
    visão de *O caso Wagner*, 311-2;
Förster-Nietzsche, Elisabeth (nascida Nietzsche) (Therese Elisabeth Alexandra "Lhama", irmã):
    Antissemitismo, 179-80, 235-7, 244-6, 279, 294-5, 343, 350, 353-4, 365-6;
    Aparência, 280-1, 285-6, 362-3;
    Apelido, 26-7;
    Casamento, 258-60;
    cartas do irmão, 134-5, 159-60, 164-6, 258-60, 280, 294-6, 322-3;
    chegada a Nueva Germania, 281-3;
    controlando a reputação póstuma do irmão, 363-8;
    controlando as publicações da obra do irmão, 343-4, 347-8, 353-4, 355-7, 362-4;
    controlando os arquivos Nietzsche, 349-51, 353-5, 357-8, 361-3, 367-8;
    cuidando do irmão, 81, 86-8, 96-7;
    cuidando das anotações e cadernos de notas do irmão, 183;
    cuidando dos filhos de Wagner, 139;
    ditando textos do irmão, 211;
    doutorado honorário, 363-4, 369-70;
    educação, 23-4, 27-8, 129-32;
    em Bayreuth, 215-9;
    empreendimento no Paraguai (Nueva Germania), 243-6, 260-3, 279-88, 341-4, 347-8;
    em Tautenburgo, 218-20;
    encontro com Mazzini, 87-9;
    exigindo a devolução da correspondência do irmão, 350, 352-3;
    experiências em tempo de guerra, 81;
    fazendo papel de mulher indefesa, 130-2;
    finanças, 244-6, 281-4, 341, 343, 347-8, 355-7, 361;
    indicações ao Prêmio Nobel, 363-4, 369-70;
    infância, 17-9, 23-4, 30, 33-4;
    morte, 369;
    morte da mãe, 353-4;
    morte do irmão, 360-1;
    monumento ao irmão, 358-9;
    muda o irmão para Villa Silverblick, 355-6;
    mudança para Weimar, 353-7;
    mudanças de nome, 343-4, 347-8, 363-4;
    nacionalismo, 179-80, 365-6;

na Itália, 239-40;
nascimento, 17-8;
nos Alpes italianos, 87-90;
organização do funeral do irmão, 356-7, 365;
perspectivas de casamento, 179-80;
plano para deportar Lou, 236-7;
pseudônimo, 343-4;
reação à *O caso Wagner*, 311-2;
reação à notícia sobre o colapso nervoso do irmão, 341;
reação a *Zaratustra IV*, 343-4;
realizações, 369;
relacionamento com a mãe, 15-6, 128-32, 139-40, 350, 352-4;
relacionamento com Cosima, 130-1, 139-40, 179-80, 215-6, 257-8, 311-2, 350, 362-3;
relacionamento com Förster, 179-80, 243-7, 257-9, 262-3, 341;
relacionamento com Gast, 350-1, 357-8;
relacionamento com Hitler, 365-70;
relacionamento com Lou, 213-9, 241-4, 286-8, 363-4;
relacionamento com Malwida, 239;
relacionamento com Meta, 355-6;
relacionamento com o irmão, 26-8, 30, 129-32, 139-40, 179-80, 222-3, 235-7, 239, 241-4;
relacionamento com Overbeck, 350, 352-3;
relacionamento com Paul Rée, 160-1;
relato da morte do irmão, 360-1;
relato da insanidade do irmão, 342-3, 359-61;
relato do rompimento com Wagner, 166-9, 212-3;
relato da morte do pai, 166-7;
relato da morte do marido, 342;
relatos de família inventados, 166-8;
retorno do Paraguai, 343, 347-8;
retrato, 362-3;
salões, 350-3, 358-9;
suicídio e funeral do marido, 342-3, 347-8;
vida com o irmão em Basileia, 118-9, 128-9, 131-3;
vida na Villa Silverblick, 355-6, 358-9, 361, 366-7;
visão, 280-1, 246-7, 257-9, 294-5;
Textos;
artigos para jornal, 283-5, 341, 343-4, 364-5;
biografia do irmão, 23-4, 166-7, 352-4, 363-4;
Correspondência Nietzsche-Wagner, 363-4;
Nietzsche e as mulheres, 363-4;
Revelações acerca da colônia Nova Germânia do dr. Bernhard Förster no Paraguai, 343-4;
Romance, 217-8;

fraternidade Franconia, 45-6, 49;
Fritzsch, Ernst Wilhelm, 97-9, 108, 122-3, 290, 293;
Fuchs, Carl, 322;

Galton, Francis, 260;
Garibaldi, Giuseppe, 87, 152, 312;
Gassmann, editor do *Beer Journal*, 46;
Gast, Peter (Johann Heinrich Köselitz):
 administrando os manuscritos não publicados de Nietzsche, 343-4;
 caligrafia, 145-6;
 cartas de Nietzsche, 190-1, 209-10, 227, 234-5, 239, 298, 319-21, 323-6, 343, 363-4;
 como editor do arquivo, 347-8, 350-1, 357-8;
 composições, 188-90, 209-10, 250-1, 255, 289-90, 306;
 em Veneza, 179-80, 188-90, 279;
 leitura da caligrafia de Nietzsche, 279, 301-2, 347-8, 357-8;
 primeiro encontro com Nietzsche, 145-7, 257-8;
 opinião sobre *Zaratustra*, 253;
 reação à loucura de Nietzsche, 333-4, 337-8;
 relacionamento com Elisabeth, 343-4, 350-1;
 relacionamento com Nietzsche, 146-7, 188-90, 250-1, 255, 257-8, 279, 289, 292-3, 295-7;
 renomeado por Nietzsche, 188-9;
 tomando ditados de Nietzsche, 146-7, 179-80, 187-9;
Gautier, Judith, 72, 77-9, 148-9, 200, 212, 291, 319;
Gedon, Lorenz, 136;
Gênova, visitas de Nietzsche, 158-9, 194-5, 202, 227-8, 233-5, 247, 296;
Gersdorff, Carl von:
 amizade com Nietzsche, 36-7, 126, 257-8;
 cartas de Nietzsche, 98-100;
 caso de amor, 154;
 em Bayreuth, 154;
 férias com caminhadas, 120-1;
 lendo para Nietzsche, 118-21;
 Nietzsche ditando para, 144-5;
 reação a *Zaratustra*, 255;
Goethe, Johann Wolfgang von:
 apresentação da cultura grega, 70-1;
 autoconfiança, 144-5;
 altura, 52-3;
 estilo de prosa, 220;
 estudo de, 33-4, 120-1;
 em Weimar, 354-5, 361, 371-2;
 Fausto, 365;

influência sobre Nietzsche, 12-3, 25-6, 88-9;
Gregor-Dellin, Martin, 167;
Guerra da Crimeia, 23;
Guerra Franco-prussiana, 161;
Guilherme I, Kaiser, 150, 325, 344-5;
Guilherme II, kaiser, 344;
Gutjahr, dr., 17;

Hanfstaengl, Ernst, 368;
Hatzfeldt-Trachenberg, princesa, 97;
Heidegger, Martin, 367;
Herzen, Alexandr, 152-3, 165;
Herzen, Natalie, 165, 330;
Hitler, Adolf, 150, 189, 274, 338, 365-9;
Hölderlin, Friedrich, 37-9, 181, 333;
Holten, Abbé von, 306;
Humboldt, Alexander von, 26;
Humboldt, Wilhelm von, 31-3;

Internacional Marxista, 123;

Jahn, Friedrich Ludwig, 34-5;
Jahn, Otto, 45, 49;
Joseph, duque de Saxe-Altemburg, 17-9;
Joukowsky, Paul von, 189, 216-8, 282;

Kant, Immanuel, 53-4, 59, 118, 138, 162, 368;
Kaufmann, Walter, 129;
Kessler, conde Harry:
   Aparência, 345-6;
   apoio financeiro ao arquivo Nietzsche, 353-4;
   carreira, 345-6;
   curador do arquivo Nietzsche, 345-6, 361, 363-4;
   descrição de Cosima, 78-9;
   descrição de Nietzsche na Villa Silberblick, 358-60, 367-8;
   fazendo a máscara mortuária de Nietzsche, 360-1;
   formação, 344-6;
   fuga da Alemanha, 345-6, 367-8;
   influência de Nietzsche, 344-7;
   ponto de vista sobre a dominação nazista do arquivo, 366-8;
   primeira visita a vila Silberblick, 355-7;
   publicação das obras de Nietzsche, 355-7, 361-2;
   relação com Elisabeth, 356-8;
Klingbeil, Julius, 284-6, 341-3, 356;
Kögel, Fritz, 350-1, 356;
Köselitz, Johann Heinrich, 145-6, 179, 188-9, *ver também* Gast;

Krieck, Ernst, 369;
Krug, Gustav, 23-4, 26, 41, 100, 135;
Krüger, dr. Otto, 167;

Langbehn, Julius, 336-7, 350;
Lange, F. A., 54, 186;
Lansky, Paul, 258;
La Rochefoucauld, 161, 163, 174;
Leipzig:
   Batalha de, 15;
   Editoras, 96-100, 122-3, 257-8;
   Livraria, 255;
   Santíssima Trindade na, 222-5;
   visita de Wagner, 9-13, 56-7;
Liszt, Franz, 61-2, 79, 99, 101, 111, 136, 148, 213, 354;
Loën, barão, 103;
loucura:
   colapso nervoso de Nietzsche em Turim, 327-9;
   como liberdade total, 185-7;
   Dionísio como deus da loucura e do êxtase rituais, 92-3;
   formação da família de Nietzsche, 18-20;
   ideia de Nietzsche de lutar contra a loucura, 333-4;
   medo da insanidade hereditária de Nietzsche, 259-61;
   progresso de Nietzsche em direção, 185-6, 241-2, 252-3;
   tema da deidade nascente e da insanidade com o toque de deus, 38-9;
Lucerna, 53, 56, 59, 67, 77, 79, 81, 208, 211, 293;
Ludwig II, rei da Bavária:
   gostos arquitetônicos, 61;
   morte, 14-5;
   planos arquitetônicos, 14-5, 115-6;
   projeto de Bayreuth, 102-4, 109-10, 126-7, 149-50, 164-5;
   produção de *Das Rheingold*, 96-7, 109-10;
   reação ao trabalho de Nietzsche, 146-7;
   relacionamento com Wagner, 10, 14-5, 58, 61-2, 65-6, 96-7, 100-1, 109-10, 115-6, 136-7, 149-50, 164-5;
   retratos e bustos, 106-7, 136-7;
Lugano, 88, 95, 171, 205, 293;
Lutero, Martinho, 31, 122, 220;

Mähly, Ernst, 332;
Maillol, Aristide, 362;
Mann, Thomas, 47, 130, 364;
Marx, Karl, 69;

Massini, Rudolf, 179;
Matejko, Jan, 260, 293;
Mayer, Robert, 185;
Mazzini, Giuseppe, 87-8, 123, 158;
Mendelssohn, Felix, 26, 76, 137;
Mendelssohn, Robert von, 354;
Mendès, Catulle, 77-9, 319;
Meysenbug, Malwida von:
    Academia de Espíritos Livres, 193-4;
    Aparência, 152-4;
    cartas de Nietzsche, 171, 183, 269-70, 277-8, 279, 312-3;
    círculo de Sorrento, 157-8;
    em Nápoles, 158-9;
    em Roma, 193-4, 201-2, 312-3;
    em Sorrento, 158-60, 164-6, 193-4, 212-3;
    encontros com Wagner, 164-5;
    "espíritos livres", 158-9, 193-4, 200, 215-6, 239;
    formação e estilo de vida, 152-3, 312-3;
    ideais revolucionários, 152-4;
    influência, 299;
    O Clube Romano, 193-5, 224-5;
    opinião sobre Lou, 196-9, 215-6, 218-9, 239;
    planos para casamento de Nietzsche, 164-6, 195-6, 248-9;
    primeiro encontro com Nietzsche, 153-4;
    reação a *O caso Wagner*, 312-3;
    relacionamento com Nietzsche, 164-6, 200, 239, 312-3, 319;
    textos, 152-3, 157-8;
Minha irmã e eu (atribuído a Nietzsche, de fato uma falsificação de Samuel Roth), 129;
Möbius, dr. Paul Julius, 19;
Moltke, conde von, 88;
monte Pilatos, 59, 60, 73-4, 137, 205, 313;
monte Sacro, 205-7, 355;
Munch, Edvard, 348-9, 362-3;
Mussolini, Benito, 364-5, 369;

Napoleão Bonaparte, 15, 20, 69, 76, 247, 294, 307;
Napoleão III, 81;
Naumann, Constantin:
    contrato com Elisabeth, 347-8;
    impressão de *Ecce homo*, 317-9, 321-2;
    impressão de *O caso Wagner*, 301-2;
    impressão de *Zaratustra*, 257-8, 343-4;
    publicação de segundas edições, 346-8;
    vendas das obras de Nietzsche, 351-2;
nazistas; 345, 365-7, 369, *ver também* Hitler;

Nice:
    Clima, 289;
    Pension de Genève, 246-7, 249, 265-6, 289;
    planos de viagens, 320-1;
    tourada, 250;
    terremoto, 265-6, 289;
    vida de Nietzsche em, 246-52, 265-6, 289, 296-7, 307-8;
Nielsen, Rosalie, 123;
Nietzsche, Augusta (tia), 17, 19;
Nietzsche, Elisabeth (Therese Elisabeth Alexandra (Lhama), (irmã), *ver* Förster-Nietzsche
Nietzsche, Erdmuthe (nascida Krause, bisavó), 15-7, 19, 22, 24, 131, 254;
Nietzsche, Franziska (nascida Oehler, mãe):
    aniversário de quarenta anos do filho, 262-3;
    cartas da filha, 222-3, 281-3, 342, 347-8;
    cartas do filho, 82-3, 126, 158-60, 227-8, 280, 321-2;
    casa em Naumburg (Weingarten,), 29, 83-4, 96-7, 99-100, 187-8, 261-2, 338-9, 347-50;
    casamento, 16-7;
    como definia o filho, 300-1, 315-6;
    cuidados com as anotações do filho, 349-50, 353-4;
    cuidados com o filho, 331-2, 337-9, 343, 350-3;
    custódia do filho, 338-9;
    denunciada como cuidadora inadequada, 352-3;
    doença do filho, 83-4, 186;
    educação, 16-7, 353-4;
    educação do filho, 23-4, 30, 33-4;
    espólio literário do filho, 353-4;
    finanças, 20, 99-100, 353-4;
    finanças do filho, 254, 334, 353-4;
    formação musical, 26-7;
    guarda legal do filho, 343-4, 352-3;
    lápide do marido, 255;
    loucura do filho, 331-2, 336-9, 350-3;
    morte, 353-4;
    morte do marido, 18-9;
    mudança para Neugasse em Naumburg, 19-20;
    mudança para Weingarten em Naumburg, 29;
    musicalidade do filho, 26-7, 139-40;
    nascimento da filha, 17-8;
    nascimento e morte do bebê Joseph, 17-9;
    nascimento do filho Friedrich, 17-8;
    personalidade, 130-1, 331-2;
    presentes ao filho, 99-100, 289;
    reação a *Zaratustra IV*, 343-4;

reação ao casamento da filha, 246-7, 260-1;
reação aos planos da filha no Paraguai, 243-4, 282-3, 286-8, 347-8;
relacionamento com a filha, 96-7, 128-31, 139-40, 243-5, 350, 352-4;
relacionamento com o filho, 26-8, 47-8, 54-5, 72-4, 115, 128-9, 140-1, 202-3, 222-3, 227-8, 246-7, 255;
rusga com o filho, 222-3, 234-5;
túmulo, 361;
vida de casada, 16-8;
vida em Naumburg, 21-3;
visão religiosa, 130-1;
Nietzsche, Friedrich August (avô), 15;
Nietzsche, Friedrich Wilhelm:
    abandonado por Lou, 223-7;
    andanças pela Europa, 183-4, 189-91, 264-6;
    aniversário de cinquenta anos, 351-3;
    aniversário de trinta anos, 138-9;
    apátrida, 51-2, 55-6, 180-1;
    arquivo, *ver* arquivo Nietzsche;
    baú de livros (o "pé torto"), 239, 251-2, 258-9, 265-6, 289, 321-2;
    casamento da irmã, 258-60;
    cartas de Natal delirantes, 321-6;
    chegada à clínica psiquiátrica, 329-31;
    chegada a Villa Silberblick, 355-6;
    colapso nervoso em Turim, 327-8, 344-5;
    culto de, 363-5;
    de licença de Basileia, 157;
    desenhos no asilo, 208-9;
    educação em Naumburg, 23-30;
    em Florença, 264-6;
    em Gênova, 157-9, 192-6;
    em Lucerna, 208-9;
    em Nice, 246-50, 265-6, 289;
    em Roma, 197, 200-2, 204-5, 239-41;
    em Sils Maria, 190-3, 240, 241-3, 250-2, 259-60, 299, 305-6, 308-9, 354-3;
    em Sorrento, 158-61, 163-5, 167-8;
    em Tautenburgo, 219-22;
    em Turim, 295-8, 306-9;
    em Veneza, 279;
    encontro com Lou, 200-2;
    entra para a fraternidade Franconia, 44-6;
    escaladas, 59-60, 73-4, 88-9, 206-7;
    exoneração do cargo de professor, 180-1;
    experiências na guerra, 81-5;
    fotografia com Lou e Rée, 208-9, 215-6, 248-9;
    funeral, 361;
    gravura de Dürer, 85-7, 258-9, 350-1;
    guarda legal de, 343-4;
    histórico da família, 15-6, 19, 259-60, 331-2;
    indo a uma tourada, 249-50;
    infância, 14-5, 17-20, 25-8;
    interesse internacional por sua obra, 343-50;
    inventário de possessões terrenas, 265-6;
    lápide do pai, 255;
    lecionando no *Pädagogium*, 51-3, 139-40, 157, 249;
    leitura, 36-8, 47-8, 73-4, 163-4, 178-9, 185-6, 191-2, 248-9, 299-300, 327;
    loucura, 18-9, 327-9, 334-9, 33, 350-3, 355-6, 358-61;
    máscara mortuária, 360-1;
    matemática, 24-5, 30, 43-4, 173-4;
    morte, 360-1;
    morte do pai, 18-9, 24-8, 127-8, 186-7, 252-3, 315-6;
    mudança para Naumburg, 19-20;
    mudança para Weimar (vila Silberblick), 353-6;
    nascimento, 17-8;
    natação, 34-6, 339;
    na Universidade de Bonn, 44-9;
    na Universidade de Leipzig, 9, 13-4, 48-50, 51-2;
    no festival de Bayreuth, 148-53;
    nos Alpes italianos, 87-90;
    palestras, 52-3, 65,67-8, 73-4, 83-4, 99-103, 115, 118-9, 131-3;
    partindo de Roma, 204-5;
    planos de carreira, 12-4, 21-2, 27-8, 36-7;
    preparativos para o funeral, 356-7;
    primeiro encontro com Wagner, 9-13, 51-2;
    professor de filologia clássica em Basileia, 14-5, 51-5, 67-8, 86-7, 97-9, 102-3, 112-5, 117-8, 128-9, 137-40, 175-6, 180-1;
    relacionamento Santíssima Trindade, 204-5, 221-4;
    relatório da clínica de Basileia, 329-32;
    Schulpforta (Pforta), 30, 32-44;
    serviço militar, 49-52;
    subindo o monte Sacro com Lou, 204-5, 206-8, 355-6;
    tenta transferência para cadeira de filosofia, 86-7, 95-7;
    transferência para a clínica psiquiátrica de Jena, 331-4;
    túmulo, 361;
    venda de possessões, 183, 258-9;
    viagem a Lugano, 171-2;

viagem a Messina, 195-7;
viagem a Sorrento, 157-9;
viagem para a clínica psiquiátrica de Basileia, 328-30;
viagens alpinas, 183;
visitas a Bayreuth, 116-8, 122-4, 134-9, 148-52, 153-4;
visita a bordel, 45-8, 107-8, 256;
visitas a Tribschen, 56-61, 65-7, 71-4, 80-1, 84-7, 94-5, 97-8, 104-8, 117-8;
volta ao lar de infância em Naumburg, 338-9;
Aparência:
alega boa aparência na juventude, 214-5, 312-4;
altura, 13-4, 52-3, 160-1, 200-1, 317-8;
avesso a ser fotografado, 145-7;
bastão de caminhada, 337-8, 367-8;
bigode, 13-4, 52-3, 132-3, 192-4, 335;
cabeça pendendo em ângulo, 317-8, 335;
cabelo, 35-6, 132-3, 200-1, 361;
calado, 192-3, 200-1, 247-9, 264-5;
cicatriz de duelo, 45-6;
de boas maneiras, 192-3, 249;
defesas contra a luz e a eletricidade, 241-2;
esgares faciais, 319-21, 335;
estranha, 35-6;
formato da cabeça, 260-1;
forte, 35-6;
gemidos, 358-9;
gritando, 335;
lábios, 13-4, 192-3;
máscara mortuária, 360-1;
óculos de lentes verdes, 52-3, 117-8, 192-3;
óculos escuros, 41-2, 117-8, 167-8, 192-3, 200-1;
óculos grossos, 35-6;
olhos, 13-4, 43-4, 52-3, 118-9, 200, 352-3, 358-9;
peso, 335;
postura, 201-2;
retrato, 361-3;
rígido, 13-4, 42-3, 332-3;
roupas, 10-1, 13-4, 51-3, 132-2, 192-3, 200-1, 264-5, 317-8;
rugindo, 350-3;
testa, 13-4, 361;
voz, 192-3, 200-1;
Casas:
albergo em Rapallo, 227-8, 235-6;
alojamentos em Turim, 297, 306-8;
apartamentos em Basileia, 117-9, 128-9, 131-3, 140-1, 179-80;
casa de infância em Röcken, 16-8, 20, 351-2;

casas de infância em Naumburg, 19-21, 29, 83-4, 96-7, 99-100, 187-8, 261-2, 338-9, 347-50, 354-5;
quarto em Leipzig, 12-3;
quarto em Nice, 246-7, 249, 265-6, 289;
quarto em Sils Maria, 93, 250-2, 299, 357-8;
quarto em Veneza, 189-90;
sótão em Gênova, 192-3;
Conceitos e ideias:
amor fati, 220-1, 309-10, 315-6, 346-7, 371-2;
"conceito-tremor", 124-5, 143-4, 362-3;
dualidade entre apolíneo e dionisíaco, 78-9, 91-8, 100, 110, 112, 145-6, 187-8, 191-2, 318-9;
eterno retorno, 191-3, 201-2, 206-7, 220-1, 242-3, 247-8, 256-7;
"fera loura", 274-7, 364-5, 368-9;
moralidade de escravos, 271-4, 280, 299-300;
morte de Deus, 211-2, 266-7, 370-1;
ressentimento, 271-3, 279, 280, 298, 308-10, 346-9, 371-2;
tarântulas, 240-1, 366-7;
Übermensch, 233-4, 256-8, 273-4, 306-7, 346-9, 354-5, 361-2, 364-72;
Finanças:
administração de Overbeck, 183, 246-7, 289;
cadernos de notas, 357;
despesas diárias, 189-90, 192-3, 289;
despesas de publicações, 256, 289, 301-2;
dinheiro devido pelo editor, 254-5;
direitos autorais, 254, 352;
dívidas, 47-8, 254-5;
herança da irmã com sua morte, 361;
investimentos, 254, 289;
legados, 254;
pagamento da lápide do pai, 255;
pensão da universidade, 180-1, 254, 256, 265-6, 289, 301-2, 334;
poupança, 254;
preços da clínica, 334, 350;
presentes, 254, 301-2;
salário da universidade, 98-9, 102-3, 254;
Música:
amor pela música na infância, 14-5;
composições, 26-8, 42-3, 46-8, 98-100, 110-1, 115, 138-40;
compra de piano, 47-8;
improvisações, 35-7, 141;
obsessão por *Carmen*, 195-7, 202-3, 249-50, 298;
obsessão por *Tristão*, 11-3, 92-3, 94-5, 111, 195-6, 316-7;

ÍNDICE REMISSIVO

planos de carreira, 12-4;
tocando piano, 11-2, 26-7, 35-6, 42-3, 46-7, 80-1, 105-8, 138-40, 207-8, 308-9, 327-8, 338-9;
Obras:
Eco de uma véspera de Ano-novo (dueto para piano), 98-100, 110;
Meditação de Manfred, 110-1;
melodia para "Prece à vida" ("Hino à vida"), 221-2, 289-90, 361;
oratório, 26-7;
paródia de Offenbach, 46-8;
Pontos de vista:
sobre antissemitismo, 150-1, 234-5, 255, 263-4, 336-7;
sobre inspiração, 240-1;
sobre nacionalismo, 37-8, 260-1, 344-5, 369-70;
sobre o festival de Bayreuth, 149-51;
sobre *Parsifal*, 212-4, 299;
sobre religião, 26-8, 36-8, 47-8, 140-1, 174-5, 239-40, 308-11, 336-7;
sobre sua própria divindade, 312-5;
sobre sua reputação internacional, 311-2, 319;
sobre superar as doenças em cadeia, 286-8;
sobre superar a compaixão, 286-8, 328-9;
Relacionamentos:
Amizades, 35-6, 41-2, 123, 140-1, 146-7, 207-9;
correspondência com Lou, 214-5, 218-9, 223-5;
doenças encadeadas, 128-9, 202-3, 222-4, 227-8, 242-3, 263-4, 286-8, 350;
identificação com Anticristo, 239, 310-1, 319-20;
identificando-se com Dionísio, 38-9, 318-20, 324-6, 328-9;
identificando-se com Don Giovanni, 188-9;
identificando-se como polonês, 260-1, 293-4, 315-6, 319;
influências em, 11-2, 53-5, 67-8, 91-2, 143-4, 160-4, 175-8, 236-7;
isolamento, 187-8, 235-6, 292-3, 297-8, 308-9, 317-8;
misoginia, 202-3;
questão do casamento, 126-7, 134-5, 141-2, 164-7, 195-6, 204-5, 208-9;
"solidão azul", 242-3, 246-7;
ver também Gast (Köselitz), Gersdorff, Overbeck, Rohde, Romundt, Salis-Marschlins;
Relações:
com a mãe, 27-8, 54-5, 140-1, 187-8, 222-3, 227-8, 234-5, 243-4, 246-7, 315-6;
com a irmã, 26-8, 129-32, 139-40, 179-80, 187-8, 222-3, 227-8, 235-7, 239, 242-4, 246-7, 258–60, 294-6, 315-6, 322-3, 350;
com Burckhardt, 67-8, 71-2;
com Cosima, 71-4, 78-82, 07-9, 105-8, 139-40, 293-4, 316-7, 324-5;
com Lou, 202-4, 206-10, 213-5, 219-24, 228-32, 234-5, 240-3, 249, 313-4;
com Malwida, 153-4, 157-8, 164–6, 196-7, 200, 239, 312-3, 319;
com Rée, 161–4, 176-8, 193-6, 204-5, 208-9, 214-5, 223-4, 236-7, 240-1;
com Resa, 248-53;
com Wagner, 10-3, 56-61, 65-6, 71-4, 100-4, 107-8, 115-8, 121-3, 134-8, 143-4, 163-5, 175-6, 177-9, 186-8, 196-7, 212-3, 293-4, 298-9, 301-2;
encontros românticos, 154-5, 157-8, 165-7;
Saúde:
acidente equestre, 50-1;
ajuda secretarial, 118-9, 144-6, 163-4, 188-91, 279;
alegações de boa saúde, 214-5, 314-6, 319;
automedicação, 83-4, 234-5, 250-1;
cartas de Natal delirantes, 321-6;
colapso nervoso em Turim, 327-8, 344-5;
conselho médico para se casar, 164-5, 168-9;
conselho médico sobre problemas nos olhos, 167-9, 178-9;
diagnóstico de Lou, 203-4;
dieta, 192-3, 258-9, 264-5, 295-6, 316-7;
difteria, 83-4;
disenteria, 83-4;
doença crônica, 41-2, 86-8, 127-9, 139-41, 144-5, 163-5, 178-9, 184-8;
dores de cabeça, 29, 41-4, 107-8, 168-9, 171;
dores nos olhos, 29, 117-9, 250-1;
exoneração por problemas de saúde, 180-1;
faltas como professor, 139-40;
gonorreia, 46-7, 168-9;
herpes-zóster, 108;
icterícia, 83-4;
indicação de *dementia paralytica*, 178-9, 334;
insônia, 83-4, 250-1;
interferência de Wagner, 167-9, 212-3, 234-5;
loucura, 18-9, 327-9, 334-9, 343, 350-3, 355-6, 358-61;
mudanças no relógio biológico, 295-6;
paralisia, 184-5, 331-2, 350-1, 359-60;
pensamentos suicidas, 171, 227, 232-3;
preocupação com a sanidade, 242-4, 251-3, 259-60;

problemas estomacais, 41-2, 83-4, 250-1;
problemas no ouvido, 41-2;
pulsação, 247-8, 293-4, 329-30;
questão da sífilis, 46-7, 83-4, 166-9, 330-2, 334-5;
relatório da clínica de Basileia, 329-31;
sensibilidades à eletricidade, 183-5, 241-2;
sensibilidade dos olhos à luz, 41-2, 117-8, 183-4;
tornozelo luxado, 81;
tratamentos médicos, 41-2, 83-4, 118-9, 127-9;
visão, 23-5, 43-4, 52-3, 118-9, 167-9, 171, 265-6, 279, 292-3;
vômitos, 41-2, 83-4, 250-1;
Textos:
(1) "David Strauss", 119-22, 124-5;
(2) "Sobre usos e desvantagens da história para a vida", 124-6, 201-2;
(3) "Schopenhauer como educador", 132-4, 138-40, 143-5;
(4) "Richard Wagner em Bayreuth", 143-7, 149-51;
Aforismos, 36-7, 134-5, 163-4, 173-6, 184-5, 222-3, 229-30, 301-2, 349-50, 363-4;
A gaia ciência; 44-5, 201-3, 206-7, 211, 214-5, 228-30, 232-3;
"A lâmina do arado", 157, 165-6, 172;
Além do bem e do mal, 91-2, 266-73, 277-8, 289-92, 298, 305;
Alvorada, 143, 153-7;
anotações e cadernos de notas, 52-3, 117-8, 138-9, 163-4, 178-9, 185-3, 187-8, 192-3, 240-1, 280, 296-8, 311-2, 349-50, 357-8, 364-5;
Assim falou Zaratustra, 20-1, 196-7, 199, 208-9, 227-37, 239-42, 247-51, 253-8, 260-1, 265-7, 289-91, 292-3, 318-9, 322-3, 333-4, 343-4, 346-7, 355-7, 364-5;
assistência (ditados), 121-3, 146-7, 163-4, 188-9, 211;
autobiográficos, 241-2, ver *Ecce homo*;
"A visão de mundo de Dionísio", 81-2;
A vontade de potência, ver *A vontade de potência*
Caligrafia, 279, 289, 301-2, 347-8, 350-1, 357-8;
"Canção da gôndola" (poemas), 329-30;
Cinco prefácios para livros não escritos, 115-7;
Considerações extemporâneas, 119-20, 165-6, 172, 298;
Crepúsculo dos ídolos, 276-7, 289, 301-5, 308-9, 327;
curriculum vitae, 293-4;
De Theognide Megarensi (Sobre Teógnis de Mégara), 42-4;

Ecce homo, 9, 12-3, 29, 65, 107-8, 115, 129, 185-6, 227, 256-7, 264-5, 313-5, 317-9, 321-2, 329-30, 341, 356-7, 362-3;
editores e impressores, 96-8, 120-1, 126, 143, 146-7, 157, 165-6, 266-7, 356-7;
Euphorion, 39-41, 100;
exemplares com dedicatórias, 176-7, 257-8, 289-90;
"Exortação aos alemães", 121-3;
Filosofia na era trágica dos gregos, 116-7;
Genealogia da moral, 266-7, 272-6, 281-3, 295-6, 298, 308-9, 346-7;
Humano, demasiado humano, 157, 163-4, 171-2, 175-80, 184-5, 187-8, 209-10, 212-4, 224-5, 255-8, 268-9, 291-3, 295-6, 311-2;
língua alemã, 163-4, 220, 319-20;
máquina de escrever, 190-1, 193-4, 236-7;
Nachlass (rascunhos e anotações), 357-8, 363-4, 367-8;
Nietzsche contra Wagner, 321-2, 328-30;
"O andarilho" (poema), 146-8;
"O andarilho e sua sombra", 184-5, 255, 311-2;
O Anticristo, 308-11, 317-8, 357-8;
"O canto da dança" (poema), 240-2, 249-50;
"O canto da noite" (poema), 240-1;
"O canto do sepulcro" (poema), 189-90, 241-2, 249-50;
O caso Wagner, 298-9, 301-2, 311-3, 346-7;
O nascimento da tragédia, 67-8, 73-4, 85-6, 89-102, 104-5, 107-15, 117-8, 122-3, 141, 143-2, 145-6, 176-8, 186-7, 248-9, 279, 292-3, 302-3, 318-9, 362-3;
Os ditirambos de Dionísio (poemas), 318-9, 321-2;
Os idílios de Messina (poemas), 196-7;
primeiros trabalhos, 23-6, 38-43;
proibido na Rússia, 311-2;
resenhas, 101-2, 111, 125, 187-8, 277-8, 289-90, 316-7;
Sobre o futuro de nossas instituições educacionais (palestras), 101-4;
"Uma miscelânea de opiniões e máximas", 184-5, 255, 311-2;
ver também Fritzsch, Naumann, Schmeitzner;
Nietzsche, Joseph (irmão), 17-9, 129, 255, 361;
Nietzsche, Karl Ludwig (pai):
Carreira, 15-7, 21-2, 260-1;
Casamento, 16-7;
Fotografia, 48;
histórico familiar, 15-6, 19;
morte, 18-9, 24-5, 43-4, 127-8, 186-7;

musicalidade, 14-6, 35-6;
relato da filha sobre sua morte, 166-7, 342;
relatório *post mortem*, 19, 315-6;
saúde, 17-9, 43-4;
túmulo, 255, 361;
visão política, 15-6, 20;
Nietzsche, Rosalie (tia), 17, 19, 254;
Nordau, Max, 260;
Nueva Germania:
chegada de Elisabeth, 281-3;
colonos, 280-8, 341, 343-4, 347-8;
condições, 283-6, 343-4;
construção, 281-2;
finanças, 281-4, 341-3, 350;
localização, 280-2;
perda da, 343;
princípios, 279;
publicação de *Revelações acerca da colônia Nova Germânia do dr. Bernhard Förster no Paraguai*, 285-8;
relatos de Elisabeth, 281-8, 343-4;
suicídio de Förster, 342;
tentativas de levantamento de fundos de Elisabeth, 343-4;
termos do arrendamento do governo, 281-4, 341, 343;
volta de Elisabeth, 347-8;

Oehler, Edmund (irmão de Franziska Nietzsche), 344;
Oehler, Max (primo de Elisabeth Förster-Nietzsche), 366;
Ott, Louise, 154-5, 177, 222;
Overbeck, Franz:
ajuda nas finanças de Nietzsche, 183, 208-9, 246-7, 254, 258-9, 282-4, 289, 334, 350;
amizade com Nietzsche, 117-9, 128-9, 140-1, 332-4;
cartas de Nietzsche, 211, 227-8, 234-5, 253, 262-4, 286-8, 298, 320-3, 327;
casamento, 140-1;
cópia de *Zaratustra IV*, 257-8;
doação das cartas de Nietzsche à Universidade de Basileia, 353-4;
lidando com os manuscritos não publicados de Nietzsche, 343-4;
opinião sobre *Zaratustra*, 253;
reação à loucura de Nietzsche, 325-6, 328-34, 337-8, 349-50;
recusa a entregar os papéis de Nietzsche a Elisabeth, 350, 352-3;
relação com Elisabeth, 282-4, 343-4, 350, 352-3;
última visita a Nietzsche, 352-3;
visita de Lou, 209-11;
visitas de Nietzsche, 207-9, 223-4;
Overbeck, Ida, 208-9, 224, 234;

Pahlen, Isabella von der, 158, 166;
Paneth, dr. Julius, 247-8;
Paraguai:
capital (Assunção), 280-2;
colapso de Förster, 286-8;
experiências dos colonos, 280-8;
Guerra da Tríplice Aliança, 281;
Paisagem, 280-1;
População, 280-1;
projeto da colônia de Förster, 243-7, 260-3;
Rio Paraguai, 280-2;
suicídio de Förster, 343-4;
tentativas de Förster para salvar colônia, 341;
túmulo de Förster, 343, 368-9;
viagem de Förster, 263-5, 279-80;
volta de Elisabeth do, 343, 347-8;
volta de Elisabeth para, 347-8;
ver também Nueva Germania
Paraski, Fräulein (professora escolar), 130;
"Pedra de Zaratustra", 191, 251-2, 300, 306, 357;
Pedro II, imperador do Brasil, 150;
Pforta (Schulpforta):
amizades de Nietzsche, 35-6, 95, 118-9;
arquitetura, 30-1;
declaração de Nietzsche ao sair da escola, 43;
doença de Nietzsche, 41-2;
dotes musicais de Nietzsche, 35-7, 183-4;
ensaios de Nietzsche, 36-40;
estudos de Nietzsche, 33-6, 43-4, 120-1, 129-30, 173-4;
oferecimento de uma vaga a Nietzsche, 30;
opinião de Nietzsche sobre, 43;
primeiros escritos de Nietzsche, 39-42;
princípios educacionais, 31-3;
processo de seleção de admissão, 29-30;
religião, 36-7, 120-1, 131-2;
tempos na escola, 32-4;
Valediktionsarbeit de Nietzsche, 42-3;
Píndaro, 50, 100, 204;
Pinder, Wilhelm, 23-4, 41, 135;
Platão:

atacado em *Além do bem e do mal*, 267-9;
atacado em *Crepúsculo dos ídolos*, 302-3;
ensinamentos de Nietzsche, 51-3, 101-2, 132-3;
influência sobre Schopenhauer, 53-4, 268-9;
influência sobre Wagner, 75-6;
Leis, 160-1;
sobre a loucura, 333-4;
Ploetz, Alfred, 307;
Prado (criminoso), 320, 325;

Redtel, Anna, 42;
Rée, Frau (mãe de Paul), 214;
Rée, Georg, 237;
Rée, Paul:
abandona Nietzsche, 223-5;
aforismos, 162-4, 222-3;
alusões de Nietzsche a, 240-1;
aparência, 161;
carreira, 160-2;
cartas de Nietzsche, 208-9, 227, 237;
cartas e cartões a Nietzsche, 194-7, 223-4;
ciúmes, 207-8, 217-8;
convicções, 160-3, 212;
descrição de Lou, 214-5;
descrição de Nietzsche, 200-1;
em Gênova, 193-4;
em Leipzig, 222-3;
em Lucerna, 208-9;
em Orta, 204-5, 207-8;
em Roma, 193-5;
em Stibbe, 213-4;
encontro com Brandes, 292-3;
entrega pedido de casamento de Nietzsche a Lou, 204-5;
fotografia com Lou e Nietzsche, 208-9, 215-6, 247;
influência sobre Nietzsche, 161-4, 176-8;
jogatina, 193-4, 224-5;
lendo para Nietzsche, 159-61;
opinião de Cosima sobre, 164-5, 177-8;
opinião de von Wolzogen, 216-7;
partindo de Roma, 204-5;
pedido de casamento a Lou, 199-200, 204-5;
personalidade, 160-1;
plano de Lou para a relação de Santíssima Trindade, 199, 201-2, 204-5;
ponto de vista de Elisabeth, 235-7, 242-3;
primeiro encontro com Lou, 193-5;
relacionamento com Lou, 160-1, 194-6, 199-200, 213-4, 219, 221-5, 236-7, 241-2;
relacionamento com Nietzsche, 161-2, 193-4, 241-2, 302;
relacionamento de Santíssima Trindade, 221-4;
saúde, 160-1;
sexualidade, 199, 216-7, 224-5;
textos, 157-8, 160-4;
traição, 234-5;
viagem a Sorrento, 157-9;
República de Weimar, 103-4, 354-5, 357, 359-62, 365-6;
Richter, Hans, 63, 85-6, 99;
Riefenstahl, Leni, 368;
Ritschl, Frau, 10;
Ritschl, Friedrich:
cargo na Universidade de Bonn, 45;
cargo na Universidade de Leipzig, 49;
estudos de Nietzsche, 44-5, 48-50, 86-7;
opinião sobre Nietzsche, 108-9, 127-8;
opinião sobre *O nascimento da tragédia*, 108-9;
recomenda Nietzsche para a cadeira de filologia, 51-2;
retrato, 100, 108-9;
Ritter, Karl, 63;
Riva, 188-9;
Röcken, 15-7, 20, 31, 255, 351, 361;
Rohde, Erwin:
amizade com Nietzsche, 9, 86-7, 146-7, 290-1;
artigo sobre *O nascimento da tragédia*, 111;
carreira, 86-7, 116-7, 290-1;
cartas de Nietzsche, 99-100, 121-3, 146-7;
como editor de texto, 120-1;
engajamento, 146-7, 154;
na Universidade de Leipzig, 9, 86-7;
opinião sobre o estado de espírito de Nietzsche, 290-2, 295-6;
reação aos textos de Nietzsche, 125, 133-4, 176-7;
visitas a Bayreuth, 116-8, 154;
Rohr, Berta, 135;
Roma:
Basílica de São Pedro, 200-2, 205-6, 240;
casa de Malwida, 152-3, 200-2, 312-3;
"Clube Romano" de Malwida, 193-5;
Coliseu, 194-5, 199-200;
História, 33-4, 70-1, 75-6, 84-5;
visitas de Nietzsche, 197-202, 204-5, 239-41;
zona rural ao redor, 239-41, 354-5;
Romundt, Heinrich, 9, 118, 128, 140, 145;
Roscher, Wilhelm, 10;
Rosenberg, Alfred, 367;

Roth, Samuel, 129-30;

Salis-Marschlins, Meta von, 299, 306, 323, 354;
Salomé, Lou:
  abandona Nietzsche, 223-5;
  alusões de Nietzsche a, 240-2;
  aparência, 200-1;
  artigos sobre Nietzsche, 348-50;
  atitude em relação ao sexo, 199-200, 202-3;
  beijando Nietzsche, 13-4, 207-8;
  campanha de Elisabeth para deportá-la, 236-7, 286-8;
  cartas de Nietzsche, 214-5, 227;
  casamento, 195-6, 269-70;
  correspondência com Nietzsche, 214-5, 218-9, 223-5;
  descrição de Malwida de, 196-7;
  em Leipzig, 222-4;
  em Tautenburgo, 218-22;
  encontro com Brandes, 292-3;
  encontro com Nietzsche em Löwengarten, 208-9;
  finanças, 204-5;
  flertes em Bayreuth, 216-9;
  formação, 194-5;
  fotografia com Nietzsche e Rée, 208-9, 215-7, 248-9;
  Histórico familiar, 194-5;
  interpretações da psicologia de Nietzsche, 203-4;
  mãe, 194-5, 199, 204-5, 207-8, 211, 213-4;
  partindo de Roma, 204-5;
  pedidos de casamento, 200-2, 204-5, 208-9, 269-70;
  personalidade, 193-5, 200;
  plano para a relação Santíssima Trindade, 199, 201-2, 204-5;
  primeiro encontro com Nietzsche, 200-2;
  primeiro encontro com Rée, 193-5;
  relação com Elisabeth, 213-19, 242-4, 286-8;
  relação com Nietzsche, 202-9, 219-24, 241-3;
  relação com Rée, 160-1, 194-6, 199-200, 213-4, 217-8, 221-5;
  relacionamento de Santíssima Trindade, 204-5, 221-4;
  salão em Berlim, 224-5;
  subindo o monte Sacro com Nietzsche, 204-8, 355-6;
  traição, 215-8, 234-5;
  visita a Bayreuth, 212-9, 248-9;
  visita aos Overbeck, 209-11;
  TEXTOS:
  artigos sobre Nietzsche, 348-50;

"À tristeza" (poema), 209-10;
  autobiografia *roman à clef*, 236-7;
  Friedrich Nietzsche in seinen Werken, 349;
  "Prece à vida" (poema rebatizado como "Hino à vida", 221-2, 289-90, 361;
Scheffler, Ludwig von, 132-3;
Schiess, professor, 119;
Schirnhofer, Resa von, 251, 260, 299;
Schmeitzner, Ernst:
  antissemitismo, 234-7, 253;
  publicação de *Aurora*, 184;
  publicação de *Humano, demasiado humano*, 175-7;
  publicação de *Zaratustra*, 233-7, 253-4;
  questões financeiras, 254-5;
  recusa em publicar *Zaratustra IV*, 253;
  relação com Nietzsche, 187-8, 234-7, 253-5;
Schopenhauer, Arthur:
  Considerações extemporâneas de Nietzsche a respeito, 132-5, 138-40, 143-6, 336-7;
  em uma ponte sobre o riacho do vir a ser, 223-4;
  influências na mudança de direção de Nietzsche, 53-4, 160-2, 172, 176-7, 213-4, 345-6;
  influência sobre Nietzsche, 11-2, 53-6, 81-2, 86-7, 91-4, 157, 160-1, 299-300;
  O mundo como vontade e representação, 11-2, 52-4, 85-6, 268-9;
  opinião de Burckhardt a respeito, 68;
  opinião de Wagner sobre, 10-2, 53-7, 86-7, 177-8, 213-8;
  posição de *Humano, demasiado humano* a respeito, 172, 176-8, 268-9;
  Prefácio de Nietzsche a respeito, 115-6;
  retratado em *Zaratustra IV*, 256;
  retrato, 100;
  Sobre música, 11-2, 55-7;
Schubert, Max, 99, 342, 347;
Schwarzerd, Philipp Melanchthon, 31;
Schrön, Otto von, 165, 169;
Senger, Hugo von, 141-2;
Shakespeare, William, 34, 79, 319n, 361n;
Sils-Maria:
  Clima, 192-3, 296-7, 299, 305-6;
  estadias de Nietzsche, 190-3, 240-3, 250-2, 259-60, 297, 299, 305-6, 308-9, 354-5;
  península de Chaste, 306, 356-7;
  "Pedra de Zaratustra", 191-2, 251-2, 300-1, 306, 357-8;
  relíquias de Nietzsche, 357-8;
  sugestão para túmulo de Nietzsche, 356-7;

turistas de verão, 297, 299, 300-2;
visão de Nietzsche a respeito, 296-7;
Sociedade Acadêmica da Basileia, palestras de
Nietzsche 101-4, 107-8;
Sociedade Colonial de Chemnitz, 286, 342;
Sociedades de Wagner 103-4, 122-3, 136-7, 257-8, 261-2;
sociedade literária "Germânia", 41;
Sócrates, 13, 93, 146, 303, 361;
Solalinde, Cirilio, 281-2;
Sorrento, 157-9, 164-7, 177, 193, 213, 349;
Speer, Albert, 369;
Spengler, Oswald, 367;
Spir, African, 160;
Stein, Heinrich von, 217-8;
Steiner, Rudolf, 356-8;
Stendhal, 161, 249, 300;
Strauss, David, 48-9, 120-3, 125, 146;
Strauss, Richard, 356, 364;
Strindberg, August, 189, 292, 319-20, 323-4, 348-9;

Taine, Hippolyte, 249, 291, 295, 312, 319, 364;
Tautenburgo, 214, 218-20, 222, 236;
Tchaikovsky, Pyotr Ilyich, 151;
Tenichev, princesa Anna Dmitrievna, 311, 322;
Teógnis de Mégara, 42-3, 50;
Tönnies, Ferdinand, 242;
Trampedach, Mathilde, 141;
Turguêniev, Ivan, 202, 291;
Turim:
    Arcadas, 296-7, 306-7, 317-8;
    casamento real, 306-7;
    clima, 308-9;
    colapso nervoso de Nietzsche, 327-9, 332-4, 344-5, 352-3;
    funeral estatal, 317;
    paisagem, 307-9, 313-4;
    partida de Nietzsche, 328-9, 336, 349-50;
    Piazza Via Carlo Alberto, 13-4, 297, 307-8;
    viagens a, 295-7, 306-7;
    visão de Nietzsche sobre, 296-7, 306-9, 316-7, 320-2;
Turina, professor Carlo, 328;

Universidade de Basileia;
    aumento do salário de Nietzsche, 102-3;
    cargo de Burckhardt, 67-9, 131-3, 311-2;
    cargo de Nietzsche como professor de filologia clássica, 14-5, 51-5, 86-7, 95-7, 112-3, 117-8, 121-2, 128-9, 139-40, 145-6, 178-9;

Clínica Psiquiátrica, 328-30, 334;
demissão de Nietzsche, 180-1;
Nietzsche dispensado do serviço militar, 81-2;
Nietzsche de licença, 157, 178-9;
Nietzsche lecionando em *Pädagogium,* 51-2, 139-40, 157, 249-50;
pensão de Nietzsche, 180-1, 254-6, 265-6, 289, 301-2, 334;
proposta de Nietzsche para mudar para a cadeira de filosofia, 86-7, 95-6;
Universidade de Bonn, 45, 51, 108, 118;
Universidade de Jena, 334, 364, 366, 369;
Universidade de Leipzig:
    doutorado de Nietzsche, 51-2;
    Kessler na, 345;
    Sociedade Clássica, 9, 48-50;
    Sociedade Filológica, 49-50;
    tempos de Nietzsche como aluno, 9, 11-4, 48-52, 86-7, 108-9, 290-1;
    tempos de Wagner como aluno, 12-3;
Urussov, príncipe 311;

Van de Velde, Henry, 256, 361-2;
Veneza, 179, 189-90, 209, 234, 242, 250, 259, 279, 296-7, 308;
Villiers de l'Isle-Adam, Auguste, 77;
Vischer, Adolf, 330;
Vischer-Bilfinger, Wilhelm, 127, 139;
Voltaire, 161, 172, 175-7, 268;

Wagner, Cosima:
    administração do festival, 258, 282-3;
    antissemitismo, 164-5, 177-80, 257-8;
    aparência, 61-2, 77-9, 105-6, 148-9, 193-4;
    arquivo Wagner, 350, 354-5;
    casa em Bayreuth (Wahnfried), 135-6;
    casamento com von Bülow, 61-3;
    casamento com Wagner, 81-2;
    comemorações de Natal, 80-1, 85-7, 99-100, 115-7;
    comemorações de Páscoa, 105-6, 116-8;
    conselho a Nietzsche, 126;
    correspondência com Nietzsche, 66-7, 78-9, 100-1, 108-9, 139-40, 179-80, 350;
    crença no sobrenatural, 105-7;
    diário, 65-6, 78-9, 81, 83-4, 100-1, 105-6, 109-10, 116-7, 137-8, 147-8, 164-7;
    divórcio de von Bülow, 66-8, 72-3, 81;
    em Messina, 196-7;
    em Sorrento, 164-7;

filhas, 62-3, 66-7, 104-5, 139-40;
gravidez, 62-3;
histórico familiar, 61-2;
morte, 362-3;
morte de Wagner, 279;
nacionalismo, 85-6;
nascimento do filho, 65-7;
opinião de Hitler sobre, 369;
opinião de Nietzsche a respeito, 65, 316-7, 324-5;
opinião sobre Rée, 164-5, 177-8;
preocupações com o festival de Bayreuth, 147-50;
projeto Bayreuth, 96-8;
reação a *Humano, demasiado humano*, 177-80;
reação à segunda *Consideração extemporânea*, 125, 133-4;
reação à paixão passageira de Wagner por Judith Gautier, 78-9, 148-9;
reação ao *A origem da tragédia*, 94-5, 100-1;
relação com Elisabeth, 139-40, 179-80, 215-6, 311-2, 350;
relação com Nietzsche, 71-4, 78-82, 97-9, 105-8, 115-7, 130-1, 137-8, 293-4;
relação com Wagner, 55-6, 63, 78-9, 81-2, 83-4, 94-5, 212-3, 279, 318-9;
saindo de Tribschen, 104-8;
vida em Bayreuth, 108-10;
Wagner, Minna, 63;
Wagner, Richard:
    Amantes, 61-2;
    Antissemitismo, 68-9, 76, 103-4, 246-7, 257-8;
    apelo a Nietzsche para uma convocação à nação alemã, 121-3;
    aparência, 57, 71-2, 77-8, 160-1;
    arquivo, 350, 354-5;
    atividade revolucionária, 20, 61-2, 74-5, 152-3;
    busto, 312;
    cachorro (Russ), 62-4, 71-2, 105-6, 135-6;
    carreira, 74-6;
    cartas de Nietzsche, 82-4, 100-1, 163-5;
    casa em Bayreuth (Wahnfried), 104-5, 135-8, 148-50;
    casa em Tribschen, 52-3, 56-61, 77-9, 97-8, 104-7;
    casamento com Cosima, 81-2;
    casamento com Minna, 62-3;
    ciclo de *O anel*, 14-5, 58-60, 63-4, 65-7, 73-7, 96-7, 103-6, 110, 126-7, 146-51, 192-3, 275-7, 301-2;
    comemorações da Páscoa, 105-6, 116-8;
    comemorações de Natal, 80-1, 85-7, 99-100, 115-6;
    conselho a Nietzsche, 126;

correspondência com dr. Eiser sobre a saúde de Nietzsche, 167-9, 178-9, 212-3, 215-8, 234-5, 237;
crença em conspirações comunistas, 121-4;
Das Rheingold, 96-7, 109-10, 149-50;
defesa de *O nascimento da tragédia*, 112;
Die Meistersinger, 10-2, 86-7, 92-3, 298;
em Messina, 196-7;
em Sorrento, 163-8, 212-3;
ensaios de *O anel*, 146-9;
estilo de vida, 68;
festival de Bayreuth, 148-52, 164-5;
filhas (Isolde e Eva), 61-3, 66-7, 139-40, 216-7;
finanças, 103-5, 115-6, 164-5;
floresta de Thuringer, 20-2;
formação, 12-3, 65-6;
francofobia, 76, 85-6, 95-6;
histórico familiar, 61;
Huldigungsmarsch, 109-10;
Idílio de Siegfried, 85-6, 104-5;
influência de Schopenhauer, 10-2, 53-4, 55-7, 86-7, 177-8, 213-8;
influência sobre Nietzsche, 12-3, 56-7;
irmã, 10-3, 65;
Kaisermarsch, 95-6;
Morte, 233-5, 279, 298, 365-6;
Música do Futuro, 56-7, 61, 86-7, 94, 112;
Nacionalismo, 68-9, 76, 85-6, 95-6, 104-5, 298;
nascimento do filho Siegfried, 65-8, 97-8;
Nietzsche presenteia com a gravura de Dürer, 85-7, 258-9;
opinião sobre Förster, 246-7;
Parsifal, 166-7, 169, 189-90, 212-4, 216-9, 298–9;
pedra fundamental da casa de ópera em Bayreuth, 109-10;
preparações para o festival de Bayreuth, 138-9, 146-9;
primeiro encontro com Nietzsche, 9-13, 51-2;
projeto Bayreuth, 96-8, 102-5;
reação à *O nascimento da tragédia*, 94-5, 100-1, 112;
reação a quarta *Consideração extemporânea* ("Richard Wagner em Bayreuth"), 146-7;
reação a segunda *Consideração extemporânea*; 125, 133-4;
reação a terceira *Consideração extemporânea*; 138-9;
relação com Cosima, 55-6, 61, 66-8, 78-9, 81-4, 94-5, 212-3, 318-9;
relação com Judith Gautier, 72-3, 77-9, 148-9;
relação com Ludwig da Baváría, 10, 14-5, 58-62, 65-6, 96-7, 100-1, 109-10, 115-6, 136-7, 149-50, 164-5;

relação com Nietzsche, 65-6, 100-4, 115-7, 137-9, 146-7, 163–9, 212-3, 216-7, 361;
retratado em *Zaratustra IV*, 256, 318-9;
rompimento ideológico de Nietzsche com, 175-6;
roupas, 57, 71-4, 77-8, 163-4;
saindo de Tribschen, 104-7;
saúde, 196-7;
Siegfried, 56-7, 72-3, 147-8;
Sotaque, 60;
status de celebridade, status, 14-5, 109-10;
Tannhäuser, 61-2, 76-7, 137-8;
Tristão e Isolda, 11-2, 52-3, 86-7, 92-5, 111, 195-6, 316-7, 365-6;
vida em Bayreuth, 108-10;
visão do espiritualismo, 105-7;
visitas de Nietzsche a Bayreuth, 116-8, 122-4, 134-6;
visitas de Nietzsche a Tribschen, 56-61, 65-7, 71-4, 80-1, 84-7, 94-8, 104-8, 117-8;
TEXTOS:
"A obra de arte do futuro", 74-5;
"Arte e revolução", 74-5;
"Judaísmo na música", 76;
"O objetivo da ópera", 98-100;
Ópera e drama, 65;
"Sobre o destino da ópera", 95;
"Sobre o Estado e a religião", 73-4;
Wagner, Siegfried:
Batismo, 82-3;
Educação, 217-8;
idade do pai, 116;
infância, 72-3;
nascimento, 65-7, 97-8;
posando para pinturas, 136-7, 216-7;
presentes para, 109-10;
sob os cuidados de Elisabeth, 139-40;
Weimar:
arquivo Goethe, 354-5;
arquivo Nietzsche, 353-5, 357-8, 361;
Atenas alemã, 354;
chegada de Nietzsche, 355-6, 359-60;
galeria de Kessler, 361-2;
Grande Museu Ducal de Artes e Artesanato, 361;
Paisagem, 354-6, 371-2;
Teatro Nacional, 365-6;
vila Silberblick, 354-9, 361-2, 366-7 369-72;
Wagner em, 104-5;
Widemann, Paul Heinrich, 145, 258;
Widmann, J. V., 277, 290, 295;
Wiel, dr. Josef, 128;
Wilamowitz-Möllendorff, Ulrich von, 112;
Wille, professor, 53, 326, 329-31;
Wolzogen, Hans von, 178, 216, 246, 286;
Württemberg, rei de, 150;

Zoroastrismo, 230;
Zum Schwarzen Ferkel ("Os porquinhos pretos"), 348;

**Acreditamos
nos livros**

Este livro foi composto em Adobe Garamond
Pro e impresso pela Geográfica para a
Editora Planeta do Brasil em junho de 2021.